STEPHENIE MEYER

amanhecer

STEPHENIE MEYER

amanhecer
Título original: breaking dawn
Colecção Mil e Um Mundos
Texto © Stephenie Meyer, 2008
Design da capa © Gail Doobinin

Traduzido para Língua Portuguesa
por Maria Peres
Coordenação Editorial de
Ema Rodrigues
Composição de Celina Barros e Roger Pimenta
Impressão e acabamento de EIGAL

© 2009, Edições Gailivro
Rua Cidade de Córdova, nº 2
2610-038 Alfragide
Portugal
Tel.: +351214272200
Fax.: +351214272201
E-mail: gailivro@gailivro.pt
www.gailivro.pt

Uma editora do grupo LeYa.

Depósito Legal 292 561/09
ISBN 978-989-557-588-6

7.ª Edição, Janeiro de 2010

*Este livro é dedicado a Jodi Reamer, a minha agente/ninja.
Obrigada por me manteres longe do abismo.*

*E obrigada também à minha banda favorita,
que dá pelo nome bem apropriado de Muse,
pela valiosa inspiração para a saga.*

LIVRO UM

‹‹ ››

bella

*A infância não vai do nascimento a uma determinada
idade e, em determinada idade, a criança
cresce e deixa-se de coisas infantis.
A infância é o reino onde ninguém morre.*

Edna St. Vincent Millay

PREFÁCIO

A minha quota-parte de experiências de quase morte tinha sido mais do que suficiente; na realidade, isso é algo a que nunca nos acostumamos.

Mas, estranhamente, parecia que enfrentar de novo a morte era inevitável. Como se eu *estivesse* de facto predestinada a catástrofes. Escapara-lhes vezes sem conta, mas elas continuavam a surgir à minha frente.

No entanto, agora era muito diferente das vezes anteriores.

Podes fugir de alguém que receias, podes tentar combater alguém que odeias. Todas as minhas reacções se dirigiam contra esse tipo de assassinos – os monstros, os inimigos.

Quando se ama aquele que nos mata, ficamos sem opções. Como se pode fugir, como se pode lutar, se ao fazê-lo magoamos o nosso amor? Se a tua vida era tudo o que tinhas para dar, como poderias recusá-la?

Se estava em causa quem amavas verdadeiramente?

Um

Comprometida

"Ninguém está a olhar para ti", garanti a mim própria. "Ninguém está a olhar para ti. Ninguém está a olhar para ti."

Contudo, como nem a mim conseguia mentir de forma convincente, tive de o confirmar.

Enquanto esperava pela luz verde de um dos três semáforos da cidade, espreitei para a direita – do interior da sua carrinha monovolume, a Sra. Weber virava o corpo todo na minha direcção. O olhar dela devassou o meu e eu encolhi-me para trás muito depressa, perguntando-me por que motivo ela não o fazia também ou punha um ar comprometido. Olhar fixamente para alguém continuava a ser indelicado, não era? Será que a regra já não se aplicava a mim?

A seguir, lembrei-me que estes vidros eram tão escuros que, se calhar, ela até nem fazia ideia de que era eu quem ali estava e ainda menos que a tinha apanhado a espreitar. Tentei retirar algum consolo do facto de ela não estar realmente a olhar para mim e apenas para o carro.

"O meu carro." Suspirei.

Lancei uma olhadela para a esquerda e resmunguei. Dois peões abriam a boca de espanto e gelavam no passeio, perdendo a oportunidade de atravessar a rua. Atrás deles, o Sr. Marshall olhava embasbacado pelo vidro laminado da montra da sua pequena loja de recordações. Pelo menos, não tinha o nariz colado ao vidro. Ainda.

Acendeu-se a luz verde e, com a pressa de fugir, carreguei instintivamente com toda a força no acelerador – conforme o faria habitualmente para pôr a minha velha carrinha *Chevrolet* em movimento.

Com o motor a rugir como uma pantera enfurecida, o carro deu um salto tão súbito para a frente que o meu corpo bateu nas costas do banco de couro preto e o estômago espalmou-se contra a coluna vertebral.

– Chiça – exclamei, sobressaltada, levando desajeitadamente o pé ao travão. Mantive o sangue-frio, dando apenas um ligeiro toque no pedal. Mesmo assim, o carro deu uma guinada e imobilizou-se por completo.

Não me atrevi a olhar à volta para ver as reacções. Se ainda houvesse dúvidas sobre quem conduzia o carro, agora estariam dissipadas. Pressionei suavemente o acelerador com a ponta do sapato, empurrando-o meio milímetro, e o carro investiu de novo para a frente.

Consegui atingir a minha meta, a estação de serviço. Se não tivesse o depósito quase no fim, nem sequer teria vindo à cidade. Nesta altura, andava a prescindir de muita coisa, como tartes em miniatura e atacadores para os sapatos, evitando expor-me a olhares públicos.

A mover-me como se disputasse uma corrida, abri o depósito, desenrosquei o tampão, passei o cartão e introduzi a agulheta, tudo numa questão de segundos. É evidente que não havia nada a fazer para obrigar os números no manómetro a acompanhar este ritmo. Eles tiquetaqueavam devagar, quase como se o fizessem de propósito para me irritar.

Não havia Sol – era um dia chuvoso, característico da cidade de Forks, no Estado de Washington – mas eu continuava a sentir um holofote virado para mim, a destacar o anel fino que trazia na mão esquerda. Em momentos como este, ao sentir os olhares sobre as minhas costas, parecia que o anel piscava como um letreiro luminoso, a dizer: "Olhem para mim, olhem para mim!."

Era uma estupidez estar assim tão insegura e eu tinha consciência disso. Além dos meus pais, seria realmente importante o que as pessoas comentavam sobre o meu noivado? Sobre o meu carro novo? Sobre a minha misteriosa admissão numa universidade da Ivy League? Sobre o meu cartão de crédito, negro e reluzente, que eu sentia como se estivesse vermelho em brasa no bolso de trás, neste preciso momento?

– Sim, o que é que interessa o que pensam – resmunguei por entre dentes.

– Hum, faz favor? – chamou uma voz masculina.

Voltei-me e depois arrependi-me por o ter feito.

Ao lado de um luxuoso todo-o-terreno, com caiaques novos em folha amarrados ao tejadilho, estavam dois homens. Nenhum olhava para mim; ambos tinham os olhos pregados no meu carro.

Para mim, aquilo não fazia sentido. Só que, no meu caso, já me dava por satisfeita por distinguir os emblemas da *Toyota*, da *Ford* e da *Chevrolet*. Este carro era preto brilhante, resplandecia e era giro, mas para mim não passava de um carro.

– Peço desculpa pelo incómodo, mas podia dizer-me qual é o modelo do seu carro? – perguntou o mais alto.

– Hum, um *Mercedes,* certo?

– Sim – concordou o homem, delicadamente, enquanto o amigo mais baixo revirava os olhos perante a minha resposta. – Eu sei. A minha dúvida é se será... um *Mercedes Guardian?* – E pronunciou o nome do modelo num tom deferente. Tive o pressentimento de que aquele tipo podia dar-se bem com Edward Cullen, o meu... o meu noivo (na verdade, não havia forma de o ignorar, com o casamento a poucos dias de distância). – Não me parece que já estejam à venda na Europa – prosseguiu ele –, quanto mais aqui.

Enquanto os olhos do homem percorriam os contornos do meu carro – que para mim não era muito diferente de qualquer *Mercedes* de grande porte – detive-me a meditar por instantes nas minhas próprias questões relativas a palavras como *noiva, casamento, marido,* etc.

Era-me impossível juntá-las na minha mente.

Por um lado, a forma como fora criada fazia-me retrair à mais leve menção de vestidos brancos cheios de folhos e ramalhetes de flores. Mas, mais do que isso, tornava-se realmente impossível conjugar o conceito solene, respeitável e enfatuado de *marido* com a imagem de *Edward*. Era o mesmo que contratar um arcanjo para o lugar de contabilista; não conseguia imaginá-lo a desempenhar um qualquer papel trivial.

Conforme sempre acontecia, assim que começava a pensar em Edward fui enrolada por uma espiral de fantasias delirantes. O desconhecido teve de pigarrear para chamar a minha atenção; continuava a aguardar a resposta em relação ao fabrico e modelo do carro.

– Não sei – respondi-lhe francamente.

– Importava-se, se lhe tirasse uma fotografia comigo junto dele?

Levei um segundo a reagir.

– A sério? Quer ser fotografado com o carro?

– Claro. Ninguém vai acreditar em mim se não apresentar uma prova.

– Hum... Está bem. À vontade.

Arrumei a mangueira rapidamente e deslizei para o assento da frente, escondendo-me, enquanto o fã do carro extraía da mochila uma enorme máquina fotográfica de aspecto profissional. Ele e o amigo posaram à vez junto ao capô, seguindo-se mais fotografias junto à traseira.

– As saudades que tenho da minha carrinha... – gemi para mim.

Muito, mesmo muito conveniente – demasiado – o facto de a minha carrinha ter soltado o último dos seus suspiros apenas algumas semanas depois de Edward e eu assumirmos o nosso compromisso assimétrico, em que uma das condições era autorizá-lo a substituí-la quando ela deixasse de andar. Edward garantira-me que só se podia prever aquele desfecho; a carrinha tivera uma vida longa e plena, logo finara-se devido a causas naturais. Na opinião dele. E está claro que não me tinha sido dada a oportunidade de confirmar a história ou de eu própria a tentar livrar da morte. O meu mecânico preferido...

E interrompi aquele pensamento cruel, impedindo-o de chegar ao fim. Por sua vez, prestei atenção às vozes dos homens lá fora, abafadas pelas paredes do carro.

– ... no vídeo *online* atingiram-no com um lança-chamas. A pintura nem chegou a ficar chamuscada.

– Claro que não. Podias passar com um tanque por cima deste brinquedo. Por estes lados não há grande mercado para uma coisa assim... É concebido sobretudo para diplomatas do Médio Oriente, traficantes de armas e barões de droga.

– Achas que ela é alguém desse género? – perguntou o mais pequeno num tom de voz sumido. Baixei a cabeça, com as faces a corar.

– Hum – proferiu o mais alto. – Talvez. Não consigo imaginar para que sejam precisos nestas redondezas: um vidro à prova de míssil e uma blindagem de mil e oitocentos quilos. Deve ir a caminho de um outro sítio mais perigoso.

Blindagem. *Mil e oitocentos quilos* de blindagem. E vidro à prova de *míssil?* Lindo. O que tinha acontecido aos bons e antiquados à prova de bala?

Bom, pelo menos havia alguma lógica – para quem tivesse um sentido de humor arrevesado.

Não era que eu não previsse que Edward aproveitar-se-ia do nosso acordo, fazendo-o pender mais para o seu lado, de forma a poder dar muito mais do que iria receber. Tinha aceitado que ele me substituísse a carrinha quando fosse necessário, sem esperar que tal acontecesse tão depressa, é claro. No momento em que fora forçada a admitir que ela já não passava de um tributo ainda vivo aos *Chevrolet* clássicos na borda do meu passeio, percebi que o mais certo era a ideia de Edward, no que dizia respeito a um substituto, deixar-me embaraçada. Transformar-me no foco de murmúrios e olhares de espanto. E não me tinha enganado quanto a isso. Mas, nem mesmo os pensamentos mais tenebrosos, me tinham feito adivinhar que ele iria arranjar-me dois carros.

O carro "de antes" e o carro "para depois", explicara Edward, ao ver o meu ar surpreendido.

Este era exactamente o carro "de antes". Disse-me que fora emprestado e prometeu devolvê-lo a seguir ao casamento. Para mim, tudo aquilo não fazia qualquer sentido. Até agora.

"Ah, ah!" Como eu era tão fragilmente humana, tão propensa a acidentes e tão vítima do meu perigoso azar, a minha segurança parecia exigir um carro à prova de tanques. Hilariante. Tinha a certeza de que a gracinha os divertira bastante nas minhas costas, a ele e aos irmãos.

"Ou talvez, apenas talvez" sussurrou uma vozinha na minha mente, "isto não seja uma gracinha, pateta. Talvez o Edward esteja realmente preocupado contigo. Não era a primeira vez que ele ultrapassava ligeiramente os limites, ao tentar proteger-te".

Suspirei.

Ainda não tinha visto o carro "para depois". Estava tapado por um lençol no canto mais remoto da garagem dos Cullen. Embora soubesse que por esta altura a maior parte das pessoas já lhe tinha dado uma espreitadela, não queria mesmo saber.

Talvez fosse um carro sem blindagem – porque eu não iria precisar depois da lua-de-mel. A indestrutibilidade, na plena acepção da palavra, era apenas um dos muitos privilégios que eu aguardava com ansiedade. A melhor parte de ser um Cullen não eram os carros de luxo nem os cartões de crédito impressionantes.

– Ei! – chamou o homem alto, colando ao vidro as mãos em concha, na tentativa de espreitar para o interior. – Já acabámos. Muito obrigado!

– Não tem de quê – respondi-lhe, elevando a voz e depois fiquei outra vez nervosa ao ligar o motor e ao empurrar o acelerador, com muita delicadeza, para baixo.

Por muitas vezes que percorresse de carro o habitual caminho de regresso a casa, não conseguia fazer com que os cartazes desbotados pela chuva se diluíssem na paisagem. Cada um, pregado aos postes telefónicos ou preso com fita-cola aos sinais rodoviários, correspondia a um novo estalo na cara. Um estalo bem merecido. A minha mente foi arrastada de novo para o pensamento que interrompera segundos antes. Não o conseguia evitar ao fazer este percurso. Não, com as fotografias do *meu mecânico preferido* a desfilarem vertiginosamente ao meu lado, em intervalos regulares.

O meu melhor amigo. O meu Jacob.

A ideia dos cartazes com a pergunta "VIRAM ESTE RAPAZ?" não partira do pai de Jacob. Partira do meu pai, Charlie, que os tinha imprimido e espalhado pela cidade. Não só em Forks, como também em Port Angeles, Sequim, Hoquiam e Aberdeen, assim como em cada uma das outras localidades da Península Olímpica. Ele tinha ainda garantido que haveria um cartaz na parede de todas as esquadras de polícia do Estado de Washington. Na sua própria esquadra existia um quadro de cortiça dedicado em exclusivo à procura de Jacob. Um quadro que, para sua grande frustração, estava praticamente vazio.

Mas, além da falta de respostas, havia uma outra razão para ele estar descontente. Billy, o pai de Jacob e o seu melhor amigo, estava a desiludi-lo profundamente.

Porque Billy não se envolvia mais na busca do seu "fugitivo" de dezasseis anos de idade. Porque se recusava a colocar cartazes em La Push, a reserva costeira, onde Jacob vivia. Porque parecia resignado com o desaparecimento de Jacob, como se não houvesse nada a fazer. E porque dizia:

– O Jacob já é um rapaz crescido. Ele volta para casa, se quiser.

E estava decepcionado comigo por eu tomar o partido de Billy.

Eu também não teria colocado os cartazes. Porque, em termos genéricos, tanto Billy como eu sabíamos do paradeiro de Jacob, tal como que ninguém vira aquele *rapaz*.

Os cartazes provocaram-me o habitual nó apertado na garganta, as habituais lágrimas ardentes nos olhos e senti-me satisfeita por Edward ter ido caçar nesse sábado. Se ele visse a minha reacção, só levaria a que ele ficasse igualmente perturbado.

É claro que o sábado tinha as suas desvantagens. Ao virar para a minha rua, devagar e com todo o cuidado, avistei o carro-patrulha do meu pai, no caminho de acesso à nossa casa. Ele tinha voltado a desistir da pesca. O mau humor por causa do casamento persistia.

Assim, não poderia usar o telefone. Mas tinha de telefonar...

Estacionei junto ao passeio, atrás da "estátua" do *Chevrolet*, e tirei do porta-luvas o telemóvel que Edward me tinha dado para casos de emergência. Marquei o número, mantendo o dedo suspenso sobre o botão de "desligar", enquanto o telefone chamava. Por via das dúvidas.

– Estou? – respondeu Seth Clearwater, fazendo-me suspirar de alívio. Eu era demasiado cobarde para falar com Leah, a irmã mais velha. A frase "comer-me viva" não era totalmente uma figura de retórica, quando se pensava em Leah.

– Olá, Seth, fala a Bella.

– Ei, viva, Bella! Como estás?

Angustiada. A procurar desesperadamente alguma tranquilidade.

– Óptima.

– Telefonaste para saber novidades?

– Consegues ler os pensamentos.

– Nem por isso. Não sou nenhuma Alice. Tu és apenas previsível – retorquiu ele, a brincar. Do bando Quileute de La Push, apenas Seth se sentia à vontade para mencionar os Cullen, para nem falar em brincar com assuntos como o da minha futura cunhada quase omnisciente.

– Eu sei que sou. – Hesitei por instantes. – Como está ele?

Seth suspirou.

– Como sempre. Não fala, embora saibamos que nos está a ouvir. Esforça-se por não pensar *humano,* percebes? Deixa-se apenas conduzir pelos instintos.

– Sabes onde está agora?

– Algures no Norte do Canadá. Não sei dizer-te em que Estado. Ele não liga muito aos limites estaduais.

– Há algum indício de que possa...

– Ele não vai regressar, Bella. Lamento.

Engoli em seco.

– Está bem, Seth. Já sabia, mesmo sem perguntar. Não consigo perder a esperança; é só isso.

– Sim. Todos sentimos o mesmo.

– Obrigada por me aturares, Seth. Imagino que os outros devem andar em cima de ti.

– Eles não serão os teus fãs mais dedicados – concordou ele, jovialmente. – Acho isso um bocado idiota. O Jacob fez as suas escolhas e tu fizeste as tuas. O Jake não concorda com a forma como eles estão a reagir. É claro que também não está propriamente entusiasmado por andares a fazer perguntas sobre ele.

Sobressaltei-me.

– Pensava que ele não falava com vocês.

– Por muito que o tente, ele não consegue esconder-nos tudo.

Então, Jacob estava a par da minha ansiedade. Não sabia exactamente o que isso me fazia sentir. Bom, pelo menos ele sabia que eu não tinha desertado, esquecendo-o por completo. Era bem possível que me imaginasse capaz disso.

– Acho que nos vamos encontrar no... casamento – disse, forçando a palavra a sair por entre os dentes.

– Sim, vou lá estar com a minha mãe. Foste muito simpática em convidar-nos.

Sorri com o entusiasmo que transparecia da voz dele. Embora a ideia de convidar os Clearwater tivesse partido de Edward, ficara contente por ele pensar nisso. A presença de Seth ia saber-me bem; seria um laço, embora ténue, com o meu padrinho desaparecido.

– Sem ti, não seria a mesma coisa.

– Dá um abraço meu ao Edward, está bem?

– Claro que sim.

Abanei a cabeça. A amizade que tinha nascido entre Edward e Seth era algo que ainda me deixava confusa. No entanto, ela demonstrava que as coisas não tinham de ser assim. Os vampiros e os lobisomens podiam dar-se perfeitamente bem, desde que estivessem dispostos a isso.

Uma ideia que não agradava a toda a gente.

– Ah – exclamou Seth, com a voz a esganiçar-se e a subir uma oitava. – Hum... a Leah já chegou a casa.

– Ah! Adeus!

O telemóvel desligou-se. Deixei-o pousado no assento e preparei-me mentalmente para entrar em casa, onde Charlie deveria estar à minha espera.

O meu pobre pai tinha imensa coisa com que se preocupar, neste momento. Jacob, o fugitivo, era apenas um dos fardos das suas sobrecarregadas costas. Eu constituía uma fonte de preocupação quase idêntica: uma filha mal acabada de chegar à maioridade e à beira de se tornar numa mulher casada dentro de poucos dias.

Caminhei devagar, por entre a chuva miúda, a recordar a noite em que lhe tínhamos contado.

*   *   *

De súbito, quando o som do carro-patrulha de Charlie anunciou o seu regresso, o anel no meu dedo passou a pesar uns cinquenta quilos. Quis enfiar a mão esquerda no bolso ou sentar-me em cima dela, mas o aperto calmo e firme de Edward manteve-a à frente e centrada.

– Pára, Bella! Tenta lembrar-te de que não vais confessar um assassínio, por favor.

– Para ti é fácil falar.

Ouvi o som ameaçador das botas do meu pai a subir o passeio, num passo pesado. A chave chocalhou na porta já aberta. Aquele som fez-me lembrar a parte dos filmes de terror em que a vítima constata que se esqueceu de correr o ferrolho.

– Acalma-te, Bella – sussurrou Edward, atento ao ritmo acelerado do meu coração.

A porta bateu contra a ombreira e eu estremeci, como se tivesse sido electrocutada.

– Ei, Charlie! – chamou Edward, completamente à vontade.

– Não! – protestei, numa voz sufocada.

– O que foi? – murmurou Edward, em resposta.

– Espera até ele pendurar a arma.

Edward riu baixinho e passou a mão livre pelo cabelo acobreado e revolto.

Charlie apareceu à entrada da sala, ainda de uniforme e armado, tentando evitar um trejeito ao dar connosco sentados no sofá. Nos últimos tempos, esforçava-se bastante para gostar mais de Edward. É claro que esta revelação iria pôr um fim imediato a esse esforço, de certeza.

– Olá, miúdos. O que é que se passa?

– Queríamos falar consigo – declarou Edward, com toda a calma. – E dar-lhe uma boa notícia.

Num instante, a expressão de Charlie passou de simpatia forçada a desconfiança ameaçadora.

– Uma boa notícia? – rugiu, olhando-me directamente.

– Senta-te, pai.

Ele ergueu uma das sobrancelhas, olhou-me fixamente durante uns cinco segundos e, depois, deixou-se cair pesadamente sobre a borda da cadeira reclinável, com as costas hirtas que nem um fuso.

– Pai, não te enerves – pedi-lhe, passado um momento de silêncio opressivo. – Está tudo bem.

Edward fez um trejeito, pelo que percebi que se devia ao desacordo face à palavra *bem*. No caso dele, teria talvez usado algo do género *maravilhoso*, *perfeito* ou *glorioso*.

– Claro que sim, Bella, claro que sim. Nesse caso, se tudo corre às mil maravilhas, porque estás a transpirar em bica?

– Não estou – menti.

Desviei-me daquela expressão feroz, recuando e encostando-me mais a Edward, e limpei instintivamente a testa com as costas da mão direita para dissipar qualquer prova.

– Estás grávida! – explodiu Charlie. – Estás grávida, não estás?

Embora a pergunta fosse claramente dirigida a mim, agora era Edward o alvo do olhar furibundo do meu pai, e eu ia jurar que a mão dele se crispava em direcção à arma.

– Não! É evidente que não estou! – A minha vontade era dar uma cotovelada nas costelas de Edward, mas sabia que apenas eu ficaria com uma nódoa negra. Eu dissera-lhe que as pessoas iam logo tirar aquela conclusão! Que outro motivo razoável levaria alguém em perfeito juízo a casar-se aos dezoito anos? (A resposta que Edward dera na altura tinha-me feito revirar os olhos. *Amor.* Pois.)

O ar ameaçador de Charlie aligeirou-se um pouco. Por norma, o meu rosto revelava bem quando eu dizia a verdade e, naquele momento, ele acreditava em mim.

– Ah. Desculpa.

– Desculpas aceites.

Seguiu-se uma longa pausa. Passado algum tempo, percebi que os dois estavam à espera que eu dissesse alguma coisa. Ergui os olhos para Edward, em pânico. Não havia forma alguma de me forçar a deitar as palavras cá para fora.

Ele sorriu-me e ergueu os ombros, virando-se para o meu pai.

– Charlie, reconheço que meti a carroça à frente dos bois neste assunto. De acordo com a tradição, devia ter começado por lhe fazer o pedido a si. Não queria faltar-lhe ao respeito, mas como a Bella já disse que sim e não pretendo desvalorizar a sua decisão nesta matéria, em vez de lhe pedir a mão dela, peço-lhe a sua bênção. Nós vamos casar-nos, Charlie. Amo-a mais do que a qualquer coisa no mundo, mais do que a minha vida, e, por qualquer espécie de milagre, ela também me ama assim. Podemos contar com a sua bênção?

Ele parecia tão seguro, tão calmo. Ao distinguir a confiança absoluta na sua voz, senti por um instante um momento raro de revelação. Vi fugazmente o mundo através dos seus olhos. Durante o período de uma pulsação, a notícia fez todo o sentido.

E, então, tive consciência da expressão de Charlie com os olhos pregados no anel.

Sustive a respiração, enquanto o rosto dele mudava de cor – de pálido, passava a vermelho, de vermelho a púrpura, e finalmente de púrpura a roxo. Comecei a levantar-me – não estava certa sobre o que tencionava fazer; talvez recorrer à manobra de Heimlich a fim de garantir que ele não estava a sufocar – mas Edward apertou-me a mão e murmurou:

– Dá-lhe um minuto – num tom de voz tão baixo, que apenas eu o conseguia ouvir.

Desta vez, o silêncio foi muito mais longo. Depois, gradualmente, e de tom em tom, a cor de Charlie regressou à normalidade. O meu pai comprimiu os lábios e franziu o sobrolho; reconhecia aquela expressão de "embrenhado em pensamentos". Observou-nos durante bastante tempo e senti Edward a descontrair-se ao meu lado.

– Acho que isto não constitui grande surpresa para mim – resmungou Charlie. – Sabia que iria ter de enfrentar uma coisa destas muito em breve.

Deixei sair o ar.

– Não tens dúvidas em relação a isso? – inquiriu ele, com um olhar penetrante dirigido a mim.

– Estou cem por cento convicta em relação ao Edward – disse-lhe, sem hesitar um instante.

– Mas casar? Para quê tanta pressa? – E voltou a lançar-me um olhar desconfiado.

A pressa devia-se ao facto de a insuportável marcha do tempo me fazer aproximar cada vez mais dos dezanove anos, enquanto Edward se mantinha congelado na perfeição dos seus dezassete, tal como acontecia ao longo da sua existência de noventa anos. O facto não implicava necessariamente *casar* segundo as minhas regras. No entanto, o casamento teria de se realizar face ao compromisso delicado e complicado que Edward e eu tínhamos assumido para conseguir chegar finalmente a este ponto, a porta da minha transição de mortal para imortal.

Não eram coisas que pudesse explicar a Charlie.

– Charlie, nós vamos juntos para Dartmouth no Outono – recordou Edward. – Gostava de fazer isso, bom, da forma correcta. Foi essa a educação que recebi. – E encolheu os ombros.

Ele não estava a exagerar; a Primeira Guerra Mundial tinha sido fértil em regras morais antiquadas.

A boca de Charlie torceu-se para o lado. Ele procurava um ângulo do qual pudesse investir. Mas o que podia dizer? "Preferia que começasses por viver em pecado?" Ele era pai; tinha as mãos atadas.

– Já sabia que isto ia acontecer – resmoneou para si, de sobrolho franzido. A seguir, distendeu o rosto por completo e empalideceu.

– Pai? – chamei-o aflita. Lancei o olhar a Edward, mas também não lhe consegui decifrar a expressão, enquanto ele observava o meu pai.

– Ah! – explodiu Charlie. E eu dei um salto no meu assento. – Ah-ah-ah!

Fitei-o, incrédula, enquanto ele ria desalmadamente, com o corpo a abanar de cima abaixo.

Fitei Edward, em busca de uma explicação. Mas vi-o a comprimir os lábios com toda a força, como se estivesse a suster o riso.

– Então está bem – anuiu Charlie, quase sem conseguir respirar. – Casem-se. – E foi sacudido por outra onda de risos. – Mas...

– Mas o quê? – quis saber.

– Mas *tu* vais ter de contar à tua mãe! Não vou dizer uma palavra à Renée! Isso fica por vossa conta! – A seguir explodiu em estridentes gargalhadas.

* * *

Parei, com a mão na maçaneta da porta, e ostentei um sorriso. Era evidente que na altura as palavras de Charlie me aterrorizaram. A expiação derradeira: contar a Renée. Na lista negra dela, os casamentos prematuros vinham muito acima de afogar cachorrinhos vivos.

Quem poderia prever a reacção dela? Eu não. Charlie também não, evidentemente. Talvez Alice, mas nem tinha pensado em perguntar-lhe.

– Bem, Bella – afirmara Renée, depois de me engasgar e despejar, de rompante, as palavras inadmissíveis: "Mãe, vou casar com o Edward." –, fico ligeiramente irritada por teres esperado tanto tempo até contares. As viagens de avião assim ficam mais caras. Ahhh – acrescentou preocupada. – Achas que o Phil já terá tirado o gesso nessa altura? As fotografias não vão ficar bem, se ele não estiver de *smo...*

– Mãe, espera um momento – interrompi-a, sobressaltada. – O que queres dizer com ter esperado tanto tempo? Acabei de ficar com... com... – não fui capaz de me obrigar a pronunciar a palavra *comprometida* – as coisas só ficaram assentes hoje, sabias?

– Hoje? A sério? Isso é surpreendente. Parti do princípio...

– Partiste do princípio de quê? Quando é que partiste do princípio?

– Bom, quando me viestes visitar em Abril parecia que tudo rolava sobre rodas, se é que me entendes. Tu és bastante transparente, minha querida. Mas não disse nada, porque sabia que não levaria a qualquer lado. Tu és igual ao Charlie, sem tirar nem pôr. – Suspirara, com ar resignado. – Quando tomas uma decisão, não vale a pena tentar chamar-te à razão. É evidente que, tal como ele, as tuas decisões são inabaláveis.

E, entretanto, dissera a última coisa que esperava ouvir da minha mãe.

– Bella, tu não estás a cometer os mesmos erros que eu. Pareces assustada, minha pateta, e acho que se deve a estares com medo de mim. – E soltou uma risadinha. – Com receio do que eu possa pensar. Sei que disse muita coisa sobre o casamento, assim como outras parvoíces, de que não retiro uma palavra. Mas tens de perceber que se aplicava a mim em específico. És completamente diferente da tua mãe. Cometeste os teus erros e estou certa de que terás a tua quota-parte de arrependimentos ao longo da vida. Mas os compromissos nunca constituíram um problema para ti, meu amor. Tens mais hipóteses de fazer com que isto resulte do que a maior parte das quarentonas que conheço. – Renée soltou outra gargalhada. – Minha criança de meia-idade. Felizmente, parece que encontraste uma outra alma antiquada.

– Tu não estás... zangada? Não pensas que vou cometer um erro colossal?

– É óbvio que gostava que tivesses aguardado mais alguns anos. Quero dizer, achas que sou tão velha que tenha ar de sogra? Nem me respondas. Mas não se trata de mim. Trata-se de ti. Sentes-te feliz?

– Não sei. Neste momento, estou em transe.

Renée rira-se por entre dentes.

– Ele faz-te feliz, Bella?

– Sim, mas...

– Alguma vez irás querer outra pessoa?

– Não, mas...

– Mas o quê?

– Não vais dizer que eu sou uma adolescente apaixonada, igual a qualquer outra, desde o início?

– Tu nunca foste uma adolescente, minha querida. Sabes o que é melhor para ti.

E, inesperadamente, ao longo das últimas semanas Renée imergira em planos para o casamento. Passava várias horas por dia ao telefone com Esme, a mãe de Edward – era uma relação entre sogras sem quaisquer problemas. Renée *adorava* Esme; mas, por outro lado, eu duvidava que houvesse alguém que não reagisse assim à minha adorável quase sogra.

Isso livrava-me das responsabilidades. A família de Edward e a minha organizavam juntas os preparativos do casamento, sem que eu tivesse de fazer, saber ou pensar demasiado no assunto.

Charlie andava furioso, mas a parte boa era não ser *eu* o alvo da sua fúria. A traidora era Renée. Ele planeara que fosse ela a má da fita. Naquele momento, o que poderia fazer, quando a sua ameaça final – contar à mãe – acabara por se revelar completamente infrutífera? Charlie não tinha nada e sabia isso. Assim, vagueava pela casa, abatido e a resmungar por entre dentes coisas sobre como não se pode confiar em ninguém neste mundo...

– Pai? – chamei, enquanto abria a porta da frente. – Voltei.

– Espera, Bella! Fica aí.

– Hã? – perguntei, parando automaticamente.

– Dá-me um segundo. Ai! Picaste-me, Alice.

"Alice?"

– Desculpe, Charlie – respondeu a voz chilreante de Alice. – Que tal?

– Estou a sujá-lo de sangue.

– Não está nada. Nem perfurou a pele... acredite em mim.

– O que se passa? – inquiri, hesitando junto à ombreira da porta.

– Por favor, Bella, trinta segundos – pediu-me Alice. – A tua paciência vai ser recompensada.

– Hum! – acrescentou Charlie.

Comecei a bater com o pé no chão e a contar os segundos. Quando estava a chegar aos trinta, Alice chamou-me:

– Já está, Bella, podes vir!

Avancei com cuidado, contornando a pequena esquina que dava acesso à nossa sala de estar.

– Ah – exclamei sobressaltada. – Ena, pai. Estás com um ar...

– Idiota? – interrompeu-me Charlie.

– Estava mais a pensar em distinto.

Charlie ficou todo corado. Alice pegou-lhe no cotovelo e obrigou-o a fazer uma pirueta lenta, exibindo o *smoking* cinzento-claro.

– Pára com isso, Alice. Pareço um pateta.

– Ninguém vestido por mim irá alguma vez parecer um pateta.

– Ela tem razão, pai. Estás fantástico! Temos festa?

Alice revirou os olhos.

– É a prova final da roupa. Para ambos.

Descolei, pela primeira vez, os olhos daquele Charlie invulgarmente elegante e avistei o saco temível, com o traje branco, pousado cuidadosamente sobre o sofá.

– Ahhh.

– Vai para o teu mundo encantado, Bella. Não demora muito.

Respirei fundo e fechei os olhos. Mantive-os assim, enquanto subia as escadas para o meu quarto, aos tropeções. Despi-me, ficando em roupa interior, e estendi os braços para a frente.

– Até parece que te estou a enfiar farpas de madeira debaixo das unhas – resmungou Alice por entre dentes, atrás de mim.

Não lhe prestei atenção. Encontrava-me no meu mundo encantado.

Nele, toda a confusão do casamento estava consumada e terminada. Já tinha ficado para trás. Dominada e esquecida.

Estávamos sós, apenas Edward e eu. O cenário era impreciso e em constante movimento – metamorfoseava-se de uma floresta nebulosa para uma cidade coberta de nuvens, depois para uma noite árctica –, porque Edward queria fazer-me uma surpresa e mantinha o lugar da nossa lua-de-mel em segredo. Mas não era a parte do *onde* que me preocupava em especial.

Edward e eu estávamos juntos e eu tinha respeitado por completo a minha parte do nosso compromisso. Casara com ele. Esse foi o meu grande contributo. No entanto, também tinha aceitado todas as outras ofertas revoltantes da sua parte, inscrevendo-me na Universidade de Dartmouth, para um curso que ia começar em Outono, mesmo que isso não servisse de nada. Agora, era a vez dele.

Antes de me transformar em vampira – o seu compromisso essencial – havia uma outra condição que ele queria concretizar.

Edward tinha uma espécie de preocupação obsessiva com as coisas humanas que eu iria deixar para trás, as experiências que não queria que eu perdesse. A maior parte – como o baile de finalistas, por exemplo – parecia-me um disparate. Havia apenas uma experiência humana que eu lamentava perder. É claro que tinha de ser aquela que Edward desejava que eu esquecesse por completo.

No entanto, aqui estava ela. Eu tinha algumas noções sobre aquilo em que me iria tornar quando deixasse de ser humana. Tinha visto, pessoalmente, vampiros recém-nascidos e ouvira todas as histórias da minha futura família a propósito dos primeiros tempos de selvajaria. Durante vários anos, o meu principal traço de personalidade tornar-me-ia num ser *sequioso*. Ia passar algum tempo até conseguir ser novamente *eu* própria. E mesmo quando tivesse controlo sobre mim, nunca iria sentir-me exactamente como me sentia neste momento.

Humana... e perdidamente apaixonada.

Desejava a experiência total, antes de trocar o meu corpo quente, falível e influenciado pelas feromonas por algo belo, forte... e desconhecido. E desejava uma lua-de-mel *real* com Edward. Apesar do perigo que temia fazer-me passar com isso, ele acedera em tentar.

Mal me apercebi de Alice e do cetim a escorregar e a deslizar sobre a minha pele. Naquele momento, não me importava que a cidade inteira falasse de mim. Não pensava no espectáculo de que iria ser protagonista muito em breve. Não receava tropeçar na cauda, soltar uma risadinha no momento errado, ser demasiado nova, ter o auditório de olhos pregados em mim, ou mesmo o lugar vazio onde o meu melhor amigo deveria estar.

Estava com Edward no meu mundo encantado.

Dois

UMA NOITE LONGA

– Já sinto a tua falta.

– Não preciso de me ir embora. Posso ficar...

– Hum.

Fez-se silêncio por um longo momento. Distinguia-se apenas o som abafado do meu coração a bater, o ritmo entrecortado da nossa respiração ardente e o murmúrio dos nossos lábios a moverem-se em sincronia.

Às vezes, era muito fácil esquecer que estava a beijar um vampiro. Não por me parecer um ser vulgar ou um humano – nunca conseguia esquecer, por um segundo que fosse, que envolvia alguém nos braços que se assemelhava mais a um anjo que a um homem –, mas por me fazer sentir que não havia mal algum quando pousava os lábios nos meus, no meu rosto e no meu pescoço. Edward assegurava já ter vencido, há muito, a tentação que o meu sangue lhe despertava e que a ideia de me perder lhe curara o desejo que sentia por ele. Mas eu sabia que o cheiro do sangue ainda o fazia sofrer – ainda lhe queimava a garganta como se inalasse fogo.

Abri os olhos e deparei-me com os dele também abertos, fixos no meu rosto. Quando Edward olhava assim para mim, tudo aquilo não fazia sentido. Parecia que eu era um prémio, em vez de uma vencedora imoral e cheia de sorte.

Os nossos olhares prenderam-se, por instantes, um ao outro; os olhos dourados de Edward eram tão profundos que pensei ser capaz de vislumbrar todo o caminho até à sua alma. Parecia um disparate que tal facto – a existência de uma alma – tivesse alguma vez sido questionado, mesmo sendo ele um vampiro.

Edward tinha a alma mais bonita, mais bela que a sua mente brilhante, o seu rosto incomparável ou mesmo o seu corpo glorioso.

O meu apaixonado retribuiu o olhar, como se também observasse a minha alma e gostasse do que via.

No entanto, não conseguia visitar a minha mente, tal como fazia à de todos os outros. Quem poderia explicá-lo? Alguma falha estranha do meu cérebro, que o tornava imune a todas as coisas fantásticas e assustadoras que alguns imortais conseguiam fazer. (Apenas a minha mente estava imune; o corpo continuava subjugado a vampiros com poderes diferentes dos de Edward). Mas eu estava realmente grata a essa falha, independentemente do que ela fosse, que me permitia manter os pensamentos em segredo. De facto, pensar que as coisas poderiam ser diferentes até era embaraçoso.

Voltei a atrair o rosto dele na direcção do meu.

– Vou ficar, em definitivo – murmurou Edward, um momento depois.

– Não, não. É a tua festa de despedida de solteiro. Tens de ir.

Pronunciei as palavras, mas os dedos da minha mão fecharam-se em volta do seu cabelo acobreado, enquanto o pressionava firmemente nas costas com a outra mão. Ele acariciou-me a face com as mãos frias.

– Estas festas destinam-se a quem tem pena de ver a vida de solteiro chegar ao fim. Eu não posso estar mais ansioso por ver a minha a acabar. Por isso, não vale mesmo a pena.

– É verdade. – Respirei sobre a pele do seu pescoço, fria como o Inverno.

Isto aproximava-se muito do meu mundo encantado. Charlie dormia profundamente no seu quarto, o que era quase o mesmo que estar sozinha. Permanecíamos enroscados na minha pequena cama, com os corpos tão entrelaçados quanto possível, tendo em conta a manta espessa que me envolvia como um casulo. Odiava precisar de um cobertor, mas o ambiente romântico alterava-se ligeiramente quando os meus dentes começavam a tremer. Se ligasse o aquecimento em Agosto, Charlie iria reparar...

Pelo menos, apenas eu tinha de me agasalhar, a camisa de Edward estava no chão. Nunca conseguia ultrapassar a impressão que sentia perante a perfeição do corpo dele – branco, frio e polido como o mármore. Simplesmente maravilhada, percorri com a mão o seu peito de pedra, cruzando-lhe a superfície plana do estômago. Um calafrio ligeiro percorreu o corpo do meu amor e a sua boca veio de novo ao encontro da minha. Deixei a ponta da minha língua pressionar delicadamente os lábios lisos como o vidro e ele suspirou. O seu hálito doce – frio e delicioso – invadiu a minha face.

Edward começou a afastar-se; esta era a sua reacção automática sempre que entendia que as coisas estavam a ir longe de mais, um acto reflexivo que surgia sempre que o seu maior desejo era continuar. Passara a maior parte da vida a rejeitar qualquer espécie de prazer físico. Eu sabia como era terrível para ele tentar mudar agora esses hábitos.

– Espera – pedi-lhe, agarrando-o pelos ombros e chegando-me mais para ele. Libertei uma das pernas e passei-lha em redor da cintura. – A prática conduz à perfeição.

Ele riu-se baixinho.

– Bom, então nesta altura devemos estar bastante próximos da perfeição, não achas? Conseguiste dormir alguma coisa neste último mês?

– Mas isto é o ensaio geral – insisti – e só praticámos algumas cenas. Não é o momento de jogar pelo seguro.

Estava à espera de o ver sorrir, mas ele não me respondeu e o corpo ficou inesperadamente tenso, sem reacção. O ouro fluído do seu olhar pareceu endurecer, transitando para o estado sólido.

Reflecti nas minhas palavras, percebendo o que ele escutara nelas.

– Bella... – murmurou Edward.

– Não comeces outra vez – pedi. – Um contrato é um contrato.

– Não sei. É difícil concentrar-me, quando estás assim comigo. Eu... eu não consigo raciocinar. Perco todo o controlo. E tu podes sair magoada.

– Eu vou ficar bem.

– Bella...

– Chiu! – E pressionei-lhe os lábios com os meus, para deter aquele ataque de pânico. Já tinha ouvido aquilo. Ele não iria faltar ao seu compromisso. Não depois de insistir que casasse com ele primeiro.

Edward correspondeu ao meu beijo, mas desta vez senti-o um pouco ausente. Preocupado, eternamente preocupado. O que iria mudar quando não precisasse de se preocupar mais comigo? O que faria ele com todo o tempo livre? Teria de arranjar um novo passatempo.

– Como te sentes? – perguntou-me.

– Pronta para o dia de amanhã – respondi-lhe, percebendo que a pergunta não tinha um sentido literal.

– A sério? Não tens nada na manga? Ainda vais a tempo de mudar de opinião.

– Estás a tentar livrar-te de mim?

Ele soltou uma gargalhada.

– Estava só a confirmar. Não quero que faças nada de que não estás segura.

– Estou segura de ti. Posso viver com o resto.

Ele hesitou e eu perguntei-me se já teria falado outra vez de mais.

– Podes mesmo? – inquiriu em voz baixa. – Não me refiro ao casamento, ao qual vais sobreviver, tenho a certeza, apesar das tuas dúvidas, mas ao que se vai seguir... com a Renée, o Charlie...

Suspirei.

– Vou sentir a falta deles. – Pior do que isso era a falta que eu lhes ia fazer, de qualquer modo não queria lançar mais achas para a fogueira.

– A Angela, o Ben, a Jessica e o Mike.

– Também vou ter saudades dos meus amigos. – Sorri, no meio da escuridão. – Do Mike, em particular. Ah, Mike! Como vou conseguir aguentar?

Ele resmungou.

Ri-me, mas logo fiquei séria.

– Edward, já falámos disto vezes sem conta. Sei que vai custar, mas é aquilo que quero. Quero-te a ti e para sempre. O tempo de uma vida não é realmente suficiente para mim.

– Congelada, para sempre, aos dezoito anos – murmurou ele.

– A concretização do desejo de qualquer mulher – gracejei.

– Sem nunca mudar... sem nunca avançar.

– O que queres dizer?

Ele respondeu devagar.

– Lembras-te quando dissemos ao Charlie que íamos casar? E de ele te ter pensado que estavas... grávida?

– E de ter pensado em dar-te um tiro – acrescentei com uma gargalhada. – Admite lá! Durante um segundo, ele pensou mesmo nisso.

Edward não respondeu.

– O que foi, Edward?

– Só desejava... bom, quem me dera que ele estivesse certo.

– Essa agora – exclamei, sobressaltada.

– E desejava mais que houvesse uma maneira de ele poder estar certo. Que nós tivéssemos essa capacidade. Odeio pensar que também te vou roubar isso.

Fiquei calada por um minuto, até lhe responder.

– Eu sei o que estou a fazer.

– Como podes sabê-lo, Bella? Olha para a minha mãe, olha para a minha irmã. Não é um sacrifício tão fácil como estás a imaginar.

– A Esme e a Rosalie lidam bem com isso. Se mais tarde constituir um problema, podemos fazer o mesmo que a Esme: recorremos à adopção.

Ele suspirou e, em seguida, falou num tom violento.

– Não está *certo!* Não quero que tenhas de fazer sacrifícios por minha causa. Quero dar-te coisas e não tirar-tas. Não quero roubar-te o futuro. Se eu fosse humano...

Coloquei-lhe a mão sobre os lábios.

– *Tu* és o meu futuro. Agora, pára. Nada de melodramas, ou chamo os teus irmãos para te virem buscar. Se calhar, estás mesmo a *precisar* de uma despedida de solteiro.

– Desculpa. Estou um bocado aparvalhado, não estou? Deve ser dos nervos.

– Os teus pés estão frios?

– Nesse sentido, não. Esperei um século para casar contigo, menina Swan. A cerimónia do casamento é a única coisa que mal posso esperar... – e interrompeu-se a meio da fala. – Ah, por amor do que há de mais sagrado!

– O que se passa?

Edward fez ranger os dentes.

– Não precisas de chamar os meus irmãos. Parece que o Emmett e o Jasper não me vão largar esta noite.

Abracei-o com mais força durante um segundo e, a seguir, soltei-o. Não tinha qualquer hipótese de vencer Emmett no jogo do cabo-de-guerra.

– Diverte-te.

Ouviu-se uma chiadeira contra a janela – alguém arranhava o vidro com umas unhas de aço para provocar um barulho horrível, capaz de obrigar qualquer um a tapar os ouvidos e de pôr os cabelos em pé. Estremeci.

– Se não mandas o Edward embora – ameaçou Emmett, ainda invisível na noite, com uma voz ameaçadora e sibilante – nós vamos aí buscá-lo!

– Vai – disse com uma gargalhada. – Antes que eles me destruam a casa.

Edward revirou os olhos, mas levantou-se num único movimento fluído, dedicando um outro a vestir a camisa. Por fim, curvou-se e beijou-me na testa.

– Vai dormir. Amanhã, espera-te um grande dia.

– Obrigada! Isso ajuda-me realmente a descontrair.

– Encontramo-nos no altar.

– Eu sou a que está vestida de branco. – E ri-me do ar perfeitamente *blasé* da minha tirada.

Edward também riu baixinho.

– Muito convincente – comentou, acocorando-se logo de seguida e flectindo os músculos como uma mola. Depois eclipsou-se, lançando-se tão depressa para fora da janela que os meus olhos foram incapazes de o acompanhar.

No exterior, ouviu-se um baque surdo, seguido de uma praga de Emmett.

– É melhor não o trazerem para casa muito tarde – murmurei, sabendo que iriam ouvir-me.

De imediato, o rosto de Jasper assomou à minha janela, com o cabelo cor de mel prateado pelo luar suave, que passava entre as nuvens.

– Não te preocupes, Bella. Trazemo-lo para casa com tempo de sobra.

De repente senti-me muito calma, com todas as dúvidas a perderem importância. À sua maneira, Jasper era tão bom como Alice, sempre que esta fazia aquelas profecias misteriosamente precisas. As capacidades mediúnicas de Jasper aplicavam-se à disposição pessoal e não ao futuro, tornando impossível deixar de sentir aquilo que ele tinha em mente.

Sentei-me às três pancadas, ainda manietada pelo cobertor.

– Jasper? O que fazem os vampiros nas despedidas de solteiro? Não vão levá-lo a um clube de *striptease*, pois não?

– Não lhe contes nada! – rugiu Emmett, num ponto mais abaixo.

Seguiu-se um outro ruído surdo e o riso baixinho de Edward.

– Descontrai-te – pediu Jasper e assim o fiz. – Nós, os Cullen, temos a nossa própria versão. Contentamo-nos com alguns leões da montanha e com um par de ursos-pardos. Uma saída nocturna sem nada de transcendente.

Perguntei-me se iria conseguir, alguma vez, falar de uma forma tão indiferente sobre a dieta "vegetariana" dos vampiros.

– Obrigada, Jasper.

Ele piscou-me o olho e desapareceu.

Lá fora, reinava um silêncio absoluto. As paredes vibravam com os roncos abafados de Charlie.

Recostei-me na almofada, sentindo o sono a chegar. Sob as pálpebras já pesadas, fitei as paredes do meu pequeno quarto, descoloradas numa tonalidade pálida pelo clarão do luar.

A minha última noite no meu quarto. A minha última noite como Isabella Swan. Na noite seguinte, já seria Bella Cullen. Apesar de todo aquele suplício do casamento ser uma pedra no sapato, tinha de admitir que o nome me soava bem.

Deixei o pensamento divagar por momentos, à espera que o sono me viesse buscar. No entanto passaram alguns minutos e constatei que estava mais consciente, perante a ansiedade a infiltrar-se de novo no estômago, crispando-o em posições desagradáveis. Sem Edward, sentia a cama demasiado macia e demasiado quente. Jasper já se tinha afastado e, com ele, todas as sensações de paz e de relaxamento.

O dia seguinte seria muito longo.

Reconheci que a maior parte dos meus receios era uma parvoíce; precisava apenas de me recompor. Estar atenta era algo inevitável na vida e nem sempre se consegue uma adaptação total ao que nos rodeia. No entanto, havia preocupações específicas que faziam todo o sentido.

A primeira era a cauda do vestido de casamento. Uma matéria em que Alice tinha deixado claramente o seu sentido artístico sobrepor-se aos aspectos práticos. Lidar com a escadaria dos Cullen, de cauda e em cima de saltos altos, parecia-me impossível. Deveria ter treinado.

A segunda era a lista de convidados.

A família de Tanya, o clã Denali, chegaria algum tempo antes da cerimónia.

la ser complicado reunir na mesma sala a família de Tanya e os nossos convidados da reserva de Quileute, o pai de Jacob e os Clearwater. Os Denali não simpatizavam com os lobisomens. Na realidade, Irina, a irmã de Tanya, recusara-se a vir ao casamento. Ela continuava a alimentar um sentimento de vingança contra os lobisomens, pelo facto de eles terem matado o seu amigo Laurent (tal como ele estivera à beira de me matar). Esse ressentimento levara os Denali a abandonar a família de Edward na altura em que mais precisavam. Fora a aliança inacreditável com os lobos Quileute que salvara as nossas vidas, no momento em que a horda de vampiros recém-nascidos tinha atacado...

Edward garantira que não seria perigoso ter os Denali ao lado dos Quileute. Tanya e toda a sua família – além de Irina – sentiam-se horrivelmente culpadas por aquela traição. Uma trégua com os lobisomens era um preço pequeno para saldar parte dessa dívida, um preço que eles estavam prontos a pagar.

Esse era o problema principal, mas havia ainda um menor: a minha frágil auto-estima.

Embora nunca tivesse estado com Tanya, tinha por certo que o nosso encontro não seria agradável para o meu ego. Tinha havido uma vez, provavelmente antes de eu nascer, em que ela tentara seduzir Edward – não que achasse mal que ela ou qualquer outra pessoa o desejasse. Mesmo assim, Tanya seria bela, no mínimo, e, no máximo, magnífica. Embora fosse óbvio, ainda que inconcebível, que Edward me tivesse preferido, eu não conseguia deixar de estabelecer comparações.

Tinha barafustado um pouco, até Edward, que conhecia as minhas fraquezas, me fazer sentir remorsos.

– Bella, nós somos o mais próximo que elas têm de uma família – sublinhara. – Mesmo depois de todo este tempo, continuam a sentir-se órfãs, compreendes?

Por isso, tinha-me conformado, disfarçando o ar carrancudo.

Agora Tanya tinha uma grande família, quase tão grande quanto a dos Cullen. Eram cinco ao todo; Carmen e Eleazar tinham-se juntado a Tanya, Kate e Irina, num processo muito parecido com o que levara Alice e Jasper a unirem-se aos Cullen, todos agregados pelo desejo de ter uma vida mais piedosa do que era costume entre vampiros normais.

Apesar de toda a companhia, Tanya e as irmãs de certa forma continuavam sozinhas. O seu luto não terminara. Porque, há muito tempo, elas também tinham tido uma mãe.

Conseguia fazer uma ideia do vazio gerado por tamanha perda, mesmo passados mil anos; tentei imaginar a família Cullen sem o seu criador, o seu núcleo e guia: Carlisle, o pai. Não consegui.

Carlisle contara a história de Tanya, durante um dos muitos serões que eu passara na casa dos Cullen, a aprender o mais que conseguia, a preparar-me o melhor que podia para o futuro que escolhera. A história da mãe de Tanya fora uma entre muitas; um conto exemplar que ilustrava apenas uma das regras a que devia dar atenção quando ingressasse no mundo dos imortais. Na verdade, era uma regra apenas – uma lei que se decompunha num milhar de facetas diferentes: *Guardar segredo.*

Guardar segredo implicava imensas coisas: viver discreta-mente, como os Cullen, mudar de sítio antes de os humanos suspeitarem que eles não envelheciam. Ou manter-se, regra geral, longe dos humanos – à excepção das horas das refeições – tal como faziam os nómadas, James e Victoria; Peter e Charlotte, os amigos de Jasper. Implicava manter o controlo de toda a espécie de vampiros que eram gerados, à semelhança do que Jasper fizera na sua relação com Maria. Ao contrário do que Victoria tinha feito com os seus recém-nascidos.

E isso implicava, desde logo, não criar algumas coisas, pois algumas eram incontroláveis.

– Não sei o nome da mãe da Tanya – confessara Carlisle, com a recordação dessa história de sofrimento a proporcionar-lhe uma expressão de pesar aos olhos dourados, exactamente da cor do cabelo claro. – As irmãs nunca falam dela, caso o possam evitar. Pensar nela é algo que fazem contrariadas.

– A mulher que criou a Tanya, a Kate e a Irina, que as amou, tenho a certeza, viveu muitos anos antes de eu nascer, durante um período de calamidade mundial, a praga das crianças imortais – referira Carlisle. – Aquilo que esses antepassados pensavam é algo que não consigo entender. Eles criaram vampiros a partir de humanos que mal passavam de crianças.

Ao imaginar o que ele descrevia, tive de engolir a bílis que me subia pela garganta.

– Elas eram belas – acrescentou Carlisle rapidamente, ao ver a minha reacção. – As mais cativantes e encantadoras que possas imaginar. Bastava estares junto delas para as amar; era algo instintivo.

– No entanto, não foi possível ensiná-las. Estagnaram num qualquer nível de evolução atingido antes de serem mordidas. Meninos adoráveis, com dois anos de idade, fala balbuciante e cheios de covinhas, que conseguiam destruir metade de uma aldeia no decorrer de uma das suas birras. Se tinham fome, comiam, e não havia palavras de aviso que as refreassem. Os humanos viam-nas, as histórias circulavam e o terror espalhava-se como fogo em mato seco.

– A mãe da Tanya criou uma criança assim. Tal como os outros Anciães, não consigo perceber as suas razões. – Nessa altura, Carlisle respirara fundo, serenamente. – Os Volturi envolveram-se, é claro.

Estremeci, como sempre fazia face à menção daquele nome. De qualquer modo, era evidente que a legião de vampiros italianos – a realeza, na acepção deles – desempenhava um papel central nesta história. Sem uma lei, não havia castigo; sem castigo, não havia ninguém a quem ele se aplicasse. Eram os patriarcas Aro, Caius e Marcus quem governava as forças dos Volturi; só os vira uma vez, mas nesse breve encontro tivera a sensação de que era Aro, com o seu dom poderoso de ler o pensamento – um só toque fazia-o conhecer todos os pensamentos que uma mente tivera até então –, o verdadeiro líder.

– Os Volturi estudaram as crianças imortais em Volterra, a sua terra, e em todo o mundo. Caius chegou à conclusão de que elas não seriam capazes de proteger o nosso segredo. Por isso, era necessário destrui-las.

– Eu contei-te que elas eram adoráveis. Bom, os clãs combateram até ao último homem, dizimando-se para as proteger. A carnificina não se expandiu tanto como as guerras sulistas neste continente; mas, à sua maneira, acabou por ser mais devastadora. Clãs existentes há muito, tradições antigas, amigos... muito se perdeu. No final, a prática foi eliminada por completo e as crianças imortais passaram a ser um assunto proibido, um tabu.

– Quando vivi com os Volturi, conheci duas crianças imortais, pelo que percebi, em primeira mão, aquilo que as instigava. Aro estudou os pequenitos ao longo de muitos anos, depois de ter terminado a catástrofe que eles tinham provocado. Conheces a personalidade experimentalista de Aro; ele tinha a esperança de as conseguir domesticar. Contudo, no final, a decisão foi unânime: as crianças imortais não podiam existir.

Eu poderia ter esquecido tudo, menos a mãe das irmãs Denali, quando a história regressou de novo a ela.

– Não ficou claro o que aconteceu exactamente à mãe de Tanya – contara Carlisle. – A Tanya, a Kate e a Irina estavam completamente alheadas da situação, até ao dia em que os Volturi vieram à procura delas, depois de aprisionarem a mãe e as suas criações ilegais. Foi essa ignorância que as salvou. Ao tocar-lhes, Aro sentiu que elas eram totalmente inocentes e isso livrou-as do castigo sofrido pela mãe.

– Nenhuma tinha visto o rapaz ou sequer sonhado que ele existia, até ao dia em que o viram a arder nos braços da mãe. Só posso imaginar que a mãe tenha guardado segredo para as proteger do mesmo desfecho. Mas, desde logo, porque o criara ela? Quem era ele e qual o seu significado, para a levar a transpor a mais intransponível de todas as barreiras? A Tanya e as outras nunca obtiveram resposta a qualquer destas questões.

Contudo, nunca duvidaram da culpa da mãe e não me parece que tenham chegado a perdoar-lhe verdadeiramente.

– Mesmo que Aro defendesse convictamente a inocência da Tanya, da Kate e da Irina, Caius pretendia queimá-las. Culpadas por associação. A sorte foi Aro estar num dia de compaixão. As três acabaram perdoadas, mas deixadas com o coração ferido e um respeito bastante saudável pela lei...

Não tive a certeza da altura exacta em que a memória se transformara em sonho. Num momento parecia que ouvia e via Carlisle na minha memória, enquanto no momento seguinte estava a olhar para um campo cinzento e infértil, aspirando o cheiro forte do incenso a arder no ar. Não estava sozinha.

Um amontoado de silhuetas ao centro do campo, todas envoltas em mantos cor de cinza, era o suficiente para me deixar aterrorizada – só podiam ser os Volturi e eu ainda era humana, ao contrário do que eles tinham decretado nos nossos últimos encontros. No entanto, sabia que era-lhes invisível, tal como acontece por vezes nos sonhos.

Em meu redor havia montes de cinzas fumegantes espalhadas por toda a parte. Reconheci a doçura do ar e não os observei em pormenor. Não desejava deparar-me com os rostos dos vampiros que eles tinham executado, em parte receosa de reconhecer alguém naquelas piras ardentes.

Os soldados Volturi formavam um círculo em volta de algo ou de alguém e, entretanto, ouvi as suas vozes murmuradas a elevaram-se alvoroçadas. Impelida pelo sonho, aproximei-me das silhuetas devagar, para ver que coisa ou pessoa observavam eles tão agitados. Rastejei cuidadosamente entre dois dos mantos altos e ciciantes até distinguir o alvo da contenda, que se elevava sobre eles do cimo de uma pequena pilha.

Era belo e encantador, tal como Carlisle o descrevera. O rapaz era ainda um menino, talvez com dois anos de idade. Uns caracóis castanhos alourados emolduravam uma cara de querubim, com bochechas e lábios cheios. E tremia, de olhos fechados, como se estivesse demasiado assustado para encarar a morte que se aproximava a cada segundo.

A vontade que me atingiu de salvar aquela criança adorável e aterrorizada foi tão violenta que os Volturi, apesar de toda a sua força destruidora, deixaram de me incomodar. Abri caminho entre eles, sem querer saber se davam pela minha presença. Libertei-me de todos e corri em direcção ao rapaz.

Apenas para estacar, de repente, ao ver melhor a elevação onde ele se sentava. Não era de terra ou de pedra, tratando-se de uma pilha de corpos humanos, exangues e sem vida. Era demasiado tarde para evitar ver aqueles rostos. Conhecia-os a todos – Angela, Ben, Jessica, Mike... e imediatamente abaixo do rapaz adorável estavam os corpos do meu pai e da minha mãe.

A criança abriu os olhos, vermelhos de sangue.

Três

O GRANDE DIA

Os meus olhos abriram-se, de repente.

Fiquei deitada na cama quente durante alguns minutos, sufocada e a tremer, tentando libertar-me do sonho. Lá fora, o céu tornou-se cor de cinza e depois rosa pálido, enquanto eu esperava que o batimento do meu coração abrandasse.

Quando regressei integralmente à realidade daquele quarto desarrumado e familiar, sentia-me algo irritada comigo mesma. Que sonho tinha ido arranjar para a noite anterior ao meu casamento! Era o que acontecia sempre que ficava obcecada com histórias inquietantes a meio a noite.

Vesti-me e desci as escadas em direcção à cozinha, muito tempo antes do necessário, desejosa de atirar o pesadelo para trás das costas. Comecei por limpar as salas já limpas e a seguir preparei umas panquecas para Charlie, mal ele se levantou. Estava demasiado excitada para me concentrar no meu pequeno--almoço, enquanto ele comia, sentei-me na cadeira, com o corpo a baloiçar.

– Tens de ir buscar o Sr. Weber às três horas – lembrei.

– Bella, além de ir buscar o pastor, hoje não tenho nada de especial para fazer. Não é provável que me esqueça dessa tarefa. – Charlie tirara o dia inteiro por causa do casamento e não tinha mesmo nada para fazer. De vez em quando, o olhar dele passava às escondidas pelo armário debaixo das escadas, onde guardava a cana de pesca.

– Não é só isso que tens de fazer. Também precisas de te vestir e ficar apresentável.

O meu pai dirigiu uma expressão carrancuda à taça de flocos de aveia e resmoneou as palavras "fato-macaco" por entre dentes.

Soaram umas pancadas enérgicas na porta da frente.

– Se achas que o teu caso é suficientemente mau – comentei com uma careta enquanto me levantava –, então lembra-te que vou ficar o dia inteiro por conta da Alice.

Charlie assentiu com a cabeça, exibindo um ar compreensivo, ao reconhecer que a sua expiação era menos má. Ao passar por ele, baixei-me e beijei-o no cimo da cabeça, fazendo-o corar e pigarrear. Depois segui em frente para abrir a porta à minha melhor amiga e, muito em breve, minha irmã.

Ao contrário do que era costume, Alice não vinha com o cabelo curto e preto todo espetado – estava moldado em caracóis brilhantes e minúsculos, a emoldurar-lhe a cara de pequena fada e a contrastar com uma expressão profissional. A minha amiga arrastou-me para fora de casa, com um simples "Viva, Charlie" atirado por cima do ombro.

Já dentro do seu *Porsche,* pôs-se a avaliar o meu estado.

– Que diabo, olha para a tua cara – exclamou, emitindo um estalo com a língua em sinal de reprovação. – O que é que andaste a fazer? Não te deitaste?

– Quase.

Alice pôs um ar carrancudo.

– Bella, investi este tempo todo para te pôr a brilhar. Podias ter tido mais cuidado com a minha matéria-prima.

– Ninguém está à espera de me ver a brilhar. Se calhar, o maior problema é adormecer na cerimónia, sem dizer "Sim" no momento certo, dando ao Edward a hipótese de fugir.

Ela soltou uma gargalhada.

– Quando estiver quase na altura, atiro-te com o meu ramo.

– Obrigada.

– Pelo menos, amanhã vais ter tempo de sobra para dormir no avião.

Ergui uma sobrancelha. *"Amanhã",* pensei eu. Se partíamos de noite, a seguir ao copo de água, e se ainda havia tempo para apanhar um avião... bom, não íamos para Boise, no Idaho. Edward tinha-se fechado completamente em copas. O mistério não me causava grandes preocupações, mas era estranho não saber onde dormiria na noite seguinte. Ou, com alguma sorte, não dormiria...

Alice percebeu que deixara escapar qualquer coisa e franziu o sobrolho.

– Já tens as malas feitas e prontas para a partida – informou ela, desviando a minha atenção.

Resultou.

– Alice, eu gostava que me deixasses arrumar as minhas próprias coisas.

– Isso dava-te muitas pistas.

– E tirava-te a hipótese de ires às compras.

– Dentro de dez curtas horas vais ser oficialmente minha irmã... já é tempo de ultrapassares essa aversão a roupa nova.

Mantive os olhos fixos no pára-brisas, num estado de torpor, até nos aproximarmos da casa.

– Ele já voltou? – perguntei.

– Não te preocupes, porque o Edward vai lá estar antes de a música começar a tocar. Mas tu não o irás ver, seja qual for a hora a que chegue. Estamos a preparar tudo à maneira tradicional.

Resfoleguei.

– Tradicional!

– Está bem, noivos à parte...

– Sabes bem que ele já deu uma espreitadela.

– Ah, não! Por isso é que fui a única que te viu com o vestido. E tenho todo o cuidado em não pensar nele quando o Edward anda junto de mim.

– Bom – comentei, quando virámos para o acesso à entrada –, estou a ver que deste uma nova utilidade às decorações do fim de curso. – Mais uma vez, os cerca de cinco quilómetros do percurso estavam engalanados com centenas de luzes cintilantes. Desta vez, ela acrescentara uns laços de cetim brancos.

– Quem guarda, encontra. Diverte-te com estas, porque só irás ver as decorações de dentro quando chegar a hora. – E virou para uma garagem gigantesca, a Norte da casa principal; o enorme *Jeep* de Emmett ainda não estava lá.

– Desde quando é que a noiva está proibida de ver as decorações? – protestei.

– Desde que ela me encarregou da organização. Quero que a tua surpresa seja total, logo que começares a descer as escadas.

Antes de me deixar entrar na cozinha, tapou-me os olhos com a mão. O cheiro invadiu-me de imediato.

– O que é isto? – perguntei, espantada, enquanto a minha amiga me conduzia pela casa.

– É demasiado? – De repente, ela mostrou-se preocupada. – És o primeiro humano a vir aqui; espero ter feito bem as coisas.

– O cheiro é fantástico! – sosseguei-a. A mistura de várias fragrâncias era subtil e perfeita, quase embriagante; mas de forma alguma opressiva. – Flor de laranjeira... lilás... e ainda outra coisa. Acertei?

– Muito bem, Bella. Só te escaparam as frésias e as rosas.

Alice destapou-me os olhos ao chegarmos à casa de banho descomunal, que estava por sua conta. Arregalei os olhos para a enorme bancada, coberta com toda a parafernália de um salão de beleza, e comecei a sentir os efeitos da noite mal dormida.

– Isto é mesmo necessário? Seja como for, parecerei sempre uma pessoa vulgar ao lado dele.

Ela fez-me sentar numa cadeira baixa, cor-de-rosa.

– Ninguém vai ousar dizer que és uma pessoa vulgar, quando saíres das minhas mãos.

– Só por recearem que lhes sugues o sangue – murmurei por entre dentes. Recostei-me na cadeira e fechei os olhos, na expectativa de conseguir dormir uma sesta enquanto ali estava. Cheguei a passar pelas brasas enquanto ela mascarava, esfregava e polia cada milímetro do meu corpo.

Passava da hora do almoço quando Rosalie deslizou pela entrada da casa de banho, com um roupão prateado e cintilante e o cabelo louro, armado numa coroa suave ao cimo da cabeça. Estava tão bonita que me deu vontade de chorar. De que servia estar a arranjar-me, com Rosalie junto de mim?

– Eles já voltaram – anunciou ela, fazendo com que o meu ataque imaturo de desespero passasse de imediato. Edward estava em casa.

– Não o deixes vir para aqui!

– Hoje, ele não se cruza no teu caminho – garantiu Rosalie. – Preza muito a própria vida. A Esme pediu-lhes que fossem acabar umas coisas lá atrás. Precisas de ajuda? Posso arranjar-lhe o cabelo.

Fiquei de boca aberta. A minha mente vagueou em busca de uma forma de a tentar fechar.

Nunca caíra nas boas graças de Rosalie. E, ainda para piorar mais as coisas, a minha opção ofendia-a em termos pessoais. Embora fosse dona de uma beleza impossível, tivesse uma família adorável e encontrasse em Emmett a sua alma gémea, Rosalie trocaria tudo isso pela possibilidade de ser humana. E ali estava eu, a deitar fora o que ela mais desejava na vida, tão friamente como se fosse lixo. Isso não advogava muito em minha defesa.

– Claro – respondeu Alice, com naturalidade. – Podes começar a fazer as tranças. Quero que fiquem espessas. O véu prende-se aqui, por baixo. – E começou a exemplificar ao pormenor, penteando, levantando e retorcendo o meu cabelo. Quando terminou, as mãos de Rosalie tomaram o lugar das suas, moldando-me o cabelo com um toque suave como uma pena. Alice concentrou-se novamente no meu rosto.

Assim que recebeu a aprovação desta em relação ao penteado, Rosalie foi incumbida de ir buscar o meu vestido e, a seguir, procurar Jasper. Era ele que ia buscar a minha mãe e Phil, o marido, ao hotel. Do andar de baixo chegou-me o eco indistinto da porta a abrir e a fechar vezes sem conta. O rumor de vozes começou a fluir até nós.

Alice fez-me levantar para enfiar o vestido à vontade por cima do cabelo e da maquilhagem. À medida que me abotoava a longa fiada de botões de pérolas, os joelhos tremiam-me tanto que o cetim movimentava-se em pequenas ondas até ao chão.

– Respira fundo, Bella – aconselhou ela –, e tenta abrandar o batimento cardíaco. O suor vai lavar-te a maquilhagem toda.

Respondi-lhe da forma mais sarcástica que fui capaz.

– A ideia é mesmo essa.

– Agora tenho de me ir vestir. Consegues aguentar-te dois minutos?

– Hum... quem sabe?

Alice revirou os olhos e saiu a correr.

Concentrei-me na respiração, contabilizando cada contracção dos pulmões e olhando fixamente para os padrões que a luz da casa de banho produzia no tecido brilhante da saia. Tinha medo de me ver ao espelho – medo que a minha imagem com o vestido de casamento me fizesse descambar num ataque de pânico em larga escala.

Antes de atingir os duzentos fôlegos, Alice já estava de volta, com um vestido que ondulava pelo corpo delgado como uma cascata prateada.

– Alice... uau!

– Não é nada de especial. Hoje ninguém vai olhar para mim. Pelo menos, enquanto estiveres na sala.

Soltei uma gargalhada sarcástica.

– Então? Já te controlaste ou tenho de te trazer o Jasper?

– Eles voltaram? A minha mãe já chegou?

– Acabou de entrar e já vem a subir.

Renée chegara de avião há dois dias e eu tinha passado com ela todos os momentos que conseguira – melhor dizendo, todos os momentos em que conseguira arrancá-la a Esme e aos preparativos. Pelo que via, ela andava mais divertida que um miúdo que ficasse fechado na Disneylândia durante a noite. De certa forma, sentia-me quase tão atraiçoada como Charlie. Tanto terror desperdiçado com a reacção dela...

– Oh, Bella! – guinchava a minha mãe naquele momento, emocionada antes de transpor a porta completamente. – Ah, minha querida, estás tão bonita! Vou começar a chorar! Alice, és incrível! Tu e a Esme deviam abrir uma empresa de organização de casamentos. Onde arranjaste esse vestido? É uma maravilha! Tão gracioso e elegante! Bella, parece que acabaste de sair de um filme da Jane Austen. – Ouvia a voz dela ligeiramente ao longe, enquanto tudo no quarto me parecia um pouco difuso. – Que ideia tão imaginativa inspirarem-se no anel da Bella para o tema. Que romântico! Pensar que ele está na família do Edward desde o século XIX!

Alice e eu trocámos um breve olhar conspirativo. A minha mãe estava mais de cem anos desfasada dos estilos de vestuário. Na verdade, o casamento não se inspirava no anel mas no próprio Edward.

Da ombreira da porta, chegou-nos um pigarrear áspero e ruidoso.

– Renée, a Esme diz que está na altura de ires ocupar o teu lugar – avisou Charlie.

– Bem, Charlie, tu estás uma elegância – exclamou Renée, num tom que quase parecia escandalizado. O que talvez explicasse o tom rude da resposta do meu pai.

– A culpada é a Alice.

– Já estamos mesmo na hora? – interrogou-se Renée, mostrando-se quase tão nervosa quanto eu. – O tempo passou a correr. Sinto a cabeça a andar à volta.

Já éramos duas.

– Dá-me um abraço, antes de descer – insistiu ela. – Com cuidado, para não estragares nada.

A minha mãe enlaçou-me pela cintura delicadamente e, depois, rodou em direcção à porta, apenas para completar a volta e virar-se de novo para mim.

– Ai, santo Deus, que quase me esquecia! Charlie, onde está a caixa?

O meu pai remexeu nos bolsos durante um minuto e tirou uma pequena caixa branca que passou a Renée. Esta retirou a tampa e entregou-ma.

– Uma coisa azul – disse ela.

– Que também é antiga. Pertenciam à tua avó Swan – acrescentou Charlie. – Pedimos a um joalheiro que substituísse as jóias falsas por safiras.

A caixa continha duas travessas para o cabelo em prata maciça. No cimo dos dentes estavam embutidas safiras azul-escuras, em desenhos florais elaborados.

Senti um nó na garganta.

– Mãe, pai... não deviam...

– A Alice não nos deixou fazer mais do que isto – declarou Renée. – De cada vez que insistíamos, quase nos esfolava o pescoço.

Uma gargalhada histérica irrompeu-me dos lábios.

Alice meteu-se entre mim e os meus pais, enfiando rapidamente as duas travessas no meu cabelo, logo abaixo das tranças volumosas.

– Temos aqui uma coisa antiga e uma coisa azul – reflectiu ela, dando uns passos atrás para me observar. – E o teu vestido é novo... portanto toma lá...

E atirou-me algo de repente. Estendi as mãos por instinto e a liga branca e diáfana aterrou-me nas mãos.

– É minha e quero-a de volta – avisou.

Corei.

– Aí está – afirmou Alice, satisfeita. – Um pouco de cor, era tudo o que precisavas. Oficialmente, estás perfeita. – A seguir virou-se para os meus pais, com um pequeno sorriso de auto-comprazimento. – Renée, tem de ir lá para baixo.

– Sim, senhora. – A minha mãe atirou-me um beijo e precipitou-se em direcção à porta.

– Charlie, pode trazer as flores, por favor?

Enquanto ele saía, Alice tirou-me a liga das mãos e enfiou-ma debaixo da saia. Ofeguei e cambaleei, quando senti a sua mão gélida a agarrar-me o tornozelo e a puxar pela liga, para a colocar no lugar.

Antes de Charlie regressar com dois ramalhetes brancos e entufados, Alice já se tinha erguido novamente. O aroma das rosas, das flores de laranjeira e das frésias envolveu-me numa névoa suave.

Rosalie – a melhor executante musical da família depois de Edward – começou a tocar piano no andar de baixo. Era o "Canon" de Pachelbel. E eu comecei a respirar muito depressa.

– Calma, Bells – disse Charlie. Depois virou-se para Alice, ansioso:

– Ela parece um pouco zonza. Achas que vai aguentar?

A voz dele parecia vir de muito longe. Não sentia as pernas.

– Já vai passar.

Alice pôs-se em bicos de pés à minha frente, para me fitar directamente nos olhos, agarrando-me nos pulsos com umas mãos de ferro.

– Concentra-te, Bella. O Edward está à tua espera lá em baixo.

Respirei fundo, forçando-me a recuperar a calma.

A música metamorfoseou-se, lentamente, numa melodia diferente e Charlie deu-me um pequeno toque com o cotovelo.

– Bella, chegou a nossa hora.

– Bella? – chamou Alice, ainda a prender o meu olhar.

– Sim – concordei, numa voz esganiçada. O Edward. Está bem. – Deixei-a conduzir-me para fora do quarto, mantendo o cotovelo apoiado na mão de Charlie.

No corredor, a música soava com maior intensidade. Flutuava pelas escadas acima, misturada com a fragrância de um milhão de flores. Foquei-me na imagem de Edward à espera, lá em baixo, no sentido de obrigar os pés a arrastarem-se para a frente.

Conhecia a música, a marcha tradicional de Wagner, rodeada por uma explosão de floreados.

– É a minha vez – observou Alice. – Conta até cinco e, a seguir, segue-me. – A minha amiga iniciou uma marcha lenta e graciosa nas escadas. Deveria ter adivinhado que era um erro tê-la como única dama de honor. Ao surgir atrás dela, ainda parecia muito mais descoordenada.

De repente, irrompeu uma fanfarra entre a música solene. Percebi que era a minha deixa.

– Pai, não me deixes cair – murmurei. Charlie enfiou a minha mão no braço e apertou-a firmemente.

"Um passo de cada vez", disse a mim mesma, quando iniciámos a descida, ao ritmo lento da marcha. Só ergui os olhos quando senti os pés em segurança, sobre o piso plano, embora ouvisse os sussurros e o restolhar da assistência assim que apareci. O som fez-me subir o sangue à cara; é claro que eu seria sempre a noiva tímida.

Assim que os pés ultrapassaram a escadaria traiçoeira, os meus olhos procuraram-no. Durante um breve instante distraí-me com a exuberância das flores brancas, suspensas de tudo quanto não tinha vida própria na sala, em grinaldas ornamentadas com longas fiadas de laços de renda brancos. Contudo, libertei-me daquela abóbada rendilhada e percorri com o olhar as filas de cadeiras cobertas de cetim – corando ainda mais, ao aperceber-me da moldura de rostos concentrados em mim – até que o encontrei, por fim, sob um arco pejado de mais flores e rendas.

Mal me apercebi de Carlisle, em pé ao seu lado, e do pai de Angela atrás dos dois. Não vi a minha mãe na fila da frente, onde deveria estar sentada, nem a minha nova família, nem nenhum dos convidados. Eles teriam de esperar até mais tarde.

Na verdade, tudo o que vi foi o rosto de Edward, que me encheu a visão e me dominou o espírito. Os seus olhos ostentavam um tom de ouro macio e ardente; a sua face perfeita estava quase hirta com a profundidade da emoção. E então, ao encontrar o meu olhar extasiado, ele desfez-se num sorriso exultante, capaz de me cortar a respiração.

De repente, apenas a pressão da mão de Charlie na minha foi capaz de me impedir de atravessar a ala inteira a correr.

A marcha era demasiado lenta, pelo que lutava por manter o passo ao ritmo do seu andamento. Mas, por um golpe de misericórdia, a extensão da ala era pequena. E, por fim... por fim, cheguei lá. Edward estendeu-me a mão e, num gesto simbólico e tão antigo como o mundo, Charlie pegou na minha e entregou-a ao meu noivo. Ao tocar o milagre gelado da sua pele, senti-me em casa.

Os nossos votos foram muito simples, palavras tradicionais ditas milhões de vezes, embora nunca por um casal como nós. Tínhamos pedido apenas uma ligeira alteração ao Sr. Weber. Gentilmente, ele substituiu a frase "até que a morte nos separe" pela mais apropriada "enquanto ambos vivermos".

Naquele momento, quando o pastor proferia as suas palavras, o meu mundo, que andava há tanto tempo de cabeça para baixo, pareceu regressar à posição correcta. Reconheci que os meus receios eram disparatados – lidando com isto como uma prenda de aniversário indesejada ou uma exposição constrangedora como o baile. Fitei os olhos luminosos e triunfantes de Edward e soube que eu também tinha ganho. Porque nada mais importava, a não ser o facto de ficar ao seu lado.

Só percebi que estava a corar, quando chegou a altura de pronunciar as palavras decisivas.

– Sim – consegui balbuciar, num murmúrio quase inaudível, a pestanejar para descortinar o rosto dele através das lágrimas.

Quando chegou a vez de Edward falar, as suas palavras soaram nítidas e vitoriosas.

– Sim – jurou.

Logo que o Sr. Weber nos declarou marido e mulher, as mãos do meu amado erguéram-se para me segurar no rosto com tanto cuidado como se tivesse a delicadeza das pétalas brancas que oscilavam sobre as nossas cabeças. Através da cortina de lágrimas que me cegava, tentei absorver o facto de esta pessoa espantosa me pertencer. Pareceu-me distinguir também lágrimas naqueles olhos dourados; como se isso fosse possível. Edward curvou a cabeça para mim e eu estiquei-me apoiada nas pontas dos pés, lançando-lhe os braços – o ramo e tudo o mais – à volta do pescoço.

Ele beijou-me com ternura, com adoração; por sua vez, eu esqueci a multidão, o lugar, o tempo, a razão... apenas recordando que ele me amava, que me queria, que eu lhe pertencia.

Foi Edward quem iniciou o beijo e foi ele quem o terminou; eu agarrara-me a ele, sem ligar aos risinhos e tosses da audiência. Por fim, as mãos dele refrearam o meu rosto e ele recuou – demasiado cedo – para me olhar de frente. À superfície, o seu sorriso súbito era brincalhão, quase afectado. Só que, por detrás do gáudio momentâneo com a minha exibição pública, existia a alegria profunda que era um eco da minha.

A multidão irrompeu em aplausos e Edward virou o rosto dos dois para a família e amigos. Não consegui desviar o meu olhar da cara dele para os encarar.

Os braços da minha mãe foram os primeiros a vir ao meu encontro e a primeira coisa que vi foi o rosto dela cheio de lágrimas, quando finalmente afastei a custo os meus olhos de Edward. E fiquei entregue à multidão, passando de uns braços para outros, mal me apercebendo de quem me apertava, com as atenções focadas na mão de Edward, que apertava a minha com firmeza. O que reconheci foi a diferença entre os abraços suaves e quentes dos meus amigos humanos e os frios e delicados da minha nova família.

Um, muito apertado, destacou-se. Seth Clearwater enfrentava a horda de vampiros para representar o meu amigo lobisomem perdido.

Quatro

O Gesto

O casamento desaguou suavemente no copo de água – uma prova da organização perfeita de Alice. No mesmo momento, o crepúsculo despontava sobre o rio; a cerimónia tinha decorrido no tempo certo, permitindo ao Sol esconder-se na vegetação. Quando Edward me conduziu pelas portas de vidro das traseiras, as luzes das árvores tremeluziam, tornando as flores brancas incandescentes. Havia mais dez mil flores, que formavam um toldo delicado e aromático sobre a pista de dança instalada na relva, debaixo de dois dos velhos cedros.

O ambiente suavizou-se e descontraiu-se, à medida que a noite cálida de Agosto nos envolvia. A pequena multidão dispersou-se sob o brilho suave das luzes cintilantes e fomos de novo saudados pelos amigos que acabávamos de abraçar. Agora era o tempo de falar e rir.

– Parabéns aos dois – saudou Seth Clearwater, de cabeça inclinada sob a borda de uma grinalda de flores. Sue, a mãe dele, estava mesmo ao lado, observando os convidados com uma intensidade circunspecta. Tinha o rosto delgado, com uma expressão penetrante e acentuada por um corte de cabelo curto e severo; tão curto como o da filha Leah – perguntei-me se o usaria assim num gesto de solidariedade. Do outro lado de Seth, Bill Black parecia menos tenso que ela.

Ao olhar para o pai de Jacob, tinha sempre a sensação de ver duas pessoas em vez de uma. À vista de todos, estava o velho na cadeira de rodas, de rosto enrugado e sorriso cintilante. E, a seguir, havia o descendente directo de uma longa geração de líderes mágicos e poderosos, revestido da autoridade que lhe tinha sido legada pelo nascimento. Ainda que essa magia – devido à ausência de um elemento catalisador – não estivesse presente na sua geração, Billy continuava a ter uma quota-parte no poder e na lenda. Isso fluía nele de forma absoluta. E fluía no seu filho, herdeiro desse poder mágico que renegara, levando Sam Uley a agir como se fosse o líder da lenda e da magia...

Billy parecia surpreendentemente à vontade, tendo em conta a presente cerimónia e os seus participantes – os olhos negros brilhavam, como se acabasse de receber uma boa notícia. Aquela atitude deixou-me surpreendida. Ele deveria olhar para o meu casamento como algo terrível, o pior que podia acontecer à filha do seu melhor amigo.

Sabia que não era fácil para Billy dominar os sentimentos, quando este acontecimento punha em questão o velho acordo entre os Cullen e os Quileute – um acordo que proibia os Cullen de criarem outro vampiro para todo o sempre. Os lobos sabiam que havia uma ruptura eminente, mas os Cullen não faziam ideia de qual seria a reacção deles. Antes da aliança, tal implicaria um ataque imediato, uma guerra. No entanto, agora que se conheciam melhor uns aos outros, haveria lugar para o perdão?

Como se respondesse ao meu pensamento, Seth inclinou-se para Edward de braços estendidos. Este retribuiu-lhe o gesto, com o braço que tinha livre.

Reparei que Sue estremecia levemente.

– É bom ver que as coisas te correram bem, meu – afirmou Seth. – Fico feliz por ti.

– Obrigado, Seth. Isto é muito importante para mim. – Edward afastou-se de Seth e virou-se para Sue e Billy. – E agradeço também aos dois por permitirem que o Seth viesse. Assim como pelo apoio que vieram dar à Bella.

– Não tens de agradecer – respondeu Billy, no seu tom de voz profundo e solene, surpreendendo-me pelo timbre optimista. Se calhar, avistavam-se umas tréguas mais estáveis.

Entretanto, começou a formar-se uma espécie de fila, levando Seth a dirigir-nos um aceno de despedida, empurrando a cadeira de rodas de Billy em direcção ao banquete. Sue manteve uma mão apoiada em cada um dos dois.

Angela e Ben foram os seguintes a requerer a nossa atenção, seguidos pelos pais de Angela e, depois, por Mike e Jessica. Para meu espanto, estes vinham de mãos dadas. Não sabia que se tinham reconciliado. Era bom.

Atrás dos meus amigos humanos, vinham os meus novos primos por afinidade, o clã de vampiros Denali. Apercebi-me que sustinha a respiração quando a vampira da frente – Tanya, calculei, com base na tonalidade arruivada dos caracóis louros – avançou para abraçar Edward. Junto dela, outros três vampiros de olhos dourados miravam-me com uma curiosidade indisfarçável. Uma das mulheres tinha o cabelo louro-claro e liso como a seda de milho. Um homem e uma outra mulher, ao lado da vampira da frente, tinham o cabelo escuro com uma leve tonalidade cor de azeitona na tez pálida.

A beleza dos quatro era tão magnífica que me fez contrair o estômago.

Tanya continuava abraçada a Edward.

– Ah, Edward – disse ela –, tive saudades tuas.

Edward soltou um riso abafado e libertou-se habilmente do abraço, pousando com suavidade a mão sobre o ombro dela e dando um passo atrás, como se a quisesse ver melhor.

– Já passou muito tempo, Tanya. Estás linda.

– Tu também.

– Deixem-me apresentar-vos a minha mulher. – Era a primeira vez que Edward pronunciava a palavra desde que era oficialmente verdade; ao fazê-lo, pareceu explodir de satisfação. Os Denali reagiram com um riso delicado. – Tanya, esta é a minha Bella.

Tanya tinha tanto de adorável como os meus piores pesadelos previam. Lançou-me um olhar mais especulativo que resignado e estendeu-me a mão.

– Bem-vinda à família, Bella. – Esboçou um sorriso levemente pesaroso. – Nós consideramo-nos uma extensão da família do Carlisle e lamento o, hum…, incidente recente, quando agimos como se não fôssemos. Devíamos ter-nos conhecido há mais tempo. Podes perdoar-nos?

– Claro que sim – respondi com ansiedade. – Tenho muito prazer em conhecer-te.

– Agora, todos os Cullen estão acasalados. Talvez seja a nossa vez. O que te parece, Kate? – E dirigiu um sorriso irónico à loura.

– Vai sonhando – retorquiu ela, revirando os olhos. Pegou na minha mão, que Tanya conservava na sua, e apertou-a com gentileza. – Bem-vinda, Bella.

A morena juntou a sua mão às nossas.

– Eu sou a Carmen e este é o Eleazar. Temos o maior gosto em conhecer-te finalmente.

– E... eu também – gaguejei.

Tanya olhou de relance para as pessoas que aguardavam atrás – Mark, o adjunto de Charlie, e a mulher. Ambos miravam o clã Denali de olhos arregalados.

– Teremos oportunidade de nos conhecer mais tarde. Dispomo-nos de uma eternidade para isso! – sublinhou Tanya com uma gargalhada, afastando-se com a família.

Todas as tradições normais foram respeitadas. As luzes dos flashes encadearam-me, enquanto segurávamos a faca sobre um bolo espectacular – na minha opinião, demasiado imponente para o grupo relativamente íntimo de amigos e familiares. Fomo-nos revezando a atirar bolo à cara uns dos outros; Edward engoliu a sua fatia com um ar determinado, enquanto eu o olhava, perplexa. Depois lancei o meu ramo de flores, com uma destreza pouco comum, na direcção das mãos espantadas de Angela. Emmett e Jasper riram a bandeiras despregadas ao ver-me corada, enquanto Edward me arrancava a liga emprestada, que eu deixara escorregar quase até ao tornozelo, muito cuidadosamente com os dentes. A seguir, piscou-me o olho e atirou-a directamente à cara de Mike Newton.

E quando a música começou a tocar, o meu marido enlaçou-me para a primeira dança convencional; acedi de imediato, apesar das minhas reticências em dançar, especialmente em frente a uma plateia, sentindo-me apenas feliz por estar nos seus braços. Edward assumiu todas as responsabilidades da dança e eu rodopiei sem qualquer esforço, sob o clarão da abóbada de luzes e dos flashes cintilantes das máquinas fotográficas.

– Está a gostar da festa, senhora Cullen? – sussurrou ele ao meu ouvido.

Soltei uma gargalhada.

– Vai levar algum tempo a habituar-me.

– Temos tempo suficiente – lembrou com uma voz exultante, curvando-se para me beijar, enquanto dançávamos. As máquinas fotográficas dispararam sem cessar.

A música mudou e Charlie deu um toque no ombro de Edward.

Em comparação, dançar com o meu pai não era assim tão fácil. Ele tinha tanto jeito quanto eu, pelo que nos movíamos de um lado para o outro, no espaço de um pequeno quadrado, sem correr qualquer risco. Edward e Esme giravam à nossa volta como Fred Astaire e Ginger Rogers.

– Vais fazer falta lá em casa, Bella. Já me sinto sozinho.

Respondi-lhe com a garganta apertada, tentando brincar com o assunto.

– Sinto-me simplesmente horrível, por te deixar a cozinhar. Na prática, é um crime de negligência. Podias mandar-me prender.

Ele fez um esgar.

– Acho que vou sobreviver à comida. Telefona-me só, sempre que puderes.

– Prometo.

Tive a sensação de que dançava com toda a gente. Era bom ver todos os meus velhos amigos, mas desejava acima de tudo estar com Edward. Fiquei feliz quando ele se intrometeu finalmente, apenas meio minuto depois de uma música nova ter iniciado.

– Continuas a não simpatizar muito com o Mike, não é? – observei, quando Edward me fez rodopiar para fora dos braços dele.

– Não, quando sou obrigado a ouvir o que ele pensa. Teve sorte em não o expulsar a pontapé. Ou pior.

– Sim, está bem.

– Já tiveste oportunidade de olhar para ti?

– Hum... não, acho que não. Porquê?

– Nesse caso, não deves imaginar como estás completa e loucamente bela esta noite. Não é de admirar que seja impossível ao Mike conter pensamentos impróprios sobre uma mulher casada. Estou decepcionado com a Alice por ela não te ter obrigado ao veres-te ao espelho.

– Tu és muito tendencioso, sabias?

Ele suspirou e depois parou, fazendo-me dar meia-volta para ficar de frente para a casa. A parede de vidro reflectia a festa nas nossas costas, como se fosse um enorme espelho. Edward apontou para o casal que ali estava, mesmo à nossa frente.

– Tendencioso?

Vi de relance o reflexo de Edward – um duplicado perfeito do seu rosto perfeito – ladeado por uma beldade de cabelo escuro. A pele dela era leitosa e rosada, e os olhos enormes, devido à excitação, estavam emoldurados por pestanas espessas. O seu vestido branco e cintilante, ajustado ao corpo e expandindo-se subtilmente na cauda quase como um lírio, estava talhado com tanta sabedoria que a silhueta dela parecia elegante e graciosa – pelo menos, enquanto estava imóvel.

Antes de piscar os olhos e fazer com que aquela beldade se transformasse de novo em mim, Edward endireitou-se de súbito, virando-se instintivamente noutra direcção, como se alguém o chamasse.

– Ah – exclamou ele. O sobrolho franziu-se por um momento e desenrugou-se à mesma velocidade.

De repente, vi-lhe um sorriso luminoso na cara.

– O que foi? – perguntei.

– Uma prenda de casamento surpresa.

– Hã?

Não me respondeu; limitou-se a começar a dançar outra vez, fazendo-me girar no sentido contrário àquele de onde tínhamos vindo, afastando-me das luzes e levando-me para a faixa profunda de noite em redor da pista de dança luminosa.

Só parou quando chegámos ao lado oculto de um dos enormes cedros. Ali, olhou directamente para a sombra mais escura.

– Obrigado – agradeceu para a escuridão. – Foi muito... simpático da tua parte.

– A simpatia é uma das minhas maiores qualidades – respondeu uma voz rouca e conhecida, vinda da noite escura.

– Posso chegar-me à frente?

Levei rapidamente a mão à garganta e teria caído se Edward não me agarrasse.

– Jacob? – proferi, com a voz sufocada, assim que consegui respirar. – Jacob!

– Viva, Bells.

Cambaleei em direcção ao som da voz dele. Edward continuou a agarrar-me com firmeza pelo cotovelo, até outro par de mãos fortes me prender na escuridão. O calor da pele de Jacob trespassou de logo o vestido leve de cetim quando me puxou para si. Não fez qualquer esforço para dançar; limitou-se a abraçar-me, enquanto eu enterrava o rosto no seu peito. Depois inclinou-se para apoiar a face na minha cabeça.

A Rosalie não me vai perdoar se perder uma volta oficial na pista de dança – murmurou Edward e eu percebi que ele nos ia deixar, dando-me a sua própria prenda: aquele momento com Jacob.

– Oh, Jacob. – Agora chorava; não conseguia articular as palavras devidamente. – Obrigada.

– Pára com a choradeira, Bella. Vais dar cabo do vestido. Sou só eu.

– Apenas? Oh, Jake! Agora está tudo perfeito.

Ele resmungou.

– Sim, a festa pode começar. O padrinho chegou finalmente.

– Agora, estão aqui *todos* os que amo.

Senti os seus lábios a acariciar-me o cabelo.

– Desculpa ter chegado atrasado, minha querida.

– Estou tão feliz por estares aqui!

– A ideia era essa.

Lancei um olhar aos convidados, mas não consegui avistar entre os bailarinos o sítio onde vira o pai de Jacob pela última vez. Desconhecia se ele teria ficado.

– O Billy sabe que estás aqui? – Assim que terminei a pergunta, senti que devia saber, era a única forma de explicar a expressão animada do pai.

– Estou certo de que o Sam lhe contou. Vou vê-lo quando... a festa acabar.

– Ele vai ficar muito contente por te ver em casa.

Jacob recuou ligeiramente e endireitou-se. Continuou a apoiar uma mão nas costas e agarrou a minha com a outra mão. Aconchegou-a ao peito e eu senti o coração dele a bater sob a palma da mão. Não tinha sido por acaso que ele a colocara ali.

– Não sei se vou ter direito a mais do que esta dança – disse o meu amigo, começando a arrastar-me em volta de um círculo lento, num compasso dissonante do ritmo da música que ouvíamos ao fundo. – Vou aproveitá-la o melhor que puder.

Movemo-nos à cadência do seu coração, que batia sob a minha mão.

– Estou contente por ter vindo – afirmou Jacob em voz baixa, passado um momento. – Não contava estar aqui. Mas é bom ver-te... mais uma vez. E não é tão triste como pensei que seria.

– Não quero que estejas triste.

– Eu sei. E não vim aqui esta noite para que ficasses com remorsos.

– Não... a tua vinda dá-me uma enorme felicidade. É a melhor prenda que me podias dar.

Jacob soltou uma gargalhada.

– Isso é bom, porque não tive tempo de parar e comprar-te uma prenda a sério.

Os meus olhos adaptaram-se, pelo que naquele momento distinguia o rosto dele, mais alto do que estaria à espera. Seria possível que ele ainda estivesse a crescer? Devia estar a ultrapassar os dois metros de altura. Passado este tempo todo, sentia-me aliviada por ver de novo os seus traços familiares – os olhos encovados e toldados pelas sobrancelhas negras e hirsutas, as maçãs do rosto elevadas, os lábios cheios e distendidos sobre dentes brilhantes e o sorriso sarcástico que condizia com o tom da sua voz. Os olhos estavam franzidos aos cantos – cautelosos; apercebi-me que Jacob estava muito prudente esta noite. Esforçava-se o mais que podia para me fazer feliz, não cometer um deslize e mostrar-me o quanto isto lhe custava.

Nunca fizera nada de suficientemente bom para merecer um amigo assim.

– Quando é que resolveste voltar?

– De forma consciente ou inconsciente? – Jack respirou fundo, antes de responder à sua própria pergunta. – Na verdade, não sei. Acho que deambulei por esta zona durante algum tempo e talvez seja por isso que vim para cá. Mas foi apenas hoje de manhã que comecei realmente a correr. Não sabia se iria conseguir. – E soltou uma gargalhada. – Não ias acreditar na sensação estranha que isto me provoca, andar por aí de novo sobre as duas pernas. E vestido! Torna-se ainda mais bizarro por ser estranho. Não estava à espera. Perdi a prática no que toca a ser humano.

Continuávamos a girar, sem cessar.

– Mas era uma pena deixar de ver como estás hoje. Valeu a viagem até aqui. Estás com um aspecto incrível, Bella. Muito bonita!

– A Alice investiu imenso tempo em mim, hoje. E a escuridão também ajuda.

– Sabes bem que a escuridão não existe para mim.

– Certo. – Os sentidos de um lobisomem. Era fácil esquecer-me de todos os seus poderes, quando ele me parecia tão humano. Naquele momento em particular.

– Cortaste o cabelo – observei.

– Sim. É mais prático, percebes? Achei que seria melhor dar algum uso às mãos.

– Fizeste um bom trabalho – menti.

Ele resfolegou.

– Sim. Cortei-o a mim próprio com uma tesoura de cozinha ferrugenta. – E esboçou um largo sorriso, apenas por um instante. Logo esmoreceu e Jacob ficou sério. – Estás feliz, Bella?

– Sim.

– Está bem. – Senti os ombros dele a estremecer. – Acho que isso é o mais importante.

– E tu como é que estás, Jacob? Diz a verdade.

– Estou óptimo, Bella. A sério. Já não precisas de te preocupar comigo. Podes deixar de andar a chatear o Seth.

– Não o chateio só por tua causa. Eu *gosto* do Seth.

– É um tipo fixe. Melhor companhia que alguns. Digo-te, se conseguisse livrar-me das vozes na minha cabeça, ser lobo era perfeito.

Ri-me da forma como aquilo soava.

– Sim, eu também não consigo calar as minhas.

– No teu caso, significa que não regulas bem da cabeça. Mas é evidente que sempre soube que eras maluca – observou ele, a troçar.

– Obrigada.

– Se calhar, é mais fácil ser louco que ter uma mente de lobo. As vozes dos malucos não arranjam *babysitters* para tomar conta deles.

– Hã?

– O Sam está ali. Tal como alguns dos outros. Apenas como medida de precaução, percebes?

– Precaução com quê?

– Caso eu não consiga controlar-me ou algo do género e resolva dar cabo da festa. – Expressou um breve sorriso àquela que provavelmente seria uma ideia tentadora. – Mas eu não estou aqui para destruir o teu casamento, Bella. Estou aqui para... – e deteve-se no que ia a dizer.

– Para o tornares algo perfeito.

– Vai ser difícil chegar lá.

– Podes tirar partido da tua grande altura.

A minha piada, sem graça, fê-lo resmungar e soltar um suspiro.

– Estou aqui apenas para ser teu amigo. Para ser o teu melhor amigo, por uma última vez.

– O Sam devia confiar mais em ti.

– Bom, talvez esteja a ser ultra-sensível. Se calhar eles viriam de qualquer maneira, para tomar conta do Seth. Há *imensos* vampiros por aqui e ele não é tão prudente como deveria.

– O Seth sabe que não corre perigo. Compreende os Cullen melhor que o Sam.

– Claro, claro – concordou Jacob, desistindo de argumentar no sentido de evitar uma discussão.

Era esquisito vê-lo assumir o papel de diplomata.

– Lamento que existam essas vozes – afirmei. – Gostava que as coisas fossem melhores. – De muitas maneiras.

– Não é assim tão mau. Estava só a carpir as minhas mágoas.

– Tu estás... feliz?

– Perto disso. Mas chega de falar sobre mim. Hoje, a estrela és tu. – E riu-se baixinho. – Aposto em como estás a *adorar*. Ser o centro das atenções.

– Sim. Nunca me canso disso.

Ele riu-se e, a seguir, fitou o espaço para lá da minha cabeça. Contraiu os lábios, enquanto observava o clarão resplandecente da festa, as voltas graciosas dos bailarinos, as pétalas que caíam das grinaldas a rodopiar; e eu observava ao mesmo tempo que ele. Tudo parecia muito distante deste espaço escuro e tranquilo. Era quase como se víssemos flocos brancos a pairar no interior de um globo de neve.

– Nisto, tenho de lhes tirar o chapéu – comentou Jacob. – Eles sabem organizar uma festa.

– A Alice é uma força da natureza imparável.

Ele suspirou.

– A música acabou. Achas que tenho direito a mais uma? Ou é pedir demais?

Apertei-lhe a mão.

– Podes dançar as vezes que quiseres.

Ele riu.

– Isso seria interessante. Mas acho que é melhor ficarmos por duas. Não quero dar motivos a mexericos.

Girámos, dando mais uma volta.

– Nesta altura, era de supor que já estivesse habituado a dizer-te adeus – murmurou ele.

Tentei desfazer o nó na garganta, mas não consegui.

Jacob observou-me e franziu o sobrolho. Depois, passou-me os dedos pela face, recolhendo as lágrimas que havia.

– Bella, não devias ser tu a chorar.

– Toda a gente chora nos casamentos – afirmei, com um tom de voz pastoso.

– Isto é o que tu queres, não é?

– É.

– Então sorri.

Esforcei-me. Ele riu-se do meu trejeito.

– Vou tentar recordar-te assim. Fazer de conta que...

– Que o quê? Que morri?

Jacob cerrou os dentes. Lutava contra si, contra a decisão de fazer da sua presença uma dádiva e não um julgamento. Adivinhei o que ele queria dizer.

– Não – respondeu, por fim. – Mas vou guardar esta tua imagem na minha mente. Faces coradas. O coração a bater. Dois pés esquerdos. Tudo isso.

Tropecei propositadamente no pé dele, com toda a força que pude.

Jacob sorriu.

– Esta é que é a minha miúda.

la dizer outra coisa, mas fechou a boca de repente. Lutava, com os dentes cerrados, contra as palavras que insistia em não dizer.

A minha relação com Jacob costumava ser tão fácil... tão natural como o respirar. Contudo, desde que Edward regressara à minha vida, havia uma tensão constante. Porque, aos olhos de Jacob, a minha opção por Edward correspondia à escolha de um destino pior do que a morte, ou equivalente, pelo menos.

– Jake, o que foi? Conta-me. Podes dizer-me o que quiseres.

– Eu... eu... não tenho nada a dizer-te.

– Oh, por favor. Desembucha.

– É verdade. Não é... Não passa de uma pergunta. Uma coisa que quero que tu me digas.

– Pergunta.

Ele ficou embatucado por mais um minuto e, a seguir, expirou com toda a força.

– É melhor não. Não interessa. Era apenas uma pergunta mórbida.

Como o conhecia tão bem, percebi do que se tratava.

– Não vai ser esta noite, Jacob – murmurei.

Ele estava ainda mais obcecado do que Edward com a minha natureza humana. Achava cada batimento do coração uma preciosidade, porque sabia que estavam contados.

– Ah – proferiu, tentando disfarçar o alívio. – Ah.

Começou a ouvir-se uma nova música, mas desta vez Jacob nem deu por ela.

– Quando? – perguntou, muito baixinho.

– Não tenho a certeza. Talvez dentro de uma ou duas semanas.

A sua voz alterou-se, adquirindo uma entoação de defesa e de sarcasmo.

– Qual é o impedimento?

– Não queria passar a lua-de-mel a contorcer-me de dores.

– Preferias passá-la como? A jogar damas? Ah, ah.

– Muito engraçado.

– Estava a brincar, Bells. Mas, na verdade, não estou a perceber. Se não podes passar uma lua-de-mel a sério com o teu vampiro, para quê retardar? Chama os bois pelos nomes. Não é a primeira vez que adias isto. O que até é algo bom – sublinhou, de repente, com veemência. – Não te envergonhes de o fazer.

– Não estou a adiar nada – retorqui. – E sim, eu posso ter uma lua-de-mel a sério. Posso fazer tudo o que quiser. Não te metas!

Subitamente, ele parou o nosso lento rodopiar. Por instantes, perguntei-me se Jacob tinha dado finalmente pela mudança de música e debati-me a reflectir numa forma de remediar o nosso pequeno desaguisado, antes de ele me dizer adeus. Não nos devíamos separar envolvidos por este clima.

Mas, depois, vi-o de olhos arregalados e perplexos, exibindo uma expressão estranha de horror.

– O quê? – perguntou ele, com a voz sufocada. – O que é que disseste?

– Sobre o quê?... Jake? O que é que se passa?

– O que é que disseste? Ter uma lua-de-mel a sério? Enquanto fores humana? Estás a gozar? Bella, isso é uma piada de mau gosto.

Lancei-lhe um olhar furioso.

– Eu disse-te para não te meteres, Jake. Não é da tua conta. Eu não deveria ter... aliás não devíamos sequer falar sobre isso. É uma questão pessoal...

Jacob agarrou-me nos braços com as mãos enormes, rodeando-os com os dedos e apertando-os com força.

– Ai, Jake! Solta-me!

Jacob abanou-me.

– Bella! Tu passaste-te por completo? Não podes ser assim tão estúpida! Diz-me que estás a brincar!

E voltou a sacudir-me. As mãos dele tremiam, duras como torniquetes, provocando um surto de vibrações no interior dos meus ossos.

– Jake, pára!

De repente, a escuridão ficou apinhada de gente.

– Tira as mãos de cima dela! – A voz de Edward era fria como gelo e cortante como o fio de uma navalha.

Atrás de Jacob, ouviu-se uma rosnadela grave vinda da noite escura, seguida de uma outra mais elevada.

– Jack, afasta-te, meu – ouvi Seth Clearwater a pedir. – Estás a perder o controlo.

Jacob parecia ter ficado petrificado, com os olhos arregalados de horror.

– Estás a magoá-la – murmurou Seth. – Solta-a.

– Agora! – rugiu Edward.

As mãos de Jacob penderam para cada um dos lados e a súbita golfada de sangue nas minhas veias imobilizadas foi quase dolorosa. Antes de me aperceber de qualquer outra coisa, umas mãos frias tomaram o lugar das quentes e distingui o som do ar a fluir em redor.

Pestanejei e apercebi-me que estava a dois metros de distância do sítio onde me encontrava antes. Edward mantinha-se hirto à minha frente. Entre ele e Jacob, estavam dois lobos que, no entanto, não me pareciam agressivos. Estariam antes a tentar impedir uma luta.

E Seth – um Seth desengonçado, nos seus quinze anos de idade – passava os braços em volta do corpo vacilante de Jacob, impelindo-o para longe. Se Jacob se metamorfoseasse com Seth tão próximo...

– Anda, Jake! Vamos embora.

Eu mato-te – ameaçou Jacob, com tanta raiva a sufocar-lhe a voz que não passava de um murmúrio. Os olhos ardiam de fúria, pousados em Edward. – Eu mato-te com as minhas mãos! E faço-o agora mesmo! – E estremeceu convulsivamente.

O lobo maior, o preto, rugiu severamente.

– Seth, sai do caminho! – ordenou Edward, com a voz sibilante.

Seth voltou a impelir Jacob para longe. Este estava tão descontrolado pela fúria que Seth conseguiu empurrá-lo uns metros para atrás.

– Não faças isso, Jake. Sai daqui. Vamos.

Sam, o lobo preto, juntou-se a Seth. Colocou a cabeça maciça no peito de Jacob e deu-lhe um empurrão.

Os três – Seth a rebocar, Jacob a tremer e Sam a empurrar – desapareceram rapidamente no meio da escuridão.

O outro lobo ficou a olhá-los. Àquela luz mortiça, não tive a certeza da cor do pêlo; talvez castanho chocolate? Seria o Quil?

– Lamento – sussurrei para o lobo.

– Bella, agora está tudo bem – murmurou Edward.

O lobo lançou-lhe um olhar que nada tinha de amigável. Edward retribui-o com um aceno de cabeça frio, pelo que ele resfolegou, voltando-se para seguir os outros e desapareceu, tal como eles.

– Muito bem – disse Edward para si, fitando-me em seguida. – Vamos regressar.

– Mas o Jake...

– O Sam tem-no sob controlo. Ele já se foi embora.

– Edward, sinto muito. Fui tão estúpida...

– Não fizeste nada de mal...

– Sou tão desbocada! Porque fui... não devia ter deixado que ele me apanhasse assim. Em que é que eu estava a pensar?

– Não te preocupes. – Ele tocou-me no rosto. – Temos de voltar para a festa, antes que alguém dê pela nossa ausência.

Abanei a cabeça, tentando acalmar-me. Antes que alguém desse pela nossa ausência? Haveria alguém que não tivesse visto aquilo?

A seguir, à medida que reflectia sobre tudo o que sucedera, percebi que, embora me tivesse parecido catastrófico, na verdade o confronto fora bastante silencioso e breve, por entre as sombras.

– Dá-me dois segundos – supliquei.

Dentro de mim sentia um caos de pânico e de sofrimento; mas isso não importava. Agora, apenas interessavam as aparências. Representar bem era a minha obrigação.

– O meu vestido?

– Estás óptima. Nem um cabelo fora do lugar.

Respirei fundo, duas vezes consecutivas.

– Está bem. Então vamos.

Edward envolveu-me nos braços e conduziu-me para a claridade. Quando estávamos debaixo das luzes cintilantes, fez-me girar suavemente para a pista de dança. Misturámo-nos com os outros bailarinos, como se a nossa dança nunca tivesse sido interrompida.

Olhei de relance para os outros convidados e não vi ninguém com um ar espantado ou assustado. Apenas os rostos mais pálidos deixavam transparecer alguns sinais de tensão, embora bem disfarçada. Jasper e Emmett estavam juntos, perto da pista de dança, calculei que estivessem próximos na altura do conflito.

– Tu estás...

– Estou bem – garanti. – Não posso crer que fiz aquilo. O que é que se o passa comigo?

– *Contigo* não se passa nada.

A presença de Jacob tinha-me deixado muito feliz. Eu sabia como ele tivera de se sacrificar para ir até ali. E, depois, acabara por estragar tudo, transformando o seu presente num desastre. Devia ser posta de quarentena.

Mas a minha estupidez não iria estragar mais nada esta noite. Tinha de pôr o assunto de lado, atirá-lo para uma gaveta e fechá-lo à chave, para mais tarde lidar com ele. Teria tempo de sobra para me martirizar com isto e, naquele momento, não havia nada que pudesse fazer para resolver o assunto.

– Acabou – declarei. – Esta noite não vamos pensar mais nisso.

Esperei que Edward concordasse de imediato, mas ele ficou calado.

– Edward?

Ele fechou os olhos e encostou a testa à minha.

– O Jacob tem razão – murmurou. – Em que é que estou a pensar?

– Não tem. – E tentei manter uma expressão tranquila, por causa da multidão de amigos que me estava a ver. – O Jacob tem demasiados preconceitos para ver as coisas com objectividade.

O meu marido proferiu qualquer coisa por entre dentes, que quase me soou a "devia tê-lo deixado matar-me por chegar a pensar...".

– Pára com isso – disse impetuosamente. Segurei-lhe no rosto e esperei até o ver abrir os olhos. – Tu e eu. Só isso importa. É a única coisa em que estás autorizado a pensar agora. Estás a ouvir-me?

– Sim – anuiu ele, com um suspiro.

– Esquece que o Jacob esteve aqui. – Eu conseguia fazê-lo. E iria fazê-lo. – Por mim. Promete-me que vais pôr isto atrás das costas.

Ele olhou-me nos olhos por um momento, antes de responder.

– Prometo.

– Obrigada. Edward, eu não tenho medo.

– Eu tenho – murmurou ele.

– Não tenhas. – Respirei fundo e sorri. – A propósito, eu amo-te.

Edward limitou-se a esboçar um ligeiro sorriso.

– É por isso que estamos aqui.

– Estás a monopolizar a noiva – reclamou Emmett, aparecendo por detrás do ombro dele. – Deixa-me dançar com a minha irmãzinha. Esta pode ser a última oportunidade que tenho de a fazer corar.

Soltou uma forte gargalhada, tão insensível quanto costumava ser perante qualquer ambiente sério.

Afinal havia realmente muita gente com quem ainda não tinha dançado, o que me permitiu recompor e acalmar. Quando Edward reclamou de novo a sua vez, percebi que o *dossier* Jacob estava devidamente fechado. Ao sentir os braços dele à minha volta, consegui trazer à superfície a minha alegria anterior e a certeza de que nessa noite tudo na minha vida estava no devido lugar. Sorri e encostei a cabeça ao peito dele. O seu abraço apertou ainda mais.

– Conseguia viver assim – confessei.

– Não me digas que já conseguiste ultrapassar o problema da dança.

– Não é assim tão mau... contigo. Mas estava a pensar em... – e cheguei-me mais para ele – nunca mais me separar de ti.

– Nunca mais – garantiu ele, inclinando-se para me beijar.

Aquele foi um beijo realmente impressionante, intenso, mas construído a pouco e pouco...

Alheara-me por completo da realidade, quando Alice me chamou:

– Bella! Já está na hora!

A interrupção fez-me sentir uma pontada de irritação com a minha nova irmã.

Edward ignorou-a; os seus lábios pressionavam os meus, mais ansiosos que nunca. O meu coração começou a acelerar, enquanto as palmas das mãos humedeciam no seu pescoço de mármore.

– Querem perder o avião? – perguntou Alice, agora já ao meu lado. – De certeza que vão ter uma lua-de-mel magnífica, ali acampados no aeroporto à espera do próximo voo.

Edward virou ligeiramente a cabeça para murmurar:

– Vai-te embora, Alice.

Depois voltou a colar os lábios nos meus.

– Bella, queres fazer a viagem vestida dessa maneira? – inquiriu ela.

Eu realmente não lhe estava a prestar muita atenção. Nesse momento, simplesmente pouco me importava.

Alice resmungou baixinho.

– Edward, vou contar-lhe para onde a vais levar. Juro-te que vou.

Senti-o a gelar. A seguir, levantou o rosto do meu e lançou um olhar furibundo à irmã favorita.

– És pequena de mais para seres tão irritante.

– Não andei a escolher o vestido de viagem perfeito para agora o desperdiçar – retorquiu ela, pegando-me na mão. – Bella, vem comigo.

Resisti ao puxão dela, esticando-me em bicos de pés para beijar Edward mais uma vez. Alice sacudiu-me o braço, impaciente, arrastando-me de junto dele. Ouviram-se alguns risos em surdina dos convidados que assistiam à cena. Eu desisti, deixando que ela me levasse para a casa vazia.

Alice estava com um ar irritado.

– Desculpa – disse.

– A culpa não é tua, Bella – retorquiu-me com um suspiro. – Parece que não consegues vencer-te a ti mesma.

Soltei uma pequena gargalhada ao distinguir-lhe aquela expressão martirizada. Alice franziu o sobrolho.

– Obrigada, Alice. Foi o casamento mais bonito que alguém alguma vez teve – confessei, com toda a seriedade. – Estava tudo perfeito. És a melhor, a mais inteligente e habilidosa irmã do mundo inteiro.

Aquilo acalmou-a e fê-la abrir-se num enorme sorriso.

– Estou contente por teres gostado.

Renée e Esme estavam à nossa espera ao cimo das escadas. As três libertaram-me rapidamente do vestido e enfiaram-me o conjunto azul-escuro de viagem escolhido por Alice. Fiquei aliviada quando alguém me soltou o cabelo e o deixou cair sobre as costas, cheio de ondas por causa das tranças, evitando que a cabeça me doesse mais tarde por causa das picadas dos ganchos. Durante esse tempo, as lágrimas da minha mãe escorriam sem cessar.

– Quando souber para onde vou telefono-te – prometi, ao dar-lhe um abraço de despedida. Sabia que a lua-de-mel secreta a estava a deixar louca; a minha mãe detestava segredos, a não ser que fizesse parte deles.

– Eu digo-lhe, assim que ela estiver suficientemente longe – antecipou-se Alice, observando a minha expressão magoada com um sorriso escarninho. Era muito injusto que eu fosse a última a saber.

– Tens de nos fazer uma visita, a mim e ao Phil, dentro de muito, muito pouco tempo. É a tua vez de ires para o Sul e ver o Sol, uma vez na vida.

– Hoje não choveu – recordei, iludindo o seu pedido.

– Por milagre.

– Está tudo pronto – anunciou Alice. – As vossas malas estão no carro e o Jasper vai trazê-lo para aqui. – Empurrou-me em direcção às escadas, com Renée atrás, ainda meio abraçada a mim.

– Amo-te, mãe – murmurei, enquanto descíamos – Estou tão contente por teres o Phil. Tomem conta um do outro.

– Em também te amo, Bella, meu amor.

– Adeus, mãe. Amo-te – repeti, com um nó na garganta.

Edward estava à nossa espera ao fundo das escadas. Peguei na mão que ele me estendia e inclinei-me para trás, a escrutinar a pequena multidão que assistia à nossa partida.

– O pai? – perguntei, com os olhos à procura.

– Ali – murmurou Edward. Fez-me passar entre os convidados, que se foram desviando para o lado. Encontrámos Charlie atrás de toda a gente, encostado à parede com um ar comprometido, quase parecendo que tentava esconder-se. Os círculos vermelhos em redor dos olhos explicaram-me a razão.

– Pai!

Abracei-o pela cintura, com as lágrimas de novo a escorrer; esta noite estava a chorar de mais. Ele deu-me umas pancadinhas nas costas.

– Então, então. Não vais querer perder o avião.

Era difícil falar de amor com Charlie; éramos muito parecidos, sempre a regressar às coisas triviais para evitar manifestações emocionais constrangedoras. Mas, desta vez, não havia tempo para inibições.

– Nunca vou deixar de te amar, pai – disse-lhe. – Lembra-te disso.

– Também te amo, Bells. Sempre amei e sempre amarei.

Beijei-lhe a face, enquanto ele beijava a minha.

– Telefona-me – pediu ele.

– Em breve – prometi-lhe, sabendo que era tudo o que podia prometer. Apenas um telefonema. Não seria permitido à minha mãe e ao meu pai verem-me de novo; estaria demasiado diferente e muito, muito mais perigosa.

– Vai lá então – disse ele, bruscamente. – Não quero que cheguem atrasados.

Os convidados voltaram a formar alas para passarmos. Enquanto fugíamos, Edward apertou-me contra si.

– Preparada? – perguntou-me.

– Sim – respondi-lhe, e sabia que era verdade.

Todos aplaudiram ao verem Edward a beijar-me na soleira da porta. A seguir, quando desabou a chuva de arroz, ele puxou-me à pressa para o interior do carro. A maior parte não nos atingiu; mas alguém, provavelmente Emmett, atirou-o com uma pontaria tremenda pelo que apanhei com uma grande quantidade, que fez ricochete nas costas de Edward.

O carro estava ornamentado com mais flores, que formavam serpentinas a todo o comprimento, e grandes lanços de renda atados a uma dúzia de sapatos – sapatos de estilistas com ar de nunca terem sido calçados –, que balouçavam atrás do pára-choques.

Edward protegeu-me do arroz enquanto eu entrava e, logo a seguir, sentou-se ao meu lado. O carro acelerou, enquanto eu acenava para fora da janela a gritar "Amo-vos" para o pórtico, onde as minhas famílias acenavam em resposta.

A última imagem que retive foi a dos meus pais. Phil passava afectuosamente os braços por Renée. Esta rodeava-lhe a cintura com um braço, mas estendera a mão, do outro lado, para apertar a de Charlie. Tantas espécies diferentes de amor, tão harmoniosas, naquele momento único.... O quadro era promissor.

Edward apertou-me a mão.

– Amo-te – disse ele.

Encostei a cabeça ao braço dele.

– É por isso que estamos aqui – respondi, citando as suas palavras.

Ele beijou-me o cabelo.

Quando virámos para a auto-estrada sombria e Edward carregou a fundo no acelerador, ouvi um barulho vindo da floresta, ao lado, que se sobrepunha à trepidação do motor. Se eu o ouvia, era certo que Edward também. Mas ele não disse nada, à medida que o som se desvanecia lentamente à distância. Eu também fiquei calada.

O uivo mortificado, lancinante, tornou-se cada vez mais fraco, desaparecendo por completo.

Cinco

Ilha Esme

– Houston? – perguntei com uma expressão perplexa, ao chegarmos à porta de embarque, em Seattle.

– Apenas uma escala na viagem – assegurou-me Edward, com um largo sorriso.

Quando me acordou, tive a sensação de que acabara de adormecer. Segui-o atordoada, enquanto me conduzia pelos terminais, na tentativa de recordar como abrir os olhos de cada vez que os fechava. Ao chegarmos ao balcão internacional, para embarcarmos no voo seguinte, precisei de alguns minutos para me concentrar no que estava a acontecer.

– Rio de Janeiro? – voltei a perguntar, ligeiramente mais reactiva.

– Mais uma escala – esclareceu Edward.

O voo para a América do Sul foi longo, mas confortável. A viagem decorreu no lugar espaçoso da classe executiva, com os braços de Edward enroscados em meu redor. Recuperei o sono perdido e acordei invulgarmente desperta quando o avião começou a fazer-se à pista, com a luz oblíqua do entardecer a atravessar as janelas.

Ao contrário do que esperava, não ficámos no aeroporto para seguir noutro voo. Em vez disso, apanhámos um táxi que nos conduziu pelas ruas escuras, congestionadas e animadas do Rio. Sem conseguir entender uma palavra das instruções em Português que Edward ia facultando ao motorista, calculei que iríamos procurar um hotel antes da viagem seguinte. Ao pensar nisso, algo muito parecido com o pânico contraiu-me a boca do estômago num espasmo violento. O táxi continuou a furar entre a multidão fervilhante, até esta diminuir ligeiramente e me parecer que nos aproximávamos do extremo ocidental da cidade, em direcção ao oceano.

Parámos junto das docas.

Edward seguiu à minha frente, ao lado da grande extensão de iates brancos atracados nas águas obscurecidas pela noite. Parou próximo de uma embarcação mais pequena e ágil, obviamente construída com preocupações de velocidade e não de espaço. Mesmo assim, tão luxuosa como as restantes e mais graciosa. O meu marido saltou com agilidade lá para dentro, apesar das malas pesadas que transportava na mão. Pousou-as no convés e voltou-se para me ajudar a passar sobre a borda, com todo o cuidado.

Enquanto preparava o barco para a partida, eu observava-o em silêncio, surpreendida com a sua habilidade e à-vontade, dado que até então nunca o vira interessar-se por barcos. Mas, na verdade, Edward tinha jeito para quase tudo.

À medida que navegávamos em mar aberto, em direcção a Leste, revi mentalmente os meus conhecimentos básicos de Geografia. Tanto quanto me lembrava, não havia muita mais terra a Leste do Brasil... até se chegar a África.

Mas Edward acelerou em frente, enquanto as luzes do Rio esmoreciam, desaparecendo atrás de nós. No seu rosto via aquele sorriso de entusiasmo já familiar, motivado por qualquer tipo de velocidade. O barco furava as ondas, lançando-me um chuveiro de borrifos salgados.

Entretanto, fui vencida pela curiosidade que controlava há muito.

– Ainda falta muito? – perguntei.

Não era hábito de Edward esquecer a minha qualidade de humana, mas perguntava-me se ele tinha em mente permanecer-mos na pequena embarcação durante determinado período de tempo.

– Cerca de meia hora. – E sorriu com ironia, ao ver as minhas mãos crispadas no banco.

"Enfim", comentei mentalmente. Afinal de contas, Edward era um vampiro. Talvez fôssemos a caminho da Atlântida.

Vinte minutos mais tarde, ouvi-o a chamar-me por cima do barulho do motor.

– Bella, olha para ali. – Apontava para um ponto à nossa frente.

Comecei por distinguir apenas a escuridão e o rasto do luar sobre as águas. No entanto, ao observar mais atentamente o espaço que ele indicava, descobri uma silhueta negra e espalmada, rodeada de ondas e recortada pelo luar. Franzi os olhos no meio da escuridão e distingui melhor os contornos. A figura despontava num triângulo irregular e atarracado, com um dos lados a alongar-se mais, antes de se afundar no mar. Ao aproximar-mo-nos, vi uma superfície emplumada, agitada por uma brisa ligeira.

E, quando os meus olhos voltaram a focar, todas as peças se encaixaram: à nossa frente, elevava-se uma pequena ilha, com palmeiras a agitar a folhagem, e uma praia a resplandecer suavemente sob a claridade nocturna.

– Que lugar é este? – sussurrei maravilhada, enquanto Edward mudava de rumo, dando uma volta em direcção à extremidade norte da ilha.

Apesar do barulho do motor, ele ouviu-me e dirigiu-me um largo sorriso que resplandeceu com o fulgor da Lua.

– A Ilha Esme.

O barco abrandou repentinamente, acostando com perfeição num pequeno cais construído em pranchas de madeira, esbranquiçadas pelo luar. O motor parou e o silêncio que se seguiu foi profundo. Nada mais havia que o chapinhar suave das ondas a bater no barco e o murmúrio da brisa entre as palmeiras. O ar estava quente, húmido e perfumado, como o vapor que fica a pairar após um duche de água quente.

– A Ilha *Esme?* – Interpelei em voz baixa, no entanto o som saiu com demasiada intensidade ao penetrar na noite tranquila.

– Uma prenda do Carlisle. A Esme ofereceu-se para a emprestar.

Uma prenda? Quem é que dá uma ilha de presente? Franzi o sobrolho. Não fazia ideia de que a extrema generosidade de Edward era algo relacionado com a forma como fora educado.

Ele colocou as malas no cais e depois voltou-se, esboçando o seu sorriso perfeito e estendendo os braços. Em vez de me pegar pela mão, apanhou-me directamente pelos braços.

– Não devias esperar até chegarmos à entrada de casa? – perguntei, ofegante, enquanto ele saltava do barco com toda a ligeireza.

Edward esboçou um sorriso irónico.

– Comigo é tudo ou nada.

Arrebatou as pegas das duas malas enormes e avançou comigo ao colo, apoiando-me no único braço livre. Saímos do cais para um caminho de areia clara que seguia entre a vegetação sombria.

Por um breve período de tempo, o mato que nos rodeava, tão abundante com uma selva, envolveu-nos com uma escuridão absoluta. A seguir, avistei uma luz cálida ao longe. Mais ou menos no momento em que percebi que ela correspondia a uma casa – os dois quadrados brilhantes e perfeitos eram duas janelas amplas que ladeavam a porta de entrada –, a pontada de pânico voltou a atacar com mais força, pior ainda que quando pensava que íamos para um hotel.

O meu coração estremeceu com toda a força de encontro à coluna, enquanto a respiração parecia sufocar na minha garganta. Senti os olhos de Edward fixos em mim, mas recusei corresponder. Olhava directamente em frente, sem ver coisa alguma.

Ele não me perguntou em que estava a pensar, isso era algo que não fazia nada o seu género. Calculei que se devia ao facto de ele estar simplesmente tão nervoso quanto eu ficara de repente.

Pousou as malas no grande alpendre para abrir as portas, estas não estavam trancadas.

Depois, antes de transpor a ombreira da porta, ficou à espera, com os olhos postos em mim até eu acabar por fitá-lo.

Levou-me através da casa, sem que nenhum falasse, acendendo cada luz por onde passava com uma pequena pancada no interruptor. De acordo com a primeira impressão que tive da casa, ela pareceu-me demasiado grande para uma ilha minúscula e estranhamente familiar. Já me tinha habituado à paleta de cores favorita dos Cullen, em tons pastel suaves – fazia-me sentir em casa. A pulsação violenta que sentia nos meus ouvidos tornava tudo ligeiramente desfocado.

Por fim, Edward parou e acendeu a última luz.

A sala era ampla e branca, com a parede mais afastada quase toda em vidro – o padrão decorativo dos meus vampiros. Lá fora, a Lua brilhava sobre a areia branca e iluminava as ondas cintilantes a poucos metros da casa. No entanto, mal me apercebi dessa parte. Estava mais atenta à cama branca no centro do quarto, de dimensões enormes, e envolvida em nuvens transparentes de redes mosquiteiras.

Edward pousou-me no chão.

– Eu... vou buscar a bagagem.

O quarto estava demasiado quente, mais abafado que a noite tropical no exterior. O suor depositava-se em gotas na minha nuca. Avancei devagar, até poder estender a mão e tocar na rede vaporosa. Por qualquer razão, tinha de me certificar que tudo era real.

Não dei pelo regresso de Edward. De súbito, o seu dedo glacial acariciou-me a nuca, enxugando as gotas de transpiração.

– Está um certo calor aqui dentro – disse, num tom contrito. – Pensei... que seria melhor assim.

– Que atencioso – sussurrei por entre dentes e ele riu-se baixinho. Era um som nervoso, raro nele.

– Tentei lembrar-me de tudo o que poderia tornar este espaço... mais fácil – confessou.

Engoli em seco, continuando a desviar o olhar dele. Alguma vez teria havido uma lua-de-mel semelhante a esta?

Sabia qual era a resposta. "Não. Nunca."

– Estava a pensar – começou Edward a dizer lentamente – se... não querias primeiro... tomar um banho, à meia-noite, comigo? – Respirou fundo e pareceu mais à vontade quando voltou a falar. – A água deve estar bastante quente. É o tipo de praia de que gostas.

– Parece-me bem. – E senti a voz a sumir-se.

– Deves querer um ou dois minutos humanos... a viagem foi longa.

Fiz-lhe um aceno hirto e desajeitado com a cabeça, concordando. Quase nem me sentia humana; talvez alguns minutos a sós me fizessem bem.

Ele acariciou-me o pescoço com os lábios, logo abaixo do ouvido. Voltou a rir-se baixinho e o seu hálito frio fez-me cócegas na pele demasiado quente.

– Não se demore muito, senhora Cullen.

O som do meu novo nome fez-me sobressaltar ligeiramente.

Os lábios de Edward desceram pelo meu pescoço, detendo-se na cova do ombro.

– Vou esperar por ti na água.

Passou à minha frente e dirigiu-se à porta envidraçada que dava acesso directo à praia. Enquanto o fazia, libertou-se da camisa com um encolher de ombros e deslizou pela porta em direcção à noite de luar. A brisa tropical e marinha ficou a pairar após a sua passagem.

Será que a minha pele se consumia em chamas? Tive de baixar os olhos para o confirmar. Não, não estava nada a arder. Que se visse, pelo menos.

Depois de me lembrar que precisava de respirar, dirigi-me num passo vacilante para a mala gigantesca que Edward deixara aberta sobre uma cómoda branca e baixa. Calculei que fosse minha, ao avistar a bolsa de produtos de higiene pessoal no topo, além de imensas coisas cor-de-rosa. Mas não conseguia descobrir uma única peça de roupa. Ao vasculhar entre as pilhas bem ordenadas – à procura de algo familiar e confortável, umas calças de treino velhas por exemplo – passou-me pelas mãos uma quantidade horrorosa de peças minúsculas de renda transparente e cetim. *Lingerie. Lingerie* da mais íntima que poderia haver, com etiquetas francesas.

Não sabia como ou quando, mas um dia Alice haveria de mas pagar.

Desisti e fui para a casa de banho, espreitando através das grandes janelas viradas para a mesma praia, à qual se acedia pelas portas envidraçadas. Não o vi; deveria estar submerso, sem se dar ao trabalho de vir à superfície para respirar. Mais acima, no céu, a Lua apresentava-se assimétrica, quase cheia, iluminando a areia com todo o seu esplendor. O meu olhar foi atraído por um pequeno movimento – suspenso na reentrância do tronco de uma das palmeiras, na orla da praia, o resto das roupas de Edward balançava ao sabor da brisa.

Senti novamente uma corrente de calor a devassar-me a pele.

Respirei fundo, duas vezes, e virei-me para os espelhos situados por cima da grande bancada. Exibia o ar de quem tinha dormido o dia inteiro no avião. Descobri a minha escova e passei-a energicamente pelos nós do cabelo junto ao pescoço até os desfazer e os dentes ficarem cheios de fios de cabelo. Escovei os dentes minuciosamente, duas vezes seguidas. A seguir, lavei a cara e salpiquei a nuca, que sentia a arder, com alguns borrifos de água. Soube-me tão bem que acabei por lavar os braços, até acabar por desistir e tomar um duche. Reconhecia que era ridículo fazê-lo antes de ir nadar; mas precisava de me acalmar e a água quente era a única solução eficaz.

Depilar as pernas, pareceu-me igualmente uma boa ideia.

Quando terminei, alcancei uma das grandes toalhas brancas da bancada e envolvi o corpo com ela.

A seguir, enfrentei um dilema com que não contava. O que iria vestir? Um fato de banho não, evidentemente. Por outro lado, era ridículo colocar a mesma roupa. E nem queria pensar no que a Alice me tinha enviado.

A minha respiração acelerou de novo, enquanto as mãos tremiam – o efeito calmante do duche terminara. Comecei a sentir-me ligeiramente tonta, parecendo estar na eminência de um ataque de pânico em larga escala. Sentei-me no chão de mosaicos frescos, enrolada na grande toalha e com a cabeça entre os joelhos. Desejei com todas as forças que Edward não resolvesse vir à minha procura, antes de recuperar por completo o controlo. Imaginava o que ele iria pensar se me visse assim, de cabeça perdida. Não seria muito difícil convencer-se de que estávamos a cometer um erro.

E não era por isso que me sentia assim. De maneira alguma. Estava a perder a cabeça por não ter a mínima ideia sobre como agir e recear sair dali para enfrentar o desconhecido. Em *lingerie* francesa, acima de tudo. Sabia não estar ainda preparada para *isso*.

Era semelhante a avançar sobre um palco, perante milhares de espectadores, sem saber uma única fala.

Como agiriam as pessoas – a engolir os seus medos e, mesmo com todas as imperfeições e receios, a confiar cegamente em alguém – com muito menos que o compromisso absoluto que Edward me oferecera? Se não fosse ele quem estava lá fora, se não soubesse no mais íntimo do meu ser que ele me amava, tal como eu o amava – de um modo incondicional, irrevogável e, para ser honesta, irracional –, nunca seria capaz de me descolar do chão.

Mas sendo Edward quem estava ali, murmurei para mim "Não sejas cobarde" e levantei-me atabalhoadamente. Enrolei melhor a toalha debaixo dos braços e abandonei a casa de banho com um ar determinado. Passei pela mala cheia de rendas e pela grande cama, sem lhes lançar um olhar. Saí pela porta envidraçada aberta, em direcção à areia fina como pó de arroz.

Tudo estava a branco e preto, com as cores lavadas pelo luar. Caminhei lentamente em cima da poeira quente, parando ao lado da árvore curvada onde ele tinha deixado a roupa. Pousei a mão no tronco áspero e prestei atenção à respiração, assegurando-me de que estava calma. Ou, pelo menos, o suficiente.

Passei o olhar pela ondulação, negra na escuridão, à procura dele.

Não foi difícil encontrá-lo. Estava de pé, com as costas voltadas para mim, mergulhado na água da meia-noite até à cintura, observando a Lua oval. A claridade do luar cortejava a sua pele, com um tom de branco perfeito, semelhante à areia, semelhante à própria Lua, e dava ao seu cabelo molhado o tom negro do oceano. Estava imóvel, com as palmas das mãos apoiadas na água; as ondas suaves marulhavam em redor como se ele fosse uma rocha. Fitei-o, distinguindo os contornos harmoniosos das costas, dos ombros, dos braços, do pescoço, da silhueta imaculada...

O fogo deixara de ser uma labareda que me percorria a pele – agora era lento e profundo – e consumia todo o meu embaraço, a minha insegurança e timidez. Deixei escorregar a toalha sem hesitação, colocando-a na árvore junto à roupa dele, e penetrei na luz branca; esta conferiu à minha pele o mesmo tom pálido da areia pura.

Quando caminhei para a borda da água, não ouvi o som dos meus passos, mas calculei que ele os ouvisse. Edward não se virou. Deixei as ondas gentis quebrarem-se aos meus pés e descobri que ele estava certo em relação à temperatura – a água era tão quente como se estivesse numa banheira. Entrei e avancei com cautela através do solo invisível do mar, embora não precisasse de ter esse cuidado; a areia manteve-se perfeitamente macia, inclinando-se suavemente na direcção de Edward. Continuei a avançar através da corrente suave, até me colocar ao lado dele, e pousei a mão levemente sobre a sua mão fria que flutuava na água.

– Lindo – comentei, erguendo também os olhos para a Lua.

– É verdade – concordou ele, pouco impressionado. Depois virou-se lentamente para mim; o movimento provocou um leve ondular, que se esbateu no meu corpo. Os seus olhos pareciam de prata, num rosto cor de gelo. Edward virou a mão para entrelaçar os nossos dedos abaixo da superfície da água.

Ela estava suficientemente quente para o contacto com a pele gelada não arrepiar a minha.

– Discordo apenas da palavra *lindo* – acrescentou. – Não é ajustada, estando tu aqui como termo de comparação.

Esbocei um breve sorriso e ergui a outra mão – que deixara de tremer – para a pousar em cima do seu coração. Branco sobre branco; pela primeira vez éramos semelhantes. O meu calor fê-lo estremecer ligeiramente e percebi que a sua respiração se tinha alterado.

– Eu prometi que íamos tentar – murmurou, subitamente tenso. – Se... se fizer alguma coisa errada, se te magoar, tens de me dizer de imediato.

Concordei com um aceno de cabeça solene, sem deixar de o fitar. Avancei mais um pouco pela água e encostei-lhe a cabeça ao peito.

– Não tenhas medo – murmurei. – Pertencemos um ao outro.

De repente, senti-me esmagada pela realidade das minhas próprias palavras. O momento era tão perfeito e verdadeiro que não havia forma de o negar.

Os braços dele rodearam-me, apertando-me contra si, Verão e Inverno. Uma corrente eléctrica pareceu percorrer cada extremidade dos meus nervos.

– Para sempre – confirmou ele e depois impeliu-nos suavemente para as águas mais profundas.

De manhã, fui acordada pelo calor do Sol a bater-me nas costas nuas. Uma manhã adiantada, talvez já fosse de tarde, não sabia bem. No entanto, à parte a questão do tempo, tudo era nítido; sabia exactamente onde estava – no quarto luminoso, com a grande cama branca e a luz brilhante do Sol a derramar-se pelas portas abertas, esbatendo-se pelas nuvens de rede.

Mantive os olhos fechados. A minha felicidade era demasiado grande para alterar alguma coisa, por mais pequena que fosse. Os únicos sons eram o marulhar das ondas ao longe, a nossa respiração, o meu coração a bater...

Sentia-me confortável, mesmo com o Sol a queimar. A pele gelada do meu amor era o antídoto perfeito para o calor. Estar deitada sobre o seu peito glacial, enlaçada nos seus braços, era agradável e natural. Questionei-me, ociosa, sobre a razão daquele pânico na noite anterior. Todos os receios me pareciam disparatados.

Os dedos de Edward percorreram delicadamente os contornos da minha coluna e percebi que ele sabia que estava acordada. Mantive os olhos fechados e apertei-lhe mais os braços em volta do pescoço, chegando-me mais para ele.

Edward não disse nada; os dedos continuavam a percorrer a coluna, para cima e para baixo, mal lhe tocando, como se desenhasse umas formas suaves sobre a minha pele.

Ficaria feliz se continuasse ali deitada para sempre, sem jamais alterar aquele momento, só que o meu corpo pensava de maneira diferente. Ri-me do meu estômago impaciente. Ter fome, depois de tudo o que tinha acontecido nessa noite, era uma coisa prosaica. Parecia que descia de novo à terra, depois de pairar no espaço.

– Qual é a piada? – murmurou ele, continuando a afagar-me as costas. O som da sua voz, grave e rouco, recuperou um manancial de memórias da noite anterior, sentindo a cara e o pescoço a enrubescer.

Como se respondesse à pergunta, o meu estômago emitiu um ruído. Voltei a rir.

– De facto, não se pode deixar de ser humano durante muito tempo.

Fiquei à espera, mas não o ouvi a rir-se comigo. Devagar, furando entre as muitas camadas de prazer que me toldavam a cabeça, surgiu a percepção de um ambiente exterior diferente da minha própria esfera de felicidade luminosa.

Abri os olhos; a primeira coisa que lhe vi foi a pele pálida, quase prateada, do pescoço, o arco do queixo sobre a minha face. O maxilar estava tenso. Amparei-me no cotovelo, para lhe conseguir observar o rosto.

Ele fitava o dossel arrendado por cima de nós, sem me olhar, enquanto eu analisava aqueles traços hirtos. A sua expressão foi um choque, espalhando uma descarga física por todo o meu corpo.

– Edward – chamei-o, com uma sensação estranha de asfixia na garganta –, o que foi? O que se passa?

– É preciso perguntares? – Falou-me num tom duro e cínico.

O meu primeiro instinto, fruto de uma vida de inseguranças, foi perguntar-me a mim própria o que teria feito de mal. Revi mentalmente cada momento passado, sem conseguir recordar qualquer nota dissonante. Tudo tinha sido mais natural do que esperava; combinávamos um com o outro como peças ajustáveis, feitas para se encaixarem. Isso dera-me uma satisfação secreta – éramos compatíveis fisicamente, tal como o éramos em tudo o resto. O fogo e o gelo, coexistindo de alguma forma, e sem se destruírem mutuamente. A provar, mais uma vez, que eu lhe pertencia.

Não consegui recordar algum momento que o levasse a estar assim; tão frio e severo. O que é que me tinha escapado?

O dedo dele alisou as rugas de tensão da minha testa.

– Em que é que estás pensar? – perguntou-me, baixinho.

– Estás aborrecido. Não compreendo. Eu fiz...? – e não consegui acabar.

Edward franziu os olhos.

– Bella, até que ponto é que estás magoada? Diz-me a verdade, não tentes disfarçar.

– Magoada? – repeti; a voz saiu-me mais elevada que o habitual, de tal forma a palavra me surpreendera.

Ele ergueu uma sobrancelha, endurecendo os lábios numa linha de tensão.

Fiz um exame breve, alongando o corpo automaticamente, retesando e flectindo os músculos. De facto, havia alguma rigidez assim como alguma dor; mas acima de tudo era percorrida pela sensação invulgar de que cada osso se deslocara das juntas e que o meu corpo se encontrava meio gelatinoso. Não era uma sensação desagradável.

E, entretanto, fiquei ligeiramente irritada por Edward estar a ensombrar aquela que era a mais perfeita de todas as manhãs com as suas dúvidas pessimistas.

– O que te levou a concluir isso? Nunca me senti melhor que agora.

Ele fechou os olhos.

– Pára com isso.

– Paro com o quê?

– Pára de reagir como se eu não fosse um monstro por ter concordado com isto.

– Edward! – sussurrei, verdadeiramente irritada. Ele estava a empurrar a minha recordação luminosa para a escuridão e a conspurcá-la. – Nunca mais digas isso.

Edward continuou de olhos fechados, parecendo que não queria olhar para mim.

– Repara em ti, Bella. E depois diz-me que não sou um monstro.

Acedi ao seu pedido, magoada e chocada, e então sobressaltei-me.

O que é que me acontecera? Não conseguia perceber o que seria aquela neve branca e fofa que tinha agarrada à pele. Sacudi a cabeça e o meu cabelo espalhou uma cascata de branco em redor.

Apertei entre os dedos um pedacinho de qualquer coisa macia e branca: era penugem.

– Porque é que estou coberta de penas? – perguntei, desorientada.

Ele bufou exasperado.

– Mordi uma almofada. Ou duas. Mas não é disso que estou a falar.

– Tu... mordeste uma almofada? *Porquê?*

– Olha, Bella! – ele quase rugia. Pegou-me na mão, com muito cuidado, e esticou-me o braço. – Olha para isto!

Desta vez, percebi a que é que ele se referia.

Debaixo da camada de penas e de um lado ao outro da pele clara do meu braço, começavam a formar-se grandes nódoas negras. O meu olhar percorreu o caminho que elas faziam até ao ombro, descendo pelas costas. Libertei a mão para tocar numa marca que tinha no braço, apercebendo-me que desaparecia quando lhe tocava, para voltar a aparecer. Doeu-me um pouco.

Com tanta leveza, como se mal me tocasse, Edward foi pousando a mão sobre as contusões no braço, uma por uma, e fez coincidir cada forma com os seus dedos longos.

– Ah – exclamei.

Tentei lembrar-me disso – recordar a dor – mas não consegui. Não me recordava de algum momento em que o seu abraço fosse demasiado apertado ou em que as suas mãos pousassem em mim com demasiada rudeza. Só me lembrava de desejar que ele me apertasse mais e de sentir prazer quando o fazia...

– Perdoa-me... Bella – murmurou Edward, enquanto eu observava as nódoas negras, surpreendida.. – Eu já sabia que isto iria acontecer. Não devia ter... – Da sua garganta saiu um som grave e angustiado. – Nem consigo expressar toda a culpa que sinto.

Tapou a cara com o braço e ficou imóvel, sem mexer um só músculo.

Fiquei sentada por um longo momento, completamente estarrecida, tentando lidar – agora que compreendia o motivo – com aquela amargura. Era tão oposto àquilo que sentia que tinha dificuldade em fazê-lo.

O choque dissipou-se lentamente, nada deixando no seu lugar. Sentia-me vazia, desorientada, sem saber o que pensar. Como podia explicar-lhe da maneira mais correcta? Como poderia fazê-lo tão feliz como eu estava, ou tinha estado, há instantes?

Toquei-lhe no braço e ele não reagiu. Coloquei os dedos à volta do pulso e tentei puxar-lhe o braço para destapar o rosto; mas era o mesmo que lidar com uma estátua.

– Edward.

Continuou imóvel.

– Edward?

Nada. Então, teria de ser um monólogo.

– Eu não estou arrependida, Edward. Eu estou... nem consigo dizê-lo. Estou tão feliz... Isto não tem mal nenhum. Não estejas aborrecido. Não estejas. Na verdade, eu estou b...

– Não pronuncies a palavra *bem*. – A voz dele era fria como o gelo. – Não me digas que estás bem, se prezas a minha sanidade mental.

– Mas eu estou – insisti, baixinho.

– Bella – era quase um gemido – não faças isso.

– Não! Não faças tu isso, Edward.

Ele afastou o braço e os seus olhos dourados fitaram-me cautelosos.

– Não estragues isto – pedi-lhe. – Eu. Estou. Feliz.

– Já o estraguei – murmurou.

– Acaba com isso – disse, com aspereza.

Ouvi os dentes dele a ranger.

– Uf! – suspirei. – Porque é que não te limitas a ler a minha mente de uma vez? É tão inconveniente ter uma mente silenciosa!

Edward abriu ligeiramente os olhos, sem resistir à surpresa.

– Essa é nova para mim. Tu gostas imenso que eu não leia a tua mente.

– Hoje não.

Ele observou-me, admirado.

– Porquê?

Ergui as mãos, exasperada, sentindo uma dor no ombro a que não dei qualquer importância. Pousei-as no seu peito, com uma pancada dura.

– Porque toda essa angústia não teria razão de existir se conseguisses ver como me sinto agora. Ou há cinco minutos, na verdade. Eu estava perfeitamente feliz. Total e completamente em êxtase. Agora... bom, na verdade, estou um pouco danada.

– Devias estar zangada comigo.

– E estou. Isso faz-te sentir melhor?

Edward suspirou.

– Não. Acho que não há nada que me possa fazer sentir melhor.

– É isso – retorqui. – É isso exactamente que me está a irritar. Tu estás a dar cabo da minha alegria, Edward.

Ele revirou os olhos e abanou a cabeça.

Respirei fundo. Agora já sentia mais o corpo dorido, mas não era assim tão mau. Era uma sensação parecida com a que se tem no dia a seguir aos exercícios com pesos. Já o tinha feito com Renée, na altura em que ela andava obcecada com a elegância. Sessenta e cinco levantamentos, com cinco quilos em cada mão. No dia a seguir, não conseguia andar. Isto não me causava nem metade das dores que costumava ter.

Controlei a irritação e tentei falar com um tom de voz mais sereno.

– Já sabíamos que seria complicado. Pensei que isso era um facto assumido. E depois... bom, foi muito mais fácil do que eu pensava. E isto não tem mesmo qualquer importância. – Passei-lhe os dedos pelo braço. – Para uma primeira vez e sem saber o que iria acontecer, acho que fomos incríveis. Com alguma prática...

De repente, vi-o ficar tão lívido, que me interrompi a meio da frase.

– Assumido? Tu contavas com isto, Bella? Estavas à espera que te magoasse? Pensavas que podia ser pior? Achas que a experiência foi um sucesso, só porque ainda consegues andar? Porque não partiste nenhum osso? Isso equivale a uma vitória?

Aguardei, enquanto ele desabafava. A seguir, esperei mais um pouco, deixando-o voltar a respirar com normalidade. Quando lhe vi o olhar sereno, respondi devagar e cautelosamente.

– Não sabia o que ia acontecer. Mas certamente que não estava à espera que fosse... tão maravilhoso e perfeito. – A minha voz reduziu-se a uma murmúrio, enquanto os meus olhos deslizavam do seu rosto para as minhas mãos. – Quero dizer, não sei como foi para ti, mas foi assim que eu o senti.

Um dedo frio fez-me erguer o queixo.

– É isso que te aborrece? – perguntou ele, por entre dentes. – O facto de eu poder não ter gostado?

Mantive os olhos baixos.

– Sei que as coisas são diferentes para ti. Tu não és humano. Estava só a explicar que, para um humano... bom, não consigo imaginar que possa haver uma sensação melhor que esta na vida.

Edward manteve-se calado durante tanto tempo que, por fim, fui obrigada a erguer os olhos. Agora o rosto dele parecia sereno e exibia uma expressão compreensiva.

– Parece que há mais alguma coisa pela qual tenho de te pedir desculpa. – E franziu o sobrolho. – Não me passou pela cabeça que interpretasses aquilo que sinto em relação ao que te fiz como um sinal de que a noite passada não tivesse sido... hum, a melhor noite da minha existência. Mas não quero encará-la dessa maneira, ao ver que ficaste...

Os meus lábios curvaram-se ligeiramente nos cantos.

– A sério? A melhor de sempre? – perguntei em voz baixa.

Ele envolveu-me o rosto com as mãos, ainda a reflectir.

– Depois de fazermos o nosso acordo falei com o Carlisle, tentando esclarecer-me. É claro que ele me avisou de que isto seria muito perigoso para ti. – Uma sombra passou-lhe pelo rosto. – No entanto, ele tinha confiança em mim... uma confiança que não mereço.

Ia começar a protestar, mas Edward colocou-me dois dedos nos lábios, antes que eu dissesse alguma coisa.

– Também lhe perguntei o que é que eu podia esperar. Não sabia como seria para mim... como seria para um vampiro. – E fez um sorriso forçado. – O Carlisle disse-me que era algo muito poderoso, sem nada que se lhe pudesse comparar. E explicou-me que o amor físico era algo com que não se podia lidar de ânimo leve. Com os nossos temperamentos raramente variáveis, as emoções fortes podem alterar-nos de uma forma permanente. No entanto, também me disse que poderia ficar tranquilo em relação a este aspecto, pois já me tinhas alterado de maneira radical. – Desta vez, o seu sorriso era mais genuíno.

– Também falei com os meus irmãos. Eles disseram-me que era um prazer enorme. Só ultrapassado pelo gosto de beber o sangue humano. – Distingui-lhe uma ruga a formar-se a meio da testa. – Mas eu provei o teu sangue e é impossível existir um sangue mais potente que esse... na verdade, não acho que eles estejam errados. Foi apenas diferente para nós. Algo superior.

– Foi mais do que isso. Foi tudo.

– Isso não altera a minha culpa. Mesmo que seja possível sentires o que estás a dizer.

– O que queres dizer com isso? Pensas que te estou a esconder a verdade? Porquê?

– Para eu me sentir menos culpado. Bella, eu não posso ignorar aquilo que está à vista. Ou aquilo que aconteceu no passado, quando me tentavas livrar de responsabilidades em relação aos meus erros.

Agarrei-lhe no queixo e debrucei-me sobre ele, deixando alguns centímetros a separar-nos.

– Agora, vais ouvir-me, Edward Cullen. Não estou a fingir nada por tua causa, está bem? Nem sequer sabia que existia alguma razão para te fazer sentir melhor, até começares a sentir-te tão desgraçado. Nunca fui tão feliz em toda a vida. Não senti tanta alegria quando descobriste que o teu amor por mim era maior que o desejo de me matares, ou naquela manhã em que acordei e te vi à minha espera... nem mesmo quando ouvi a tua voz no estúdio de *ballet* – vi-o estremecer com a memória do passado, na qual escapara por um triz ao ataque de um vampiro, mas não me detive – ou quando tu disseste "sim" e eu senti que irias ser meu para sempre. Estas são as minhas memórias mais felizes e o que aconteceu superou qualquer uma. Por isso, habitua-te à ideia.

Edward tocou na ruga que se formara entre as minhas sobrancelhas.

– Agora, estou a fazer-te infeliz. Não desejo isso.

– Então não estejas *tu* infeliz. É a única coisa errada.

Ele franziu os olhos e depois respirou fundo, acenando-me com a cabeça, a concordar.

– Tens razão. Passado é passado e não posso fazer nada para o mudar. Não faz sentido estragar-te estes momentos com o meu mau humor. A partir de agora, vou fazer tudo o que estiver ao meu alcance para te fazer feliz.

Olhei-o desconfiada e recebi um sorriso tranquilizador em troca.

– Tudo o que me fizer feliz?

O meu estômago protestou, enquanto lhe fazia a pergunta.

– Estás com fome – observou Edward, de imediato. Saiu logo da cama, fazendo esvoaçar uma nuvem de penas. Aquilo lembrou-me uma outra coisa.

– Então, qual foi o motivo concreto que te fez decidir dar cabo das almofadas da Esme? – perguntei, sentando-me a sacudir mais penas do cabelo.

Ele já tinha enfiado umas calças de caqui folgadas e estava junto à porta, a passar os dedos pelo cabelo e a expulsar também alguma penugem.

– Não sei se ontem à noite *decidi* alguma coisa - resmoneou. – Tivemos apenas sorte de terem sido as almofadas e não tu. – Inspirou o ar com força e abanou a cabeça, como se sacudisse algum pensamento ruim. O seu rosto abriu-se num sorriso que parecia bastante sincero, mas percebi que ele se esforçara bastante para o fazer.

Deslizei cuidadosamente da cama elevada e voltei a esticar--me, mais consciente das zonas doridas e contundidas. Ouvi-o a soltar uma exclamação de sobressalto. Virou-me as costas e vi-lhe as mãos crispadas, com as articulações lívidas.

– Estou assim tão medonha? – perguntei, esforçando-me por adoptar um tom coloquial. Ele susteve a respiração, sem se voltar, provavelmente para lhe não ver a expressão. Dirigi-me à casa de banho, para confirmar com os meus próprios olhos.

Observei atentamente o meu corpo desnudado, no espelho de corpo inteiro colocado atrás da porta.

Já tinha tido aparências piores, com toda a certeza. Havia uma sombra leve numa das faces e os lábios estavam ligeiramente inchados; mas, à parte isso, a cara não tinha qualquer problema. O resto do corpo estava decorado com manchas azuis e roxas. Dei mais atenção às que seriam difíceis de esconder – nos braços e nos ombros. Não era assim tão mau. As nódoas negras surgiram-me com facilidade. Normalmente, quando descobria alguma, nem me lembrava onde a teria feito. É claro que estas ainda estavam a formar-se. Ao fim de um dia acentuar-se-iam. O que não facilitava as coisas.

Então, olhei para o cabelo e gemi.

– Bella? – Edward surgiu mesmo atrás de mim, assim que soltei aquele som.

– Nunca serei capaz de tirar isto tudo do meu cabelo! – Apontei para o sítio onde parecia existir um ninho de pássaro na minha cabeça e comecei a puxar pelas penas.

– É mesmo teu, preocupares-te assim com o cabelo – resmungou ele, de qualquer modo pôs-se atrás de mim, retirando-me as penas muito mais depressa.

– Como é que conseguiste não te rir disto? Estou com um aspecto ridículo.

Edward não respondeu; limitou-se a prosseguir. E, de qualquer forma, eu sabia qual seria a resposta dele – com a disposição com que estava, não havia nada que lhe parecesse engraçado.

– Assim, não vamos conseguir – disse, passado um minuto, com um suspiro. – Estão todas enredadas no cabelo. Tenho de tomar banho e tentar tirá-las com a água. – Virei-me de frente, para lhe passar os braços em volta da cintura gelada. – Queres dar-me uma ajuda?

– É melhor ir arranjar qualquer coisa para comeres – contrapôs Edward, em voz baixa, libertando os meus braços gentilmente. Suspirei, enquanto o via desaparecer, caminhando depressa de mais.

Parecia que a lua-de-mel tinha chegado ao fim. Só o pensamento provocou-me um enorme nó na garganta.

Envergando um vestido novo de algodão branco, que disfarçava o pior das nódoas negras, e liberta da maior parte das penas, encaminhei-me descalça para o ponto de onde vinha o aroma dos ovos com bacon e queijo *cheddar.*

Encontrei Edward à frente do fogão de aço inoxidável, a colocar uma omeleta num prato azul-claro pousado no balcão. O cheiro da comida dominou-me por completo. Sentia-me capaz de comer o prato e a frigideira; o estômago agitava-se em convulsões.

– Aqui está – disse ele. Voltou-se com um sorriso no rosto e pousou o prato numa pequena mesa, com o tampo de azulejos.

Sentei-me numa das cadeiras metálicas e comecei a devorar a omeleta. Estava quente e queimava-me a língua, mas não me importei.

Edward sentou-se à minha frente.

– Não te estou a alimentar com a frequência que devia.

Engoli, em seguida, recordei-lhe:

– Estava a dormir. Mas, já agora, isto está muito bom. É impressionante, vindo de alguém que não come.

– *Food Network* – esclareceu ele, lançando subitamente o meu sorriso enigmático favorito.

Fiquei feliz por o ver a sorrir, feliz por começar a parecer-se com o Edward do costume.

– De onde vieram os ovos?

– Pedi aos serviços de limpeza que abastecessem a cozinha. Uma coisa inédita neste sítio. Agora, tenho de lhes pedir que resolvam o assunto das penas... – a voz esmoreceu e Edward observou o espaço acima da minha cabeça, absorto. Não lhe retorqui, evitando dizer algo que o deixasse de novo aborrecido.

Comi tudo, embora ele tivesse preparado comida para duas pessoas.

– Obrigada – agradeci. Debrucei-me sobre a mesa para o beijar. Ele retribuiu-me o beijo automaticamente; de repente, ficou tenso e afastou-se.

Cerrei os dentes e a pergunta que lhe queria fazer saiu em jeito de acusação.

– Não me vais voltar a tocar enquanto estivermos aqui, pois não?

Edward hesitou e, entretanto, esboçou um sorriso forçado, erguendo a mão para me afagar a cara. Os dedos detiveram-se com suavidade no meu rosto e eu não consegui evitar encostar a face à palma da sua mão.

– Sabes que não era a isto que me referia.

Ele suspirou e deixou cair a mão.

– Eu sei. E tens razão. – Fez uma pausa, para erguer levemente o queixo. E, quando voltou a falar, fê-lo com toda a convicção. – Não vou voltar a fazer amor até te teres transformado. Não voltarei a magoar-te.

Seis

DISTRACÇÕES

A ocupação do meu tempo passou a ser a principal prioridade na Ilha Esme. Praticávamos mergulho de apneia (bem, praticava eu; enquanto Edward exibia a sua capacidade para se aguentar infinitamente sem oxigénio). Explorávamos a pequena selva em redor do pequeno pico rochoso. Visitávamos os papagaios que viviam na copa das árvores, na extremidade sul da ilha. Assistíamos ao pôr-do-sol, na enseada de rochas a ocidente. Nadávamos com os golfinhos que brincavam por ali, nas águas quentes e pouco fundas. Ou, pelo menos, eu nadava; quando Edward estava na água, os golfinhos desapareciam como se estivessem na presença de um tubarão.

Eu sabia o que estava a acontecer. Edward tentava manter-me ocupada, distraída, para deixar de o importunar com a questão do sexo. Sempre que tentava convencê-lo a descansarmos, com um dos milhões de DVD que havia debaixo do enorme televisor de ecrã plano, ele atraía-me para fora de casa com palavras mágicas, como: recifes de coral, grutas submersas e tartarugas marinhas. Andávamos, andávamos e andávamos durante o dia inteiro, até eu ficar extenuada e faminta quando o Sol finalmente desaparecia.

Todas as noites tombava sobre o prato mal acabava de jantar; uma vez, cheguei a adormecer à mesa e Edward teve de me levar ao colo para a cama. Em parte, isto acontecia porque ele fazia sempre demasiada comida para uma pessoa. No entanto, eu ficava tão esfomeada depois de andar a nadar e a trepar durante o dia inteiro que devorava quase tudo. A seguir, empanturrada e exausta, mal conseguia manter os olhos abertos. Tudo aquilo fazia parte de um plano, sem dúvida.

Aquele estado de exaustão não ajudava muito nas minhas tentativas de sedução. Mas não desisti. Tentei argumentar, implorar, barafustar; só que tudo foi em vão. Depois passei a ter sonhos tão reais – pesadelos, na maioria, aos quais as cores demasiado vivas da ilha davam uma crueza ainda maior –, que acordava cansada, por muito tempo que passasse a dormir.

Cerca de uma semana depois da chegada à ilha, decidi tentar uma solução de compromisso. No passado, já tinha resultado connosco.

Agora, dormíamos no quarto azul. A equipa de limpeza só deveria chegar dentro de um dia e o outro quarto estava coberto por uma camada de penugem branca. Este era mais pequeno, com uma cama de dimensões mais razoáveis. Tinha paredes escuras, revestidas a painéis de teca, com uma seda azul exuberante aplicada em toda a decoração.

Habituei-me a dormir à noite com as peças da colecção de *lingerie* que Alice escolheu – que, bem vistas as coisas, até eram mais discretas que os biquínis reduzidos que ela enviara. Perguntei-me se Alice teria tido alguma premonição sobre o motivo que me levava a precisar destas coisas, e de imediato estremeci, envergonhada com o pensamento.

Ainda que estivesse decidida a tentar tudo, comecei devagar, com cetins inocentes cor de marfim, receosa que a exposição exagerada do corpo surtisse o efeito oposto ao desejado. Edward pareceu não dar por nada, como se eu continuasse a usar as calças de treino coçadas de trazer por casa.

As nódoas negras estavam muito melhores – a amarelecer, em alguns sítios, e a desaparecer por completo em outros – pelo que, nessa noite, quando me fui arranjar na casa de banho revestida a madeira, escolhi uma das peças mais escabrosas. Preta, rendada e, mesmo antes de a vestir, escandalosa. Tive o cuidado de não me ver ao espelho antes de regressar ao quarto. Não queria perder a coragem.

Fiquei satisfeita quando vi, por instantes, os olhos de Edward arregalados, quase a saírem-lhe das órbitas, antes de voltar a dominar-se.

– O que te parece? – perguntei, com uma pirueta que lhe oferecia uma perspectiva de todos os ângulos.

Ele pigarreou.

– Estás linda. Como sempre.

– Obrigada – respondi, com alguma acrimónia.

Estava tão cansada que não resisti a saltar rapidamente para a cama macia. Ele abraçou-me e puxou-me para junto do peito, mas o gesto era habitual – estava tanto calor que não conseguia dormir sem me encostar ao seu corpo gelado.

– Vou fazer-te uma proposta – disse-lhe, com uma voz sonolenta.

– Não aceito qualquer proposta tua – respondeu-me.

– Ainda nem sabes do que se trata...

– Não interessa.

Suspirei.

Que se lixe! E, na verdade, aquilo que queria...deixa lá.

Ele revirou os olhos.

Fechei os meus, deixando-o a morder o isco. A seguir bocejei.

Passou apenas cerca de um minuto, insuficiente para o cansaço me levar a adormecer.

– Está bem. O que é que queres?

Cerrei os dentes por um segundo, a fim de controlar o riso. Se havia algo a que Edward não resistia era à oportunidade de me dar qualquer coisa.

– Bom, estava a pensar... eu sei que aquela história de Dartmouth era apenas uma manobra de distracção, mas acho que não me fazia mal passar um semestre na universidade – declarei, repetindo as palavras dele de há muito tempo, quando me tentava convencer a desistir de ser uma vampira. – Aposto que a ida para Dartmouth ia deixar o Charlie entusiasmado. É claro que seria uma chatice não conseguir chegar aos calcanhares dos crânios de lá. Mas, repara... dezoito, dezanove anos. A diferença não é assim tão grande. Não me parece que os pés-de-galinha apareçam assim tão depressa.

Ele demorou bastante tempo a responder-me. A seguir, disse-me, em voz baixa:

– Terias de esperar. Terias de te manter humana.

Fiquei calada, deixando a poeira assentar.

– Porque é que me estás a fazer isto? – retorquiu Edward por entre dentes, num tom subitamente furioso. – Não é bastante difícil sentir tudo isto? – Agarrou nuns folhos de renda pousados sobre a minha coxa. Por um instante, pensei que os ia arrancar pela costura. A seguir, a sua mão descontraiu-se. – Não interessa. Não vou aceitar nenhuma proposta tua.

– Quero ir para a universidade.

– Não, não queres. E não existe nada que mereça arriscares a vida mais uma vez. Ou magoares-te.

– Mas eu quero mesmo ir. Bom, não se trata tanto da universidade, mas antes de querer... ser humana por mais algum tempo.

Ele fechou os olhos e expirou pelo nariz.

– Bella, estás a pôr-me louco. Não tivemos já esta discussão um milhão de vezes, quando me suplicavas que não esperasse um segundo até te transformar em vampira?

– Sim, mas... agora tenho um motivo para ser humana, que anteriormente não existia.

– E qual é?

– Adivinha – disse, erguendo-me das almofadas para o beijar.

Edward retribui-me o beijo, mas não de uma forma que me levasse a pensar que eu estava a ganhar. Era mais como se ele tivesse o cuidado de não ferir os meus sentimentos; detinha um controlo completo e desesperante sobre si. Passado um momento, afastou-me com gentileza e aninhou-me contra o peito.

– Tu és tão humana, Bella. Dominada pelas tuas hormonas – e riu-se baixinho.

– Essa é a questão, Edward. Eu gosto dessa parte de ser humana. E não a vou dispensar para já. Não quero ser uma recém-nascida obcecada por sangue e aguardar montes de anos até recuperar parte disto.

Bocejei e ele sorriu.

– Estás cansada. Dorme, meu amor. – E começou a cantarolar baixinho a canção de embalar que me dedicara no nosso primeiro encontro.

– É estranho estar assim cansada – resmunguei por entre dentes, com sarcasmo. – Nada disto devia fazer parte do teu esquema.

Edward limitou-se a soltar uma pequena gargalhada e voltou a cantarolar.

– Porque, por muito cansada que andasse, até era lógico que dormisse melhor.

A canção interrompeu-se.

– Tens dormido como uma pedra, Bella. Desde que viemos para cá nunca mais te ouvi falar a dormir. Se não ressonasses, até tinha medo que estivesses em coma.

Não liguei à piada do ressonar; eu não ressonava.

– Mas não tenho o sono agitado? É estranho. Sempre que tenho pesadelos não paro de dar voltas na cama. E falo alto.

– Tens tido pesadelos?

– Sim, muito reais e que me deixam exausta. – Bocejei. – É incrível não ter passado a noite inteira a falar disso.

– Com o que é que sonhas?

– Com coisas variadas, mas as mesmas de sempre, percebes? Por causa das cores.

– Das cores?

– É tudo muito luminoso e real. Normalmente, quando sonho sei que o estou a fazer. Com estes sonhos não tenho a sensação de estar a dormir. E é isso que os torna mais assustadores.

Ao voltar a falar, Edward parecia perturbado.

– O que é que eles têm de assustador?

Estremeci levemente.

– Acima de tudo... – e hesitei.

– Acima de tudo?... – insistiu ele.

Não sabia bem a razão, mas não lhe queria falar sobre a criança que aparecia no pesadelo mais recorrente; havia algo de íntimo em relação a esse horror em particular. Por isso, em vez de lhe fazer uma descrição pormenorizada, limitei-me a indicar um elemento. Que, certamente, seria o suficiente para me assustar, bem como a qualquer outra pessoa.

– Os Volturi – sussurrei.

Edward apertou-me mais contra si.

– Eles vão deixar de nos importunar. Em breve serás imortal e já não haverá motivos para isso.

Deixei-o tranquilizar-me, sentindo alguns remorsos por lhe passar uma ideia errada. Os pesadelos não eram bem aquilo. E eu não sentia medo por mim, mas pelo rapaz.

Não se tratava do rapaz do primeiro sonho – a criança vampira, com os olhos cheios de sede, sentada sobre a pilha de pessoas mortas que eu amava. O rapaz que surgira quatro vezes em sonhos na semana anterior era humano, sem dúvida; tinha as faces coradas e uns olhos grandes, verde-claros. Mas, tal como o outro, tremia de medo e aflição à medida que os Volturi nos cercavam.

Nesses sonhos, novos e antigos em simultâneo, eu tinha simplesmente que proteger a criança desconhecida. Não me restava qualquer outra alternativa. E, ao mesmo tempo, sentia que não seria capaz.

Edward decifrou a aflição no meu rosto.

– O que posso fazer para te ajudar?

Abanei a cabeça, para desanuviar a minha expressão.

– São apenas pesadelos, Edward.

– Queres que cante para ti? Se isso ajudar a terminar com eles, eu canto para ti a noite inteira.

– Nem todos são pesadelos. Também tenho sonhos bons. Muito... coloridos. No fundo do mar, com os peixes e os corais. Todos me parecem reais, porque não tenho a sensação de estar a sonhar. Talvez o problema esteja na ilha. Aqui há muita luz.

– Queres ir para casa?

– Não. Ainda não. Podemos ficar mais uns dias?

– Ficamos enquanto quiseres, Bella – garantiu-me.

– Quando é que começa o semestre? Perdi um pouco a noção dos dias.

Ele suspirou. Talvez também tenha começado a cantarolar outra vez, mas eu adormeci sem o saber.

Mais tarde, ao acordar na escuridão, fiquei em estado de choque. O sonho tinha sido demasiado real... intenso, sensorial... Soltei uma exclamação de sobressalto, ficando aflita no meio da escuridão. Há um segundo, assim me parecia, o Sol radiante incidia sobre mim.

– Bella? – sussurrou Edward, com os braços à minha volta, abanando-me com suavidade. – Estás bem, meu amor?

– Ah – voltei a exclamar. Era apenas um sonho. Aquilo não tinha acontecido. De repente, para meu grande espanto, as lágrimas irromperam-me dos olhos, derramando-se sobre o rosto.

– Bella! – repetiu Edward mais alto e inquieto. – O que é que aconteceu? – Enxugou-me as lágrimas das faces escaldantes, com uns dedos gelados e frenéticos; mas outras surgiram em seu lugar.

– Foi só um sonho. – Não consegui controlar um soluço grave, que atravessou a minha voz. Aquelas lágrimas sem sentido perturbavam-me, mas não conseguia dominar a dor penetrante que me oprimia. Desejava, com todas as forças, que o sonho fosse real.

– Já passou, meu amor. Tu estás bem e eu estou aqui. – Edward embalou-me para trás e para frente, um pouco depressa de mais para me conseguir acalmar. – Tiveste outro pesadelo? Não foi real, não foi real.

– Não foi um pesadelo. – Abanei a cabeça, esfregando os olhos com as costas da mão. – Foi um sonho bom. – A voz voltou a embargar-se.

– Então, porque é que estás a chorar? – perguntou ele, surpreendido.

– Porque acordei – respondi num lamento, lançando-lhe os braços num abraço apertado e encostando-me ao pescoço dele, a soluçar.

A minha explicação fê-lo soltar uma gargalhada, mas esta tinha um som tenso de preocupação.

– Bella, está tudo bem. Respira fundo.

– Foi tão real – disse-lhe, entre soluços. – Eu queria que fosse real.

– Conta-me o sonho – pediu. – Talvez isso ajude.

– Estávamos na praia... – a minha voz esmoreceu, quando me afastei dele e dirigi os olhos inundados de lágrimas para aquele rosto de anjo, esbatido pela escuridão. Fitei-o com melancolia, enquanto a minha dor sem sentido começava a esmorecer.

– E? – insistiu ele, por fim.

Pestanejei para dissipar as lágrimas dos olhos, indecisa.

– Conta-me, Bella – suplicou ele, com uma expressão desorientada nos olhos inquietos, ao sentir o sofrimento na minha voz.

Mas eu não conseguia contar. Em vez disso, voltei a apertar-lhe os braços em volta do pescoço e a pousar ardentemente os meus lábios nos seus. Não era qualquer forma de desejo – era algo carente, elevado à potência da dor. A resposta foi instantânea, embora seguida de uma rejeição.

No meio da sua estupefacção, Edward lutava comigo com a máxima delicadeza, agarrando-me pelos ombros para me afastar.

– Não, Bella – disse-me com firmeza, olhando-me como que se receasse que eu tivesse enlouquecido.

Deixei cair os braços, desanimada, com as lágrimas insólitas deslizarem pelo rosto numa nova torrente, enquanto um outro soluço se formava na garganta. Ele estava certo – eu devia estar louca.

Edward olhava fixamente para mim, com uma expressão atónita e angustiada.

– D-d-d-esculpa – murmurei.

Mas, ele puxou-me para si, apertando-me com força contra o seu peito de mármore.

– Bella, eu não posso. Não posso! – Era um lamento de agonia.

– Por favor – pedi, com o corpo dele a abafar a minha súplica. – Por favor, Edward.

Não sabia dizer se o que o fez mover foram as lágrimas a tremerem-me na voz, se não estava preparado para enfrentar o meu ataque tão súbito, ou se, naquele momento, o seu desejo era simplesmente tão insuportável quanto o meu. Fosse qual fosse a razão, Edward impeliu novamente os lábios contra os meus e rendeu-se com um gemido.

Quando acordei na manhã seguinte, fiquei imóvel, tentando manter a respiração regular. Tinha medo de abrir os olhos.

Estava deitada sobre o peito de Edward, mas este não se movia, nem me envolvia nos braços. Era mau sinal. Tinha medo de mostrar que estava acordada e enfrentar a raiva dele – qualquer que fosse o seu alvo nessa manhã.

Espreitei cautelosamente através das pestanas. Ele olhava o tecto escuro, com a cabeça apoiada sobre os braços. Soergui-me sobre o cotovelo para lhe ver melhor o rosto. Estava tranquilo, sem deixar transparecer qualquer sentimento.

– Qual é a gravidade da minha culpa? – perguntei, em voz baixa.

– Enorme – respondeu, mas virou a cabeça e esboçou um sorriso de esguelha.

Suspirei, aliviada.

– Desculpa – disse-lhe. – Não queria... bom, não sei exactamente o que é que aconteceu ontem à noite. – E abanei a cabeça, ao lembrar-me das lágrimas sem sentido e do sofrimento terrível.

– Não chegaste a contar-me o sonho.

– Julgo que não mas, de certa maneira, mostrei-te o que acontecia nele. – Soltei uma gargalhada nervosa.

– Ah! – proferiu ele, abrindo mais os olhos e pestanejando a seguir. – Interessante.

– Foi um sonho muito bom – disse baixinho. Ele não comentou, pelo que lhe perguntei passados alguns segundos:

– Estou perdoada?

– Vou pensar nisso.

Sentei-me, disposta a examinar o meu estado. Pelo menos, não me pareceu ver qualquer pena. No entanto, o movimento provocou-me uma sensação esquisita de vertigem. Vacilei e voltei a cair sobre as almofadas.

– Ena... o sangue subiu-me à cabeça.

Edward abraçou-me de imediato.

– Dormiste durante muito tempo. Doze horas.

– *Doze?* – Que estranho.

Enquanto falava, fiz um exame rápido, tentando não o revelar. Parecia estar em óptimas condições. As nódoas negras dos braços continuavam a ser as mesmas de há uma semana, mas cada vez mais pequenas. Experimentei esticar-me. Também me sentia bem. Bom. Na verdade, melhor que bem.

– Já acabaste o inventário?

Anui com a cabeça, com uma expressão embaraçada.

– Parece que as almofadas sobreviveram todas.

– Infelizmente, não posso dizer o mesmo da, hum... camisa de dormir. – E apontou com a cabeça para os pés da cama, onde os lençóis de seda estavam polvilhados de fragmentos de renda preta.

– É uma pena – comentei. – Gostava dela.

– Também eu.

– Há outras consequências? – perguntei, a medo.

– Vou ter de comprar uma cama nova à Esme – confessou, espreitando por cima do ombro. Segui-lhe o olhar parado e dei um salto ao ver os grandes pedaços de madeira que pareciam ter sido arrancados do lado esquerdo da cabeceira.

– Hum. – Franzi o sobrolho. – É estranho não ter ouvido nada.

– Bella, parece que ficas muito desatenta quando te concentras noutra coisa.

– Estava um pouco distraída – reconheci, ficando muito vermelha.

Edward tocou-me na face corada e suspirou.

– Vou sentir mesmo a falta disso.

Olhei-o surpreendida, à procura dos indícios de cólera ou dos remorsos que receava. Edward devolveu-me o olhar, com uma expressão serena mas indecifrável.

– Como é que te sentes?

Ele soltou uma gargalhada.

– O que foi? – quis saber.

– Estás com um ar tão culpado... Parece que cometeste um crime.

– Sinto-me culpada – resmunguei por entre dentes.

– Seduziste o teu marido, demasiado ansioso por ser seduzido? Não me parece que seja um pecado mortal.

Parecia que estava a troçar de mim.

Corei ainda mais.

– A palavra *seduzir* implica uma certa dose de premeditação.

– Talvez não tivesse escolhido a palavra mais indicada – reconheceu Edward.

– Não estás zangado?

Ele exibiu um sorriso melancólico.

– Não, não estou.

– Porque é que não estás?

– Bom... – E manifestou-se hesitante. – Primeiro, porque não te magoei. Desta vez foi mais fácil controlar-me e canalizar os meus desvarios. – E voltou a dar uma olhadela à cabeceira destruída. – Talvez tivesse uma ideia mais definida do que iria acontecer.

Um sorriso de esperança começou a inundar-me o rosto.

– Tinha-te dito que era tudo uma questão de prática.

Edward revirou os olhos. A seguir riu-se ao ouvir o meu estômago a protestar.

– Está na altura do pequeno-almoço humano?

– Sim, por favor – retorqui, saltando da cama. Mas aquele movimento demasiado rápido fez-me cambalear, ao tentar recuperar o equilíbrio. Ele apanhou-me, antes de tombar para cima da cómoda.

– Sentes-te bem?

– Se não conseguir um melhor sentido do equilíbrio na próxima vida, irei exigir uma indemnização.

Nessa manhã, fui eu quem preparou o meu pequeno-almoço composto apenas por ovos. Estava demasiado esfomeada para fazer algo mais complicado. Passados escassos minutos, coloquei-os no prato, impaciente.

– Desde quando é que gostas de ovos estrelados? – inquiriu o meu marido.

– Desde agora.

– Sabes quantos ovos comeste na semana passada? – E introduziu a mão debaixo da pia da cozinha, puxando o balde do lixo, que estava cheio de embalagens vazias.

– Que estranho – observei, depois de engolir uma garfada a escaldar. – Este sítio está a alterar o meu apetite. E os meus sonos, assim como o meu equilíbrio, já de si deficiente. No entanto, gosto de cá estar. Mas, se calhar, a nossa partida está para breve, não? Para chegarmos a Dartmouth a tempo. Uau! Acho que teremos de arranjar um sítio para viver e mobília também.

Edward sentou-se ao meu lado.

– Agora, podes desistir dessa história da universidade. Já conseguiste o que querias. E não fizemos qualquer acordo, portanto não há qualquer condição a cumprir.

Resfoleguei.

– Não era história nenhuma, Edward. Ao contrário de algumas pessoas, não passo o tempo livre a conspirar. "*O que é que vamos fazer hoje, para deixar a Bella estoirada?*" – acrescentei, numa imitação mal conseguida da voz dele. Edward riu-se, descaradamente. – Desejo sinceramente passar mais algum tempo como humana. – Inclinei-me, para lhe passar a mão pelo peito nu. – Para mim, ainda não chega.

Ele lançou-me um olhar desconfiado.

– Por causa *disto?* – inquiriu, agarrando na minha mão, que descia mais para baixo do estômago. – Durante todo este tempo, o sexo era a chave de tudo? – E revirou os olhos. – Porque é que não pensei nisso? – murmurou por entre dentes, com um ar sarcástico. – Teria poupado muitas discussões

Ri-me.

– Provavelmente sim.

– Tu és *tão* humana... – repetiu.

– Eu sei.

Nos seus lábios surgiu o esboço de um sorriso.

– Então vamos para Dartmouth? A sério?

– O mais certo é reprovar neste semestre.

– Serei o teu explicador. – O sorriso agora era mais largo. – E vais adorar a universidade.

– Achas que conseguiremos arranjar um apartamento, nesta altura do ano?

Edward fez um trejeito, revelando uma expressão de culpa.

– Bom, de certa forma, já temos lá casa. Achei que seria melhor prevenir, percebes?

– Compraste uma casa?

– O negócio imobiliário é um bom investimento.

Ergui uma sobrancelha, mas deixei passar.

– Nesse caso, temos tudo o que é preciso.

– Terei de verificar se é possível manter o teu carro "de antes" durante mais algum tempo...

– Sim, Deus me livre de não estar protegida contra tanques.

Ele esboçou um sorriso irónico.

– Vamos ficar por quanto tempo? – perguntei.

– Há tempo de sobra. Se quiseres, mais umas semanas. E, a seguir, antes de ir para New Hampshire, podemos fazer uma visita ao Charlie. E passar o Natal com a Renée.

As palavras traçavam um futuro imediato muito risonho, livre de qualquer dor para todos os envolvidos. A gaveta de Jacob, tudo menos esquecida, rangeu e corrigi o pensamento: "Para *quase* todos".

As coisas estavam a complicar-se. Após ter descoberto realmente como podia ser tão bom viver como humana, estava tentada a deixar os planos deslizarem mais para a frente. Dezoito, dezanove ou vinte anos... seria realmente importante? Não iria mudar assim tanto num ano. E ser humana com Edward... A escolha tornava-se cada vez mais complicada.

– Algumas semanas – concordei. E entretanto, como parecia que o tempo nunca bastava, acrescentei:

– Portanto, estava a pensar... lembras-te do que te estava a dizer em relação à prática?

Edward riu-se.

– Podemos voltar a isso depois? Estou a ouvir um barco. Deve ser a equipa de limpeza a chegar.

Ele queria voltar ao assunto. Logo, isso significava que não iria levantar mais problemas em relação à nossa prática? Sorri.

– Deixa-me ir explicar a trapalhada do quarto branco ao Gustavo e, a seguir, damos uma volta. Na selva, há um sítio a Sul...

– Não quero ir dar uma volta. Não estou interessada em andar a escalar a ilha inteira. Hoje, prefiro ficar e ver um filme.

Edward contraiu os lábios, tentando conter o riso causado pelo meu tom agastado.

– Está bem, tudo o que quiseres. Porque é que não escolhes um, enquanto abro a porta?

– Não ouvi ninguém a bater.

Ele inclinou a cabeça, à escuta. No instante seguinte ouviu-se um toque leve e hesitante na porta. Edward exibiu um largo sorriso e deu meia-volta, avançando para a entrada.

Segui com indolência até às estantes, colocadas debaixo do enorme televisor, e percorri os títulos com o olhar. Era difícil decidir por onde começar. Havia ali mais DVD que num clube de vídeo.

A voz grave e aveludada de Edward chegou até mim, quando regressava pelo corredor, a conversar fluentemente no que supus ser um Português perfeito. Uma voz humana, mais agreste, respondia-lhe na mesma língua.

Edward encaminhou as pessoas para a sala, depois de lhes indicar onde ficava a cozinha. Ao seu lado, os dois brasileiros pareciam incrivelmente baixos e morenos. Era um homem corpulento e uma mulher franzina, ambos com o rosto sulcado de rugas. Edward apontou para mim com um sorriso orgulhoso e distingui o meu nome, misturado num turbilhão de palavras desconhecidas. Corei ligeiramente ao recordar a miscelânea de penas, no quarto branco, que eles iriam encontrar de seguida. O homem baixo exibiu-me um sorriso delicado.

No entanto, a mulher minúscula, de pele cor de café, manteve--se séria. Fitava-me com uma mescla de espanto, preocupação e, sobretudo, com os olhos arregalados de medo. Antes que eu reagisse, Edward fez-lhes um sinal para o seguirem na direcção do nosso quarto, agora semelhante a um galinheiro, e todos desapareceram.

Quando voltou a aparecer, Edward vinha sozinho. Aproximou--se de mim, num passo leve, e envolveu-me nos braços.

– O que é que se passa com ela? – murmurei, ansiosa, ao recordar a expressão de pânico da mulher.

Ele encolheu os ombros, impassível.

– A Kaure pertence à tribo dos índios Ticuna. Foi habituada a ser mais supersticiosa ou, por outras palavras, mais consciente do que os que vivem no mundo moderno. Ela desconfia do que eu sou, ou perto disso. – Prosseguiu num tom despreocupado.

– Estes povos têm as suas lendas. Como a do *Libishomen*, um demónio que se alimenta de sangue e que caça apenas mulheres bonitas. – E lançou-me um olhar lascivo.

Apenas as mulheres bonitas? Aquilo era uma espécie de elogio.

– Ela estava aterrada – observei.

– É verdade. Mas, acima de tudo, preocupada contigo.

– Comigo?

– Teme a razão que me leva a ter-te aqui comigo, completamente sozinha. – E esboçou um sorriso sombrio; depois voltou-se para a muralha de filmes. – Enfim... porque não escolhes qualquer coisa para vermos? É algo humano e satisfatório para fazermos.

– Sim, tenho a certeza que o filme a irá convencer que és humano. – Soltei uma gargalhada e passei-lhe os braços com firmeza à volta do pescoço, esticando-me em pontas de pés. Edward curvou-se para o beijar e, depois, apertou-me pelos braços, erguendo-me para não ter de se inclinar.

– Filme, schfilme – murmurei, por entre dentes, entrelaçando os dedos no cabelo acobreado, enquanto os lábios dele desciam pelo meu pescoço.

A seguir, ouvi uma exclamação de horror e ele soltou-me rapidamente. Kaure estava petrificada no corredor, com penas no cabelo preto, um grande saco com mais penas nos braços e uma expressão de horror no rosto. Olhava fixamente para mim, de novo com os olhos arregalados, enquanto eu corava e desviava o olhar para o chão. A seguir, a mulher recuperou o controlo e murmurou qualquer coisa que, mesmo numa língua desconhecida, era nitidamente uma desculpa. Edward sorriu e respondeu-lhe num tom amistoso. Ela desviou os olhos negros e seguiu através do corredor.

– Ela estava a pensar aquilo que eu penso que estava a pensar, certo? – murmurei.

Edward riu-se da minha frase rebuscada.

– Toma! – disse, estendendo a mão ao acaso e tirando um filme. – Põe este e fingimos que estamos a vê-lo.

Era um musical antigo, com rostos sorridentes e vestidos vaporosos, durante as primeiras cenas.

– Muito apropriado para uma lua-de-mel – concordou Edward.

Enquanto os actores contracenavam, dançando e cantando a alegre canção introdutória, refastelei-me no sofá, aninhada nos braços de Edward.

– Já podemos regressar ao quarto branco? – perguntei, indolentemente.

– Não sei... destruí irremediavelmente a cabeceira do outro quarto. Se limitarmos a destruição a uma área da casa, talvez a Esme nos volte a convidar numa outra ocasião.

Esbocei um largo sorriso.

– Então, as destruições vão continuar?

Ele riu-se da minha expressão.

– Acho mais seguro se for premeditado do que aguardar um outro ataque teu.

– É apenas uma questão de tempo – argumentei num tom descontraído, embora sentisse o sangue a correr-me nas veias.

– Há algum problema com o teu coração?

– De modo algum. É tão saudável como o de um cavalo. – Fiz uma pausa. – Queres dar uma vista de olhos à zona das demolições, agora?

– Talvez seja mais prudente aguardar até ficarmos sozinhos. Tu podes não te aperceber de partir a mobília, mas talvez isso os assustasse.

Para falar francamente, já me tinha esquecido das pessoas que se encontravam na sala ao lado.

– Está bem. Que chatice!

Gustavo e Kaure moviam-se em silêncio pela casa, enquanto eu aguardava com impaciência que terminassem o trabalho; e tentava prestar atenção ao viveram felizes para sempre, no ecrã. Estava quase a adormecer – embora, segundo Edward, tivesse passado metade do dia a dormir – quando uma voz agreste me sobressaltou. Edward sentou-se, mantendo-me aninhada nos braços, e respondeu a Gustavo num Português fluente. Este acenou-lhe com a cabeça e dirigiu-se, em silêncio, para a porta da frente.

– Acabaram – informou-me Edward.

– Então, significa que já estamos sozinhos?

– Que tal almoçarmos primeiro? – sugeriu ele.

Mordi o lábio, dividida pelo dilema. Estava esfomeada.

Ele sorriu e pegou-me na mão, para me levar para a cozinha. Conhecia tão bem as minhas expressões, que não fazia mal se não conseguisse ler-me os pensamentos.

– Isto está a passar dos limites – reclamei, quando finalmente fiquei cheia.

– Queres ir nadar com os golfinhos, esta tarde, e queimar algumas calorias? – perguntou ele.

– Talvez mais tarde. Tenho uma ideia que pode dar melhores resultados.

– E qual é?

– Bom, há uma enorme quantidade de cabeceira intacta...

Todavia não cheguei a terminar. Ele já me tinha pegado nos braços e silenciou-me com os lábios, enquanto me levava a uma velocidade inumana para o quarto azul.

Sete

Inesperado

A linha de vultos negros avançava para mim, entre a névoa semelhante a uma mortalha. Via-lhes os olhos escuros em tons de vermelho-sangue a brilhar de desejo, com a ânsia da morte. Os lábios recuavam sobre os dentes húmidos e afiados – uns para rosnar, outros para sorrir.

Ouvi a criança a gemer atrás de mim, mas não podia virar-me para ela. Embora estivesse desesperada para ver se estava bem, não podia arriscar qualquer falha na minha concentração.

Os vultos moviam-se como espectros, cada vez mais próximos, com mantos negros a esvoaçar levemente à medida que avançavam. Distingui-lhes as mãos a curvarem-se em garras cor de osso, enquanto se espalhavam para nos cercar de todos os lados. Estávamos encurralados. Íamos morrer.

E então, como uma explosão momentânea de luz, a cena alterou-se por completo. Embora tudo permanecesse igual – os Volturi prosseguiam a sua marcha ameaçadora, preparados para o morticínio – a minha perspectiva do que via era diferente. De súbito, sentia-me sequiosa, desejosa que atacassem. O pânico deu lugar à sede de sangue, enquanto me curvava para a frente, de sorriso no rosto, e lançava um rugido entre os dentes descarnados.

Ergui-me num salto, abalada com o pesadelo.

O quarto estava às escuras, entranhado com um calor opressivo. O suor colava-me o cabelo às fontes e escorria-me pelo pescoço.

Percorri os lençóis quentes às cegas e deparei-me com eles vazios.

– Edward?

Só então os meus dedos encontraram algo macio, rígido e liso. Uma folha de papel dobrada ao meio. Agarrei-a e atravessei o quarto às apalpadelas, até chegar ao interruptor.

"Sra. Cullen", dizia o exterior do bilhete.

"Espero que não acordes e dês pela minha ausência, mas, caso isso aconteça, queria dizer-te que não demoro. Fui apenas a terra caçar. Volta a adormecer e quando acordares estarei junto de ti. Amo-te."

Suspirei. Embora já estivéssemos ali há duas semanas e fosse previsível que ele tivesse de sair, eu não dava pelo passar dos dias. Naquele lugar, parecia que vivíamos à margem do tempo, limitando-nos a flutuar em harmonia.

Enxuguei a testa transpirada. Embora o relógio da cómoda me indicasse que passava da uma da manhã, estava totalmente desperta. Tão encalorada e a suar daquela maneira, era impossível voltar a adormecer. Para não falar do facto de ter a certeza que aqueles vultos negros e errantes iriam povoar de novo a minha mente, assim que apagasse a luz e fechasse os olhos.

Levantei-me e comecei a deambular pela casa às escuras, acendendo as luzes, sem um objectivo determinado. Na ausência de Edward, tudo parecia muito grande e vazio. Diferente.

Acabei por ir ter à cozinha. Talvez me fizesse bem comer alguma coisa reconfortante.

Vasculhei o frigorífico, até encontrar o que precisava para fritar um frango. O som da comida a chiar e a crepitar na frigideira era caseiro e estimulante; senti-me menos nervosa quando ele ocupou o espaço do silêncio.

O cheiro era tão delicioso que comecei a comer o frango directamente da frigideira, sentindo a língua a queimar. No entanto, ao quinto ou sexto pedaço, mal a comida tinha arrefecido o suficiente para a conseguir saborear, comecei a mastigar mais devagar. Aquele gosto era normal? Examinei a carne e pareceu-me que estava frita uniformemente, mas desconfiei que houvesse alguma parte encruada. Tirei um outro pedaço à experiência e mastiguei-o por duas vezes. Uf! Estava intragável. Levantei-me de um salto para o cuspir para a pia. Subitamente, o cheiro do frango misturado com o azeite tornou-se insuportável. Peguei na frigideira e despejei a comida toda no balde do lixo, abrindo as janelas para afastar o cheiro. No exterior, levantava-se uma brisa fresca. Soube-me bem senti-la na pele.

De repente, senti-me exausta. No entanto, não me apetecia voltar para aquele quarto a escaldar. Optei por abrir mais janelas na sala da televisão e deitar-me no sofá que ficava por baixo. Pus outra vez a passar o filme que tínhamos visto e aos primeiros toques da alegre canção de abertura já estava a dormir.

Ao voltar a abrir os olhos, o Sol elevava-se na linha do horizonte, mas não foi a claridade que me despertou. Uns braços gelados envolviam-me e puxavam-me de encontro a um corpo. Quase em simultâneo, senti um espasmo inesperado a contrair-me o estômago, algo semelhante à dor subsequente a um murro na barriga.

– Estou desolado – murmurava Edward, passando a mão fria pela minha testa suada. – Quero fazer tudo na perfeição e depois esqueço-me do calor que apanhas quando não estás junto de mim. Vou pedir para instalarem o ar condicionado, antes da próxima saída.

Não consegui concentrar-me no que ele dizia.

– Desculpa – exclamei sufocada, lutando para me soltar dos braços dele.

Edward largou-me instintivamente.

– Bella?

Corri para a casa de banho, com a mão na boca. Sentia-me tão mal, que nem sequer me importei – no início – que ele estivesse ao meu lado, enquanto me debruçava sobre a sanita e vomitava com violência.

– Bella? O que é que tens?

Não consegui responder-lhe logo. Ele amparou-me, preocupado, e afastou-me o cabelo do rosto, aguardando que respirasse normalmente.

– Maldito frango estragado – desabafei, com um gemido.

– Sentes-te bem? – A voz dele estava tensa.

– Sim – respondi, ofegante. – Foi só a comida estragada. Não tens de assistir a este espectáculo. Vai-te embora!

– Claro que não, Bella!

– Vai-te embora! – insisti, ainda a gemer, tentando levantar-me para lavar a boca. Edward ajudou-me com todo o cuidado, sem ligar aos pequenos empurrões que lhe dava.

Logo que acabei de lavar a boca, transportou-me ao colo para a cama e sentou-me delicadamente, continuando a envolver-me nos seus braços.

– Comida estragada?

– Sim – respondi com um resmungo. – Ontem à noite estive a fritar um frango. Depois, senti um sabor esquisito e tive de o deitar fora. Mal cheguei a dar umas garfadas.

Ele pousou-me uma mão gelada na fronte. Proporcionou-me uma sensação agradável.

– Como te sentes agora?

Reflecti durante uns instantes. O enjoo tinha passado, tão depressa como surgira, e sentia o mesmo que em qualquer manhã.

– Muito bem. Até tenho fome.

Ele obrigou-me a aguardar uma hora e a aguentar-me com um grande copo de água, antes de me fritar uns ovos. Sentia-me normal, apenas ligeiramente cansada por ter estado a pé a meio da noite. Depois, sintonizou a televisão para a CNN – tínhamos estado tão longe de tudo, que até podia ter rebentado a Terceira Guerra Mundial e nenhum o saberia – e recostei-me no colo dele, sonolenta.

Quando me fartei das notícias, torci-me para lhe dar um beijo. Tal como acontecera de manhã, aquele movimento desencadeou uma dor aguda no estômago. Desviei-me dele, meio vacilante, apertando a boca com a mão. Pressenti que desta vez não chegaria a tempo à casa de banho, pelo que corri na direcção da pia da cozinha.

Edward prendeu-me novamente o cabelo.

– Talvez fosse melhor voltarmos para o Rio e consultarmos um médico – sugeriu, preocupado, enquanto eu lavava mais uma vez a boca.

Abanei a cabeça e saí para o corredor. Falar de médicos era o mesmo que falar de agulhas.

– Depois de lavar os dentes, vou ficar bem.

Com um sabor agradável na boca, remexi na minha mala à procura do estojo de primeiros socorros que Alice me enviara, repleto de coisas humanas, tais como pensos rápidos, analgésicos e – aquilo que procurava agora – *Pepto-Bismol* para a azia. Talvez conseguisse acalmar o estômago e tranquilizar Edward.

Mas, antes de o encontrar, os meus dedos deram com outra coisa que Alice também tinha juntado. Agarrei na pequena caixa azul e fitei-a durante bastante tempo, absorta de tudo o resto.

Depois, comecei a fazer contas de cabeça. Uma vez. Duas. E mais outra.

O toque na porta fez-me dar um salto e a caixa foi recambiada para a mala.

– Sentes-te bem? – perguntava Edward do outro lado. – Estás outra vez mal disposta?

– Sim e não – respondi, mas a voz parecia sufocada.

– Bella, posso entrar, por favor? – Agora, já usava um tom apreensivo.

– S... sim.

Ao entrar, Edward observou a minha posição, sentada no chão ao lado da mala, de pernas cruzadas, com um olhar vazio e pasmado. Sentou-se ao meu lado e colocou-me, de novo, a mão na testa.

– O que é que se passa?

– Há quantos dias foi o casamento? – perguntei, em voz baixa.

– Dezassete – respondeu-me, sem hesitar. – Bella, o que foi?

Eu estava a contar novamente. Ergui o dedo, fazendo-lhe sinal para esperar, e articulei os números com os lábios, em silêncio. Calculara mal os dias. Já estávamos ali há mais tempo do que suponha. Recomecei a contagem.

– Bella! – murmurou Edward, desesperado. – Isto está a deixar-me doido.

Tentei engolir em seco, mas não consegui. Em vez disso, estendi a mão na direcção da mala e procurei no interior, até encontrar de novo a pequena caixa azul de tampões. Ergui-a, em silêncio.

Ele olhou-me, desnorteado.

– O quê? Estás a tentar explicar esse mal-estar como uma síndrome pré-menstrual?

– Não – consegui responder a custo. – Não, Edward. Estou a tentar dizer-te que o meu período está atrasado cinco dias.

A expressão do rosto dele não se alterou. Era como se não tivesse falado.

– Acho que não foi nenhuma intoxicação alimentar – acrescentei.

Edward não respondeu. Estava transformado numa estátua.

– Os pesadelos – murmurei por entre dentes, com uma voz apática. – O sono a mais. O choro. Aquela comida toda. Ai. Ai. Ai.

Ele exibia um olhar vítreo, como se deixasse de me ver.

A minha mão tombou sobre o ventre, de forma instintiva, quase involuntária.

– Ai – exclamei de novo, com a voz esganiçada.

Pus-me de pé num salto, deslizando para longe das mãos imóveis de Edward. Ainda usava a camisola de alças e os calções curtos de seda com que me tinha deitado. Enrolei o tecido azul para cima e fiquei a olhar para a barriga.

– Impossível – murmurei.

Embora fosse totalmente inexperiente em matéria de gravidez e bebés, ou de outra coisa qualquer relacionada com esse mundo, não era nenhuma idiota. Já tinha visto bastantes filmes e séries televisivas para saber que as coisas não se passavam assim. Tinha apenas cinco dias de atraso. Se estivesse grávida, o meu corpo nem sequer registaria o facto. Não haveria enjoos matinais, nem os meus hábitos de alimentação e de sono estariam alterados.

E, acima de tudo, não teria certamente aquele vulto pequeno, mas bem definido, sobressaindo entre as ancas.

Virei o tronco para a frente e para trás, analisando-o de todos os ângulos, como se a luz apropriada o pudesse fazer desaparecer. Percorri-o com os dedos, surpreendida por o sentir duro como uma pedra, sob a pele.

– Impossível – repeti, porque com vulto ou sem vulto, com período ou sem período (e não havia período, com toda a certeza, visto que nunca me tinha atrasado um único dia em toda a vida), não havia hipótese de eu estar grávida. A única pessoa com quem tinha tido feito amor era um vampiro, que diabo!

Um vampiro que continuava pregado ao chão, sem dar sinais de voltar a mover-se.

Por isso, tinha de haver uma outra explicação. Seria qualquer coisa que não estava bem comigo. Uma doença sul-americana desconhecida, com sintomas idênticos aos de uma gravidez, mas que se agravara...

Entretanto, houve algo que me veio à memória – uma manhã a pesquisar na Internet, que parecia ter sido há muito tempo. Sentada à velha secretária do meu quarto, em casa de Charlie, com o brilho suave da luz pardacenta a assomar na janela e os olhos fixos no velho computador ronronante, consultava avidamente um sítio chamado "Vampiros de A a Z". Nem tinha passado sequer um dia desde que Jacob Black, ao tentar distrair-me com as lendas dos Quileute, nas quais ele ainda não acreditava, me dissera que Edward era um vampiro. Então, cheia de ansiedade, naveguei pelas páginas de abertura do sítio dedicado a mitos vampíricos de todo o mundo. Os Danag filipinos, os Estrie hebraicos, os Varacolaci romenos, os Stregoni benefici italianos (por sinal, uma lenda baseada nas primeiras façanhas do meu agora sogro com os Volturi, ainda que na altura não o soubesse)... À medida que as histórias se tornavam mais inverosímeis, a minha atenção começara a diminuir. Recordava vagamente fragmentos das últimas entradas. Na maior parte, pareciam tratar-se de desculpas inventadas para explicar fenómenos, como as taxas de mortalidade infantil – e a infidelidade. "Não, meu amor, eu não te traí! Aquela mulher deslumbrante que apanhaste a sair de casa às escondidas era um súcubo do mal. Tive muita sorte em conseguir escapar ileso!" (É claro que o que conhecia sobre Tanya e as irmãs me levava a desconfiar que algumas das desculpas seriam mesmo factos reais.) E também havia uma desculpa para as senhoras. "Como é que me podes acusar de te trair – só porque regressaste a casa depois de passares dois anos no mar e me encontras grávida? Foi o íncubo. Ele hipnotizou-me com os seus poderes místicos de vampiro..."

Essa era parte da definição de um íncubo: a sua capacidade para fecundar uma vítima desafortunada.

Abanei a cabeça, atordoada. Mas...

Estava a pensar em Esme e, em particular, em Rosalie. Os vampiros não podiam ter filhos. Se existisse tal possibilidade, Rosalie já a teria usado. O mito do íncubo não passava de uma fábula.

Com a excepção... bom, havia uma diferença. Era evidente que Rosalie não podia conceber uma criança por se encontrar paralisada num estado de transição de humano para inumano. Um estado em que nada se modifica. E os corpos das mulheres humanas têm de mudar para gerarem um bebé. Por um lado, existe a mudança constante no ciclo mensal e, depois, há as alterações mais complexas e necessárias para alojar um ser em crescimento. O corpo de Rosalie não podia mudar.

Mas o meu sim. O meu tinha mudado. Toquei no pequeno alto da minha barriga, que não estava ali no dia anterior.

E os homens humanos – bom, eles não mudavam muito desde a puberdade até à morte. Recordei uma curiosidade, escolhida ao acaso, sabe-se lá onde: Charlie Chaplin já tinha atingido os setenta anos quando gerara o último filho. Os homens não estão sujeitos a coisas como ciclos de fertilidade para a gestação de uma criança.

Mas como podia alguém saber se os homens vampiros podiam gerar uma criança, quando as respectivas companheiras não tinham essa capacidade? Que vampiro deste mundo iria controlar-se o suficiente para testar a teoria com uma mulher humana? Ou até que ponto estaria para aí virado?

Só me lembrava de um.

Uma parte da minha mente dedicava-se a enumerar factos, memórias e especulações, enquanto a outra metade – a que controlava a capacidade para mover os músculos mais ínfimos – estava tão atordoada que me sentia incapaz de executar as operações mais simples. Não conseguia sequer mexer os lábios para falar, embora quisesse pedir a Edward para me explicar, por favor, o que estava a acontecer. Precisava de regressar para junto do sítio onde ele permanecia sentado e tocar-lhe; no entanto, o meu corpo não me obedecia. Apenas conseguia fitá-lo, atónita, enquanto os meus dedos pressionavam suavemente o inchaço do meu corpo.

E então, à semelhança do pesadelo opressivo da noite anterior, o cenário sofreu uma alteração violenta. Tudo o que via no espelho parecia completamente diferente; embora, na verdade, nada o fosse.

A causa dessa mudança radical fora um toque pequeno e suave que atingiu a minha mão, vindo do interior do meu corpo.

Nesse preciso momento, o telefone de Edward tocou num som estridente e impositivo. Nenhum se mexeu. O telefone tocou e voltou a tocar. Tentei abstrair-me do toque, ao mesmo tempo que pressionava a barriga com os dedos, à espera. No espelho, a expressão de perplexidade abandonara o meu rosto – dando lugar a uma expressão maravilhada. Mal dei pelo momento em que as lágrimas começaram a deslizar pelas faces, inesperadas e silenciosas.

O telefone continuou a tocar e desejei que Edward atendesse – eu estava a viver aquele momento, que seria talvez o mais importante da minha vida.

Trim! Trim! Trim!

Finalmente, a irritação foi mais forte que o resto. Pus-me de joelhos ao lado de Edward – descobrindo que me mexia com mais cuidado, mil vezes mais consciente da sensação de cada movimento – e remexi-lhe nos bolsos até encontrar o telefone. Quase esperei vê-lo sair da letargia e atender a chamada; mas ele não moveu um único músculo.

Reconheci quem era e não me foi difícil adivinhar porque estava a ligar.

– Olá, Alice – cumprimentei. A minha voz não melhorara muito. Pigarreei, na tentativa de clarear a garganta.

– Bella? Bella, estás bem?

– Sim. Hum... O Carlisle está aí?

– Está. O que é que se passa?

– Não tenho... cem por cento... a certeza...

– O Edward está bem? – perguntou ela, com uma voz circunspecta. Afastou o telefone para chamar Carlisle e, a seguir, perguntou: – Porque não foi ele a atender? – antes de poder responder à primeira questão.

– Não sei.

– Bella, o que está a acontecer? Acabei de ver...

– O que é que viste?

Fez-se silêncio.

– O Carlisle está aqui – disse, por fim.

Parecia que me tinham injectado água gelada nas veias. Se Alice tivesse tido uma visão onde eu surgia com uma criança nos braços, de olhos verdes e rosto de anjo, ela ter-me-ia respondido, certo?

Enquanto decorria a fracção de segundo de espera até Carlisle pegar no telefone, a visão de Alice que eu imaginara bailava-me atrás das pálpebras. Um bebezinho lindo e minúsculo, mais bonito até que a criança dos sonhos – um Edward pequenino nos meus braços. O calor penetrou-me nas veias, dissipando a sensação de frialdade.

– Bella, fala o Carlisle. O que aconteceu?

– Eu... – não sabia bem que resposta haveria de dar. Ele iria rir-se da minha descoberta e dizer-me que estaria a delirar? Será que tudo não passava de mais um dos meus pesadelos coloridos?

– Estou um pouco preocupada com o Edward... os vampiros podem ficar em estado de choque?

– Ele está ferido? – De repente, Carlisle usara um tom ansioso.

– Não, não – tranquilizei-o. – Apenas... apanhado de surpresa.

– Não estou a compreender, Bella.

– Acho... bem, acho que... talvez... possa estar – e respirei fundo. – Grávida.

Como se fosse necessário uma prova, senti novamente um leve toque no abdómen e a minha mão voou para a barriga.

Após uma longa pausa, o treino médico de Carlisle entrou em acção.

– Em que dia começou o teu último período menstrual?

– Dezasseis dias antes do casamento. – Já tinha feito as contas de cabeça, exaustivamente, e as vezes necessárias para responder sem quaisquer hesitações.

– Como te sentes?

– Esquisita – respondi e a minha voz fraquejou, enquanto novas lágrimas escorriam pelo rosto. – Isto pode parecer uma coisa de loucos... Carlisle, eu sei que é demasiado cedo para algo assim acontecer. Talvez tenha enlouquecido. Mas, ando a ter sonhos estranhos, a comer sem parar, a chorar, e a vomitar e... e... juro que há qualquer coisa a *mexer-se* dentro de mim, neste preciso momento.

A cabeça de Edward levantou-se de repente.

Soltei um suspiro de alívio.

Ele estendeu a mão na direcção do telefone, com o rosto branco e hirto.

– Hum... acho que o Edward quer falar consigo.

– Passa-lhe o telefone – pediu Carlisle, com a voz tensa.

Sem estar completamente certa de que Edward conseguia falar, depositei o telefone na mão que ele estendeu.

Edward encostou o telefone ao ouvido e murmurou:

– É possível?

Ficou à escuta durante bastante tempo, fixando o olhar em frente com uma expressão vazia.

– E a Bella? – perguntou. Enquanto falava, passou o braço à minha volta e apertou-me contra si.

Ficou de novo à escuta, durante o que me pareceu um período imenso, até voltar a falar.

– Sim. Sim, vou fazer isso.

Afastou o telefone do ouvido e desligou-o. Logo a seguir, marcou um outro número.

– O que é que disse o Carlisle? – perguntei, impaciente.

Edward respondeu-me com uma voz inexpressiva.

– Ele acha que tu estás grávida.

As suas palavras enviaram um fluxo de calor na direcção da minha coluna e senti o pequeno irrequieto a agitar-se dentro de mim.

– E agora, para onde estás a ligar? – perguntei, quando o vi levar o telefone ao ouvido de novo.

– Para o aeroporto. Vamos para casa.

Edward esteve mais de uma hora seguida ao telefone. Calculei que estivesse a marcar a viagem de regresso a casa; mas não podia garantir, porque ele não falava em Inglês. Parecia que discutia; ouvi-o a falar por entre dentes durante muito tempo.

Enquanto discutia, fazia as malas. Girava pelo quarto como um tornado enfurecido, semeando a ordem e não o caos por onde passava. Atirou com um monte de roupa minha para cima da cama, sem a olhar, o que me levou a concluir que estaria na altura de me vestir. E, enquanto eu trocava de roupa, Edward prosseguia a altercação, acompanhando-a de movimentos bruscos e agitados.

Quando deixei de conseguir aguentar a energia violenta que emanava dele, abandonei o quarto em silêncio. Aquela concentração obsessiva causava-me um mal-estar no estômago – diferente do enjoo matinal, mas igualmente desconfortável. Iria aguardar que aquele estado de espírito lhe passasse, noutro sítio qualquer. Sentia-me incapaz de comunicar com aquele Edward gélido e concentrado que, realisticamente, me amedrontava um pouco.

Mais uma vez, fui parar à cozinha. Avistei uma embalagem de biscoitos salgados sobre a bancada e comecei a mordiscá-los, absorta, a olhar para a janela, observando a areia e as rochas, a vegetação e o oceano a brilharem ao Sol.

Senti um pequeno toque.

Eu sei – afirmei. – Também não queria partir.

Continuei a contemplar a janela por mais um momento; no entanto o irrequieto não me respondeu.

– Não percebo – murmurei – O que é que está *errado* aqui?

Surpreendente, sem dúvida. Incrível, aceito que sim. Mas *errado?*

Não.

Então, porque estava Edward tão *furioso?* Na verdade, tinha sido ele a manifestar o desejo de casarmos sem demora.

Tentei ponderar melhor sobre a situação.

Talvez a ideia de Edward ao querer que voltássemos de seguida não fosse assim tão estranha. Ele devia desejar que Carlisle me examinasse e confirmasse se as minhas suposições estavam certas – ainda que sobre isso não houvesse uma única dúvida na minha cabeça. Se calhar, eles queriam compreender o motivo que me levava a estar tão grávida, com o vulto, as cotoveladas e tudo o resto. Não era normal.

Assim que cheguei a essa conclusão, tive a certeza de ter acertado. Edward deveria estar muito preocupado com o bebé. Eu ainda não tinha chegado ao ponto de começar a assustar-me. O meu cérebro era mais lento que o dele. Naquele momento, continuava encantada com a imagem que tinha invocado: a criança minúscula com os olhos de Edward – verdes, tal como os seus na fase humana –, linda e amorosa, aninhada nos meus braços. Esperava que ela tivesse um rosto igual ao de Edward, sem qualquer interferência do meu.

Era engraçado como esta visão se tinha tornado necessária, de uma maneira tão súbita e radical. A partir do primeiro toque, o mundo inteiro tinha mudado. Onde antes havia apenas algo sem o qual não poderia viver, agora existiam duas. Não havia qualquer divisão – o meu amor não tinha de se repartir entre os dois; não era isso. Era mais como se, naquele momento, o meu coração crescesse e aumentasse para o dobro do seu tamanho. Com todo o espaço suplementar já ocupado. O crescimento quase me causava vertigens.

Até ao momento, nunca compreendera a dor e o ressentimento de Rosalie em toda a sua extensão. Nunca me imaginara no papel de mãe e nunca o tinha querido para mim. Fora bastante fácil garantir a Edward que não me importava de renunciar a ter filhos por causa dele; porque essa era a verdade. As crianças, em geral, não me atraíam. Achava-as umas criaturas barulhentas, na maior parte das vezes a pingar algo pegajoso. Nunca me identificara muito com elas. Quando sonhava que Renée me ia dar um irmão, imaginava-o sempre como um irmão mais velho. Alguém que tomasse conta de mim, em vez de ser o contrário.

Com esta criança, o filho de Edward, a história era completamente diferente.

Desejava-a como ao ar que respirava. Não era uma escolha, era uma necessidade.

Talvez o meu problema residisse apenas em ter uma imaginação deficiente. Talvez fosse por isso que não conseguia pensar que gostava de estar casada, antes de o estar realmente – e só conseguir sentir o que era desejar um bebé depois de já existir um a caminho...

Ao colocar a mão sobre a barriga, à espera do toque seguinte, as lágrimas voltaram a escorrer-me pelo rosto.

– Bella?

Virei-me, cautelosa, ao ouvir o tom da sua voz. Era demasiado frio e preciso. O rosto dele condizia com a voz: duro e vazio.

E, naquele momento, Edward reparou que eu estava a chorar.

– Bella! – E atravessou a sala em duas passadas rápidas, para me segurar o rosto entre as mãos. – Tens dores?

– Não, não...

Puxou-me contra o peito.

– Não estejas assustada. Daqui a dezasseis horas estaremos em casa e tu ficarás bem. O Carlisle já está à nossa espera. Iremos resolver isto, pelo que vais ficar bem. Não te preocupes.

– Resolver isto? O que queres dizer?

Ele inclinou-se e fitou-me os olhos.

– Vamos tirar isso daí, antes que te possa causar algum dano. Não tenhas medo. Não vou deixar que te faça mal.

– *Isso?* – repeti, com a voz sufocada.

Subitamente, Edward desviou o olhar, virando-o para a porta da frente.

– Que raio! Esqueci-me que o Gustavo vinha cá hoje. Vou despachá-lo e já volto. – E precipitou-se para fora da cozinha.

Agarrei-me à bancada, em busca de apoio, sentindo os joelhos a tremer.

Edward tinha acabado de chamar *isso* ao meu pequeno irrequieto. E estava a dizer que o Carlisle mo iria tirar.

– Não – murmurei.

Tinha-me enganado. Ele não queria saber do bebé de forma alguma. Queria fazer-lhe mal. O quadro encantador na minha cabeça subitamente alterou-se, transformando-se em algo tenebroso. O meu lindo bebé a chorar, com os meus braços demasiado frágeis para o proteger...

O que podia fazer? Seria capaz de os dissuadir? E se não conseguisse? Isso explicaria o estranho silêncio de Alice ao telefone? Seria o que ela tinha visto? Edward e Carlisle a matarem aquela criança pálida e perfeita, antes mesmo de nascer?

– Não – voltei a sussurrar, com a voz mais firme. Não podia ser. Eu não iria deixar.

Voltei a ouvir Edward a falar Português e a discutir de novo. A sua voz aproximou-se mais e percebi que barafustava, todo exaltado. Depois, distingui uma outra voz, baixa e hesitante. Era a voz de uma mulher.

O meu marido entrou na cozinha à frente dela e veio direito a mim. Enxugou-me as lágrimas do rosto e segredou-me ao ouvido, por entre os lábios contraídos numa linha fina.

– A Kaure está a teimar em deixar a comida que trazia. Ela preparou-nos o jantar. – Se estivesse menos ansioso e furioso, acho que ele teria revirado os olhos. – É uma desculpa. Pretende apenas confirmar que ainda não te matei. – E terminou a frase, com um tom gelado na voz.

Kaure contornou a esquina com uma expressão nervosa, trazendo uma travessa coberta nas mãos. Desejei saber algumas palavras de Português ou que o meu Espanhol fosse menos rudimentar, para tentar agradecer a esta mulher que ousava desafiar a cólera de um vampiro, apenas pelo meu bem.

Os olhos dela vacilaram entre os dois e vi que observava a cor do meu rosto e os meus olhos húmidos. Murmurou algo incompreensível e pousou a travessa no balcão.

Edward disse-lhe algo brusco; nunca o tinha visto ser assim tão indelicado. A mulher virou-se para sair e o movimento ondulante da saia comprida que trazia impeliu o cheiro da comida na direcção do meu rosto – cebolas e peixe. Fui acometida de um vómito e voltei-me para a pia. As mãos de Edward pousaram-me na testa e o seu murmúrio apaziguador chegou até mim, através dos ouvidos a zunir. As mãos desapareceram momentaneamente e ouvi a porta do frigorífico a bater. Para meu grande alívio, o cheiro desapareceu com o som e as mãos de Edward voltaram a refrescar o meu rosto pegajoso. Rapidamente, tudo terminou.

Lavei a boca na torneira, enquanto ele me afagava a face.

Senti um pequeno toque tímido no ventre.

"Já passou. Nós estamos bem", pensei, dirigindo-me à protuberância.

Edward virou-me devagar, para me abraçar e apoiei-lhe a cabeça no ombro. As minhas mãos dirigiram-se instintivamente à barriga e ficaram ali pousadas.

Ergui o olhar, ao ouvir uma pequena exclamação de sobressalto.

A mulher continuava ali a hesitar, na ombreira da porta, com as mãos meio erguidas como se procurasse uma forma de me ajudar. Estava boquiaberta e os seus olhos, pousados nas minhas mãos, arregalavam-se de espanto.

Desta vez, foi Edward quem se sobressaltou, virando-se para ela de repente e empurrando-me ligeiramente para trás dele. Ao mesmo tempo, rodeou-me o tronco com o braço, como se me quisesse suster ali.

De súbito, Kaure começou a gritar-lhe – as palavras ininteligíveis que proferia, altas e encolerizadas, voavam pela cozinha como punhais. Ergueu o punho franzino e deu dois passos em frente, ameaçando-o. Apesar daquela ferocidade, era evidente o terror estampado nos olhos dela.

Edward avançou também na direcção de Kaure e eu agarrei-o pelo braço, temendo pela mulher. Mas, quando ele interrompeu a gritaria dela, o tom da sua voz surpreendeu-me, principalmente porque já o vira antes a falar com aspereza, quando Kaure não estava a gritar-lhe. Naquele momento, o tom era grave, suplicante. E não apenas isso, estava diferente, mais gutural, despido de ritmo. Desta vez, não me pareceu que ele falasse em Português.

Durante uns momentos, a mulher olhou-o, pensativa, e depois franziu os olhos e atirou-lhe uma pergunta extensa na mesma língua estranha.

Vi o rosto de Edward cada vez mais grave e consternado, enquanto lhe acenava uma vez com a cabeça, num sinal afirmativo. Ela deu um passo rápido para trás e benzeu-se.

Edward estendeu a mão para a mulher, fazendo um gesto em direcção a mim e voltou a apoiar-me a mão na face. Kaure retorquiu-lhe, novamente furiosa, a agitar as mãos para ele num ar acusador e gesticulando de seguida. Quando a viu terminar, Edward dirigiu-lhe novamente uma súplica na mesma voz grave e ansiosa.

A expressão de Kaure modificou-se – enquanto Edward falava, ela parecia estar cheia de dúvidas, olhando repetidas vezes para o meu rosto confuso. Quando ele terminou, pareceu estar a decidir. Olhou para um, para o outro, e em seguida deu um passo em frente, aparentemente inconsciente.

Executou um movimento com as mãos, mimando uma forma parecida com um balão a salientar-se da barriga. Estremeci – será que as lendas dela em relação ao predador que se alimentava de sangue incluíam aquilo? Seria possível que ela soubesse algo sobre o que estava a crescer dentro de mim?

A mulher deu mais uns passos em frente, desta vez deliberadamente, e fez algumas perguntas breves, às quais Edward respondeu com algum nervosismo. A seguir, foi a vez dele fazer perguntas – um questionário muito rápido. Kaure hesitou e abanou a cabeça devagar. Ao voltar a falar, Edward fê-lo com tanta aflição que eu ergui o olhar para ele, chocada. O seu rosto estava crispado pela dor.

Em resposta, a mulher caminhou em frente devagar, até se aproximar o suficiente para pousar a sua mão pequena sobre a minha barriga. Disse uma única palavra em Português.

– *Morte* – proferiu ela, em voz baixa, com um suspiro. A seguir, virou-se com os ombros curvados, como se a conversa a tivesse envelhecido, e abandonou a cozinha.

Aquilo que sabia de Espanhol bastava-me para entender.

Edward ficara novamente petrificado, a olhar para ela, com a mesma expressão torturada no rosto. Poucos momentos depois, ouvi o motor do barco a voltar à vida e a desaparecer à distância.

Ele manteve-se imóvel até eu começar a dirigir-me para a casa de banho. Então, colocou-me a mão no ombro.

– Onde é que vais? – A sua voz era um murmúrio de sofrimento.

– Vou lavar os dentes outra vez.

– Não te preocupes com o que ela disse. São apenas lendas, histórias antigas inventadas para passar o tempo.

– Não percebi nada – repliquei, embora não fosse totalmente verdade. Como se fosse possível ignorar algo, só por ser uma lenda... A minha vida estava rodeada de lendas. E todas eram verdadeiras.

– Já arrumei a tua escova de dentes. Vou buscá-la.

Passou à minha frente, dirigindo-se ao quarto.

– Partimos daqui a pouco?

– Assim que estiveres pronta.

Edward ficou à espera da escova de dentes para voltar a arrumá-la, percorrendo o quarto em passos silenciosos. Passei-lha, assim que terminei.

– Vou levar as malas para o barco.

– Edward...

Ele virou-se.

– Sim?

Fiquei hesitante, a tentar pensar numa maneira de ficar alguns segundos sozinha.

– Seria possível... arranjares alguma comida para levar? Só para o caso de me dar a fome outra vez.

– Claro que sim – retorquiu ele, com o olhar repentinamente mais doce. – Não te preocupes com nada. Dentro de poucas horas, já devemos estar com o Carlisle e tudo passará em breve.

Assenti com a cabeça, sem confiar na minha voz.

Edward virou-se e abandonou o quarto, levando uma grande mala em cada mão.

Dei meia-volta e agarrei no telefone que ele deixara em cima da bancada. Não era característico de Edward esquecer-se das coisas – esquecer que Gustavo estava para chegar, deixando o telefone ali. Ele revelava-se tão stressado que nem parecia o mesmo.

Ergui a tampa do telefone muito depressa e comecei a percorrer os números da agenda. Tinha tanto medo de ser apanhada que fiquei aliviada por o som se encontrar desligado. Ele já teria chegado ao barco? Ou estaria de regresso? Mesmo a falar baixo, será que me poderia ouvir da cozinha?

Encontrei o número que procurava, um número para o qual nunca tinha ligado. Premi o botão de chamar e fiz figas com os dedos.

– Estou? – respondeu uma voz que lembrava o som de um carrilhão de vento dourado.

– Rosalie? – murmurei. – É a Bella. Por favor. Tens de me ajudar.

LIVRO DOIS

‹‹ ›

jacob

*E, no entanto, para dizer a verdade,
hoje em dia, a razão e o amor quase não andam juntos.*

William Shakespeare
Sonho de Uma Noite de Verão
III Acto, Cena 1

Prefácio

A vida é uma chatice e depois morre-se.

Sim, deveria ser esse o meu destino.

Oito

À Espera Que o Raio da Luta Começasse de Vez

– Caramba, Paul, não tens o raio de uma casa só para ti?

Paul, estiraçado ao comprido no meu sofá, a assistir a um jogo de basebol idiota na porcaria da minha televisão, limitou-se a arreganhar os dentes, para depois – muito devagar – tirar um *Dorito* da embalagem pousada na barriga e enfiá-lo inteiro na boca.

– Espero que isso seja teu.

Crac.

– Nã – retorquiu, enquanto mastigava. – A tua irmã disse para eu estar à vontade e servir-me do quisesse.

Fiz um esforço para que a voz não denunciasse que estava prestes a dar-lhe um murro.

– A Rachel está cá?

Não resultou. Ele antecipou o meu gesto e enfiou a embalagem atrás das costas. Enquanto a esmagava contra a almofada, a embalagem crepitava e os salgadinhos reduziam-se a partículas. Em seguida, colocou os punhos em frente à cara, em posição de combate.

– Avança, miúdo! Não preciso da protecção da Rachel.

Bufei.

– Sim, sim. Até parece que se pudesses não ias logo a chorar para junto dela.

Ele riu-se e instalou-se melhor no sofá, deixando cair as mãos.

– Não faço queixinhas a raparigas. Se levares a melhor, isso fica entre os dois. E vice-versa, certo?

Era uma proposta simpática da sua parte. Descontraí o corpo, como se fosse desistir.

– Certo.

Paul desviou o olhar para a televisão

E eu lancei-me para a frente.

Quando o meu punho o atingiu, o nariz dele emitiu uma espécie de estalido que me soou bem. Paul tentou apanhar-me, mas fintei-o, antes de ele ter algo onde lançar a mão, e arrepanhei-lhe a embalagem com os *Doritos* todos amassados.

– Partiste-me o nariz, imbecil.

– Só entre nós, não é Paul?

Afastei-me para levar a embalagem para longe. Ao virar-me, vi-o a abanar a cana do nariz, no sentido de evitar que ela ficasse torta. A hemorragia já tinha estancado; o fio de sangue que lhe escorria pelos lábios e, depois, para o queixo não parecia vir de lado algum. Paul rogou-me uma praga e estremeceu, ao distender a cartilagem.

– És uma nódoa, Jacob. Garanto-te que só tinha a ganhar se andasse com a Leah.

– Ena, pá! Aposto que a Leah adoraria saber desse desejo de lhe dedicares o teu precioso tempo. Ia ficar delirante.

– Vais esquecer que disse isso.

– Claro que sim. A minha boca está selada, fica descansado.

– Uf! – Paul atirou-se de novo para o sofá com um grunhido, a esfregar o resto de sangue visível na gola da t-shirt. – Tens um golpe rápido, miúdo. Não posso deixar de reconhecer isso. – E virou de novo as atenções para o jogo imbecil.

Deixei-me ficar ali um segundo, até dar meia-volta e sair disparado, a resmonear sobre raptos alienígenas.

Tinha havido tempos em que se podia contar, quase sempre, com Paul para uma luta. E nem era preciso bater-lhe – bastava um qualquer insulto insignificante. Não era preciso muito para o pôr fora de si. Agora, quando eu *desejava* uma luta a valer, cheia de berros, golpes duros e cadeiras a voar, ele tinha de ficar assim todo delicodoce.

Já não bastava haver mais um membro da alcateia a fazer marcação – porque, realmente, agora eram quatro num total de dez. Quando é que as coisas teriam um fim? À partida, aquele mito estúpido devia ser *raro,* que diabo! Esta fatalidade de amores à primeira vista era completamente revoltante!

Tinha de ser a *minha* irmã? Tinha de ser *Paul?*

No final do semestre de Verão, quando Rachel regressara da Universidade estadual de Washington – ao terminar a licenciatura antes do tempo, a grande marrona –, o meu grande problema tinha sido evitar que ela descobrisse o segredo, visto que não estava habituado a esconder as coisas na minha própria casa. Isso levou-me a alicerçar uma simpatia especial por miúdos como Embry e Collin, cujos pais ignoravam que eram lobisomens. A mãe de Embry pensava que ele andava a atravessar uma fase de rebelião qualquer. Castigava-o a toda a hora por nunca estar em casa, mas é evidente que ele não podia evitá-lo. Todas as noites, a mãe passava pelo quarto dele e todas as noites o encontrava vazio. Depois, gritava com Embry e este ficava em silêncio, para no dia seguinte se repetir a mesma cena. Tentámos convencer Sam a dar-lhe algum descanso, pondo a mãe ao corrente da história; mas Embry disse que não fazia mal. O segredo era demasiado importante.

Assim, quando eu estava todo empenhado em manter esse segredo, dois dias após o regresso de Rachel, Paul encontra-a na praia e... *zás, catrapus!* – o amor bateu-lhes à porta! Quando se encontra a cara-metade ou, por outras palavras, essa treta de marcação dos lobisomens, os segredos deixam de ter importância.

Rachel intuiu a história toda e eu intuí que um dia Paul seria meu cunhado. Aparentemente, Billy também não achava muita graça ao caso, embora estivesse a reagir melhor que eu. É evidente que agora se escapava mais vezes para casa dos Clearwater. No entanto, acho que não ganhava muito com isso. Não havia lá um Paul, mas havia uma Leah, o que se calhar era pior.

Pus-me a meditar: "Será que uma bala na testa conseguiria acabar comigo ou iria apenas deixar uma grande porcaria para eu limpar?".

Atirei-me para cima da cama. Estava estoirado – já não dormia desde a última patrulha –, mas sabia que o sono não ia chegar. Tinha a cabeça de pernas para o ar, com os pensamentos a revolverem-se furiosos, como um enxame de abelhas treslou-cadas. Barulhentos. E dolorosos, de vez em quando. Deveriam ser vespas e não abelhas. As abelhas morriam, assim que davam a primeira ferroada. No entanto, estes pensamentos davam-me ferroadas sem parar.

A espera estava a dar comigo em doido. Tinham decorrido praticamente quatro semanas e eu achava que as notícias já deveriam ter chegado, de uma maneira ou de outra. Passava as noites em claro, a imaginar o que seria.

Charlie a soluçar ao telefone: "Bella e o marido tinham desaparecido num acidente. Na queda de um avião?". Era difícil simular algo do género. A não ser que as sanguessugas não tivessem quaisquer contemplações em relação a matar um monte de mirones para dar um ar mais real. E porque haveriam elas de se importar? Ou talvez uma avioneta. Deveriam ter uma a mais para se poderem dar a esse luxo.

Ou o assassino regressaria a casa sozinho, depois de falhar o seu objectivo de a transformar num deles? Talvez nem chegasse a ir tão longe. Talvez a tivesse esmagado, como uma embalagem de salgadinhos, na tentativa de tirar algum partido da situação. Para ele, a vida de Bella era menos importante que o seu prazer...

A história seria bastante dramática – Bella morta num terrível acidente. Vítima de uma agressão com resultados funestos. Engasgada até morrer, ao jantar. Ou um acidente de carro; é tão comum. Está sempre a acontecer.

Será que ele a trazia para casa? Para a enterrar aqui, por consideração a Charlie? Numa cerimónia com a urna fechada, evidentemente. O caixão da minha mãe estava fechado com pregos...

Só esperava que ele regressasse aqui, onde eu o pudesse encontrar.

Talvez não chegasse a haver uma história. Talvez Charlie telefonasse para perguntar ao meu pai se ouvira algo a respeito do doutor Cullen, que um dia simplesmente deixara de aparecer no trabalho. A casa estava abandonada. Nenhum dos Cullen atendia o telefone. O mistério mereceria destaque num noticiário de segunda categoria, suspeitando-se de actividades criminosas...

Talvez a grande casa branca ardesse até aos alicerces, com todos os habitantes encurralados no interior. É claro que iriam precisar de corpos. Oito seres humanos genericamente do mesmo tamanho. Tão carbonizados, que ficariam irreconhecíveis – até os registos dentários se revelariam ineficazes.

Qualquer destas hipóteses era complicada – para mim, claro. Se não queriam ser encontrados, seria difícil dar com eles. Mas, era óbvio que eu dispunha de uma eternidade para os procurar. Quando se conta com a eternidade, pode verificar-se cada palha do palheiro, uma por uma, até encontrar a agulha.

Naquele momento, nem me importava de revolver um palheiro. Pelo menos, teria alguma coisa para fazer. Detestava a sensação de estar a perder a minha oportunidade; dando às sanguessugas tempo para fugir, se fosse esse o objectivo.

Podíamos atacar naquela noite. Podíamos matar todos quantos encontrássemos...

O plano agradava-me. O que conhecia de Edward era suficiente para saber que se matasse um elemento do seu clã, também teria a oportunidade de ajustar contas com ele. O tipo viria à minha procura para se vingar. E eu fazia-lhe o gosto – não deixaria que os meus irmãos o atacassem em grupo. Seria apenas algo entre ele e eu, e que vencesse o melhor.

Só que Sam nem queria ouvir falar disso. "Não vamos ser nós a quebrar o acordo. Eles que dêem o primeiro passo." E o facto era que não havia nada que provasse haver uma transgressão por parte dos Cullen. Por enquanto, tínhamos de acrescentar o "por enquanto", na medida em que todos sabíamos o que era inevitável. Ou Bella regressava transformada num deles ou não regressaria de maneira alguma. Em qualquer um dos casos, perdia-se uma vida humana. O equivalente a dizer que os dados estavam lançados.

Na sala ao lado, Paul zurrava como uma mula. Talvez tivesse mudado para um programa de humor. Talvez os anúncios fossem cómicos. Fosse o que fosse, aquilo mexia com o meu sistema nervoso.

Pensei em dar-lhe, novamente, cabo do nariz. Mas não era Paul que eu queria atingir. Não era mesmo.

Tentei prestar atenção a outros sons, nomeadamente ao vento nas árvores. Este era diferente de quando o escutara com ouvidos humanos. Agora, trazia com ele um milhão de vozes que este corpo humano não conseguia apreender.

Porém, estes ouvidos tinham a sensibilidade necessária. Permitiam-me ouvir para além das árvores e da estrada, escutando o som dos automóveis a contornar a curva mais longínqua, onde a praia finalmente surgia perante os nossos olhos: com a vista das ilhas, dos rochedos e do grande oceano azul a espraiar-se no horizonte. Os polícias de La Push gostavam de rondar aquela área. Os turistas nunca viam a placa com a redução do limite de velocidade, colocada do outro lado da estrada.

Distinguia as vozes no exterior da loja de lembranças que havia na praia. Ouvia o badalo da porta a chocalhar, sempre que ela se abria ou fechava. E escutava a mãe de Embry, junto à caixa registadora, a emitir o recibo de uma venda.

Ouvia o marulhar das ondas a bater nas rochas da praia; os guinchos dos miúdos, quando a água gelada avançava tão depressa que eles não conseguiam fugir; as queixas das mães, por causa da roupa molhada; e ouvia uma voz conhecida...

Escutava com tanta atenção que a explosão repentina das gargalhadas cavalares de Paul quase me fez saltar da cama.

– Sai da minha casa! – resmunguei. Ao saber que ele não me daria ouvidos, obedeci à minha ordem. Abri a janela bruscamente e lancei-me para o caminho das traseiras, evitando não ter de dar de caras com Paul. A tentação seria demasiada. Sabia bem que lhe daria outro murro e que Rachel já ficaria chateada o suficiente. Quando visse o sangue na camisola poria logo as culpas em cima de mim, sem precisar de uma prova. É evidente que teria razão, mesmo assim...

Desci o caminho até à praia, de mãos enfiadas nos bolsos. Ninguém me lançou um segundo olhar, quando atravessei o parque de estacionamento, todo sujo, junto à First Beach. O Verão tinha uma coisa boa: podíamos usar apenas uns calções e ninguém dava por isso.

Segui o rasto da voz conhecida que detectara e não tive dificuldade em dar com Quil. Estava no extremo sul da baía, afastado do maior afluxo de turistas, disparando uma dezena de avisos a plenos pulmões.

– Claire, sai da água! Vá lá. Não, pára! Ai! Lindo, miúda. Agora a sério, queres que a Emily grite comigo? Não voltas a vir para a praia comigo, se não... ah, sim? Não... uf! Achas que isso tem piada, hã? Ahhh! Agora quem é que ri?

Quando cheguei junto dele, segurava pelo tornozelo uma criança que se torcia de riso. A miúda tinha um balde na mão e apresentava os jeans todos encharcados, enquanto a parte da frente da t-shirt de Quilt estava completamente molhada.

– Aposto cinco notas na miudinha – declarei.

– Viva, Jake!

Claire guinchou e atirou com o balde aos joelhos de Quil.

– Pró chão, pró chão!

Ele colocou-a cuidadosamente de pé e ela correu para mim, abraçando-se à minha perna.

– Ti Jay!

– Como estás, Claire?

Claire soltou uma pequena gargalhada.

– Agola, o Qvil tá todo molado.

– Estou a ver que sim. Onde está a tua mamã?

– 'Bora, 'bora, 'bora – cantarolou Claire. – A C'are bincou cu Qvil todo dia. A C'are não vai pa casa. – Largou-me e correu para Quil. Este ergueu-a no ar e encavalitou-a aos ombros.

– Parece que temos aqui alguém que atingiu a terrível meta dos dois anos.

– Na verdade, são três – corrigiu Quil. – Faltaste à festa de aniversário. O tema era as princesas. A Claire obrigou-me a pôr uma coroa e, entretanto, a Emily sugeriu aos miúdos que fosse eu a experimentar o novo estojo de maquilhagem.

– Uau! Tenho muita pena de não ter estado lá para ver isso.

– Não te preocupes, a Emily tirou fotografias. Na verdade, fiquei com um ar bastante sensual.

– És mesmo lorpa!

Quil encolheu os ombros.

– A Claire divertiu-se imenso; é isso que interessa.

Revirei os olhos. Era difícil estar com os tipos marcados. Fosse qual fosse a fase que atravessavam – à beira de dar o nó, tal como Sam, ou apenas no papel de uma ama de crianças indulgente como Quil – a paz e a segurança que transmitiam só me causava vómitos.

Claire guinchava sobre os ombros dele, apontando para o chão.

– Dá peda, Qvil! Pa mi, pa mi!

– Qual delas, miúda? A vermelha?

– Vemela, não!

Quil caiu sobre os joelhos e Claire soltou outro guincho, puxando-lhe os cabelos como se fossem umas rédeas.

– Esta azul?

– Não, não, não – cantarolou a menina, radiante com o novo jogo.

O mais esquisito era que Quil se divertia tanto quanto ela. Não lhe detectava aquela expressão de muitos papás e mamãs – do género: "Quando é que ela vai dormir?". Nunca se via um pai a sério tão animado com qualquer jogo disparatado que a sua cria se lembrasse de inventar. Já tinha assistido a Quil a jogar às escondidas durante uma hora seguida, sem se aborrecer.

E nem sequer podia gozar com ele – invejava-o demasiado.

Contudo, considerava muito aborrecido que Quil passasse mais catorze anos em celibato, à espera que Claire atingisse a sua idade – pelo menos, ele tinha a seu favor o facto de os lobisomens não envelhecerem. E, na verdade, não me parecia que esses anos de espera lhe fizessem grande diferença.

– Quil, alguma vez pensaste em namorar? – perguntei.

– Hã?

– Não, amaela – cacarejou Claire.

– Arranjar uma miúda a sério, estás a ver? Só para já, percebes? Para as noites em que não andas a fazer de ama-seca.

Quil observava-me boquiaberto, completamente atónito.

– Peda 'nita! Peda 'nita! – guinchou Claire, a bater com o seu punho minúsculo na cabeça de Quil, ao aperceber-se que ele não lhe facultava outra pedra para escolher.

– Desculpa, ursinho. Olha, gostas desta violeta, tão bonita?

– Não – recusou ela com um sorriso. – Vieta, não.

– Dá-me uma ajuda, miúda. Suplico-te.

Claire pensou por uns instantes.

– Vede – acabou por dizer.

Quil olhou para os seixos, a escrutiná-los. Acabou por apanhar quatro pedras em diferentes tonalidades de verde e ofereceu-lhas.

– Acertei?

– Chim!

– Qual é que queres?

– Todas!

Claire estendeu as mãos e Quil colocou as pedrinhas nas suas palmas. Ela começou por soltar uma gargalhada, para de seguida as deixar cair sobre a cabeça dele. Quil estremeceu, revelando um ar todo dramático; depois levantou-se e começou a fazer o caminho de regresso ao parque de estacionamento. Provavelmente preocupado por ela estar a arrefecer com a roupa molhada. Quil conseguia bater aos pontos qualquer mãe paranóica e super-protectora.

– Desculpa, meu, se me meti onde não era chamado com aquilo das miúdas – disse-lhe.

– Não, tudo na boa – retorquiu. – Só me apanhaste de surpresa, apenas isso. Nunca tinha pensado no assunto.

– Aposto em como ela ia compreender. Refiro-me a quando fosse crescida. Não ficaria aborrecida por teres aproveitado a tua vida enquanto andava de fraldas.

– Sim, eu sei. Tenho a certeza que sim.

– Mas não o vais fazer, pois não? – alvitrei.

– Não consigo – respondeu em voz baixa. – Nem consigo imaginar. Simplesmente não... olho para ninguém dessa maneira. Já deixei de reparar nas raparigas, percebes? Não vejo o rosto delas.

– Junta isso à coroa, à maquilhagem e, talvez, a Claire tenha pela frente um outro tipo de adversários com quem se preocupar.

Quil deu uma gargalhada e fez de conta que me enviava uns beijinhos.

– Estás livre na próxima sexta-feira, Jacob?

– Vai esperando – disse e fiz uma careta. – Sim, receio que esteja.

Ele hesitou uns instantes e, a seguir, perguntou-me:

– E tu? Nunca pensaste em arranjar uma namorada?

Suspirei. Tinha sido eu a dar-lhe a deixa.

– Sabes uma coisa, Jake? Acho que devias pensar em ter uma vida própria.

Não dizia aquilo na brincadeira. Ele falava num tom compreensivo, fazendo com que me sentisse ainda pior.

– Também não as vejo, Quil. Não vejo a cara delas.

Foi a vez de Quil suspirar.

A uma grande distância dali, um uivo ergueu-se da floresta, demasiado baixo para qualquer pessoa o conseguir distinguir sobre as ondas, a não ser nós.

– Que chatice! É o Sam – disse Quil. As mãos dele voaram para tocar em Claire, como que a assegurar-se que ela ainda ali estava. – Não vejo a mãe dela em lado algum!

– Eu vou ver o que se passa. Se precisarmos de ti, aviso-te. – Pronunciei as palavras a correr, pelo que saíram da minha boca amalgamadas. – Olha, porque não a levas para casa dos Clearwater? A Sue e o Billy podem tomar conta dela, se for preciso. De qualquer forma, eles até devem ficar a par do que se está a passar.

– Está bem. Põe-te a andar, Jake!

Disparei a correr, escolhendo o atalho mais directo rumo à floresta, em vez de seguir pela estrada de terra, invadida pelo mato. Ultrapassei a primeira barreira de madeira flutuante, trazida pelo mar, e depois abri caminho através dos silvados, sempre a correr. Senti os picos a cravarem-se na pele e as lágrimas vieram-me aos olhos; mas não lhes dei importância. Os arranhões iriam sarar antes de atingir a linha de árvores.

Cortei caminho por detrás do supermercado e atravessei a auto-estrada sem parar. Ouvi alguém a apitar-me. Quando já contava com o abrigo das árvores, alarguei a passada, acelerando o ritmo da marcha. Se estivesse visível, as pessoas ficariam a olhar para mim. Não era normal correr assim. Às vezes pensava que seria engraçado participar numa prova como nos Jogos Olímpicos ou algo do género. Seria interessante ver o rosto das estrelas do atletismo quando passasse por elas disparado. No entanto, tinha a certeza de que as análises que depois me iriam fazer para verificar se não recorria a esteróides, acabariam por desvendar alguma mistela esquisita no sangue.

Assim que me apanhei no meio da floresta, livre das casas e das estradas, fui derrapando até parar e desfiz-me dos calções de uma assentada. Enrolei-os em movimentos rápidos, já treinados, e atei-os ao fio de couro que trazia à volta do tornozelo. Mal tinha acabado de dar o nó, comecei a transformar-me. A minha coluna foi percorrida por um frémito de fogo de alto a baixo, que disparava espasmos pelos braços e pelas pernas. Tudo aconteceu num segundo. O calor fluiu pelo corpo e senti aquele calafrio ténue que me transformava num outro ser. Lancei as garras possantes ao tapete de terra e distendi as costas num alongamento contínuo e ondulante.

A mudança de fase era muito fácil sempre que me concentrava desta maneira. Já conseguia manter o sangue-frio sem qualquer problema, exceptuando as situações que escapavam ao meu controlo.

Recordei, por um segundo, os momentos horríveis ocorridos na farsa indescritível daquele casamento. A raiva cegara-me de tal forma que não conseguia dominar o corpo. Tinha ficado bloqueado, a tremer e a arder por dentro, incapaz de me metamorfosear para matar o monstro que via a escassos passos de mim. A luta entre o desejo de o matar e o medo de a magoar desnorteara-me por completo. E os meus amigos no caminho. Depois, quando por fim consegui ascender à forma que queria, surgira a ordem do meu líder. O decreto do Alfa. Se nessa noite estivessem ali apenas Embry e Quil, sem Sam... será que tinha conseguido eliminar aquele assassino?

Ficava possesso, quando Sam fazia prevalecer a lei daquela maneira. Odiava a ideia de não poder escolher. De ser obrigado a obedecer.

Naquele preciso momento, apercebi-me que estava a ser observado. Alguém ouvia os meus pensamentos.

Sempre às voltas com os teus problemas, pensava Leah.

Sim, pelo menos faço-o às claras, retorqui-lhe em pensamento

Já chega, meninos, ordenou Sam.

Ficámos em silêncio, embora percebesse que Leah vacilara ao ouvir a palavra *"meninos"*. Melindrosa, como sempre.

Sam fingiu não dar por isso.

Onde é que estão o Quil e o Jared?

O Quil ficou com a Claire e ia levá-la para casa dos Clearwater.

Está bem. A Sue toma conta dela.

E o Jared ia para casa da Kim, informou Embry em pensamento. *É bem possível que não te tenha ouvido.*

A alcateia foi percorrida por um ronco grave e eu juntei um uivo aos dos meus companheiros. Quando Jared finalmente aparecesse, não havia dúvida de que continuaria a pensar em Kim e ninguém estava interessado em ouvir o relato do que os dois estariam a fazer.

Sam sentou-se sobre os quadris e soltou um outro uivo, que vibrou no ar. Era, simultaneamente, um aviso e um comando.

A alcateia juntou-se alguns quilómetros a Leste do ponto onde me encontrava. Atravessei a floresta densa ao seu encontro, em passadas largas e rápidas, enquanto Leah, Embry e Paul avançavam na mesma direcção. Senti que Leah se encontrava mais próxima – passados uns instantes, o som dos seus passos chegou-me, vindo dos bosques nas cercanias. Prosseguimos os dois em linhas paralelas, optando por não correr em conjunto.

Bom, não vamos ficar o dia todo à espera dele. Vai ter de nos apanhar mais tarde.

O que se passa, chefe?, perguntou Paul.

Temos de falar. Surgiu um problema.

Senti os pensamentos de Sam a esvoaçarem até mim – e não só os de Sam, como também os de Seth, de Collin e de Brady. Nesse dia, Collin e Brady, os novos elementos do grupo, tinham andado a fazer a patrulha com Sam, pelo que deveriam conhecer a história. Todavia não compreendia como é que Seth já estava ali e se encontrava a par do assunto. Aquele não era o seu turno.

Seth, conta-lhes aquilo que ouviste.

O desejo de estar mais próximo levou-me a correr ainda mais. Leah também acelerou. Ela detestava ficar para trás, além do facto de ser a mais rápida da alcateia, único atributo do qual não abdicava.

Vê se consegues apanhar-me, imbecil, sibilou-me, engrenando numa velocidade estonteante. Cravei as garras na terra argilosa e disparei em frente.

Sam não parecia estar com paciência para os nossos disparates do costume.

Jake e Leah, vamos lá a ter juízo.

Nenhum dos dois fez menção de abrandar.

Sam grunhiu, mas deixou passar. *Seth?*

O Charlie andou a ligar para todo o lado, até conseguir encontrar o Billy em minha casa.

Sim, ele também falou comigo, observou Paul.

Ao ouvir Seth mencionar o nome de Charlie, o meu coração deu um salto. Era isso. A espera tinha chegado ao fim. Corri mais depressa, obrigando-me a respirar, embora houvesse algo que subitamente me bloqueava os pulmões.

Qual teria sido a história escolhida?

Ele estava de cabeça perdida. Acho que o Edward e a Bella regressaram a casa na semana passada, e...

Senti que um peso abandonava o meu peito.

Ela estava viva; ou, pelo menos, não completamente morta.

Não me tinha apercebido de como isso era importante para mim. Naquele momento, tive consciência de ter passado o tempo todo a imaginá-la morta e a nunca acreditar que ele a trouxesse com vida. Tal não deveria importar, sabendo o que iria acontecer a seguir.

Bom, agora vem a má notícia, meu. O Charlie contou que tinha falado com a Bella, que ela estava com uma voz esquisita e que lhe dissera que estava doente. Entretanto, o Carlisle veio ao telefone e explicou que ela tinha contraído uma doença rara, na América do Sul, e que estava de quarentena. O Charlie anda completamente passado, porque não o deixam vê-la. Mesmo depois de salientar que não tinha medo de contrair essa doença, o Carlisle não cedeu. A Bella não recebia visitas e o caso era muito grave; mas Carlisle estava a fazer tudo o que era possível. O Charlie tem andado a sofrer estes dias todos, mas só agora é que telefonou ao Billy informando que hoje a Bella parecia pior.

O silêncio mental que se seguiu às palavras de Seth foi profundo. Todos tínhamos percebido.

Então, a Bella iria morrer daquela doença, sendo essa a versão que destinavam a Charlie. Será que o deixariam ver o cadáver? Aquele corpo exangue, perfeitamente imóvel, sem respirar?

Não lhe iriam permitir que tocasse na pele gelada, para evitar que ele a sentisse dura. Teriam de esperar até Bella conseguir manter-se imóvel, para não matar Charlie ou qualquer outra pessoa presente. Quanto tempo levaria isto?

Iriam enterrá-la? E, depois, Bella conseguia sair sozinha ou teria de pedir ajuda às sanguessugas?

Os outros ouviam as minhas conjecturas em silêncio. Eu tinha meditado muito mais sobre isto que qualquer um deles.

Leah e eu chegámos à clareira quase ao mesmo tempo, embora ela garantisse que vencera por um focinho. Deixou-se cair sobre os quadris ao lado do irmão, enquanto eu trotava mais para a frente, colocando-me à direita de Sam. Paul deu meia-volta e deixou-me espaço para me instalar.

Ganhei-te outra vez, teimou Leah; mas mal lhe prestei atenção.

Interroguei-me porque seria o único a permanecer de pé. O meu pêlo eriçou-se nas espátulas, a fremir de impaciência.

Bom, de que é que estamos à espera?, ataquei.

Ninguém se pronunciou, de qualquer modo conseguia sentir a hesitação em cada membro do grupo.

Então, vamos lá! O acordo foi quebrado!

Não temos qualquer prova, talvez ela esteja doente...

AH, POR FAVOR!

Está bem, as provas circunstanciais são bem evidentes. Mesmo assim... Jacob. O pensamento de Sam evoluía devagar, com alguma hesitação. *Tens a certeza de que é isto que queres? Que é o mais correcto a fazer? Todos estávamos a par dos desejos da Bella.*

O acordo não inclui qualquer cláusula sobre as preferências da vítima, Sam!

Achas que ela é de facto uma vítima? Aplicavas-lhe esse rótulo?

Sim!

Jake, pensou Seth, *eles não são nossos inimigos.*

Está calado, puto! Só porque tens essa espécie de adoração heróica por aquela sanguessuga, não muda nada. Eles são os nossos inimigos. Estão no nosso território e temos de os pôr daqui para fora. Pouco me importa que, em tempos, andasses todo divertido a lutar ao lado do Edward Cullen.

Então, o que vais fazer quando a Bella se aliar a eles para lutar, Jacob? Hã?, disparou Seth.

Ela já deixou de ser a Bella.

Vais ser tu a aniquilá-la?

Não consegui vencer um calafrio.

Não, não vais. E depois? Pedes a um de nós para o fazer? E ficas a odiar para sempre aquele que o fizer?

Eu não iria...

Claro que não. Jacob, tu não estás preparado para esta luta.

Os meus instintos vieram à tona. Inclinei-me para a frente, a rosnar em direcção ao lobo desengonçado de pêlo cor de areia, que se encontrava do outro lado do círculo.

Jacob!, advertiu Sam. *Seth, cala-te por um minuto.*

Este abanou a grande cabeça com um ar submisso.

Que diabo! O que é que eu perdi?, pensou Quil. Corria a toda a velocidade para o local da reunião. *Ouvi falar no telefonema do Charlie...*

Estamos a preparar-nos para partir, indiquei-lhe. *Porque não viras para a casa da Kim e arrastas o Jared pelos dentes? Vamos precisar de toda a gente.*

Vem directo para aqui, Quil, ordenou Sam. *Ainda não tomámos nenhuma decisão.*

Emiti um rosnido.

Jacob, tenho de pensar no que é melhor para esta alcateia. Deverei escolher o caminho que for mais conveniente para vos proteger. Os tempos mudaram desde que os nossos antepassados fizeram aquele acordo. Eu... hum, em boa verdade, não creio que os Cullen constituam um perigo para nós. Além disso, sabemos que eles não vão ficar aqui por muito mais tempo. De certeza que desapareçam, assim que contarem a sua versão, e as nossas vidas irão regressar ao normal.

Normal?

Jacob, se os desafiarmos, eles vão defender-se com unhas e dentes.

Estás com medo?

E tu estás assim tão decidido em perder um irmão? Jack fez uma pausa. *Ou uma irmã?*, acrescentou rapidamente, como se aquele pensamento lhe tivesse acabado de surgir.

Não tenho medo de morrer.

Eu sei, Jacob. É essa a razão que me leva a pôr em causa a tua decisão.

Olhei fixamente para os seus olhos pretos. *Tencionas honrar o acordo dos nossos antepassados ou não?*

Eu honro a minha alcateia. Sei o que é melhor para ela.

Cobarde.

Sam contraiu os músculos, de dentes arreganhados.

Basta, Jacob. Estás a passar das marcas. A voz mental de Sam modificara-se, adoptando uma entonação dupla e invulgar, à qual tínhamos de obedecer. A voz de Alfa. Ele olhou fixamente para cada lobo do grupo.

A alcateia não vai atacar os Cullen sem ser provocada. O espírito do que está acordado permanece imutável. Eles não representam um perigo para a nossa gente, nem para os habitantes de Forks. A Bella Swan fez uma escolha consciente e não iremos punir os nossos antigos aliados por isso.

Viva! Viva!, pensou Seth, todo entusiasmado.

Acho que te tinha mandado calar, Seth.

Ups! Desculpa, Sam.

Jacob, onde pensas que vais?

Eu tinha abandonado o círculo, dirigindo-me para Oeste e voltando as costas a Sam. *Vou despedir-me do meu pai. Parece que não faz sentido andar a rondar por aqui durante mais tempo.*

Espera, Jake, não faças isso outra vez!

Cala a boca, Seth!, pensaram várias vozes em simultâneo.

Não queremos que te vás embora, disse-me Sam, num tom mais suave que anteriormente.

Então, obriga-me a ficar, Sam. Tira-me a vontade própria.
Faz de mim um escravo.

Sabes bem que nunca faria isso.

Nesse caso, não há mais nada a dizer.

Corri para longe deles, esforçando-me ao máximo por não pensar no que se iria seguir. Em vez disso, evoquei as memórias dos longos meses em que vivera como um lobo, deixando a humanidade escoar-se, até me sentir mais animal que homem. Recordei como era viver o momento, comer quando tinha fome, dormir quando estava cansado, beber quando tinha sede e correr – correr apenas por correr. Desejos simples com respostas simples. A dor provinha de causas que se podiam mitigar facilmente. A dor da fome. A dor do gelo cortante sob as patas. A dor de umas garras dilacerantes quando a refeição se debatia. Para cada dor uma resposta simples, uma acção concreta que lhe punha um fim.

Ao contrário de ser-se humano.

No entanto, assim que a distância de minha casa me permitiu abrandar a velocidade, regressei à forma humana. Precisava de reflectir em sossego.

Desprendi os calções e enfiei-os, sem deixar de correr.

Tinha conseguido. Fora capaz de ocultar os meus pensamentos e já era demasiado tarde para Sam me deter. Agora, ele não conseguia ouvir os meus pensamentos.

A regra de Sam tinha sido muito clara. A alcateia não iria atacar os Cullen. Muito bem.

De qualquer modo, ele não se tinha referido a acções individuais e solitárias.

Nã, a alcateia não atacaria ninguém hoje.

Mas eu sim.

Nove

QUE O DIABO SEJA CEGO, SURDO E MUDO SE ALGUMA VEZ PREVI O QUE IA ACONTECER

Na verdade, não tencionava despedir-me do meu pai.

Afinal, bastava ele ligar para Sam logo de seguida e o meu plano iria por água abaixo. Apanhavam-me e punham-me fora de jogo. O mais provável era fazerem algo para me enfurecer ou até ferirem-me – aquilo que fosse preciso para me fazerem mudar de ideias. Depois Sam impunha uma nova lei.

No entanto, Billy já estava à minha espera, consciente que eu atravessava um momento complicado. Encontrei-o no pátio, sentado na cadeira de rodas, de olhos postos no ponto onde desemboquei por entre as árvores. Vi-o a avaliar o trajecto que me preparava para fazer – passar em frente da casa, a direito, rumo à minha garagem artesanal.

– Jake, tens um minuto?

Fui derrapando lentamente, até parar. Então, olhei para ele e em seguida para a garagem.

– Vá lá, miúdo. Ao menos, ajuda-me a ir para dentro.

Cerrei os dentes, mas concluí que o mais certo era ele arranjar--me alguma complicação com Sam, se não o iludisse por alguns minutos.

– Desde quando é que precisas de ajuda, velhote?

Billy saltou a sua gargalhada retumbante.

– Tenho os braços doridos. Vim a puxar pela cadeira desde a casa da Sue.

– É sempre a descer. Vieste o caminho todo em roda livre.

Empurrei a cadeira na direcção da pequena rampa que lhe tinha construído e levei-o para a sala de estar.

– Apanhaste-me. Acho que atingi praticamente cinquenta quilómetros à hora. Que experiência incrível!

– Acabas por dar cabo da cadeira. Depois, vais andar por aí, a arrastar-te sobre os cotovelos.

– Nem penses. Nessa altura, andas comigo ao colo.

– Assim não vais longe.

Billy colocou as mãos sobre as rodas e impeliu a cadeira na direcção do frigorífico.

– Temos algumas sobras?

– Não faço ideia. O Paul esteve aqui o dia inteiro, pelo que o mais certo é não haver nada.

Billy suspirou.

– Temos de começar a esconder a comida ou morremos à fome.

– Diz à Rachel que vá para casa dele.

O tom brincalhão de Billy desapareceu, exibindo uma expressão mais suave no seu olhar.

– Ela está cá há poucas semanas e é a primeira vez que vem a casa passado tanto tempo. É complicado... as miúdas eram mais velhas que tu, quando a vossa mãe morreu. Para elas é mais doloroso permanecerem aqui.

– Eu sei.

Rebecca não tinha ido a casa uma única vez desde o seu casamento, embora tivesse uma boa desculpa. Os bilhetes de avião do Havai eram bastante caros. Já a Universidade estadual de Washington ficava demasiado perto para Rachel poder usar a mesma desculpa. Passara os semestres de Verão em aulas ininterruptas e, entretanto, trabalhara em turnos duplos durante as férias, num bar qualquer da universidade. Se não fosse Paul, seria bem provável que ela se tivesse posto a andar. Talvez fosse por isso que Billy não o punha a mexer dali para fora.

– Bom, tenho de fazer uma coisa... – e comecei a aproximar-me da porta das traseiras.

– Espera aí, Jake. Não queres contar-me o que se passa? Ou obrigas-me a telefonar ao Sam para ficar a saber?

Parei, de costas voltadas para ele, evitando que me visse a cara.

– Não se passa nada. O Sam está a dar-lhes o benefício da dúvida. Na verdade, acho que nos transformámos num bando de adoradores de sanguessugas.

– Jake...

– Não quero falar sobre isso.

– Vais-te embora, filho?

A sala mergulhou no silêncio, durante bastante tempo, até eu encontrar uma forma de lhe responder.

– A Rachel pode regressar ao quarto dela. Eu sei que odeia aquele colchão de ar.

– Ela preferia dormir no chão a perder-te. E eu sinto o mesmo.

Bufei.

– Jacob, por favor. Se estás a precisar... de um intervalo, vai em frente. Mas não demores tanto como da outra vez. Regressa a casa.

Talvez. Talvez agora os casamentos sejam o meu biscate. Faço uma breve aparição no do Sam e uma outra no da Rachel. Ou, quem sabe, o Jared e a Kim se antecipem. Se calhar devia comprar um fato, ou algo do género.

– Jake, olha para mim.

Virei-me devagar.

– O que foi?

O meu pai olhou-me fixamente durante um longo minuto.

– Para onde vais?

– Não tenho nada em mente.

Ele inclinou a cabeça para o lado, de olhos semicerrados.

– Não tens?

Ficámos a olhar um para o outro, enquanto os segundos passavam.

– Jacob – disse Billy, agora com um timbre de voz ansioso –, Jacob, não faças isso. Não vale a pena.

– Não sei do que estás a falar.

– Deixa a Bella e os Cullen em paz. O Sam tem razão.

Lancei-lhe um olhar rápido e incisivo, e atravessei a sala em duas grandes passadas. Peguei no telefone e desliguei o fio do aparelho e da tomada. Depois, enrolei-o à volta da mão.

– Adeus, pai.

– Jake, espera! – chamou Billy atrás de mim; mas eu já me tinha precipitado para a porta e começara a correr.

A moto não era tão rápida quanto eu, mas tornava-se mais discreta. Perguntei-me quanto tempo levaria Billy a deslocar--se na cadeira de rodas até à loja e a telefonar a alguém que pudesse transmitir um recado a Sam. Apostava que ele ainda estaria em forma de lobo. O problema era se Paul passasse lá em casa em breve. Transformar-se-ia num segundo e iria contar a Sam o que eu andava a fazer...

Naquele momento não iria preocupar-me com isso. Tinha apenas de acelerar o mais que podia e, se eles me apanhassem, resolveria o problema na devida altura.

Calquei no pedal para ligar a moto e, no instante seguinte, descia o caminho enlameado a toda a velocidade, passando em frente à casa sem desviar o olhar.

A auto-estrada estava pejada de carros com turistas; fui observando um a seguir ao outro e recebendo um concerto de buzinadelas em troca, acompanhadas de alguns gestos menos próprios. Segui pela variante 101, a cento e dez à hora, sem olhar para o lado. Tive de me desviar para a berma durante um minuto, a fim de evitar que uma carrinha monovolume me passasse por cima. Não me teria matado, mas seria o suficiente para me atrasar. Os ossos fracturados – pelo menos os maiores – levavam dias a sarar completamente, conforme já devia saber.

Na variante, o trânsito era menos intenso, permitindo-me acelerar até aos cento e trinta. Só comecei a travar ao aproximar--me da saída, em direcção a uma via mais estreita, considerando estar fora de perigo. Sam não iria tão longe à minha procura. Era demasiado tarde.

Apenas naquele momento – quanto tive a certeza de estar a salvo –, comecei a pensar no que iria realmente fazer. Reduzi para os trinta, serpenteando por entre as árvores, com mais cautela do que a necessária.

Já sabia que eles iam dar pela minha chegada, com a moto ou sem ela, pelo que não podia contar com o efeito surpresa. Era impossível ocultar as minhas intenções. Assim que estivesse suficientemente próximo, Edward ficaria ao corrente do meu plano. No entanto, eu continuava a pensar que iria resultar, com o ego do vampiro a jogar a meu favor. Ele haveria de querer enfrentar-me sozinho.

Por isso, seguiria apenas em frente, para ver com os meus próprios olhos as preciosas provas de Sam. Em seguida, desafiava-o para um duelo.

Bufei. O mais certo seria o parasita querer imprimir algum dramatismo à situação.

Depois de acabar com ele, daria cabo de tudo o quanto mais pudesse daquela corja, antes que me liquidassem. Hum... será que Sam consideraria a minha morte como uma *provocação?* Se calhar, diria que eu tivera o merecido. Só para não melindrar os seus amigos parasitas tão idolatrados.

O caminho desembocou no relvado e parecia que me tinham atirado com um tomate podre à cara, tal era o cheiro que me atingiu. "Uf! Que vampiros fedorentos!" Senti o estômago a andar às voltas. Aquele fedor era insuportável – não havia o cheiro dos humanos a disfarçá-lo, ao contrário do que acontecera da última vez em que estivera ali – embora pudesse ser bem pior se tivesse de o cheirar com o olfacto de lobo.

Não sabia exactamente o que iria encontrar, mas não vi quaisquer sinais de vida em redor da grande cripta branca. Era evidente que sabiam que eu estava ali.

Desliguei o motor e fiquei a ouvir o silêncio. Agora chegavam--me uns murmúrios tensos e irritados, imediatamente atrás das grandes portadas duplas. Estava alguém em casa. Ouvi o meu nome e sorri de satisfação ao perceber que os deixava ligeiramente ansiosos.

Inspirei uma grande golfada de ar – devia ser menos puro no interior da casa – e subi, a correr, as escadas até ao pórtico.

Antes de assentar o punho numa das portas, esta abriu-se e dei de caras com o médico, que apresentava uma expressão grave.

Respirei fundo pela boca. O cheiro que se filtrava através da porta era medonho.

Fiquei desiludido por ter sido Carlisle a abrir a porta. Preferia ter enfrentado Edward, de dentes arreganhados. Carlisle era tão... simplesmente *humano* ou coisa parecida... Talvez isso se devesse às visitas que me tinha feito na Primavera anterior, depois de me ter envolvido naquela rixa. No entanto, senti-me pouco à vontade ao olhar para ele, sabendo que o matava se pudesse.

– Parece que a Bella regressou com vida – afirmei.

– Jacob, na verdade, esta altura não é das melhores. – Ele também me pareceu pouco à vontade, mas não da forma que eu esperaria. – Podemos deixar isto para mais tarde?

Fiquei a olhar para ele, estupefacto. Carlisle pedia-me que adiasse o confronto mortal para uma hora mais conveniente?

Entretanto ouvi a voz de Bella, rouca e áspera, e deixei de conseguir pensar em mais nada.

– Porque não? – perguntava ela a alguém. – Também estamos a guardar segredo do Jacob? Para quê?

A sua voz era muito diferente da que esperava. Tentei recordar as vozes dos jovens vampiros com quem lutara na Primavera anterior; mas tudo quanto me vinha à mente eram rosnadelas. Se calhar, esses recém-nascidos também não tinham aquela voz aguda e penetrante dos mais velhos. Talvez a nova geração de vampiros nascesse com uma voz rouca.

– Jacob, entra por favor – pediu Bella, elevando a voz alque-brada.

Carlisle semicerrou os olhos e eu também, perguntando-me se Bella estaria com sede.

– Dê-me licença – disse para o médico, contornando o corpo dele, para seguir em frente. Aquilo custou-me. Voltar as costas a um deles ia contra todos os meus instintos. Mas não era algo impossível. Se existisse algum ser que se parecesse com um vampiro de confiança, seria este líder invulgarmente amável.

Quando a luta começasse, ficaria longe de Carlisle. Havia bastantes para matar, sem ter de o incluir.

Entrei em casa de lado, com as costas voltadas para a parede. A seguir, passei o olhar pela sala – parecia-me um sítio desconhecido. Da última vez em que ali estivera, tinha sido transformada para a festa. Agora, tudo era pálido e brilhante. Incluindo os seis vampiros reunidos junto do sofá branco.

Estavam ali todos e juntos. Todavia, não foi isso que me fez ficar petrificado e abrir a boca de espanto.

Foi Edward. E a expressão do seu rosto.

Já o tinha visto enfurecido, arrogante e uma vez com ar de sofrimento. Mas aquilo... aquilo ultrapassava qualquer forma de agonia. Nos seus olhos havia quase uma expressão de loucura e ele nem os ergueu para me encarar. Manteve-os pousados no sofá ao seu lado, parecendo que alguém o fulminara ali mesmo. Tinha as mãos crispadas ao lado do corpo.

Não fui sequer capaz de troçar daquela angústia. Pensei na única coisa que poderia contribuir para o deixar assim e o meu olhar seguiu o trajecto do seu.

Vi-a no preciso momento em que o seu cheiro me tocou.

O cheiro dela, quente, limpo e humano.

Bella estava semi-oculta pelo braço do sofá, aninhada numa posição fetal indolente, com os braços em redor dos joelhos. Durante um longo momento, apenas vi que continuava a ser a Bella que amava, com a pele naquele leve tom de pêssego aveludado. E com os olhos da mesma cor, castanho achocolatado. O meu coração bateu de uma forma estranha e descontrolada, fazendo com que me interrogasse se não seria um sonho irreal do qual estaria prestes a acordar.

A seguir, vi-a realmente.

Tinha uns círculos escuros sob os olhos, umas olheiras que lhe sobressaíam do rosto macilento. Teria emagrecido? A pele parecia esticada – como se as maçãs do rosto fossem estalar a qualquer momento. A maior parte do cabelo escuro estava afastado do rosto, numa trança mal-arranjada; mas algumas madeixas soltaram-se, inertes, colando-se à testa e ao pescoço suados. A sensação de fragilidade associada aos seus dedos e pulsos era assustadora.

Ela estava doente. Muito doente.

Não era mentira. A história que Charlie contara a Billy não era qualquer história. Enquanto a fitava de olhos arregalados, vi a pele dela a ficar levemente esverdeada.

A sanguessuga loura – a tal Rosalie, toda vistosa – curvou-se sobre ela, colocando-se à minha frente e movendo-se de uma forma estranhamente protectora.

Aquilo não batia certo. Eu estava a par de quase tudo o que Bella sentia – os seus pensamentos eram muito transparentes; por vezes, parecia tê-los gravados na testa. Por isso, não era preciso que ela me fornecesse todos os pormenores de uma situação para eu a conhecer. Sabia que Bella não gostava de Rosalie. Percebia-o pela forma como os seus lábios se moldavam quando falava dela. E não era apenas não gostar. Ela sentia medo de Rosalie. Ou já tinha sentido.

Não descobri qualquer ponta de receio no olhar que Bella lhe lançava agora. Era uma expressão... pesarosa ou algo parecido. Logo de seguida, Rosalie arrebatou uma bacia do chão e segurou-a por baixo do queixo de Bella, no preciso momento em que ela começou a vomitar violentamente.

Edward caiu de joelhos ao lado de Bella – exibindo uma expressão torturada no olhar – e Rosalie levantou a mão, a indicar-lhe que se chegasse para trás.

Nada daquilo fazia sentido.

Quando conseguiu erguer a cabeça, Bella lançou-me um sorriso frágil, levemente constrangido.

– Desculpa por tudo isto – sussurrou-me.

Edward gemeu muito baixinho. Deixou tombar a cabeça nos joelhos de Bella e ela amparou-lhe o rosto com a mão, como se o consolasse.

Só percebi que as pernas me impeliam em frente, quando Rosalie me lançou uma interjeição sibilante, interpondo-se subitamente entre mim e o sofá. Parecia que a via num ecrã de televisão. Não me causava qualquer impressão vê-la ali. Ela não me parecia real.

– Rose, deixa estar – murmurou Bella. – Não faz mal.

A louraça saiu do meu caminho, embora percebesse que o fazia contrariada. Dirigiu-me um olhar ameaçador e agachou-se junto à cabeça de Bella, pronta a saltar como uma mola. Nunca pensei que me fosse tão fácil ignorá-la.

– Bella, o que é que tens? – perguntei em voz baixa. Sem pensar no que fazia, dei por mim ajoelhado e inclinado sobre as costas do sofá, em frente ao... marido dela. Este não parecia dar por mim e eu mal lhe dirigi o olhar. Peguei na outra mão de Bella e envolvi-a entre as minhas. A sua pele parecia gelada. – Sentes-te bem?

A pergunta era idiota. Bella não me respondeu.

– Jacob, estou muito contente por me teres vindo ver hoje – disse ela.

Mesmo sabendo que Edward não lhe conseguia escutar os pensamentos, pareceu-me vê-lo intuir qualquer significado que me escapou. Ele voltou a gemer, com a cabeça apoiada sobre o cobertor que a protegia, e Bella afagou-lhe o rosto.

– Bella, o que se passa? – insisti, apertando-lhe os dedos frágeis e delicados.

Em vez de me responder, ela percorreu a sala com o olhar, como se procurasse algo, transmitindo em simultâneo uma súplica e um aviso. Seis pares de olhos amarelos e ansiosos devolveram-lhe o olhar. Por fim, Bella voltou-se para Rosalie.

– Dás-me uma ajuda, Rose? – pediu.

Rosalie arreganhou os dentes e lançou-me um olhar furioso, como se me quisesse esfolar o pescoço. Tive a certeza de que era mesmo isso.

– Por favor, Rose.

A loura fez um trejeito, voltou a debruçar-se sobre ela, mesmo ao lado de Edward, que nem se desviou um milímetro. A seguir passou-lhe cautelosamente o braço à volta dos ombros.

– Não – murmurei. – Não te levantes... – Bella parecia exausta.

– Vou responder à tua pergunta – retorquiu ela com brusquidão, num tom ligeiramente mais parecido com o que costumava usar para falar comigo.

Rosalie ergueu-a do sofá enquanto Edward se deixava ficar no mesmo sítio, descaindo para a frente até enterrar o rosto nas almofadas. O cobertor caiu ao chão, junto dos pés de Bella.

O corpo dela estava inchado, com o tronco a sobressair em forma de balão, de um modo estranho e doentio. Retesava-se contra a camisola comprida, em tons de cinzento desbotado, que lhe ficava enorme nos braços e nos ombros. O resto do corpo parecia ter emagrecido, como se o grande vulto crescesse à custa do que lhe ia sugando. Levei um segundo a perceber a que correspondia aquele vulto disforme – só compreendi quando Bella colocou as mãos em redor do ventre inchado, ternamente, uma por cima a outra por baixo. Como se o embalasse.

Então, percebi, mas continuei sem acreditar. Tinha-a visto há um mês. Era impossível que ela estivesse grávida. Grávida daquela maneira.

Mas estava.

Não queria vê-lo, nem queria pensar nisso. Não queria imaginar que ele estivera dentro dela. Não queria saber que algo que odiava tanto tinha criado raízes no corpo que eu amava. Senti um espasmo no estômago e tive de engolir em seco para não vomitar.

Mas era pior, muito pior. Aquele corpo deformado, os ossos a salientar-se na pele do rosto... Só podia adivinhar que ela estava assim – tão grávida, tão doente – porque o que tinha dentro de si lhe tirava a vida para alimentar a sua...

Porque era um monstro. Tal como o pai.

Sempre soube que ele a havia de matar.

Edward ergueu a cabeça de repente, ao ouvir as palavras do meu pensamento. Num segundo, estávamos os dois de joelhos e, no segundo seguinte, ele já se tinha posto de pé, erguendo-se sobre mim. Apresentava os olhos completamente pretos, com uns círculos escuros e arroxeados por baixo.

– Lá para fora, Jacob! – rugiu.

Eu também já estava de pé. Olhava-o com desprezo. Aquela era a razão que me levara ali.

– Vamos a isso – concordei.

Emmett, o calmeirão, avançou para se colocar ao lado de Edward, com Jasper, o de ar escanzelado, logo atrás. Não me importei, com toda a franqueza. Talvez a minha alcateia viesse buscar os restos, quando eles tivessem acabado comigo. Ou talvez não. Era-me indiferente.

Durante uma fracção de segundo, os meus olhos pousaram nas outras duas mais atrás. Esme. Alice. Delicadas e perturbantemente femininas. Bom, tinha a certeza de que os outros me matavam antes de me chegar a preocupar com elas. Não queria matar mulheres... mesmo que fossem mulheres vampiras.

Embora pudesse abrir uma excepção para a loura.

– Não – exclamou Bella, sobressaltada, ao cambalear em frente, desequilibrada, para agarrar o braço de Edward. Rosalie seguiu-a, como se as duas estivessem ligadas por uma corrente.

– Bella, só preciso de falar com ele – disse Edward em voz baixa, dirigindo-se apenas a ela. Ergueu a mão e tocou-lhe na face, acariciando-a. Aquele gesto injectou-me os olhos de sangue, depois de tudo o que lhe tinha feito, ainda se atrevia a tocar-lhe daquela forma!

– Não te enerves – pediu Edward, num tom suplicante. – Tenta descansar, por favor. Voltamos daqui a poucos minutos.

Bella ficou a observar o rosto dele, decifrando-lhe a expressão. A seguir, aquiesceu com a cabeça e deixou-se cair no sofá. Enquanto Rosalie a ajudava a recostar-se nas almofadas, ela olhou-me fixamente, tentando captar o meu olhar.

– Porta-te bem – insistiu. – E, depois, volta.

Não lhe respondi. Nesse dia, não faria nenhuma promessa. Desviei o olhar e segui Edward em direcção à porta da frente.

Na minha mente, uma voz fortuita e incoerente constatava que não tinha sido muito difícil separá-lo do clã, certo?

Edward continuou a avançar, sem nunca se voltar para se certificar de que me preparava para saltar sobre as suas costas indefesas. Calculei que não precisasse de o fazer e que perceberia, caso tomasse essa decisão. O que implicava que teria de ser muito rápido nesse momento.

– Ainda não estou pronto para me matares, Jacob Black – murmurou-me, afastando-se da casa a um passo ligeiro. – Terás de ter um pouco de paciência.

Como se eu ligasse à agenda dele. Rosnei por entre dentes.

– A paciência não é o meu forte.

Edward andou um pouco mais para a frente, percorrendo cerca de duzentos metros do caminho de acesso à casa. Eu seguia mesmo atrás, a arder de raiva, com os dedos trementes. Preparado e a aguardar, já no limite.

De repente, ele estacou e deu meia-volta para ficar de frente para mim. A sua expressão deixou-me de novo petrificado.

Durante um segundo, não passei de um miúdo – um miúdo que passara toda a sua vida na mesma pequena terra. Uma criança apenas. Porque teria de ter vivido muito mais, sofrido muito mais, para alguma vez chegar a compreender a agonia dilacerante que lhe distinguia nos olhos.

Edward ergueu a mão como se fosse enxugar o suor da testa, mas os dedos arranharam-lhe o rosto, parecendo extirpar-lhe a pele de granito. Tinha os olhos pretos inflamados, sem um foco definido ou vendo coisas que não estavam ali. Abriu a boca como se fosse gritar, mas não se ouviu qualquer som.

Aquele era o rosto que um homem exibiria se estivesse a ser imolado pelo fogo.

Durante uns instantes fiquei sem palavras. Aquela expressão era muito real – dentro de casa já a vira por momentos; vira-a nos olhos dele e nos olhos dela. Mas agora completava-se. O último prego do caixão de Bella.

– Aquilo está a matá-la, não é? Ela está a morrer. – E soube que, quando o dizia, o meu rosto apenas espelhava levemente o dele. Era um reflexo mais fraco e diferente, porque eu ainda estava em estado de choque. Não me tinha mentalizado, tudo estava a acontecer depressa de mais. Edward tivera tempo suficiente para chegar àquele ponto. Era diferente, eu já a perdera muitas vezes e de maneiras diversas, na minha cabeça. Diferente, porque ela nunca fora realmente minha para a poder perder de facto.

E era diferente porque a culpa não era minha.

– A culpa é minha – murmurou Edward. Os joelhos cederam e ele abateu-se à minha frente, vulnerável, transformado no alvo mais fácil que podia imaginar.

Mas eu estava frio como o gelo. O fogo tinha-se extinguido dentro de mim.

– Sim – gemeu ele de rosto no chão, como se fizesse uma confissão à terra. Sim, aquilo está a matá-la.

A impotência debilitante irritou-me. Eu queria uma luta e não assistir a uma execução. Onde estava a arrogância enfatuada de Edward?

– Então, porque é que o Carlisle não fez qualquer coisa? – rugi. – Ele é médico, não é? Ele que o tire de lá de dentro.

Edward levantou a cabeça para responder, com a voz cansada. Parecia que explicava pela décima vez a mesma coisa a uma criança de um infantário.

– Ela não nos deixa.

Precisei de um minuto para absorver aquelas palavras. Ah, ela estava a ser igual a si própria. É claro que morreria para salvar o monstro. A Bella no seu melhor.

– Como a conheces bem... – observou ele, em voz baixa.

– Descobriste tão depressa... e eu não. Desta vez não. Durante a viagem de regresso, ela não disse uma palavra, isso é verdade. Pensei que estivesse assustada, o que seria natural. E também que estivesse zangada comigo, por a fazer passar por isto, ao colocar a vida dela em perigo. Uma vez mais. Nunca me passou pela cabeça o que ela realmente pensava e a decisão que estava a tomar. Até a minha família nos receber no aeroporto e ela, de imediato, correr para os braços da Rosalie. Da Rosalie! Foi nesse momento que ouvi o que a Rosalie estava a pensar. Até então não o tinha compreendido. No entanto, tu percebeste passado um segundo... – Calou-se, soltando um suspiro, que era igualmente um gemido.

– Não estou a perceber. Ela não vos deixa? – A minha voz estava azeda de sarcasmo. – Nunca reparaste que ela tem exactamente a força de qualquer rapariga com cinquenta quilos? Até onde vai a vossa estupidez? Agarrem-na e ponham-na a dormir com um calmante.

– Era o que eu queria – murmurou Edward. – O Carlisle teria...

O quê? Agora estavam armados em cavalheiros?

– Não, não tem nada que ver com isso. Foi a protectora dela que complicou as coisas.

Ah! Até ao momento aquela história não fazia muito sentido, mas agora tudo se encaixava. Então era isso que a louraça estava a arquitectar. Mas o que ganhava ela com isso? Será que a rainha da beleza queria uma morte daquelas para Bella?

– Talvez – concordou Edward. – Embora a Rosalie não coloque a questão exactamente nesses termos.

– Então, começa por te livrar da loura. A tua espécie tem capacidade de se reconstruir, não é? Corta-a aos pedacinhos e a seguir resolve a situação da Bella.

– Ela tem o apoio do Emmett e da Esme. O Emmett nunca deixaria que nós... e o Carlisle não me ajuda, se a Esme estiver contra... – A voz desvaneceu-se e ele permaneceu em silêncio.

– Devias ter deixado a Bella ficar comigo.

– Sim.

Mas agora já era tarde. Talvez ele devesse ter pensado em tudo isto antes de a engravidar com um monstro chupador de vidas.

Edward ficou a olhar-me do interior do seu inferno pessoal e apercebi-me que ele concordava comigo.

– Nós não sabíamos – disse ele, com a voz num murmúrio. – Nunca imaginei uma coisa destas. É a primeira vez que existe um caso como o meu e da Bella. Como podíamos saber que uma humana seria capaz de gerar uma criança com um de nós...

– ... quando se supunha que, numa situação dessas, as vítimas eram diaceradas?

– Sim – anuiu, num murmúrio cheio de tensão. – Os sádicos, os íncubos, os súcubos andam por aí. São casos reais. Mas a sedução não passa do prelúdio para o repasto. Ninguém sobrevive. – E abanou a cabeça, como se tal ideia o repugnasse. Como se ele fosse muito diferente.

– Agora já sei que existe um nome próprio para os da tua laia – atirei, cheio de cólera.

Edward ergueu os olhos para mim, com um rosto que aparentava ter um milhar de anos.

– Até tu, Jacob Black, não consegues odiar-me tanto quanto me odeio.

"Enganas-te", pensei, demasiado enraivecido para conseguir falar.

– A minha morte não a irá salvar – disse ele, serenamente.

– Então qual é a alternativa?

– Jacob, tens de fazer uma coisa por mim.

– O *diabo* é que faço, seu parasita!

Ele continuou a fitar-me, com um olhar que era um misto de cansaço e de loucura.

– E por ela?

Cerrei os dentes com muita força.

– Fiz tudo o que estava ao meu alcance para a afastar de ti. Tudo o que pude. Agora, é tarde de mais.

– Tu conhece-la, Jacob. Comunicas com ela a um nível que eu nem chego a conceber. Tu fazes parte dela e ela faz parte de ti. A mim ela não dá ouvidos, porque acha que a subestimo. Ela pensa que é suficientemente forte para isto... – A sua voz ficou abafada e Edward engoliu em seco. – Pode ser que te ouça a ti.

– Porque é que o iria fazer?

Edward levantou-se, com os olhos mais inflamados e aluci-nados que anteriormente. Perguntei-me se ele estaria realmente a ficar louco. Será que isso também acontecia aos vampiros?

– Talvez – afirmou ele, em resposta ao meu pensamento. – Não sei. Parece que sim. – Depois abanou a cabeça. – À frente da Bella tento disfarçar, porque a pressão ainda a deixa mais doente. Da maneira como está, não consegue reter nada no estômago. Tenho de manter a calma e não piorar as coisas. Mas, agora, já não interessa. Ela tem de te ouvir!

– Não lhe vou dizer nada que não lhe tenhas já dito. O que queres que lhe diga? Que é uma imbecil? Isso ela já deve saber. Que está à beira da morte? Aposto que também já sabe.

– Podes oferecer-lhe aquilo que ela quer.

Edward só dizia coisas sem nexo. Faria parte da loucura?

– Tudo o que me interessa é salvá-la – afirmou Edward, subitamente compenetrado. – Se é um filho o que ela quer, então que o tenha. Pode ter meia dúzia, uma dúzia de bebés. Tudo o que quiser. – E fez uma pausa momentânea. – Até pode ter cachorros, se for preciso.

O olhar dele veio ao encontro do meu e distingui-lhe a expressão de loucura, sob uma leve camada de autocontrolo. A minha expressão ameaçadora começou a desaparecer, enquanto reflectia sobre o que ouvia, com a boca aberta de espanto.

– Mas não desta maneira – exclamou Edward, com uma voz sibilante, antes que eu reagisse. – Não com esta coisa que lhe está a sugar a vida e comigo a assistir impotente! A vê-la cada

vez mais doente e a definhar. A ver que aquilo a está a matar.
– E inspirou o ar muito depressa, como se alguém o acabasse de
esmurrar na barriga. – Jacob, tu tens de a obrigar a raciocinar.
Ela já não me dá ouvidos. A Rosalie está sempre ali, a alimentar
aquela loucura e a estimulá-la a continuar. A protegê-la. Não, a
proteger a coisa. Para ela, a vida da Bella não significa nada.

Parecia que me estava a faltar o ar, tendo em conta o barulho
que vinha da minha garganta.

O que é que ele estava a dizer? Que Bella devia, o quê? Ter
um bebé? Comigo? O quê? Como? Ele estava a renunciar a ela?
Ou achava que ela não se importava de ser partilhada?

– Seja o que for. Seja o que for que a salve.

– Isso é a coisa mais disparatada que já te ouvi dizer –
balbuciei.

– Ela ama-te.

– Não o suficiente.

– Está pronta a morrer para ter a criança. Talvez aceite algo
menos radical.

– Por acaso conheces a Bella?

– Eu sei, eu sei. Vai ser preciso muita persuasão. E, por isso,
é que necessito de ti. Tu sabes como ela pensa. Faz com que ela
raciocine devidamente.

Nem sequer podia pensar no que ele estava a sugerir-me. Era
de mais. Impossível. Errado. Doentio. Levar Bella emprestada
aos fins-de-semana, para depois a devolver à segunda-feira,
como um vídeo de aluguer? Que baralhada.

Que tentação...

Não queria pensar nisso, não queria imaginá-lo, mas
as imagens vinham ao meu encontro. Já tivera fantasias
semelhantes com Bella, vezes sem conta, quando ainda havia
uma possibilidade para nós e muito depois de ser evidente que
tais sonhos deixariam apenas chagas vivas, por já não existir
qualquer hipótese. Nessas alturas não conseguira evitá-lo. E
agora também não. Bella nos meus braços. Bella a dizer o meu
nome, entre suspiros.

Pior era esta nova imagem que nunca tivera; aquela que todos os direitos me impediam de ter. Por enquanto. Uma imagem que não iria martirizar-me ao longo dos anos, se ele não tivesse acabado de a meter à força na minha cabeça. Agora ela estava lá, bem firme e a criar raízes por toda a mente, tal como uma erva daninha – venenosa e indestrutível. Bella, saudável e resplandecente, muito diferente do que era agora, mas com algo de semelhante: o corpo, não distorcido mas moldado de uma forma mais natural. Arredondado com o meu filho dentro de si.

Tentei desviar essa erva daninha do meu pensamento.

– Obrigar a Bella a raciocinar como deve ser? Em que planeta vives tu?

– Tenta, pelo menos.

Abanei a cabeça rapidamente, mas ele ficou à espera, sem dar relevo à minha resposta negativa, porque ouvia o conflito dentro de mim.

– De onde é que te veio essa psicologia barata? Estás a inventar isso à medida que falas?

– Não penso noutra coisa, senão numa forma de a salvar, desde que percebi o que ela queria fazer. Desde que vi que ela estava pronta para morrer por isso. Mas não sabia como te contactar, imaginando que não atenderias o telefone se te ligasse. Se não tivesses vindo cá hoje, em breve iria à tua procura. Mas é difícil deixá-la, nem que seja por uns minutos. O seu estado... altera-se muito depressa. A coisa está... a crescer. Velozmente. Agora, não posso ficar longe dela.

– O que é essa coisa?

– Nenhum de nós faz a mais pequena ideia. Mas é mais forte que ela. Já é.

Foi então que o vi subitamente: na minha cabeça estava o monstro intumescido, a dilacerá-la para sair do seu corpo.

– Ajuda-me a detê-lo – pediu ele, num murmúrio. – Ajuda-me a evitar que isto aconteça.

– Como? Oferecendo os meus serviços de procriador? – Ao contrário de mim, Edward nem estremeceu ao pronunciar aquilo. – Tu estás mesmo doente. Ela nunca quererá ouvir uma coisa dessas.

– Tenta. Agora, já não há nada a perder. O que é que iria custar?

Custar-me-ia a mim. Será que Bella já não me tinha rejeitado o suficiente, para agora ainda ter de passar por isto?

– Um sofrimento menor para a salvar? Custa-te assim tanto?

– De qualquer modo não vai resultar.

– Talvez não. Mas talvez a faça sentir-se confusa. Talvez ela venha a manifestar alguma hesitação face ao que pensa. Tudo o que preciso é de um momento de dúvida.

– Para, a seguir, lhe tirares o tapete no último momento? "Bella, era só a brincar."

– Se ela quer um filho, é isso que terá. Eu não volto com a palavra atrás.

Nem conseguia acreditar que estava a pensar no assunto. Bella dar-me-ia um murro – não é que me importasse, mas isso podia partir-lhe novamente a mão. Não deveria permitir que ele falasse comigo, baralhando-me a cabeça. Devia limitar-me a dar cabo dele naquele preciso momento.

– Agora não – murmurou Edward. – Ainda não. Certo ou errado, isso iria destruí-la e tu sabes que é verdade. Não são necessárias pressas. Se ela não te der ouvidos, terás a tua hipótese. No momento em que o coração da Bella parar de bater, serei eu a suplicar-te que acabes comigo.

– Não terás de pedir muito.

Nos cantos da boca de Edward surgiu o vestígio de um sorriso cansado.

– Estou a contar com isso.

– Então temos um pacto.

Edward assentiu com a cabeça e estendeu-me a mão gelada.

Engoli em seco, com repugnância, e estendi-lhe a minha. Os meus dedos apertaram-se em redor da rocha e sacudi-a uma vez.

– Temos um pacto – repetiu Edward.

Dez

Porque Não me Limitei a Sair Dali para Fora? Ah, sim, Porque Sou um Idiota.

Sentia que... não sei bem o quê. Que aquilo não era real. Que participava na versão gótica de uma comédia de terceira categoria. Em vez de ser o totó da escola a preparar-se para convidar a rapariga mais gira para o baile de finalistas, era o lobisomem de reserva a preparar-se para pedir à mulher do vampiro que desse umas voltinhas comigo, a fim de procriar. Lindo!

Não, recusava-me a fazer isso. Era a mais coisa perversa e errada que podia existir e eu iria esquecer tudo o que ele me tinha dito.

No entanto, falaria com ela, tentando obrigá-la a ouvir-me.

E ela mandar-me-ia passear. Como sempre acontecia.

Enquanto seguia à minha frente em direcção a casa, Edward não retorquiu nem comentou qualquer um dos meus pensamentos. Reflecti sobre o sítio que ele escolhera para falarmos. Ficava suficientemente afastado da casa para os outros não conseguirem ouvir os nossos murmúrios? Teria sido por isso que ele parara ali?

Talvez. Ao entrarmos, os olhos dos outros Cullen espelhavam a desconfiança e a confusão. Nenhum me pareceu indignado ou escandalizado. Deviam ignorar qualquer um dos favores que Edward me tinha pedido.

Permaneci hesitante à ombreira da porta, sem saber muito bem o que fazer. Sentia-me melhor ali, com um pouco de ar respirável que me chegava da rua.

Edward dirigiu-se para o meio do grupo, de ombros hirtos. Bella observou-o com um ar ansioso e, depois, o seu olhar vacilou um segundo sobre mim. A seguir, voltou a fitar o marido.

O rosto dela adquiriu uma tonalidade cinzenta pálida e, de imediato, percebi o que Edward queria dizer ao referir que a pressão a deixava pior.

– Vamos deixar o Jacob e a Bella a sós, para conversarem – disse ele. A sua voz não deixava transparecer qualquer sentimento. Parecia vir de um *robot*.

– Só por cima do meu cadáver – investiu Rosalie, num tom sibilante. Continuava a pairar sobre a cabeça de Bella com ar possessivo, pousando-lhe a mão fria na face macilenta.

Edward não olhou para ela.

– Bella – continuou, no mesmo tom despido de qualquer entoação –, o Jacob quer falar contigo. Tens medo de ficar sozinha com ele?

Ela olhou-me com uma expressão confusa. Em seguida, virou-se para Rosalie.

– Rose, não há problema. O Jake não nos faz mal. Vai com o Edward.

– Pode ser um truque – avisou a loura.

– Não me parece – insistiu Bella.

– Rosalie, o Carlisle e eu vamos ficar sempre junto de ti – afirmou Edward. O tom inexpressivo da voz estava quase a ceder, deixando a nu a raiva latente. – Nós somos os únicos que ela receia.

– Não – murmurou Bella de olhos brilhantes e com as pestanas humedecidas. – Não, Edward, eu não tenho...

Ele abanou a cabeça, esboçando um sorriso leve e tão doloroso que dava pena.

– Não era isso que queria dizer, Bella. Eu estou bem. Não te preocupes comigo.

Que revoltante! Edward tinha razão – Bella estava a culpabilizar-se pelo sofrimento dele. Aquela rapariga era o exemplo acabado de um mártir e não pertencia mesmo a este século.

Deveria ter vivido nos tempos em que se podia sacrificar a ser comida pelos leões, em prol de uma boa causa.

– Todos! – ordenou Edward, apontando para a porta com um gesto rígido. – Por favor.

A aparente calma que ele tentava manter à frente de Bella era muito débil. Percebia que ele estava prestes a transfigurar-se no homem consumido pelas chamas que tinha visto lá fora. E os outros também repararam nisso. Dirigiram-se à porta em silêncio e eu afastei-me para os deixar passar. A saída foi rápida; o meu coração palpitou apenas duas vezes até a sala ficar vazia, à excepção de Rosalie, hesitante a meio caminho, e Edward à espera, junto à saída.

– Rose, vai com eles – pediu Bella, serenamente.

A loura lançou um olhar colérico a Edward e depois fez-lhe sinal para passar à frente. Ele desapareceu do outro lado da porta e ela foi atrás, dirigindo-me um longo olhar ameaçador.

Assim que ficámos sozinhos, atravessei a sala e sentei-me no chão, junto de Bella. Peguei-lhe nas mãos geladas e esfreguei-as delicadamente.

– Obrigada, Jake. Isso sabe bem.

– Não te vou mentir, Bella. Estás com um aspecto horrível.

– Eu sei – concordou ela com um suspiro. – Devo meter medo.

– Pareces o Monstro do Pântano – comentei.

Bella riu-se.

– Que bom estares aqui! Sabe-me bem rir. Não sei se conseguirei suportar mais dramas.

Revirei os olhos.

– Está bem, está bem – apressou-se ela a dizer. – A culpa é minha.

– Isso é verdade. Que ideia é essa, Bells? A sério!

– Ele pediu-te para me dares um raspanete?

– Mais ou menos. Embora não consiga imaginar porque pensa que me dás ouvidos. Seria a primeira vez.

Bella suspirou.

– Eu avisei-te... – comecei.

– Não sabias que o *"Eu avisei-te!"* tem um irmão, Jacob? – replicou Bella, interrompendo a minha deixa. – Chama-se *"Cala-te!"*.

– Bem metida.

Bella abriu a boca num grande sorriso, fazendo retesar a pele sobre os ossos.

– Não fui eu que a inventei. Ouvi-a numa reposição de *"Os Simpsons"*.

– Não vi esse episódio.

– Foi divertido.

Permanecemos em silêncio durante algum tempo. As mãos dela começavam a aquecer ligeiramente.

– Ele pediu-te mesmo para falares comigo?

Assenti com a cabeça.

– Para ver se ganhas algum juízo. Aí está uma batalha perdida antes de começar.

– Então, porque aceitaste?

Não respondi. Na verdade, não sabia bem.

Mas havia algo que sabia – cada segundo junto dela ia aumentar a dor que haveria de sentir mais tarde. À semelhança de um drogado à espera do dia em que a droga acaba, eu tinha à minha frente o dia do Juízo Final. Quanto mais reincidisse, mais falta a droga me faria.

– Eu consigo sobreviver – afirmou ela, passado um minuto de silêncio. – Tenho a certeza que sim.

Ao ouvir aquilo, fiquei de novo possesso.

– A loucura faz parte dos teus sintomas? – retorqui, com uma voz áspera.

Ela soltou uma gargalhada, embora a minha cólera fosse tão forte que as mãos me tremiam em redor das suas.

– Talvez – concedeu. – Jake, eu não estou a dizer que as coisas se irão resolver com *facilidade*. Mas como podia ter passado o que já passei e chegar aqui sem acreditar em algo de mágico?

– *Mágico?*

– Em especial para ti – acrescentou, com um sorriso. Retirou uma das mãos do interior das minhas e encostou-ma à cara.

Estava mais quente, no entanto senti-a fria na minha pele, tal como acontecia com a maior parte das coisas. – Mais do que com qualquer outra pessoa, a magia está à tua espera para teres uma vida melhor.

– O que é que estás para aí a debitar?

Ela manteve o sorriso.

– Uma vez, o Edward disse-me como era... como funcionava a tua marcação. Ele disse-me que era como em *"Um Sonho numa Noite de Verão"*. Era a mesma magia. Jacob, tu encontrarás aquilo que procuras e então, talvez, tudo faça sentido.

Se ela não revelasse aquele ar tão frágil, teria começado a gritar.

Mas, perante aquele estado, tudo o que fiz foi resmungar.

– Se achas que a marcação podia alguma vez dar algum sentido a esta loucura... – comecei, debatendo-me com as palavras. – Estás mesmo convencida que só porque eu podia marcar uma desconhecida um dia, isto estaria certo? – E espetei o dedo em direcção ao seu corpo inchado. – Diz-me para que é que isso iria servir, Bella! Para que serve o meu amor por ti? Para que serve o teu amor por ele? Depois de morreres... – e as palavras saíam-me emaranhadas – ... como é que alguma coisa pode voltar a bater certo? Para que serve toda esta dor? A minha, a tua, a dele! Tu também o vais matar, se bem que isso não me incomode. – Vi-a estremecer, mas não me detive. – Então, afinal, para que serviu a tua perversa história de amor? Bella, se isso faz algum sentido, diz-me qual é, porque eu não o estou a identificar.

Ela soltou um suspiro.

– Ainda não sei, Jake. Só que eu... sinto... que tudo isto vai acabar bem, por muito difícil que agora pareça. Acho que lhe podes chamar *fé*.

– Bella, estás a morrer para *nada!* Nada!

Ela soltou a mão do meu rosto e deixou-a cair sobre o ventre inchado, numa carícia. Não era preciso pronunciar as palavras, para eu saber o que Bella pensava. Ela estava a morrer por *aquilo.*

– Não vou morrer – insistiu por entre dentes e percebi que repetia coisas já ditas. – Hei-de manter o meu coração a bater. Tenho força suficiente para o fazer.

– Isso é um monte de tretas, Bella. Andas há demasiado tempo a tentar controlar o sobrenatural. Nenhuma pessoa normal o consegue fazer. Tu não tens força suficiente. – Segurei-lhe no rosto, sem precisar de me recordar que tinha de ser gentil. Nela tudo evocava a palavra "frágil".

– Eu consigo fazê-lo. Eu consigo fazê-lo – murmurava ela, lembrando-me *"O Comboiozinho que conseguia"*, um conto que líamos na escola sobre o optimismo e a força de vontade.

– Não é isso que estou a ver. Portanto, qual é o teu plano? Espero que tenhas algum.

Bella assentiu com a cabeça, sem olhar para mim.

– Sabias que a Esme se atirou de um penhasco, quando era humana?

– E então?

– Como ficou quase morta, acharam que não valia a pena levá-la para o hospital e deixaram-na na morgue. Só que o coração dela ainda batia, quando o Carlisle a encontrou...

Então era nisto que ela estava a pensar, ao falar no coração a bater.

– Não tencionas sobreviver a isto e manter-te humana – constatei, falando lentamente.

– Não. Eu não sou estúpida. – O olhar dela veio ao encontro do meu. – Mas julgo que deves ter uma opinião em relação a isso.

– Uma vampirização de emergência – murmurei.

– Com a Esme resultou. E também resultou com o Emmett, a Rosalie e até com o Edward. Nenhum conseguiria escapar. O Carlisle só os transformou porque era isso ou a morte. Ele não acaba com a vida, salva-a.

Tal como antes, senti uma pontada de remorsos inesperada em relação àquele médico e bom vampiro. Enxotei o pensamento e recomecei a suplicar.

– Bells, ouve-me. Não vás por aí. – À semelhança do que acontecera antes, quando me tinham falado sobre o telefonema de Charlie, sentia o quanto aquilo era importante para mim. Tal como era importante que ela, de alguma maneira, continuasse a viver. De qualquer maneira. Respirei fundo. – Não deixes passar o tempo, até tornar-se demasiado tarde. Não dessa maneira. Vive. Está bem? Limita-te a viver. Não me faças isso. Não o faças a ele. – A minha voz engrossou e aumentou de volume. – Já sabes o que o Edward fará quando morreres. Já viste o que aconteceu anteriormente. Queres que ele regresse para junto daqueles assassinos italianos? – Bella encolheu-se no sofá.

Omiti referir-lhe que, desta vez, isso não seria necessário.

Esforcei-me por suavizar o tom da voz e perguntei-lhe:

– Recordas-te quando fui cilindrado por aqueles recém--nascidos? O que é que me pediste na altura?

Fiquei à espera, mas ela não me respondeu, limitando-se a comprimir os lábios.

– Pediste-me para me portar bem e para ouvir o que o Carlisle tinha para me dizer – recordei-lhe. – E o que é que eu fiz? Dei ouvidos ao vampiro. Por ti.

– Fizeste isso porque era o correcto.

– Está bem, escolhe uma das razões.

Bella respirou fundo.

– Agora, isso não seria correcto. – Dirigiu um olhar absorto à grande barriga e murmurou por entre dentes:

– Não o irei matar.

As minhas mãos voltaram a tremer.

– Ah! Ainda não tinha ouvido a boa notícia. Então temos aqui um rapaz saudável, é isso? Devia ter trazido uns balões azuis.

Bella corou. Ao ver-lhe aquela cor tão sedutora, tive a sensação de que uma faca se cravava no meu estômago. Uma faca de serrilha, irregular e ferrugenta.

Iria perder aquele combate. Mais uma vez.

– Não sei se é um rapaz – confessou ela, um pouco envergonhada. – Não se consegue ver na ecografia. A membrana que envolve o bebé é muito espessa, tal como a pele deles. Portanto, é um pequeno mistério. Mas, na minha cabeça, está sempre a imagem de um rapaz.

– Aí dentro não existe qualquer bebé rechonchudo, Bella.

– É o que iremos ver – retorquiu-me, quase com altivez.

– Tu não vais – rugi.

– Estás muito pessimista, Jacob. Eu não tenho dúvidas que há uma hipótese de poder sobreviver a isto.

Não consegui responder. Baixei os olhos e respirei com força, lentamente, na tentativa de controlar a raiva.

– Jake – disse Bella, afagando-me o cabelo e depois a face. – Vai correr tudo bem. Vá lá. Está tudo bem.

Mantive a cabeça inclinada.

– Não, não vai correr nada bem.

Ela enxugou algo húmido na minha face.

– Vá lá.

– O que é que tu queres, Bella? – Fitei o tapete claro. Os meus pés nus estavam sujos e tinham deixado algumas manchas. Óptimo! – Pensava que o que querias acima de tudo era o teu vampiro. E agora vais limitar-te a desistir? Isso não faz qualquer sentido. Desde quando é que sentes esse desejo desesperado de ser mãe? Se o queres tanto, porque foste casar com um vampiro?

Aproximava-me perigosamente da oferta que Edward me queria obrigar a propor. Vi as palavras a levarem-me nessa direcção, mas não consegui retroceder.

Bella suspirou.

– Não é como estás a dizer. Não tinha qualquer desejo de ter um bebé. Nem sequer pensava nisso. Não se trata apenas de ter um bebé. Trata-se... bom... deste bebé.

– Ele é um assassino, Bella. Olha para ti!

– Não é. O problema tem que ver comigo. Sou apenas fraca e humana. Mas vou conseguir aguentar, Jake. Eu sou capaz...

– Ah, vá lá! Não digas mais nada, Bella. Podes despejar essas tretas todas para cima da tua sanguessuga, mas a mim não me enganas. Sabes bem que não irás conseguir.

Ela lançou-me um olhar furioso.

– Isso eu não sei. Mas é claro que estou preocupada.

– *Preocupada* – repeti por entre dentes.

Nesse preciso momento, Bella arquejou e agarrou-se à barriga, dissipando a minha cólera como se desligasse um interruptor.

– Eu estou bem – disse-me, ofegante. – Não é nada.

Mas eu não a ouvi; as suas mãos tinham afastado a camisola para o lado e eu fitava aterrorizado a pele que ficara à vista. A barriga parecia manchada com grandes borrões de tinta escura e roxa.

Bella reparou na minha expressão e, de imediato, puxou a camisola para baixo.

– Ele é forte. É apenas isso – explicou-me, num tom defensivo.

Os borrões de tinta eram nódoas negras.

Quase me faltou o ar e logo compreendi aquilo que Edward referira acerca de vê-lo a matá-la aos poucos. De súbito, senti também uma pontada de loucura dentro de mim.

– Bella – comecei, e ela percebeu a mudança no tom de voz. Ergueu os olhos, ainda a respirar com dificuldade, revelando uma expressão confusa.

– Bella, não faças isso.

– Jake...

– Ouve-me. Deixa te estar assim. Está bem? Ouve-me só. E se...

– E se o quê?

– E se isso não fosse uma coisa irrepetível? Um tudo ou nada? E se fosses uma menina bem comportada e desses ouvidos ao Carlisle para continuares a viver?

– Eu não vou...

– Ainda não acabei. Portanto, continuarias a viver. E, entretanto, podias começar de novo. Desta vez não deu certo, mas podes voltar a tentar.

Bella franziu a testa e depois ergueu a mão para tocar no ponto onde as minhas sobrancelhas se uniam. Alisou-me a testa durante um momento, a tentar perceber as minhas palavras.

– Não estou a perceber... O que queres dizer com isso de tentar outra vez? Não podes estar a pensar que o Edward me ia deixar?... E qual seria a diferença? Tenho a certeza que qualquer bebé...

– Sim – interrompi bruscamente. – Qualquer descendente dele vai dar ao mesmo.

No rosto cansado de Bella a confusão limitou-se a aumentar.

– Então?

Mas eu não consegui dizer mais nada. Não valia a pena. Nunca seria capaz de a salvar de si. Nunca tinha sido capaz de o fazer.

Então Bella pestanejou e apercebi-me que ela tinha entendido.

– Ah! Uf, Jacob, por favor. Achas que mataria o meu bebé para pôr um substituto qualquer no lugar dele? Com inseminação artificial? – Agora mostrava-se furiosa. – Por que razão iria querer um bebé de um estranho? Achas que é a mesma coisa? Que qualquer bebé serve?

– Não era isso que queria dizer – murmurei por entre dentes. – Não seria de um desconhecido.

Ela inclinou-se para a frente.

– Então o que é que querias dizer?

– Nada. Não queria dizer nada. Como sempre.

– De onde é que te surgiu essa ideia?

– Bella, esquece.

Ela franziu o sobrolho, com um ar desconfiado.

– Foi ele que te pediu para dizeres isso?

Fiquei hesitante e surpreendido por ela o deduzir tão depressa.

– Não.

– Foi ele, não foi?

– Não, a sério. O Edward não disse nada sobre inseminação artificial.

Então, o seu rosto amorteceu e Bella deixou-se cair sobre as almofadas, com uma expressão exausta. Ao voltar a falar, exibia um ar ausente, como se eu não estivesse ali.

– O Edward faria qualquer coisa por mim. E eu estou a magoá-lo tanto... Mas qual é a ideia dele? Pensar que eu trocaria isto... – e a mão afagava a barriga – ... por algum desconhecido... – As suas últimas palavras foram murmuradas, como se a voz se quebrasse; vi-lhe os olhos húmidos.

– Não tens de o magoar – disse-lhe baixinho. As palavras pareciam arder-me na boca como veneno, ao estar a interceder a favor de Edward. No entanto, sabia que seria a melhor jogada para a manter viva. Embora as hipóteses continuassem a ser de uma contra mil. – Podes voltar a fazê-lo feliz. E acho que ele está realmente a ficar louco. Estou a ser sincero.

Ela não pareceu ouvir-me; continuava a passar a mão pela barriga dorida e a mordiscar o lábio. O silêncio que se seguiu foi longo e perguntei-me se os Cullen estariam distantes. Será que estavam a ouvir as minhas tentativas patéticas para a trazer à razão?

– Não seria um desconhecido? – murmurou Bella para si, fazendo-me estremecer. – O que é que o Edward te disse, exactamente?   perguntou em voz baixa.

– Nada. Apenas pensou que tu dar-me-ias ouvidos.

– Não me refiro a isso. Sobre o tentar outra vez.

E cravou o olhar no meu, tendo consciência de que já tinha falado de mais.

– Nada.

Ela entreabriu ligeiramente a boca.

– Uau!

Durante uns instantes, fez-se novamente silêncio. Voltei a pousar os olhos nos pés, sem conseguir aguentar o olhar fixo de Bella.

– Ele faria mesmo qualquer coisa por mim, não é? – murmurou.

– Já te disse que o Edward está a ficar louco. No sentido literal, Bells.

– Estou admirada por não o teres denunciado de imediato. Para o meteres em sarilhos.

Quando ergui os olhos, vi-lhe um largo sorriso.

– Cheguei a pensar nisso. – Tentei devolver-lhe o sorriso, mas senti que só conseguia um esgar.

Ela sabia qual era a minha proposta e não iria deter-se a reflectir nela por um segundo. Já sabia que seria assim. Mas doeu-me à mesma.

– E também não existe muito que não fizesses, pois não? – observou Bella em voz baixa. – Na verdade, não sei porque é que agem dessa maneira. Não mereço qualquer um.

– Isso não faz qualquer diferença, pois não?

– Desta vez, não. – Bella suspirou. – Gostava de conseguir explicar-te, para compreenderes bem. Eu não posso magoá-lo – e apontou para a barriga –, tal como não seria capaz de agarrar numa arma para te matar. Eu amo-o.

– Porque é que amas sempre as coisas erradas, Bella?

– Acho que não é o caso.

Engoli o nó que sentia na garganta, para dar à minha voz o tom duro que pretendia.

– Acredita que sim.

Comecei a levantar-me.

– Onde é que vais?

– Não estou a fazer nada de útil aqui.

Ela ergueu a mão delgada, em sinal de súplica.

– Não vás!

Senti a minha dependência a arrastar-me, a tentar manter-me junto dela.

– Este não é o meu lugar. Tenho de ir embora.

– Porque vieste cá hoje? – perguntou ela, ainda a estender-me a mão num gesto débil.

– Só vim ver se ainda estavas viva. Não acreditei que estivesses tão doente quanto o Charlie dizia.

Não consegui ver na sua expressão, certificando-me que engolia ou não aquela versão.

– Voltas outra vez? Antes...

– Não vou andar a rondar por aqui para te ver morrer, Bella. Ela estremeceu.

– Tens razão, tens razão. É melhor ires.

Dirigi-me à porta.

– Adeus – murmurou Bella, nas minhas costas. – Amo-te, Jake.

Quase voltei para trás. Quase dava meia-volta para me lançar aos joelhos dela e começar a implorar outra vez. Mas sabia que tinha de a deixar, abandonar aquela dependência, antes que ela me matasse como o mataria a ele.

– Pois, pois – resmoneei, já a sair.

Não vi nenhum dos vampiros. Ignorei a moto que jazia sozinha no meio do prado. Agora já não era suficientemente rápida para mim. O meu pai devia estar fora de si e Sam também. O que é que a alcateia ia pensar, quando não desse pela minha transformação? Eles iam pensar que os Cullen me tinham apanhado antes de eu o conseguir fazer? Despi-me, sem me preocupar com quem me pudesse estar a observar, e comecei a correr. Ao fim de uma passada, já tinha novamente a pele de lobo.

Eles estavam à minha espera. Claro que sim.

Jacob, Jake, entoaram oito vozes aliviadas, em uníssono.

Vem para casa, agora, ordenou a voz do Alfa. Sam estava furioso.

Senti Paul a desaparecer e percebi que Billy e Rachel estavam ansiosos por saber do meu paradeiro. Paul estava tão desejoso de lhes revelar a boa nova de que eu não tinha sido devorado pelos vampiros, que nem ficara à espera para ouvir a história toda.

Não precisei de dizer ao meu grupo que ia a caminho, já que eles viam a nuvem de pó que levantava na floresta, à medida que acelerava rumo a casa. Também não precisei de lhes dizer que estava meio louco. Era visível a confusão que imperava na minha cabeça.

Todos viam o horror – a barriga de Bella coberta de manchas: "Ele é forte. É apenas isso". O homem imolado pelas chamas no rosto de Edward: "a vê-la cada vez mais doente e a definhar... a ver que aquilo a está a matar". Rosalie debruçada sobre o corpo inerte de Bella: "para ela, a vida da Bella não significa nada" – e desta vez ninguém teve nada a dizer.

O choque deles não passou de um grito silencioso na minha cabeça. Sem palavras.

!!!!

Antes que algum conseguisse recuperar, eu já estava a meio caminho de casa. Então, todos correram ao meu encontro.

Era quase de noite; as nuvens tapavam por completo o pôr-do-sol. Arrisquei-me a atravessar a auto-estrada a correr e consegui fazê-lo sem que ninguém me visse.

Encontrámo-nos a cerca de quinze quilómetros de La Push, num espaço que os lenhadores tinham deixado despido de árvores. Era um ponto isolado, encaixado entre dois contrafortes da montanha, onde não seríamos descobertos. Paul foi ao encontro do grupo ao mesmo tempo que eu, pelo que a alcateia estava completa.

A balbúrdia instalada punha-me a cabeça num estado caótico. Todos gritavam ao mesmo tempo.

Sam tinha o pêlo do pescoço completamente eriçado e rugia num fluxo incessante, andando de um lado para o outro no topo do círculo. Paul e Jared seguiam-no, como se fossem as suas sombras, com as orelhas caídas ao lado da cabeça. O círculo inteiro agitava-se num movimento contínuo, explodindo em roncos graves.

No início, pressenti que havia uma raiva indefinida e pensei que seria eu o alvo a abater. Porém, estava demasiado desorientado para me preocupar com isso. Podiam fazer o que quisessem comigo por lhes ter trocado as voltas.

Mas, a seguir, a confusão de pensamentos tresmalhados começou a agregar-se num todo.

Como é que isto pode ser? O que significa isto? O que poderá ser?

Não é seguro. Não é legítimo. É perigoso.

Antinatural. Monstruoso. Abominável.

Não podemos permitir.

Agora, a alcateia agia e pensava em sincronia, à excepção de mim e de um outro membro. Enquanto a alcateia circulava em nosso redor, sentei-me ao lado desse irmão, demasiado atordoado para indagar, através do olhar ou do pensamento, quem permanecia ao meu lado.

O acordo não abrange isto.

Esta situação põe todos em perigo.

Tentei decifrar o coro de vozes em crescendo e acompanhar o percurso sinuoso dos pensamentos, para ver onde iam dar; mas nada fazia sentido. As imagens no centro dos seus pensamentos eram as minhas imagens; as piores. As contusões de Bella, o rosto inflamado de Edward.

Eles também o receiam.

Mas não vão fazer nada.

Estão a proteger a Bella Swan.

Não vamos permitir que isso nos afecte.

A segurança das nossas famílias, de todos os que estão aqui, é mais importante do que um ser humano.

Se não o matarem, teremos de ser nós a fazê-lo.

Para protecção da tribo.

Para protecção das nossas famílias.

Temos de o exterminar, antes que seja tarde de mais.

E outra das minhas memórias, desta vez as palavras de Edward: "A coisa está a crescer. Velozmente".

Lutei para me concentrar, e conseguir isolar as vozes individuais.

Não há tempo a perder, pensou Jared.

Isso vai implicar uma luta a sério, avisou Embry. *Uma luta bem feia.*

Estamos prontos para isso, insistiu Paul.

Temos de jogar com o elemento surpresa, pensou Sam.

Se os apanharmos quando estiverem separados, podemos dar cabo deles um a um, acrescentou Jared, a delinear uma estratégia.

Abanei a cabeça, erguendo-me lentamente. Sentia-me instável – aparentemente, o movimento dos lobos em redor deixava-me zonzo. O lobo ao meu lado também se levantou e encostou a espádua ao meu corpo, amparando-me.

Espera, pensei.

O círculo fez uma pausa momentânea, para recomeçar a rodar em seguida.

Não temos muito tempo, disse Sam.

Mas... em que é que estás a pensar? Esta tarde, não os querias atacar por violarem o acordo. Agora, estás a planear uma emboscada, quando o acordo ainda vigora?

O acordo não previa esta situação, retorquiu Sam. *Ela coloca em perigo cada ser humano desta zona. Não sabemos que tipo de criatura estão os Cullen a gerar: de qualquer modo, trata-se de um ser forte e que cresce rapidamente. Além de que é demasiado novo para respeitar qualquer tratado. Lembram-se dos vampiros recém-nascidos que combatemos? Selvagens, violentos, que agiam à revelia da razão ou de quaisquer outros limites. Imaginem um do género, mas protegido pelos Cullen.*

Nós não sabemos... tentei interrompê-lo.

Nós não sabemos, concordou Sam. *E, nesse caso, não podemos correr quaisquer riscos perante algo desconhecido. Só permitimos que os Cullen continuem a viver, enquanto tivermos a certeza absoluta de que são inofensivos. Esta... coisa não merece confiança.*

Eles não gostam mais dele que nós.

Sam extraiu da minha mente a imagem de Rosalie, na posição agachada e protectora, e exibiu-a a todos.

Há quem esteja pronto a lutar por ele, custe o que custar.

É apenas um bebé, que diabo!

Não o vai ser por muito tempo, sussurrou Leah.

Jake, meu irmão. Temos aqui um enorme problema, observou Quil. *Não podemos limitar-nos a ignorá-lo.*

Estão a dar-lhe uma dimensão maior do que realmente tem, argumentei. *A Bella é a única pessoa que está em perigo.*

Mais uma vez, porque assim o escolheu, acrescentou Sam. *Só que, neste caso, a escolha dela afecta todos.*

Não me parece.

Não podemos correr esse risco. Não vamos permitir que um bebedor de sangue ande a caçar nas nossas terras.

Então manda-os sair daqui, sugeriu o lobo que continuava a amparar-me. Era Seth. Tinha de ser.

E transferir esta ameaça para outros? Quando os bebedores de sangue invadem as nossas terras temos de os destruir, seja a quem for que queiram caçar. A nossa obrigação é proteger todos os que pudermos.

Isso não faz qualquer sentido, afirmei. *Esta tarde, temias pela segurança da alcateia.*

Esta tarde eu não sabia que as nossas famílias estavam em risco.

Não posso acreditar! Como é que vais matar essa criatura, sem matar a Bella?

Não soou qualquer palavra, mas o silêncio estava carregado de ameaças.

Soltei um uivo. *A Bella também é humana! Ela não está abrangida pela nossa protecção?*

Seja como for, ela já está a morrer, pensou Leah. *Nós só iremos abreviar o processo.*

Não precisei de ouvir mais. Saltei do lado de Seth em direcção à irmã dele, de dentes arreganhados. Estava prestes a cravar-lhos na perna traseira esquerda, quando senti os dentes de Sam no meu flanco, a arrastar-me para trás.

Uivei de dor e de fúria, virando-me para ele.

Quieto!, ordenou ele, no timbre duplo do Alfa.

Senti as pernas a ceder. Travei bruscamente e só consegui manter-me de pé à custa de uma grande força de vontade.

Sam desviou o olhar de mim. *Leah, tu não vais ser cruel com ele,* disse-lhe, em tom de comando. *O sacrifício da Bella é um preço elevado e todos reconhecemos isso. Vai contra tudo o que defendemos em relação à vida humana. Abrir uma excepção a esse princípio é algo lamentável. Aquilo que fizermos esta noite trará a dor a todos nós.*

Esta noite?, repetiu Seth, chocado. *Sam... acho que devíamos discutir melhor o assunto. Pelo menos consultar os mais velhos. Não podes estar a pensar, realmente, que nós...*

A tua tolerância para com os Cullen é um luxo que teremos de dispensar neste momento. Não há tempo para discussões. Tu farás aquilo que te mandarem, Seth.

Este dobrou os joelhos da frente e deixou cair a cabeça, sob o impacto do comando do Alfa.

Sam descreveu, lentamente, um círculo à nossa volta.

Vamos precisar da alcateia completa para isto. Tu és o nosso melhor lutador, Jacob, e vais batalhar connosco esta noite. Compreendo como isto é penoso para ti, pelo que vais concentrar-te nos lutadores deles: em Emmett e no Jasper Cullen. Não tens de te envolver com a... outra parte. O Quil e o Embry irão combater ao teu lado.

Os meus joelhos tremiam, enquanto tentava manter-me de pé, com a voz do Alfa a tirar-me as forças.

O Paul, o Jared e eu encarregamo-nos do Edward e da Rosalie. De acordo com o que o Jacob nos contou, devem ser eles que estão a proteger a Bella. O Carlisle e a Alice também estarão por perto, e talvez a Esme. O Brady, o Collin, o Seth e a Leah tomam conta deles. Quem tiver o caminho mais livre para chegar à – e ouvimo-lo a gaguejar mentalmente, no momento em que ia pronunciar o nome de Bella – *criatura, ocupa-se dela. A sua destruição é a nossa principal prioridade.*

A alcateia rugiu, manifestando o seu acordo com evidente nervosismo. A tensão punha-nos a todos de pêlo eriçado, enquanto acelerávamos o passo e o ruído das patas a cravar-se na terra salobra aumentava, com as garras a rasgarem o solo.

Apenas Seth e eu permanecíamos imóveis, um olho no centro daquele ciclone de dentes arreganhados e orelhas rebaixadas. Seth, curvado sob as ordens de Sam, tinha o focinho quase no chão. Senti o seu sofrimento face à deslealdade que iria cometer. Para ele, isto equivalia a uma traição – durante o dia da aliança, ao lutar ao lado de Edward Cullen, Seth ficara verdadeiramente amigo do vampiro.

No entanto, ele não resistia. Teria de obedecer, por muito que lhe custasse. Não havia outra opção.

E que outra opção tinha eu? Quando o Alfa falava, a alcateia obedecia-lhe.

Sam nunca tinha levado a sua autoridade a este extremo; eu sabia que ele odiava, acima de tudo, ver Seth assim vergado, como um escravo aos pés do seu senhor. Não teria chegado a esse ponto se houvesse outra alternativa. Quando se estabelecia esta ligação entre todos, de mente para mente, ele não podia mentir-nos. Sam acreditava realmente que a destruição de Bella e do monstro que ela trazia no ventre era o nosso dever. Acreditava que não havia tempo a perder. A sua crença era tal que estava disposto a morrer por ela.

E também sabia que seria ele a enfrentar Edward; a capacidade que este tinha para ler os nossos pensamentos era, na perspectiva de Sam, a nossa maior ameaça. Ele não deixaria que outro enfrentasse tal perigo.

No seu interior, Jasper era o segundo adversário mais forte e, por isso, é que mo tinha destinado. Ele sabia que era eu o mais habilitado da alcateia para vencer esse combate. Deixara os alvos mais fáceis para os lobos mais jovens e para Leah. A pequena Alice não constituía uma ameaça, sem a sua visão do futuro para a orientar, e desde a altura da aliança que todos sabíamos que Esme não era uma lutadora. Desde a altura da aliança. Carlisle até podia ser um risco, mas a aversão que ele tinha pela violência ia manietá-lo.

Senti-me pior que Seth, enquanto via Sam a planear tudo, na tentativa de trabalhar todos os ângulos para dar a cada membro da alcateia a melhor possibilidade de sobrevivência.

Tudo estava virado do avesso. Nessa tarde, eu fora até lá, desesperado para os atacar. Mas Seth até estava acerto – aquela não era uma luta que eu estivesse preparado para travar. O ódio cegara-me e não me permitiria analisar a situação com serenidade. Se o tivesse feito, teria sabido o que estava a ver.

Carlisle Cullen. Se o olhasse sem o ódio a cegar-me, não poderia negar que a sua morte seria um assassínio. Ele era bom. Tão bom quanto qualquer humano que protegíamos. Se calhar, até melhor. E talvez os outros também o fossem, embora não o pudesse garantir, porque não os conhecia tão bem. Carlisle odiaria ter de lutar, mesmo para salvar a sua vida. Por isso é que nós éramos capazes de o matar – porque ele não queria que *nós,* os seus inimigos, morrêssemos.

Isso estava errado.

E não era apenas pelo facto da morte de Bella ser o mesmo que me matar a mim, tal como um suicídio.

Controla-te, Jacob, ordenou Sam. *A tribo está em primeiro lugar.*

Sam, hoje eu estava errado.

Naquele momento os teus motivos estavam errados. Mas agora temos um dever a cumprir.

Finquei as patas no solo. *Não.*

Sam rosnou e suspendeu a passada à minha frente. Olhou-me fixamente e um rugido grave escapou-lhe entre os dentes.

Sim, decretou o Alfa, com o seu timbre duplo intumescido com o calor da autoridade. *Esta noite não há escapatória. Tu, Jacob, vais combater os Cullen connosco. Tu, o Quil e o Embry vão ocupar-se do Jasper e do Emmett. Tu és obrigado a proteger a tribo. É essa a razão da tua existência, pelo que vais cumprir essa obrigação.*

As minhas espáduas encolheram-se, quando o decreto se abateu sobre mim. Senti as pernas a ceder e abati-me à frente dele, de barriga no chão.

Nenhum membro da alcateia podia desobedecer ao Alfa.

Onze

AS DUAS COISAS PRIORITÁRIAS DA MINHA LISTA DE COISAS A NÃO FAZER

Sam começou a colocar os outros em formação, enquanto eu me mantinha no solo. Embry e Quil puseram-se ao meu lado, à espera que eu recuperasse e assumisse o comando.

Sentia o instinto, a necessidade de me por de pé para os conduzir. A pressão crescia, enquanto eu a combatia em vão, encolhido no sítio onde estava.

Embry gemeu debilmente ao meu ouvido. O meu companheiro não queria formular as palavras em pensamento, receando que isso chamasse de novo a atenção de Sam sobre mim. Senti-o a suplicar, em silêncio, que me levantasse, que ultrapassasse aquele impasse e que arrancasse de uma vez por todas.

A alcateia foi percorrida por um frémito de medo. Cada um dos membros não temia por si, mas por todos. Não havia a certeza de que todos conseguiriam escapar nessa noite. Quem seriam os irmãos perdidos? Que mentes iriam desaparecer para sempre? Que famílias enlutadas teríamos de consolar na manhã seguinte?

À medida que enfrentávamos os nossos receios, o meu cérebro começou a trabalhar juntamente com os outros, a pensar em uníssono. Ergui-me do chão instintivamente e agitei o corpo, sacudindo a pelagem.

Ouvi Embry e Quil a resfolegarem de alívio e, entretanto, o último deu-me um toque no flanco com o focinho.

O nosso desafio e a nossa missão, contagiava o pensamento de todos. Recordámos, em conjunto, as noites em que observávamos os Cullen a exercitar a sua luta com os recém-nascidos. Embora Emmett Cullen fosse o mais forte, era Jasper quem nos colocava mais dificuldades. Movia-se como o raio de uma trovoada, impulsionando-se num jogo mortal de poder e velocidade. Quantos séculos de experiência teria? Os suficientes para motivar os outros Cullen a olharem para ele como um guia.

Se quiseres atacar pelo flanco, eu invisto pela frente, ofereceu-se Quil. Na mente dele, havia um entusiasmo ainda maior que o dos outros. Naquelas noites, quando tinha visto Jasper a dar as instruções, Quil ficara ansioso por experimentar as suas capacidades contra os vampiros. Para ele, isto seria uma competição. Era assim que ele encarava o nosso combate, mesmo sabendo que a sua vida estaria em jogo. Paul também sentia o mesmo, tal como os miúdos, Collin e Brady, que nunca tinham combatido. E provavelmente Seth também estaria assim, se os adversários não fossem seus amigos.

Jake? Quil deu-me um pequeno toque. *Como é que queres organizar o ataque?*

Limitei-me a abanar a cabeça. Não conseguia concentrar-me – a compulsão que me levava obedecer às ordens, fazia-me sentir cada músculo ligado aos fios de uma marioneta. Dava um passo, a seguir outro...

Seth arrastava-se atrás de Collin e de Brady – Leah assumira o comando daquele grupo. Enquanto traçava um plano com os outros, ela colocou Seth de lado, vendo-se que preferia pô-lo à margem da luta. Entre os sentimentos que nutria pelo irmão mais novo, havia uma componente maternal. Por sua vontade, Sam mandava-o de regresso a casa. Seth estava completamente desligado dos receios da irmã. Também ele se adaptara aos fios da marioneta.

Se calhar, se deixasses de resistir... murmurou-me Embry.

Foca-te apenas nos nossos. Nos grandalhões. Nós conseguimos dar cabo deles. Somos mais fortes! Quil motivava-se a si próprio, como se proferisse um daqueles discursos para elevar a moral, que antecedem os grandes desafios.

Tinha de reconhecer que aquilo era fácil – "não pensar em mais nada senão na minha tarefa". E não era difícil imaginar-me a atacar Jasper e Emmett. Já tínhamos chegado praticamente a isso e há muito tempo que os considerava meus inimigos. Agora, poderia voltar a fazer o mesmo.

Tinha apenas de esquecer que eles protegiam o mesmo que me cabia a mim proteger. Esquecer o motivo que me faria desejar que ganhassem...

Jake, avisou Embry. *Concentra-te no que está em jogo.*

As minhas patas moviam-se vagarosamente, lutando contra a pressão dos fios.

As tuas resistências não te levam a nada, segredou-me Embry de novo.

Ele tinha razão. Acabaria por cumprir os desejos de Sam, se ele assim o quisesse. E era isso que estava a acontecer. Sem dúvida alguma.

Havia bons motivos para justificar a autoridade do Alfa. Até uma alcateia tão forte quanto a nossa podia fraquejar na ausência de um líder. Tínhamos de agir em conjunto e pensar em conjunto, para que a nossa acção fosse eficaz. E isso exigia ao corpo que tivesse uma cabeça.

E se Sam estivesse errado neste ponto? Não havia nada que alguém pudesse fazer. Ninguém poderia discutir as suas decisões.

À excepção...

E ali estava ele, um pensamento que jamais, jamais queria ter tido. Mas agora, com as pernas enleadas naqueles fios, eu olhava com alívio para essa excepção. Mais do que alívio, com uma alegria feroz.

Ninguém podia discutir as decisões do Alfa... à excepção de eu próprio.

Não tinha conquistado coisa alguma. Mas havias aspectos inatos em mim, que nunca tinha reivindicado.

Nunca tivera o desejo de chefiar a alcateia. E não o desejava fazer agora. Não queria carregar aos ombros o fardo do destino de todos os membros. Nisso, Sam era melhor do que eu seria alguma vez.

Mas, naquela noite, ele estava errado.

E eu não tinha nascido para me vergar à sua frente.

No instante em que abracei o direito, que adquirira por nascimento, desapareceram os laços que me tolhiam o corpo.

Senti concentrarem-se, em simultâneo, gerando uma sensação de liberdade e, paralelamente de um poder estranho e vazio. Vazio, porque o poder do Alfa procedia da sua alcateia e eu não a tinha. A solidão dominou-me por alguns instantes.

Naquele momento não tinha uma alcateia.

No entanto caminhei com o corpo firme e seguro de mim ao encontro de Sam, que traçava o seu plano com Paul e Jared. Ao sentir o meu avanço, ele virou-se e semicerrou os olhos pretos.

Não, voltei a dizer-lhe.

Ele sentiu-a de imediato, sentiu a escolha que eu fizera no som da voz Alfa ao emanar no meu pensamento.

Deu meio salto para trás, com um uivo de horror.

Jacob? O que é que fizeste?

Sam, eu não vou seguir-te. Não o vou fazer em relação a uma coisa tão errada.

Ele ficou a olhar-me, estupefacto. *Tu eras... eras capaz de optar pelos teus inimigos contra a tua família?*

Eles não são... sacudi a cabeça para raciocinar melhor. *Eles não são nossos inimigos. Nunca o foram. Só o percebi na altura em que pensei destrui-los e reflecti a fundo sobre tudo.*

Isto não tem nada que ver com eles, rugiu Sam para mim. *Isto tem que ver com a Bella. Ela nunca te quis, nunca te escolheu e tu continuas a destruir a tua vida por causa dela!*

Aquelas eram palavras duras, mas verdadeiras. Inspirei uma longa golfada de ar, no sentido de as digerir.

Talvez tenhas razão. Mas vais destruir a alcateia por causa dela, Sam. Seja quem for que sobreviva esta noite, terá para sempre as mãos sujas com o sangue das vítimas.

Temos de proteger as nossas famílias!

Sam, eu sei o que decidiste. Mas não decides por mim. Nunca mais.

Jacob... não podes voltar as costas à tribo.

Ouvi o eco duplo da ordem do Alfa, todavia desta vez ela não apresentara qualquer peso. Já não se aplicava a mim. Sam cerrou as mandíbulas, tentando obrigar-me a responder às suas palavras.

Fixei-o nos olhos cheios de fúria. *O filho de Ephraim Black não nasceu para seguir o filho de Levi Uley.*

Então é isso, Jacob Black? A pelagem de Sam eriçou-se e o seu focinho recuou, deixando os dentes à mostra. Ao lado dele, Paul e Jared rosnaram, também com a pelagem eriçada. *Mesmo que me venças, a alcateia nunca irá obedecer-te!*

Desta vez, fui eu quem deu um salto para trás, com um latido de surpresa a escapar-se da minha garganta.

Vencer-te? Eu não vou lutar contigo, Sam.

Então, o que tencionas fazer? Não me vou pôr de lado, só para defenderes a prole do vampiro à custa da tribo.

Não estou a dizer-te para te pores de lado.

Se os mandares seguirem-te...

Nunca irei sobrepor a minha vontade à de ninguém.

A cauda de Sam abanou para um lado e para o outro, enquanto ele se retraía face ao juízo transmitido pelas minhas palavras. Depois avançou, até ficarmos frente a frente, com os dentes arreganhados a escassos milímetros dos meus. Apenas nesse instante me apercebi que já tinha crescido o suficiente para o conseguir ultrapassar em altura.

Só pode existir um Alfa e foi a mim que a alcateia escolheu. Queres semear a discórdia entre nós, esta noite? Vais virar-te contra os teus irmãos? Ou pões fim a essa loucura e voltas a unir-te a nós? Cada palavra era revestida de uma capa de autoridade; mas nenhuma me afectou. O sangue Alfa corria-me puro nas veias.

Percebi porque é que nunca poderia haver mais do que um macho Alfa numa alcateia. O meu corpo estava a responder a um desafio e sentia crescer, dentro de mim, o instinto de defesa do que me pertencia. O núcleo primitivo da minha personalidade de lobo erguia-se em riste perante a batalha da supremacia.

Recorri a toda as minhas forças para controlar aquela reacção. Não iria ceder à tentação de encetar uma luta inútil e destruidora com Sam. Ele ainda era meu irmão, mesmo que naquele momento o rejeitasse.

Só existe um Alfa para esta alcateia. Não é isso que ponho em causa. Apenas escolho o meu caminho.

Agora fazes parte de um covil de vampiros, Jacob?

Estremeci.

Não sei, Sam. Só sei que...

Sam retraiu-se e recuou ao sentir o peso Alfa da minha voz, que o afectava mais a ele. Porque eu tinha nascido para o chefiar.

Eu vou ficar entre ti e os Cullen. Não quero limitar-me a ver a alcateia a matar pessoas – sentia dificuldade em recorrer à palavra perante vampiros, mas era a verdade – *inocentes. A alcateia é mais nobre do que isso. Leva-a na direcção certa, Sam.*

Voltei-lhe as costas e o ar em redor foi dilacerado por um coro de uivos.

Cravei as garras no chão e corri em debandada, afastando-me do alarido que tinha causado. Não dispunha de muito tempo. Pelo menos, apenas Leah podia reivindicar a glória de me vencer e eu já tinha um focinho de avanço.

Os uivos desmaiaram à distância e senti-me mais tranquilo, enquanto ouvia o som a rasgar a noite silenciosa. Eles ainda não vinham atrás de mim.

Tinha de ir avisar os Cullen, antes de a alcateia suspeitar das minhas intenções e tentar deter-me. Se os Cullen estivessem de sobreaviso, tal poderia conceder a Sam um motivo para repensar o assunto, antes de ser tarde de mais. Disparei rumo à casa branca que continuava a odiar, deixando a minha para trás. Na verdade, ela já deixara de ser a minha casa, após ter-lhe voltado as costas.

O início deste dia tinha sido igual a qualquer outro. O regresso a casa, vindo da patrulha, com um nascer do sol coberto de chuva, o pequeno-almoço com Billy e Rachel, os programas televisivos, o implicanço com Paul... Como é que o dia tinha mudado daquela maneira, transformando tudo em algo surreal? Como é que tudo se tinha baralhado e retorcido, deixando-me completamente isolado e transformado num Alfa involuntário, depois de romper com os meus irmãos e escolher os vampiros em detrimento deles?

O som que temia interrompeu-me os pensamentos desordenados – era o impacto suave de umas patas grandes a bater no chão, que me seguiam. Lancei-me para a frente, furando pela floresta negra como um raio. Só queria chegar mais próximo de Edward para ele conseguir ouvir o aviso através da minha mente. Leah não seria capaz de me deter sozinha.

Foi então que captei o sentido dos pensamentos que seguiam atrás de mim. Não era raiva, mas entusiasmo. Não era um caçador... mas um companheiro.

Atrapalhei-me e dei duas passadas a cambalear, antes de recuperar o equilíbrio.

Espera aí. As minhas pernas não são tão compridas como as tuas.

SETH! O que é que pensas que estás a FAZER? VAI PARA CASA!

Seth não respondeu. Eu conseguia sentir o seu entusiasmo, enquanto ele continuava a correr atrás de mim. Via através dos olhos dele e ele através dos meus. Para mim, a paisagem nocturna era sombria e cheia de desespero. Ao passo que ele a via-a cheia de esperança.

Não me apercebi que começara a abrandar, mas, subitamente, senti-o no meu flanco, a correr a par comigo.

Seth, eu não estou a brincar! Isto não é lugar para ti. Sai daqui.

O lobo desengonçado, cor de areia, resfolegou. *Jack, eu percebo a tua ideia e acho que fazes bem. Não vou apoiar o Sam quando...*

Ah, vais sim, com os diabos! Vais sair já daqui para junto do Sam! Põe o teu rabo peludo a correr de volta para La Push e faz o que ele te disser.

Não.

Vai, Seth!

Isso é uma ordem, Jacob?

Aquela pergunta, deixou-me sem palavras. Fui resvalando até travar, com as unhas a escavarem sulcos na terra barrenta.

Não te estou a dar qualquer ordem. Só estou a dizer aquilo que tu já sabes.

Ele deixou-se cair ao meu lado, apoiado sobre as patas traseiras. *Vou-te dizer o que sei: sei que há um silêncio medonho. Já tinhas reparado?*

Pestanejei e a cauda oscilou ansiosa, quando percebi onde ele queria chegar. Numa determinada perspectiva, o silêncio não existia. O ar continuava cheio de uivos, vindos de muito longe, a Oeste.

Eles não voltaram a transformar-se, comentou Seth.

Eu sabia isso. Agora, a alcateia ficaria em alerta vermelho e iria recorrer às ligações mentais para analisar cada um dos lados, ao pormenor. Todavia eu não ouvi o que eles estavam a pensar. Distinguia apenas Seth. Mais ninguém.

Cá para mim, não há ligação entre alcateias separadas. Acho que antigamente não havia uma razão para os nossos pais saberem isso, compreendes? Nessa altura não havia bases para alcateias diferentes. Os lobos não chegavam para fazer duas, percebes? Uau! Isto está mesmo parado. Algo assim meio fantasmagórico; mas até tem pinta, não te parece? Aposto que assim seria mais fácil para o Ephraim, o Quil e o Levi. Só com os três, não haveria qualquer algazarra. Ou com dois.

Cala-te, Seth.

Sim, senhor.

Pára com isso! Não há duas alcateias. Existe A Alcateia e, depois, existo eu. É tudo. Por isso, agora podes ir para casa.

Se não existem duas alcateias, então porque é que nos ouvimos um ao outro, e não nos apercebemos dos outros membros? Acho que virares as costas ao Sam foi uma atitude com bastante impacto. Uma mudança. E, quando vim atrás de ti, esse gesto também foi bastante significativo.

Aí tens razão, admiti. *Mas o que pode mudar num sentido, também se pode alterar no inverso.*

Seth levantou-se e começou a trotar rumo a Leste. Agora, não há tempo para discutir o assunto. Temos de nos pôr a andar antes que o Sam...

Ele também tinha razão naquele ponto. Aquela não era a altura própria para discussões. Comecei, de novo, a correr, sem conseguir regressar ao mesmo ritmo. Seth seguiu-me, mantendo-se na segunda posição, junto ao meu flanco, conforme mandava a tradição.

Eu posso ir para onde me apetecer, teimou, deixando descair ligeiramente o focinho. *Não vim atrás de ti em busca de uma promoção.*

Vai para onde quiseres. Para mim é indiferente.

Não escutámos qualquer ruído que nos alertasse para uma eventual perseguição, mas ambos acelerámos um pouco, em simultâneo. Agora, estava a ficar apreensivo. O facto de não conseguir ligar-me aos pensamentos da alcateia tornava tudo mais difícil. Estava exactamente na mesma posição dos Cullen em relação a qualquer sinal de ataque.

Podíamos fazer rondas, sugeriu Seth.

E o que é que fazíamos se a alcateia nos desafiasse? Semicerrei os olhos. *Atacávamos os nossos irmãos? A tua irmã?*

Não. Dávamos o sinal de alarme e depois batíamos em retirada.

Boa resposta. E depois o que é que acontecia? Não acho...

Eu sei, concordou Seth, menos confiante. *Também não sou capaz de lutar com eles. Por outro lado, acho que a ideia lhes desagrada tanto quanto a nós e isso deve ser o bastante para não avançarem. Além disso, agora são apenas oito.*

Não sejas tão... e levei um minuto a escolher a palavra exacta. *Optimista. Isso dá-me cabo dos nervos.*

Está bem, como queiras. Queres que seja pessimista e mal--humorado, ou basta ficar calado?

Limita-te a ficar calado.

Também pode ser.

A sério? Não é o que parece.

Seth acabou por silenciar.

Nesse momento atravessávamos a estrada e penetrámos na floresta que ladeava a casa dos Cullen. Será que Edward já nos conseguia ouvir?

Talvez fosse bom pensar qualquer coisa do género, "Vimos em paz", não?

Experimenta.

Edward?, experimentou Seth. *Edward, estás aí? Hum, acho que estou a fazer papel de idiota.*

É exactamente isso que pareces.

Achas que ele consegue ouvir-nos?

Encontrávamo-nos a cerca de quilómetro e meio de distância.

Acho que sim. Ei, Edward! Se consegues ouvir-me, artilha as defesas, sanguessuga. Tens um problema.

Nós temos um problema, corrigiu Seth.

Irrompemos das árvores de imediato, acedendo ao enorme relvado. Embora a casa estivesse às escuras, não se encontrava vazia. Edward estava no pórtico entre Emmett e Jasper, os três brancos como a neve, sob o efeito da luz pálida.

– Jacob? Seth? O que é que se passa?

Comecei a caminhar mais devagar e, depois, recuei alguns passos. Com este olfacto, o cheiro era tão intenso que parecia queimar-me por dentro, sem exagero. Seth ganiu baixinho e, após alguma hesitação, ficou atrás de mim.

Em resposta à pergunta de Edward, deixei a mente regressar ao passado, rebobinando cada momento da minha disputa com

Sam. Seth fez o mesmo, preenchendo as lacunas e projectando a cena de uma perspectiva diferente. Ao chegar à parte do "abominável" fomos obrigados a parar, porque Edward soltou uma exaltação de fúria e abandonou o pórtico num salto.

– Eles querem matar a Bella? – rugiu, num tom inexpressivo.

Ao ouvi-lo a fazer a pergunta de uma forma tão plácida, Emmett e Jasper, que não tinham escutado a primeira parte da conversa, interpretaram-na como sendo uma constatação. Num segundo estavam ao lado dele, de dentes arreganhados, a caminhar na nossa direcção.

Ei, então?, exclamou Seth em pensamento, a recuar.

– Em, Jazz, não são *eles!* São os outros. A alcateia vai atacar.

Emmett e Jasper tiveram um momento de hesitação; Emmett virou-se para Edward, enquanto Jasper continuava de olhos pregados em nós.

– Qual é o problema *deles?* – perguntou Emmett num tom incisivo.

– O mesmo que o meu – respondeu Edward, com a voz sibilante. – Com a diferença que eles têm um plano para lidar com o assunto. Vai buscar os outros. E telefona ao Carlisle! Ele e a Esme têm de vir já para aqui.

Soltei um gemido de apreensao: eles estavam separados.

– Não estão longe – informou Edward, no mesmo tom apático.

Eu dou uma olhadela, ofereceu-se Seth. *Vou percorrer o* perímetro a Oeste.

– Seth, se fores sozinho, não corres perigo? – interpelou Edward.

Seth e eu trocámos um olhar.

Não nos parece, pensámos ao mesmo tempo. Mas, entretanto, eu acrescentei: *Se calhar, é melhor ir também. Só como prevenção...*

É menos provável que me desafiem se for sozinho, insistiu Seth. *Para eles, não passo de um miúdo.*

Para mim, também não passas de um miúdo.

Não vou para longe. E tu precisas de combinar esforços com os Cullen.

Deu meia-volta e lançou-se para a escuridão. Não estava com paciência para lhe dar ordens, pelo que o deixei seguir.

Edward e eu ficámos frente a frente no campo, às escuras. Os murmúrios de Emmett a falar ao telemóvel chegavam até mim. Jasper olhava para o ponto onde Seth desaparecera na escuridão. Alice surgiu no pórtico e, depois de me observar com uma expressão ansiosa, posicionou-se de imediato ao lado de Jasper. Calculei que Rosalie estivesse lá dentro com Bella, ainda a guardá-la dos perigos errados.

– Jacob, esta não é a primeira vez que fico em dívida para contigo – murmurou Edward. – Nunca me atreveria a pedir-te algo do género.

Pensei no que ele me pedira antes, nesse mesmo dia. No que tocava a Bella, para ele não havia qualquer barreira. *Atrevias, sim.*

Edward reflectiu no que lhe dizia e, em seguida, assentiu com a cabeça.

– Acho que tens razão em relação a isso.

Suspirei com intensidade.

Bom, também não é a primeira vez que não consigo fazer alguma coisa por ti.

– É verdade – murmurou ele.

Lamento não o ter conseguido hoje. Eu tinha-te dito que ela não me ia dar ouvidos.

– Eu sei. Também nunca acreditei que a Bella o fizesse. Mas...

Tinhas de tentar. Já percebi. Ela melhorou alguma coisa?

A voz e os olhos de Edward ficaram mais mortiços.

– Está pior – murmurou por entre dentes.

– Jacob, fazia-te diferença mudares de forma? – pediu Alice. – Gostava de saber o que é que se passa.

– Ele tem de manter o contacto com o Seth.

– Então, podias ter a bondade de me explicar o que aconteceu?

Edward fez-lhe o relato, em frases concisas e despidas de emoção.

– A alcateia acha que a Bella se tornou um problema. Eles estão a prever que haja um perigo potencial no que... no que tem dentro dela. Acham que é um dever deles exterminar esse perigo. O Jacob e o Seth separaram-se do grupo para nos virem avisar. A alcateia planeia atacar esta noite.

Alice soltou um assobio, afastando-se de mim. Emmett e Jasper entreolharam-se e, a seguir, observaram o arvoredo em redor.

Não há ninguém ali, informou Seth. *A Oeste nada de novo... Eles podem ir à volta.*

Então também vou à volta.

– O Carlisle e a Esme já vêm a caminho – informou Emmett. – Estarão aqui dentro de vinte minutos, no máximo.

– Deveríamos ocupar uma posição defensiva – aconselhou Jasper.

Edward acenou-lhe com a cabeça, em concordância.

– Vamos para dentro.

Vou percorrer o perímetro com o Seth. Se me afastar muito e não me conseguirem ouvir, fiquem atentos ao meu uivo.

– Combinado.

Encaminharam-se todos para o interior, atentos a tudo o que os rodeava. Antes de entrarem em casa, já tinha dado meia-volta, dirigindo-me a correr para Oeste.

Ainda não encontrei nada, informou Seth.

Eu ocupo-me de metade do círculo. Avança depressa. Temos de antecipar qualquer movimento deles.

Seth deu um impulso para a frente, numa súbita explosão de velocidade.

Deslocámo-nos em silêncio, à medida que os minutos passavam. Eu escutava cada ruído em redor de Seth, certificando-me que ele tirava as conclusões correctas.

Ei! Ouvi qualquer coisa a deslocar-se a toda a velocidade para aqui!, exclamou ele.

Vou a caminho!

Deixa-te ficar onde estás, acho que não é a alcateia. Parece-me um barulho diferente.

Seth...

Mas ele já tinha apanhado o aroma da brisa muito próxima, transmitindo-me a sua conclusão.

Vampiros. Aposto que é o Carlisle.

Seth, volta para trás. Pode ser outro qualquer.

Não, são eles. Reconheço o cheiro. Aguenta aí, que vou transformar-me para lhes explicar.

Seth, não me parece...

Mas ele já tinha desaparecido.

Corri ao longo da área a Oeste, cheio de ansiedade. Seria bonito se não conseguisse tomar conta de Seth durante uma maldita noite! E se lhe acontecesse algo, enquanto estava ali sob a minha protecção? Leah cortar-me-ia às postas.

Pelo menos, o puto não se demorou. Ainda não tinham passado dois minutos e já o sentia, de novo, na minha mente.

Estava certo, eram o Carlisle e a Esme. *Meu, eles ficaram espantados ao verem-me aparecer-lhes à frente! Agora já devem estar em casa. O Carlisle agradeceu.*

É um bom tipo.

Sim. Esse é um dos motivos que nos dá razão ao agirmos desta maneira.

Espero que sim.

Jake, porque é que estás tão em baixo? Aposto em como esta noite o Sam não aparece aqui com a alcateia. Ele não iria desencadear uma missão suicida.

Suspirei. De qualquer maneira, não era importante.

Ah! Não se trata do Sam, pois não?

Terminei a ronda e dei meia-volta de regresso. Apanhei o cheiro de Seth, no local onde ele tinha terminado. Não deixámos qualquer ponto em branco.

Estás a pensar que a Bella vai morrer, dê por onde der, murmurou Seth.

Sim, é isso.

Coitado do Edward. Deve estar a dar em doido.

Não duvides.

A menção de Edward fez emergir novas memórias em ebulição. Seth leu-as, estupefacto.

A seguir, começou a ulular. *Oh, meu! Nem pensar! Não podes ter feito isso! Que coisa execrável, Jacob! Já devias saber isso! Não posso crer que disseste que ias matá-lo? O que é que se passa contigo? Tens de lhe dizer que não.*

Cala-te, cala-te, seu idiota! Eles vão pensar que a alcateia está a chegar!

Ups! Seth cortou o uivo a meio.

Dei meia volta e comecei a avançar, a trote, em direcção à casa.

Seth, limita-te a ficar longe daqui. Agora vai dar a volta inteira.

Ele ficou a espumar de raiva, mas não lhe liguei.

"Falso alarme, falso alarme", pensava eu à medida que me aproximava deles. *Desculpem. O Seth é miúdo e esquece-se das coisas. Não há qualquer ataque. Falso alarme.*

Ao chegar ao prado, avistei Edward a espreitar a uma janela às escuras. Acelerei o passo, para me certificar que tinha recebido a mensagem.

Não aconteceu nada; percebeste isso?

Ele acenou-me uma vez com a cabeça, confirmando.

Seria muito mais fácil se a comunicação não se fizesse apenas num sentido. No entanto, de certa maneira fiquei contente por não estar dentro da cabeça dele.

Edward olhou para o interior, por cima do ombro, e apercebi-me que um calafrio lhe percorria o corpo de alto a baixo. Acenou-me a indicar que ia embora, sem voltar a olhar-me, e desapareceu.

"O que é se estava a passar?"

Como se alguém me fosse responder.

Fiquei ali no prado, sentado e completamente imóvel, à escuta. Estes ouvidos quase me permitiam ouvir as passadas suaves de Seth no interior da floresta, a milhas de distância. Cada ruído do interior da casa chegava até mim sem qualquer obstáculo.

– Foi só um falso alarme – explicava Edward naquela voz apática, repetindo apenas o que eu dissera. – O Seth perturbou-se com uma outra coisa qualquer e esqueceu-se que estávamos à espera de um sinal. É muito novo.

– Que lindo! Agora temos um miúdo de fraldas a guardar o forte – resmungou uma voz mais grave. Emmett, calculei.

– Emmett, esta noite eles prestaram-nos um serviço inestimável – observou Carlisle. – Aliado a um sacrifício pessoal enorme.

– Sim, eu sei. Só estava com inveja. Gostava de estar ali.

– O Seth é da opinião que o Sam não irá atacar agora – disse Edward, com o tom de um autómato. – Já estamos avisados e eles têm dois elementos a menos.

– O que é que o Jacob pensa sobre isso? – perguntou Carlisle.

– Ele não está muito optimista.

Ninguém pronunciou qualquer palavra. Ouvia-se um pequeno gotejar que não consegui identificar, a par do som baixo da respiração de todos. Conseguia distinguir o som de Bella entre todos – mais áspero e penoso, adensando-se e depois suspendendo-se a um ritmo irregular. Também conseguia ouvir-lhe o coração, que parecia bater... depressa de mais. Os seus batimentos coincidiam com os meus, mas não podia dizer se o ritmo era correcto. Eu não estava em condições normais.

– Não lhe toques! Vais acordá-la – murmurou Rosalie.

Alguém suspirou.

– Rosalie – disse Carlisle, em voz baixa.

– Não comeces outra vez, Carlisle. Deixámos-te agir à tua maneira, mas não iremos mais longe que isso.

Parecia que Rosalie e Bella só falavam no plural; como se formassem uma alcateia.

Comecei a andar à frente da casa em silêncio. A cada movimento, ficava mais próximo. As janelas escuras recordavam ecrãs de televisão acesos, numa sala de espera sombria, – não conseguia desviar o olhar por muito tempo.

Mais alguns minutos, mais algumas passadas e a minha pelagem já tocava na ponta do pórtico, a cada movimento.

Ao erguer a cabeça, consegui ver através das janelas – distingui o cimo das paredes e o tecto; o candelabro ali suspenso e apagado. A minha altura permitia-me necessitar de esticar apenas um pouco o pescoço... e talvez colocar uma pata na extremidade do pórtico.

Espreitei para a grande sala da frente, que estava a descoberto, à espera de me deparar com algo semelhante à cena daquela tarde. Mas ela estava tão modificada que comecei por me sentir desnorteado. Por instantes, julguei que me tinha enganado na sala.

A parede de vidro tinha desaparecido – agora parecia-me ser feita de metal. Os móveis foram todos arrastados para o lado e vi Bella aninhada, de uma forma estranha, numa cama estreita ao centro do espaço aberto. Não se tratava de uma cama normal – era gradeada, semelhante às dos hospitais. Igualmente parecidos aos dos hospitais eram os monitores ligados aos seus braços e os tubos espetados no corpo. As luzes dos monitores piscavam, mas não se ouvia qualquer som. O gotejar provinha do aparelho intravenoso ligado ao braço, através do qual corria um líquido branco, espesso e opaco.

Bella estremeceu ligeiramente num sono agitado e tanto Edward como Rosalie correram para se debruçar sobre ela. A seguir, o corpo moveu-se e ela gemeu. Rosalie passou-lhe delicadamente a mão pela testa. Edward ficou com o corpo hirto. Embora estivesse de costas para mim, a expressão dele deveria transmitir algo, porque vi Emmett a enfiar-se entre os dois num abrir e fechar de olhos. Em seguida, apoiou Edward nos braços.

– Esta noite não, Edward – disse ele. – Temos outras coisas que nos preocupam.

Edward deu meia-volta, afastando-se dos dois, e mais uma vez vi-o como um homem em chamas. O olhar dele encontrou o meu, por um instante, e voltei a cair sobre as quatro patas.

Fugi para a floresta escura, à procura de Seth e do que estava atrás de mim.

Pior. Sim, ela estava pior.

Doze

Há Pessoas que Realmente Não Percebem Quando Estão a Mais

Estava mesmo quase a adormecer.

Já passara uma hora desde que o Sol se erguera atrás das nuvens – agora, o negro desaparecia da floresta, dando lugar a uma tonalidade cinzenta. Seth tinha-se enroscado e adormecera quando já passava da uma da manhã e eu acordara-o de madrugada, para nos revezarmos. Mesmo depois de passar a noite a correr, estava a ser difícil desligar-me da realidade e conseguir cair no sono, mas a corrida ritmada de Seth ajudava. Um, dois, três, quatro, um, dois, três, quatro – *pam, pam, pam, pam* – as patas martelavam vezes sem conta na terra húmida, produzindo um som grave, enquanto ele percorria o amplo circuito em redor das terras dos Cullen. Já havia um trilho praticamente aberto no sítio por onde passávamos. Seth não tinha nada no pensamento, a não ser uma mancha indistinta de verde e cinzento, à medida que as árvores, desfilavam a correr, a seu lado. Aquilo transmitia-me uma sensação de paz, ajudando-me a preencher o pensamento com o que ele via, em vez de serem as minhas imagens a ocupar uma posição central.

Foi então que o uivo estridente do meu companheiro quebrou a quietude do romper da manhã.

Despertei estremunhado, com as patas dianteiras a prepararem o salto, antes de as posteriores descolarem do chão. Corri em direcção ao sítio onde ele parara petrificado, distinguindo também o som de umas patas a trilhar a terra na nossa direcção.

Viva, rapazes!

Um gemido de surpresa passou entre os dentes de Seth. A seguir, os dois soltámos um rugido, ao entrarmos mais na mente recém-chegada.

Esta agora! Vai-te embora, Leah!, reclamou Seth a ganir.

Estaquei mesmo junto dele, no momento em que lançava a cabeça para trás e se preparava para começar de novo a uivar, desta vez em forma de protesto.

Pára com o barulho, Seth.

Está bem. Uf! Uf! Uf!

Seth gemia, enquanto escavava o chão com as patas, abrindo sulcos profundos.

Leah fez a sua aparição mesmo à nossa frente, num andar ligeiro, com o corpo cinzento e pequeno a serpentear através do mato rasteiro.

Acaba com essa choradeira, Seth. És mesmo um bebé!

Colei as orelhas à cabeça e lancei-lhe uma rosnadela, que instintivamente a fez dar um passo para trás.

O que é que pensas que estás a fazer, Leah?

Ela resfolegou, soltando um suspiro grave.

É bastante óbvio, não te parece? Venho juntar-me a essa tua alcateia renegada de meia tigela. Aos cães de guarda dos vampiros. E soltou um latido, que soou como uma gargalhada sarcástica.

Não, não vens. Vais dar meia-volta, antes que te arranque um tendão.

Como se fosses capaz de me apanhar... Arreganhou os dentes com ironia e flectiu o corpo, pronta a disparar em corrida. *Vai uma corridinha, oh, chefe temerário?*

Respirei fundo, enchendo tanto os pulmões que senti o corpo a inchar. Depois, quando tive a certeza de que não iria gritar, soltei o ar numa rajada.

Seth, vai dizer aos Cullen que é só a idiota da tua irmã. Pensei as palavras com a máxima rigidez possível. *Eu resolvo o assunto.*

É para já!

Não havia nada que deixasse Seth mais feliz. Partiu rumo à casa, sem perder um segundo.

Leah ganiu, inclinando o corpo na direcção do local onde o irmão tinha desaparecido, com os pêlos eriçados nas espáduas.

Deixa-lo ir assim, sozinho, ao encontro dos vampiros?

Tenho a certeza absoluta de que prefere ser apanhado por um deles, a passar um outro minuto ao pé de ti.

Cala-te, Jacob! Ups, desculpa, queria dizer, cala-te, mui altíssimo Alfa.

Que diabo fazes tu aqui?

Achas que me limitaria a ficar sentada em casa, enquanto o meu irmãozinho se oferecia aos vampiros como brinquedo de roer?

O Seth não quer nem precisa da tua protecção. Para dizer a verdade, ninguém te quer aqui.

Ena, ena, a pena que eu tenho. Ah!, exclamou ela, com um latido. *Diz-me quem é que me quer ver aqui, que eu vou já embora.*

Então não estás aqui por causa do Seth, pois não?

Claro que sim. Só estou a esclarecer-te que me habituei a ser rejeitada. O que não é lá muito motivante, se é que me compreendes...

Cerrei os dentes e tentei manter a cabeça erguida.

Foi o Sam que te enviou cá?

Se tivesse vindo a mando do Sam, tu não me conseguirias ouvir. A minha aliança com ele chegou ao fim.

Prestei a máxima atenção a cada pensamento misturado com tais palavras. Caso se tratasse de uma manobra de diversão ou de uma emboscada, tinha de estar atento para descobrir. Mas não encontrei nada. O que Leah me dizia era a verdade absoluta. Uma verdade involuntária e quase desesperada.

Agora deves-me lealdade?, perguntei-lhe, cheio de sarcasmo. *Pois, pois, deve ser mesmo isso...*

Não tenho muito por onde escolher, sendo assim recorro ao que está ao meu alcance. Acredita que não me agrada mais do que a ti.

Aquilo já não era tão verdade. Descobri-lhe entre os seus pensamentos uma espécie de agitação nervosa. A situação desagradava-lhe, mas pareceu-me que ela queria atingir um objectivo misterioso. Perscrutei a sua mente em busca de uma explicação.

Leah ficou de pêlos eriçados, reagindo perante a minha intromissão. Normalmente não lhe dava qualquer importância – era a primeira vez que fazia um esforço para a compreender.

Fomos interrompidos por Seth, que explicava a Edward em pensamento o que estava a acontecer. Leah gemeu de ansiedade. A expressão do vampiro, emoldurada pela mesma janela da noite anterior, mantinha-se impávida, enquanto ele ouvia a novidade. Era a mesma expressão vazia, inanimada.

Hum, ele está com má cara, murmurou Seth para si. Edward também não reagiu àquele pensamento, limitando-se a desaparecer no interior da casa. Depois de Seth dar meia-volta e vir na nossa direcção, Leah descontraiu-se ligeiramente.

O que é que se passa?, perguntou ela. *Podes fazer-me um relato breve do que está a acontecer?*

Não vale a pena. Tu não ficarás aqui.

Por acaso até vou ficar, senhor Alfa. Como tudo parece indicar que tenho de pertencer a alguém – e não penses que já não tentei agir por conta própria, mas sabes que isso não é possível – escolhi-te a ti.

Leah, tu não gostas de mim. E eu retribuo-te o mesmo sentimento.

Obrigada, Capitão Óbvio. Mas isso é-me indiferente. Vou ficar com o Seth.

Tu não gostas de vampiros. Não te parece que temos aqui um pequeno conflito de interesses?

Tu também não gostas.

Ao contrário de ti, estou comprometido com esta aliança.

Eu mantenho-me longe deles. Posso ficar aqui a fazer patru-lhas, tal como o Seth.

E achas que devo confiar em ti para fazeres isso?

Ela esticou o pescoço, erguendo-se sobre as patas, para me olhar de frente.

Eu não traio a minha alcateia.

Desejei poder lançar a cabeça para trás e começar a uivar, como Seth fizera antes.

Esta não é a tua alcateia. E isto nem sequer é uma alcateia. Sou apenas eu a agir por conta própria. O que é que se passa com vocês, Clearwater? Porque não me deixam em paz?!

Seth, que acabara de aparecer atrás de nós, soltou um gemido; tinha-o ofendido. Lindo.

Jake, tenho estado a ajudar, não tenho?

Bom, miúdo, tu não tens chateado muito, só que parece que vocês os dois são um pacote indivisível... e a única maneira de me livrar dela é mandar-te para casa... Por isso, a culpa não é minha.

Uf, Leah, estragaste tudo!

Sim, já sei, disse ela, com a mente inundada de desespero.

Senti a dor envolvida naquelas três palavras, desejando não ter chegado a tal ponto. Não queria sentir aquilo. Não queria que ela me fizesse sentir mal. É evidente que a alcateia não a poupava, mas Leah é que levava a isso, com o azedume que mantinha na sua mente, proporcionando uma sensação de pesadelo sempre que lá entrávamos.

Seth também parecia sentir-se culpado.

Jake... não estás mesmo a pensar em mandar-nos embora, pois não? A Leah não é assim tão má. Garanto-te que não. Olha, com ela aqui podíamos alargar o perímetro da ronda. E, depois, o Sam ficaria reduzido a sete elementos, não lhe sendo possível atacar com um grupo tão pequeno. Isso pode ser bom...

Seth, sabes bem que eu não quero chefiar uma alcateia.

Então não mandes em nós, sugeriu Leah.

Resfoleguei.

Concordo plenamente. Por isso, ala para casa!

Jake, pensou Seth. *Este é o meu lugar. Eu gosto dos vampiros, a sério. Pelo menos dos Cullen. Vejo-os como pessoas e irei protegê-los, porque é esse o nosso dever.*

Talvez este seja o teu lugar, miúdo, mas o mesmo não se aplica à tua irmã. E para onde tu fores, ela irá atrás...

De repente parei, ao pronunciar aquelas palavras, porque estava a ver qualquer coisa. Algo que Leah se esforçava por ocultar.

Ela não ia para lugar nenhum.

Eu pensava que isto tinha que ver com o Seth, resmunguei.

Leah estremeceu.

É claro que estou aqui por causa do Seth, insistiu.

E para te afastares do Sam.

Leah cerrou as mandíbulas.

Não tenho de te dar explicações. Vou limitar-me a fazer aquilo que me pedires. Eu pertenço à tua alcateia, Jacob. Ponto final.

Marchei para longe, soltando uma rosnadela.

Que caraças! Nunca mais me via livre dela. Por muito que Leah me detestasse, por muito que desprezasse os Cullen, por muito prazer que tivesse em matá-los, em vez de ter de ser obrigada a protegê-los e isso a deixasse furiosa, nada era comparável ao que ela sentia por se ver livre de Sam.

E, como não gostava de mim, para ela o meu desejo de a ver pelas costas não era nada do outro mundo.

Leah amava Sam. Continuava a amar. E o facto de ele se querer ver livre dela era uma dor maior do que queria suportar, agora que lhe era possível escolher. Teria optado por qualquer, outra coisa, mesmo transformar-se no cãozinho de colo dos Cullen.

Não chegaria tão longe, replicou ela. Tentou pensar as palavras num tom duro e agressivo, mas a sua encenação deixou muito a desejar. *Garanto-te que tentaria matar-me várias vezes antes disso.*

Olha Leah...

Não. Olha antes tu, Jacob. Pára de argumentar comigo, porque não vais a lado nenhum. Eu não me meto no teu caminho, está bem? E vou fazer tudo o que quiseres, menos voltar para a alcateia do Sam e continuar a ser a ex-namorada desgraçada, de quem ele não consegue livrar-se. E se me quiseres mandar embora – sentou-se sobre as patas posteriores, olhando-me fixamente – *vais ter de me obrigar.*

Rosnei durante um longo minuto de fúria. Começava a sentir alguma solidariedade com Sam, apesar do que ele fizera a mim e a Seth. Não era de estranhar que tivesse de andar sempre a controlar a alcateia. Se não fosse assim, como conseguiria fazer alguma coisa?

Seth, ficavas danado comigo se desse cabo da tua irmã?

Ele fingiu meditar sobre o assunto durante algum tempo.

Bom... é provável que sim.

Soltei um suspiro.

Então muito bem, menina Faço-Tudo-O-Que-Quiseres. Faz lá qualquer coisa de útil e conta-nos aquilo que sabes. O que aconteceu na noite passada, depois de termos partido?

Uma quantidade de uivos enormes. Mas vocês devem ter apanhado essa parte. Havia tanto barulho, que precisámos de algum tempo para descobrir que já nem ouvíamos os vossos pensamentos. O Sam estava... nesse momento parou, sem conseguir dizer mais nada, no entanto as imagens chegaram à nossa mente. Tanto Seth como eu estremecemos.

Depois disso, era óbvio que tínhamos de analisar novamente a situação, continuou Leah. *O Sam estava a pensar falar com os mais velhos logo de manhã e combinámos um novo encontro para definirmos uma estratégia. No entanto, não posso garantir que ele estivesse a planear um ataque imediato. Nestas condições, contigo e com o Seth desaparecidos, e com as sanguessugas de sobreaviso, seria um suicídio. Não faço ideia sobre o que tencionam fazer, mas cá para mim, se fosse uma sanguessuga, não andaria a passear na floresta sozinha. Já abriu a época da caça ao vampiro.*

Depois disso, decidiste faltar ao encontro da manhã, presumi.

Sim. Ontem à noite, mal nos separámos para fazer a patrulha, pedi autorização para ir a casa contar à minha mãe o que tinha acontecido...

Oh, não! Foste contar à mãe? gemeu Seth.

Seth, pára lá com as cenas de irmãos. Continua, Leah.

Então, assim que voltei ao estado humano estive a reflectir durante alguns minutos. Bom, para ser mais precisa, ponderei durante a noite inteira. Aposto em como os outros pensavam que eu estava a dormir. Mas a história de duas alcateias separadas e de duas mentes tribais distintas dava-me muito que pensar. No final, pus num prato da balança a segurança do Seth e as, hum, outras vantagens, entretanto no outro a hipótese de me tornar uma traidora e de andar a cheirar o fedor dos vampiros durante não sei quanto tempo. E já sabes qual foi a minha decisão. Deixei uma mensagem à minha mãe. Quando o Sam descobrir, acho que vamos dar por isso...

Leah espetou uma orelha em direcção a Oeste.

Sim, também me parece, concordei.

Portanto, a história é esta. Agora, o que é que vamos fazer?

Leah ficou a observar-me na expectativa, assim como Seth.

Aquilo era exactamente o que eu não queria.

Agora, parece-me que temos apenas de nos manter em alerta. É tudo o que podemos fazer. E quanto a ti, Leah, acho que seria melhor dormires umas horas.

Tu dormiste tanto como eu, Jake.

Pensava que farias tudo o que te dissessem.

Está bem. Já vi que essa frase vai criar barbas, resmungou, e depois abriu a boca num bocejo. *Bom, como queiras. Não me interessa.*

Jake, vou dar uma corrida pelo perímetro. Não me sinto nada cansado.

Seth estava prestes a dar pulos de alegria, tal era a satisfação que sentia por não ter sido enviado para casa.

Vai, vai. Eu passo por casa dos Cullen, para ver se há novidades.

Seth enveredou pelo novo atalho aberto no terreno húmido, enquanto Leah o observava com um ar pensativo.

Se calhar, dou só uma ou duas voltas antes de cair para o lado...Ei, Seth, queres ver quantas vezes consigo ultrapassar-te? NÃO!

Leah lançou-se através da floresta atrás dele, emitindo um pequeno latido de troça.

Eu fiquei a rugir de impotência. Lá se iam a paz e o sossego.

Leah estava a esforçar-se – à sua maneira. Continha-se nas graçolas, enquanto corria à volta do círculo; mas era impossível não dar pelos seus modos convencidos. Lembrei-me do ditado: "dois é bom". Na verdade, não seria muito apropriado, porque um já era de mais para mim. Mas se tivessem de ser três, era difícil pensar em alguém que não quisesse trocar por ela.

Paul, sugeriu Leah.

Talvez, pensei, só para lhe fazer o jeito.

Ela riu-se para si, demasiado agitada e hiperactiva para se sentir ofendida. Perguntei-me quanto tempo duraria aquele impulso da fuga ao desprezo de Sam.

Então, agora, esse passa a ser o meu objectivo: ser menos chata que o Paul.

Sim, dedica-te a isso.

A poucos metros do relvado, mudei de forma. Não tinha planeado assumir por muito tempo a minha forma humana. Mas também não calculara que ia ter de me ligar mentalmente a Leah. Vesti os calções desfiados e comecei a atravessar o relvado.

A porta abriu-se antes de subir as escadas e, para meu espanto, foi Carlisle e não Edward que apareceu para me receber – distingui uma expressão cansada e derrotada no seu rosto, e o meu coração vacilou por instantes. Parei, de repente, sem conseguir pronunciar qualquer palavra.

– Jacob, sentes-te bem? – perguntou ele.

– A Bella? – interpelei a custo.

– Ela está... mais ou menos como ontem à noite. Assustei-te? Desculpa. O Edward disse que vinhas sob a forma humana e vim ter contigo, para ele não a deixar. A Bella está acordada.

E Edward não queria estar longe dela, nem por um instante, não sabendo o tempo que lhe restava. Carlisle não pronunciou tais palavras, mas era como se as dissesse.

Já passara muito tempo desde que tinha dormido, antes da última ronda. Agora, tornava-se penoso estar acordado. Dei um passo em frente e sentei-me nas escadas da entrada, deixando-me cair contra o corrimão.

Carlisle sentou-se no mesmo degrau, movendo-se em surdina como só um vampiro o conseguiria fazer, e encostou-se ao corrimão do lado oposto.

– Jacob, ontem à noite não tive a oportunidade de te agradecer. Não imaginas o quanto fiquei reconhecido pelo teu... cuidado. Sei que o fizeste para proteger a Bella, mas também tenho de te agradecer em relação à segurança do resto da família. O Edward contou-me o que foste obrigado a fazer...

– Não vamos falar sobre isso – murmurei por entre dentes.

– Se é essa a tua vontade...

Continuámos sentados, em silêncio. Conseguia ouvir os outros dentro de casa, no andar de cima. As vozes baixas de Emmett, Alice e Jasper. Esme, numa outra sala, cantarolava baixinho qualquer coisa dissonante. As respirações mais próximas de Rosalie e Edward – não conseguia diferenciá-las, mas distingui a respiração ofegante de Bella. E também o batimento do seu coração. Palpitava... de forma irregular.

Parecia que o destino me reservava, para aquelas vinte e quatro horas, tudo o que tinha jurado não fazer. Ali estava eu, a rondar, à espera que ela morresse.

Não quis ouvir mais nada. Era melhor falar do que estar assim à escuta.

– Também a considera como sendo da sua família? – perguntei a Carlisle. Ao ouvi-lo a dizer que eu tinha ajudado o resto da sua família, fizera-me pensar.

– Sim. A Bella também já é como uma filha para mim. Uma filha muito amada.

– Mas vai deixá-la morrer.

Ele ficou calado o tempo suficiente para me fazer erguer os olhos. O seu rosto estava muito, muito cansado. Percebi o que devia sentir.

– Faço uma pequena ideia do que pensas de mim, por causa disso – acabou por dizer. – Mas não posso ignorar a vontade da Bella. Não era correcto fazer uma escolha por ela, forçá-la a isso.

Queria sentir raiva dele, mas Carlisle não me facilitava a tarefa. Parecia que me atirava as minhas palavras de volta, embora baralhadas de uma outra maneira. Antes soavam-me bem, mas agora não as podia aceitar. Não podia, porque Bella estava a morrer. Ainda assim... recordei a sensação de estar abatido no chão, subjugado por Sam – de não ter outra alternativa, senão a de me envolver no assassínio de alguém que amava. Mas, não era o mesmo. Sam estava errado. E Bella amava quem não devia amar.

– Acha que há alguma possibilidade de ela sobreviver? Quero dizer, como uma vampira e tudo o resto. A Bella contou-me o que tinha acontecido... com a Esme.

– Nesta altura, eu diria que é imprevisível – respondeu Carlisle, em voz baixa. – Já vi o veneno dos vampiros operar milagres, mas há situações que nem mesmo o veneno consegue ultrapassar. O coração dela está muito acelerado; se falhar... não há muito que eu possa fazer.

Como que a sublinhar de forma dramática as suas palavras, naquele preciso momento o coração de Bella vibrou com mais força e estremeceu.

Talvez a Terra tivesse começado a rodar num sentido diferente. Talvez fosse essa a explicação para, hoje, ser tudo ao contrário do que era no dia anterior – e agora ter esperança no que antes me parecia a pior coisa do mundo.

– O que é que aquela coisa lhe está a fazer? – murmurei. – Ontem à noite, ela estava muito pior. Eu vi... os tubos e tudo o resto. Através da janela.

– O feto não é compatível com o corpo dela. Por um lado, é demasiado forte, embora ela talvez tivesse a capacidade para resistir durante algum tempo. Mas, o maior problema, é ele não lhe permitir alimentar-se devidamente. O corpo está a rejeitar todas as formas de nutrição. Estou a tentar alimentá-la a soro, mas até isso ela rejeita. O estado agravou-se imenso. Observo-a constantemente – não só a ela, como também ao feto – e vejo o estado de subnutrição a piorar hora a hora. Não consigo fazê-lo retroceder, nem sequer atrasá-lo. E também não consigo perceber o que aquele ser quer. – A voz dele, cansada, esmoreceu por completo ao terminar de falar.

Fui assaltado pela mesma sensação do dia anterior, na altura em que tinha visto a barriga toda marcada – uma sensação de fúria, misturada com alguma loucura.

Crispei as mãos, na tentativa de pararem de tremer. Odiava aquela coisa que a estava a matar. Já não chegava ao monstro causar-lhe aquela destruição no corpo. Não, também a queria matar à fome. Provavelmente, andava apenas à procura de algo onde pudesse cravar os dentes – um pescoço que pudesse chupar até à morte. Mas, como ainda não era suficientemente grande para matar alguém, contentava-se em sugar a vida de Bella a partir do seu próprio corpo.

Eu podia dizer aos Cullen exactamente o que aquele monstro queria: morte e sangue, sangue e morte.

Sentia a pele a escaldar e coberta de formigueiros. Concentrei-me na minha respiração, inspirando e expirando lentamente, para tentar acalmar-me.

– Quem me dera conseguir ver melhor aquilo que temos à frente – murmurou Carlisle. – Só que o feto está muito bem protegido. Não consegui obter qualquer imagem na ecografia. Duvido que haja uma maneira de perfurar o saco amniótico com a agulha. De qualquer forma a Rosalie não me deixaria tentar.

– Com uma agulha? – murmurei. – Para que servia isso?

– Quanto mais dados tivermos, mais fácil será avaliar o que este feto consegue fazer. Aquilo que eu não dava por uma pequena quantidade de líquido amniótico... Se ao menos conseguisse a contagem dos cromossomas....

– Está a baralhar-me, doutor. Pode trocar isso por miúdos?

Ele sorriu; até o riso parecia extenuado.

– Muito bem. O que é que sabes de Biologia? Estudaste os pares de cromossomas?

– Acho que sim. Nós temos vinte e três, certo?

– Os humanos sim.

Pestanejei.

– Quantos têm vocês?

– Vinte e cinco.

Franzi o sobrolho, olhando por instantes para as minhas mãos crispadas.

– O que é que isso implica?

– Antigamente supunha que implicava uma diferença abismal entre as nossas espécies. Uma diferença maior do que a que distingue um leão de um gato doméstico, por exemplo. Mas esta nova vida... bom, coloca a hipótese de sermos mais compatíveis do que julgava, do ponto de vista genético. – Suspirou com tristeza. – Eu não consegui alertá-los para isso.

Soltei também um suspiro. Era fácil odiar Edward devido a essa mesma ignorância. E odiava-o de facto. Mas era difícil nutrir o mesmo em relação a Carlisle. Talvez por eu não sentir qualquer ponta de ciúmes em relação a ele.

– Se soubesse qual era o número de pares, já seria uma ajuda, quer o feto estivesse mais perto de nós ou dela. Assim, saberíamos melhor com o que contar. – Carlisle encolheu os ombros. – Ou talvez não fizesse qualquer diferença. Gostava apenas de ter algo que pudesse estudar, que pudesse fazer.

– Gostava de saber como é que são os meus cromossomas – resmoneei, um pouco ao acaso. Pensei de novo nas análises antidoping dos Jogos Olímpicos. Será que eles também faziam testes de ADN?

Carlisle pigarreou pouco à vontade.

– Tu tens vinte e quatro pares, Jacob.

Virei-me lentamente e olhei-o espantado, de sobrolho erguido. O médico apresentava uma expressão embaraçada.

– Tive... curiosidade e tomei a liberdade de o verificar, quando te tratei em Julho passado.

Pensei no assunto por alguns instantes.

– Acho que isso me devia deixar furioso mas, na verdade, não me importo.

– Desculpa. Devia ter-te pedido autorização.

– Tudo bem, doutor. Não o fez por mal.

– Não, garanto-te que não tive qualquer intenção de te prejudicar. É que... considero a tua espécie fascinante. Acho que os elementos da natureza vampírica se tornaram vulgares para mim, com o passar dos séculos. A tua divergência genealógica da humanidade é muito mais interessante. Quase mágica.

– Bibbidi-Bobbidi-Boo – resmunguei. Carlisle era tal e qual Bella com aquela treta das magias.

Ele soltou uma gargalhada, com um ar cansado.

Foi então que ouvimos Edward a falar dentro de casa e ambos ficámos em silêncio, à escuta.

– Eu venho já, Bella. Quero falar só um minuto com o Carlisle. Já agora, Rosalie, podes vir comigo? – A voz dele parecia diferente. Menos apática, como se existisse uma nova chama. Não de esperança, mas de desejo de esperança.

– O que é, Edward? – perguntou Bella, na sua voz rouca.

– Nada com que tenhas de te preocupar, meu amor. Eu volto já. Vens, Rose?

– Esme? – chamou Rosalie. – Podes ficar com a Bella, enquanto não estou aqui?

Distingui uma leve deslocação de ar, à medida que Esme descia as escadas no seu passo esvoaçante.

– Claro – respondeu.

Carlisle mudou de posição, virando-se para a porta com um olhar de expectativa. Edward foi o primeiro a sair, com Rosalie logo atrás. Tal como a voz, o seu rosto tinha perdido um pouco da apatia. Parecia extremamente concentrado. Rosalie trazia uma expressão desconfiada.

O vampiro fechou a porta atrás de si.

– Carlisle – murmurou ele.

– O que foi, Edward?

– Talvez estejamos a lidar com isto da maneira errada. Agora, quando estava a ouvir-te a falar com o Jacob e te referiste ao que... o feto queria, o Jacob teve uma ideia interessante.

Eu? O que teria eu pensado, além do ódio confesso por aquela coisa? Pelo menos, não estava sozinho. Percebia que Edward sentia alguma dificuldade em usar um termo tão suave como *feto.*

– Na verdade, nós não abordámos a questão sob esse ângulo – prosseguiu Edward. – Temos tentado dar à Bella aquilo de que ela necessita. E o corpo dela aceita-o mais ou menos tão bem quanto os nossos o aceitariam. Talvez devêssemos preocupar-nos, primeiro, com as necessidades do... feto. Se o conseguirmos satisfazer, pode ser que consigamos ajudá-la melhor.

– Não estou a ver onde queres chegar, Edward – afirmou Carlisle.

– Carlisle, pensa nisto. Se a criatura é mais vampira que humana, não calculas o que é que ela cobiça... e não está a obter? O Jacob sabe o que é.

Eu sabia? Revi mentalmente a conversa, tentando lembrar-me dos pensamentos que não tinha revelado. E detectei-o no momento exacto em que Carlisle percebeu.

– Ah – exclamou ele, admirado. – Achas que é... sede?

Rosalie assobiou por entre dentes. Entretanto perdera a anterior expressão de desconfiança. O seu rosto exasperantemente perfeito estava radiante e os olhos abriam-se de entusiasmo.

– Claro – murmurou ela. – Carlisle, temos reservas de sangue de todos os tipos de O negativo, por causa da Bella. É uma boa ideia – acrescentou, sem olhar para mim.

– Hummm. – Carlisle apoiou o queixo na mão, reflectindo. – Estou a pensar... Mas então, qual seria a melhor maneira de o administrar...

Rosalie abanou a cabeça.

– Não temos tempo para ser criativos. Devíamos começar pelo método tradicional.

– Espera aí – murmurei. – Não vás tão depressa. Tu estás... estás a sugerir que a Bella beba sangue?

– A ideia foi tua, vira-lata – replicou ela, mostrando-me uma cara de poucos amigos, mas sem olhar bem para mim.

Não lhe liguei e voltei-me para Carlisle. No rosto do médico havia a mesma sombra de esperança que detectara em Edward. Ele comprimia os lábios, numa expressão pensativa.

– Isso é...

– Monstruoso? – sugeriu Edward. – Repugnante?

– Isso mesmo.

– Mas, e se a ajudar? – perguntou-me em voz baixa.

Abanei a cabeça, cheio de fúria.

– E o que é que vão fazer? Enfiar-lhe um tubo pela boca?

– Eu ia perguntar à Bella o que pensava sobre isso. No entanto, primeiro, quis falar com o Carlisle.

Rosalie anuiu com um aceno da cabeça.

– Se lhe disseres que isso talvez ajude o bebé, ela estará disposta a fazer tudo. Mesmo que tenhamos de a alimentar através de um tubo.

Nessa altura percebi – quando ouvi o tom da voz dela, todo piegas, a pronunciar a palavra *bebé* – que a louraça diria sim a tudo o que ajudasse aquele monstrozinho sugador de vidas. Então era esse o factor misterioso que as unia? Será que Rosalie queria o bebé para si?

Pelo canto do olho, vi Edward a concordar, acenando uma vez com a cabeça, de ar ausente. Não olhava para mim, mas sabia que ele estava a responder às minhas perguntas.

Hum. Nunca imaginaria que aquela *Barbie* fria como gelo pudesse ter uma componente maternal. Estava explicado aquele apoio todo em volta de Bella – se fosse preciso, ela até lhe enfiava o tubo à força pela garganta.

Percebi que acertara mais uma vez, ao ver os lábios de Edward a comprimirem-se numa linha de tensão.

– Bom, não temos muito tempo para ficar aqui sentados a discutir o assunto – afirmou Rosalie, impaciente. – O que é que achas, Carlisle? Podemos tentar?

Este respirou fundo e, no momento seguinte, já estava de pé.

– Vamos falar com a Bella.

A louraça esboçou um sorriso todo convencido. É claro que ela conseguiria levar a sua avante, caso fosse Bella a decidir.

Arrastei-me pelas escadas e segui atrás deles, quando os vi desaparecer pela porta. Não sabia bem porquê. Talvez por mera curiosidade mórbida. Aquilo parecia um filme de terror. Monstros e sangue por toda a parte.

Ou talvez não conseguisse resistir a uma nova dose da minha droga, que se reduzia cada vez mais.

Bella jazia na cama de hospital com a barriga a elevar-se como uma montanha, sob o lençol. Parecia de cera – pálida e quase transparente. Dir-se-ia que já estava morta, não fossem os leves movimentos do peito e a respiração lenta. Os olhos, que seguiam os quatro com uma desconfiança, estavam à beira da exaustão.

Os outros já estavam ao lado dela, adejando pela sala em movimentos rápidos e súbitos. Fazia impressão ver aquilo. Aproximei-me devagar, com passos furtivos.

– O que é que se passa? – perguntou Bella, num murmúrio áspero. Torceu a mão de cera num movimento brusco, como se tentasse proteger a barriga em forma de balão.

– O Jacob teve uma ideia que talvez te possa ajudar – afirmou Carlisle. Preferia que ele me tivesse deixado de fora. Não tinha sugerido nada. Os créditos deviam ficar por conta do seu marido bebedor de sangue, o verdadeiro autor da ideia. – Não é agradável... mas...

– Mas vai ajudar o bebé – interrompeu Rosalie avidamente. – Pensámos numa maneira melhor para o alimentar. Poderá dar resultado.

Bella agitou as pálpebras e tossiu ao soltar uma pequena gargalhada.

– Não é agradável? – observou baixinho. – Ena, uma mudança, para variar. – E dirigiu o olhar para o tubo espetado no braço, voltando a tossir.

A louraça também se riu.

Bella parecia ter poucas horas de vida e estava a sofrer com toda a certeza, de qualquer forma continuava a dizer graçolas. Era tão típico dela. Tentava aliviar a tensão, para que todos se sentissem melhor.

Edward passou à volta de Rosalie, sem manifestar qualquer humor na sua expressão ardente. Fiquei satisfeito com isso. Ajudava, nem que fosse um pouco, que ele estivesse a sofrer mais do que eu. Edward pegou na mão de Bella, não na que ainda protegia a barriga inchada.

– Bella, meu amor, vamos pedir-te que faças algo mons-truoso – disse-lhe, recorrendo aos mesmos adjectivos que usara comigo. – Repugnante.

Bom, pelo menos estava a dizer-lho sem rodeios.

Bella respirou fundo, de um modo frágil e agitado.

– Que coisa é essa, assim tão má?

Foi Carlisle quem respondeu.

– Nós pensamos que o apetite do feto pode ser mais parecido com o nosso do que com o teu. Achamos que ele tem sede.

Bella pestanejou.

– Ah. Ah.

– O teu estado, o estado de ambos, deteriora-se rapidamente. Não dispomos de muito tempo para pensar num processo mais agradável de o fazer. A forma mais rápida de testarmos esta ideia...

– É bebê-lo – murmurou ela. E manifestou um ligeiro aceno com a cabeça, em concordância, mal conseguindo a energia necessária para se mexer. – Eu consigo fazê-lo. Assim, já vou treinando para o futuro, não é? – Esticou os lábios descorados num leve sorriso de ironia, olhando em simultâneo para Edward. Todavia, ele não lhe devolveu o sorriso.

Rosalie começou a bater com o pé no chão, impacientemente. Aquele barulho era mesmo irritante. Perguntei-me o que faria ela se a atirasse contra a parede, de imediato.

– Então, quem é que me vai caçar um urso pardo? – perguntou Bella num murmúrio.

Carlisle e Edward trocaram um olhar breve e Rosalie parou de bater com o pé.

– Então? – insistiu Bella.

– O teste será mais eficiente se não formos por atalhos, Bella – explicou Carlisle.

– Se o feto está sequioso de sangue – continuou Edward – não será de sangue de um animal.

– Para ti é o mesmo, Bella. Esquece isso – acrescentou Rosalie, a animá-la.

Bella arregalou os olhos.

– De quem, então? – perguntou, por entre dentes, e o seu olhar atónito vacilou na minha direcção.

– Não estou aqui no papel de doador, Bells – resmunguei. – Além disso, essa coisa quer sangue humano e acho que o meu não serve...

– Temos sangue de reserva – voltou Rosalie a interromper, falando por cima de mim, como se eu não estivesse ali. – Destinava-se a ti, em caso de urgência. Não te preocupes com mais nada. Tudo irá correr bem. Tenho um bom pressentimento em relação a isto. Acho que o bebé vai ficar muito melhor.

Bella deslizou a mão sobre a barriga.

– Bom – murmurou com a voz áspera, mal se fazendo ouvir. – Eu estou esfomeada, pelo que aposto em como ele também deverá estar. – Disse na tentativa de fazer uma nova graça. – Vamos a isso. O meu primeiro acto de vampira.

Treze

Ainda Bem que Tenho um Estômago Resistente

Carlisle e Rosalie desapareceram num relâmpago, lançando-se a correr pelas escadas. Ouvi-os a debater se deveriam aquecê-lo antes de lho dar. Uf! Fiquei a pensar em todas as manigâncias das casas de horrores que eles esconderiam naquele local. Um frigorífico cheio de sangue? Batia certo. Uma câmara de torturas? A sala do caixão?

Edward deixou-se ficar, segurando na mão de Bella. A expressão de apatia regressara-lhe ao rosto, parecendo nem ter energia suficiente para aguentar aquela centelha de esperança que lhe vira antes. Os dois olharam-se fixamente, não com uma expressão lamechas. Parecia que conversavam. Aquilo lembrou-me um pouco Sam e Emily.

Não, não havia ali sentimentalismos, o que tornava mais difícil olhar para eles.

Sabia o que Leah deveria sentir ao ver aquilo a toda a hora. Ao ter de o ouvir na cabeça de Sam. É evidente que todos tínhamos pena dela, não éramos nenhuns monstros – pelo menos, nesse sentido. Mas acho que não lhe perdoávamos a forma como lidava com o assunto, atacando-nos violentamente, tentando que nos sentíssemos tão mal quanto ela.

No meu caso, acho que não voltaria a censurá-la por isso. Como é que se consegue resistir a espalhar à nossa volta uma tristeza assim? Como é que alguém não se sente tentado a aliviar o fardo que traz às costas, sacudindo um pouco da carga para as do outro?

E se isso equivalia a ser obrigado a ter a minha alcateia, como poderia culpá-la por me tirar a liberdade? Eu faria o mesmo. Se houvesse uma forma que me aliviasse desta dor, também a tinha aproveitado.

Um segundo depois, Rosalie desceu as escadas a correr, flutuando pela sala como uma brisa agreste e espalhando um cheiro ácido à sua volta. Enfiou-se na cozinha e ouvi a porta de um armário a abrir.

– Nada que seja transparente, Rosalie – recomendou Edward em voz baixa, revirando os olhos.

Bella dirigiu-lhe uma interrogação muda, mas ele limitou-se a abanar a cabeça.

Rosalie voltou a adejar pela sala e em seguida desapareceu.

– Então, a ideia foi tua? – murmurou Bella, com a voz mais rouca ao tentar falar mais alto e esquecendo-se que a conseguia ouvir muito bem. Na maior parte das vezes, dava-me um certo prazer vê-la assim a ignorar que eu não era completamente humano. Aproximei-me, para ela não ter de se esforçar tanto.

– Não me culpes desta vez. O teu vampiro é que andou a sacar alguns comentários sarcásticos da minha cabeça.

Ela esboçou um breve sorriso.

– Não estava à espera de te ver aparecer aqui outra vez.

– Pois, nem eu.

Era esquisito não poder fazer outra coisa a não ser estar de pé, mas os vampiros tinham arrastado a mobília toda para o lado por causa do equipamento médico. Calculei que isso lhes era indiferente – para quem é feito de pedra estar sentado ou de pé vai dar ao mesmo. E a mim também não me faria diferença, se não estivesse verdadeiramente exausto.

– O Edward contou-me o que foste obrigado a fazer. Lamento imenso.

– Não faz mal. Se calhar, era só uma questão de tempo até me mandar ao ar por qualquer coisa que o Sam me quisesse obrigar a fazer – menti.

– E o Seth também – acrescentou Bella, em voz baixa.

– Na verdade, ele anda muito satisfeito por prestar a sua ajuda.

– Detesto causar-te complicações.

Dei uma gargalhada, que mais parecia um latido.

Bella soltou um suspiro débil.

– Acho que já não é novidade.

– Não, não me parece que seja.

– Não és obrigado a ficar e a assistir – continuou ela, mal conseguindo pronunciar as palavras.

Podia ir-me embora. Se calhar era boa ideia. Contudo, se o fizesse e com o aspecto que ela tinha naquele momento, era possível que perdesse os últimos quinze minutos que lhe restavam.

– Na verdade, não tenho outro sítio para onde ir – expliquei-lhe, tentando despir a voz de qualquer emoção. – A vida de lobo está menos interessante desde que a Leah se juntou a nós.

– A Leah? – repetiu Bella, sobressaltada.

– Não lhe tinhas dito? – perguntei a Edward.

Este limitou-se a encolher os ombros, sem desviar os olhos do rosto da mulher. Para ele, aquilo não era nada de especial, não merecendo ser misturado com factos mais importantes que estavam a acontecer.

Mas Bella não encarava aquele novo dado de ânimo tão leve. Parecia ter acabado de receber uma má notícia.

– Porquê? – murmurou por entre dentes.

Não me apetecia fazer-lhe um relato circunstancial.

– Para tomar conta do Seth.

– Mas a Leah odeia-nos.

Odeia-nos.

Que lindo! Mas, na realidade, ela estava mesmo assustada.

– A Leah não vai andar por aqui a chatear ninguém. – A não ser a mim, pensei. – Ela pertence à minha alcateia... – acrescentei, não conseguindo reprimir um trejeito – ... por isso tem de me obedecer. – Uf...

Bella não pareceu muito convencida.

– Estás com medo da *Leah?* Mas agora andas toda amiguinha da loura psicopata!?

Do andar de cima chegou-me um silvo grave. Porreiro, ela tinha ouvido.

Bella olhou-me de sobrolho franzido.

– Não digas isso. A Rose... compreende.

– Sim – resmunguei. – Ela compreende que tu vais morrer e não se importa, desde que ganhe esse espécimen mutante no negócio.

– Não sejas tão imbecil, Jacob – murmurou ela.

Parecia tão frágil que não conseguia zangar-me com ela. Em vez disso, tentei exibir um sorriso.

– Estás a pedir algo impossível.

Bella tentou controlar o riso durante um segundo, acabando por não conseguir e curvou ligeiramente os cantos dos seus lábios desmaiados.

Carlisle chegou de imediato, acompanhado da psicopata de quem falávamos. Trazia um copo de plástico na mão, daqueles que têm uma tampa e uma palhinha com uma curva. Ah! – nada que seja transparente; agora percebia. Edward não queria que Bella pensasse no que ia fazer mais do que o necessário. Não era possível ver o que estava no interior do copo; mas conseguia-se cheirar.

Carlisle hesitou, sem estender totalmente o braço com o copo na mão. Bella observou-o, de novo com um ar receoso.

– Podemos tentar um outro processo – sugeriu ele, serena-mente.

– Não – murmurou Bella. – Eu experimento assim primeiro. Não temos tempo.

Comecei por pensar que ela tinha ganho juízo e que, final-mente, se preocupava consigo. No entanto, depois vi-lhe a mão agitada a pousar debilmente sobre a barriga.

A sua mão tremeu um pouco ao pegar no copo, ouvindo-se o líquido a agitar-se no interior. Ao vê-la a tentar apoiar-se sobre o cotovelo, quase não conseguindo erguer a cabeça, senti uma corrente de calor a percorrer-me a espinha, constatando o quanto enfraquecera em menos de um dia.

Rosalie passou o braço pelos ombros de Bella e susteve-lhe a cabeça, como se fosse um recém-nascido. Parecia que a louraça era uma especialista em bebés.

– Obrigada – sussurrou Bella. A seguir, o olhar dela passou vacilante por todos nós. Ainda suficientemente lúcida para sentir alguma insegurança. Se não estivesse tão esgotada, aposto que teria corado.

– Não te preocupes com eles – segredou-lhe Rosalie.

Aquilo deixou-me constrangido. Devia ter aproveitado a sugestão de Bella e ido embora. Eu não pertencia àquele lugar e não fazia parte daquele cenário. Ainda pensei em sair de mansinho, concluindo que isso complicaria mais as coisas, ao fazer com que Bella se sentisse pior. Iria pensar que eu estava demasiado enojado para ficar. O que era praticamente verdade.

Ainda assim... Embora não quisesse reclamar a autoria daquela ideia, também não pretendia ser uma ave agoirenta.

Bella aproximou o copo da cara e cheirou a ponta da palhinha. Estremeceu e fez uma careta.

– Bella, meu amor, vamos arranjar uma maneira mais fácil – propôs Edward, estendendo a mão na direcção do copo.

– Tapa o nariz – sugeriu Rosalie, olhando furiosa para a mão de Edward, como se lhe fosse dar uma sapatada. Tive desejos de que o fizesse. Aposto em como o Edward não aceitaria isso de braços cruzados, pelo que adoraria ver a louraça a ficar sem um braço.

– Não, não é por isso. É só porque ele... – Bella inspirou longamente e depois confessou em voz baixa – ...cheira bem.

Engoli em seco, tentando controlar a expressão de nojo estampada no meu rosto.

– Ainda bem – disse Rosalie, toda entusiasmada. – Isso quer dizer que estamos no caminho certo. Dá só um golinho. – Ao ver a louraça com aquela expressão tão animada, quase imaginei vê-la sapatear, como fazem alguns jogadores ao marcarem um golo.

Bella colocou a palhinha entre os lábios, fechou os olhos com força e franziu o nariz. Ouvi, de novo, o sangue a agitar-se no interior do copo e reparei que a mão dela voltou a tremer. Deu um pequeno gole e depois gemeu baixinho, mantendo os olhos fechados.

Edward e eu avançámos para ela em simultâneo. Ele tocou-lhe no rosto. E eu crispei as mãos atrás das costas.

– Bella, meu amor...

– Estou bem – murmurou ela. A seguir abriu os olhos e fitou-o. Havia uma expressão... penitente no seu rosto. Suplicante. Assustada. – Também sabe bem.

Senti a bílis a arder-me no estômago, quase fazendo-me vomitar. Cerrei os dentes.

– Ainda bem – repetiu a louraça, em êxtase. – É bom sinal.

Edward limitou-se a afagar o rosto de Bella, curvando os dedos para os moldar aos ossos frágeis.

Ela suspirou e voltou a levar a palhinha aos lábios. Desta vez, deu um gole com mais força, num movimento vigoroso que contrariava toda a fragilidade que lhe estava associada. Parecia que os seus instintos começavam a ganhar terreno.

– Como está o estômago? Não te sentes agoniada? – inquiriu Carlisle.

Bella abanou a cabeça.

– Não, não sinto nada – respondeu. – É uma boa estreia, não?

Rosalie estava radiante.

– Excelente!

– Rose, ainda é demasiado cedo para isso – comentou Carlisle em voz baixa.

Bella bebeu um grande gole de sangue. A seguir lançou um olhar rápido a Edward.

– Isto vai estragar a minha contagem? – perguntou-lhe. – Ou só começamos a contar depois de eu já ser uma vampira?

– Nenhum de nós está a fazer qualquer contagem, Bella. E, de qualquer maneira, ninguém morreu por causa disto. – Edward fez-lhe um sorriso sem alma. – A tua reputação continua limpa.

Não percebi nada.

– Eu explico-te mais tarde – disse Edward num tom de voz tão baixo que as palavras quase pareciam um sopro de ar.

– O quê? – perguntou Bella.

– Falava com os meus botões – disse ele a mentir, com um ar imperturbável.

Se aquela ideia vingasse e se Bella sobrevivesse, Edward não iria conseguir safar-se tão bem a partir do momento em que os sentidos dela estivessem tão aguçados quanto os seus. Tinha de começar a pensar em mentir menos.

Os lábios do vampiro curvaram-se, na tentativa de conter um sorriso.

Bella deu mais uns goles, desviando o olhar de nós para fitar a janela com ar absorto. Se calhar fingia que não estávamos ali; ou somente que eu não estava ali. Aquilo que ela fazia não era repugnante para mais ninguém daquela sala. Pelo contrário, todos deviam estar a fazer um esforço titânico para não lhe arrebatarem o copo da mão.

Edward revirou os olhos na minha direcção.

Caraças, como é que alguém aguentava viver com um tipo daqueles? Era pena que ele não conseguisse ouvir os pensamentos de Bella. Assim também lhe moía o juízo e ela fartava-se dele.

Edward riu-se. Bella virou-se para ele de imediato e esboçou meio sorriso ao distinguir-lhe um ar divertido. Algo que não acontecia há muito, tinha a certeza.

– Qual foi a graça? – perguntou, por entre dentes.

– É o Jacob – retorquiu ele.

Bella olhou para mim e o seu rosto exausto abriu-se num sorriso.

– O Jake tem montes de graça – concordou.

Sim, senhor, agora era o palhaço de serviço.

– *Tchanan* – resmoneei por entre dentes, numa imitação deficiente do som de uma bateria.

Bella voltou a sorrir e deu mais um gole. Quando a palhinha sorveu apenas ar, estremeci ao ouvir aquele ruidoso som de sucção.

– Acabei! – anunciou ela parecendo satisfeita. A voz parecia mais sonora. Ainda continuava áspera, mas deixara de ser um murmúrio.

– Carlisle, se conseguir manter isto cá dentro, tira-me as agulhas?

– Logo que seja possível – prometeu ele. – Francamente, elas não estão a fazer grande coisa aí.

Rosalie deu uma palmadinha na testa de Bella e as duas trocaram um olhar esperançoso.

O resultado estava à vista de toda a gente – o copo cheio de sangue humano surtira efeitos imediatos. A cor regressava às faces desmaiadas da doente e já havia um leve toque rosado. Por outro lado, parecia que o apoio de Rosalie já não era tão necessário. Bella respirava mais à vontade e eu ia jurar que o coração dela tinha batimentos mais fortes e regulares.

Tudo estava a mudar.

Aquele vestígio de esperança no rosto de Edward assumia uma forma real.

– Queres beber mais? – insistiu Rosalie.

Bella deixou descair os ombros e Edward fuzilou Rosalie com o olhar, antes de se dirigir à mulher.

– Não precisas de beber mais – tranquilizou-a.

– Sim, eu sei. Mas... eu quero beber – insistiu Bella, com um ar contrariado.

Rosalie passou os dedos magros e afiados pelo cabelo escorrido de Bella.

– Minha querida, não precisas de te envergonhar. O teu corpo tem carências que todos compreendemos. – Começara a falar num tom doce, para de imediato acrescentar rudemente: – E quem não o compreender que saia daqui.

É óbvio que se estava a dirigir a mim, só que eu não me deixaria levar pela louraça. Estava contente por ver Bella a recuperar. Portanto, o que é que interessava se os meios para chegar ali me desagradavam? Eu não tinha dado um pio.

Carlisle tirou o copo das mãos de Bella.

– Volto já.

Depois de o ver desaparecer, Bella cravou os olhos em mim.

– Jake, estás com um aspecto horrível – comentou, com uma voz esganiçada.

– Olha quem fala.

– A sério. Há quanto tempo é que não dormes?

Pensei no assunto por momentos.

– Hum. Acho que não me lembro.

– Oh, Jake! Agora também ficas sem dormir por minha causa. Não sejas pateta.

Cerrei os dentes. Ela dava-se ao luxo de se matar por causa de um monstro e eu não podia perder algumas noites de sono para assistir à tragédia?

– Vai descansar um pouco, por favor – pediu. – Há camas lá em cima, podes dormir à vontade em qualquer uma.

A expressão no rosto de Rosalie tornava claro que eu não poderia dormir à vontade em cama alguma. Perguntei-me para que precisaria, afinal, a Bela Acordada de uma cama. Era assim tão mesquinha com os seus adereços?

– Obrigada, Bells, mas prefiro dormir no chão. Longe dos maus cheiros, percebes?

Ela exibiu um largo sorriso.

– Percebo.

Carlisle regressou e Bella pegou no copo com sangue com um ar ausente, como se pensasse em outra coisa. Manteve a mesma expressão quando começou a bebê-lo.

Apresentava definitivamente melhor aspecto. Inclinou-se para a frente, com muito cuidado por causa dos tubos, e foi deslizando para trás, até conseguir sentar-se. Rosalie pairava sobre ela, de mãos estendidas para a agarrar, caso tombasse para o lado. Mas Bella já não precisava dela. Foi respirando fundo entre cada trago e terminou o segundo copo num instante.

– Como te sentes agora? – perguntou Carlisle.

– Não tenho dores. Apenas uma espécie de apetite... só que não tenho a certeza se é fome ou sede, compreende?

– Carlisle, olha só para ela – observou Rosalie, com um ar tão presunçoso que parecia um pavão. – É evidente que era disto que o corpo precisava. Deveria beber mais.

– Rosalie, a Bella ainda é humana e também precisa de comida. Vamos dar-lhe qualquer coisa leve para ver qual é o efeito e, depois, talvez possamos reforçar a dose. Há algo que te apeteça em especial, Bella?

– Ovos – respondeu de imediato, trocando um olhar e um sorriso com o marido. O sorriso de Edward era ténue, mas no seu rosto havia mais vida.

Nessa altura, pestanejei e quase me esquecia como era abrir os olhos.

– Jacob – chamou Edward em voz baixa. – Devias ir dormir, a sério. Tal como a Bella disse, temos gosto que fiques aqui, se bem que talvez te sintas melhor se descansares lá fora. Não te preocupes com mais nada, garanto-te que te hei-de encontrar, se for preciso.

– Claro, claro – resmoneei, por entre dentes. Agora que, aparentemente, Bella tinha escapado por mais umas horas, podia pôr-me a andar. Aninhar-me debaixo de uma árvore, num sítio qualquer... e o mais afastado possível, para aquele cheiro não me atingir. Se alguma coisa corresse mal, a sanguessuga acordava-me. Ele devia-me isso.

– Eu acordo-te – prometeu Edward.

Assenti com a cabeça e segurei na mão de Bella. Sentia-a tão fria como se fosse gelo.

– Põe-te melhor – recomendei.

– Obrigada, Jacob – agradeceu. Virou a mão para cima, para apertar a minha, e senti-lhe a aliança de casamento frouxa a girar-lhe no dedo esquelético.

– Arranjem-lhe um cobertor ou outra coisa qualquer – resmunguei, ao virar-me em direcção à porta.

Antes de lá chegar, dois uivos cravaram-se no ar parado da manhã. A aflição que eles transmitiam era inconfundível. Desta vez, não havia qualquer equívoco.

– Raios! – vociferei, lançando-me porta fora. Precipitei-me do pórtico, deixando-me absorver pelo fogo a meio do salto. Ouvi o som estridente de um rasgão, no momento em que os calções ficavam em farrapos. Que chatice! Era a única roupa que tinha. Mas, isso era o menos. Aterrei sobre as quatro patas e parti rumo a Oeste.

O que aconteceu?, gritei em pensamento.

Invasores, respondeu Seth. *São três, pelo menos.*

Vou fazer o circuito ao contrário, à velocidade da luz, em direcção ao Seth, informou-me Leah.

Senti o som do ar a cruzar-lhe os pulmões, enquanto ela se lançava em frente a uma velocidade incrível, fustigando a floresta à sua passagem, com a força de um chicote.

Por agora, não há outro ponto de ataque.

Seth, não os desafies. Espera por mim.

Eles estão a abrandar. Uf, é tão horrível não conseguir ouvi-los. Acho...

O quê?

Acho que pararam.

À espera do resto da alcateia?

Chiu! Ouviste aquilo?

Absorvi a impressão que ele estava a ter. Um frémito suave e silencioso atravessava o ar.

Alguém está a transformar-se?

Parece que é isso, confirmou Seth.

Leah irrompeu na pequena clareira onde o irmão tinha parado, cravando as garras na terra e derrapando de lado, como um carro de corrida.

Já estou na tua retaguarda, maninho.

Eles estão a avançar, informou Seth, nervoso. *Devagar. A passo.*

Estou quase a chegar, informei.

Tentei voar como Leah. Era uma sensação horrível estar separado dos dois, com o perigo eminente mais próximos deles do que de mim. Não deveria ser assim. Eu devia estar ali, entre eles e o que quer que estivesse a caminho.

Olha quem está a ficar todo paternal, pensou Leah com sarcasmo.

Leah, concentra-te.

Quatro, anunciou Seth. O miúdo tinha bons ouvidos. *Três lobos e um homem.*

Nesse momento cheguei à clareira, dirigindo-me de imediato a eles. Seth suspirou de alívio e endireitou-se, ocupando logo a sua posição no meu flanco direito. Leah foi para o lado contrário, um pouco menos animada.

Agora ocupo uma posição inferior à do Seth, resmungou para si.

O primeiro a chegar, é o primeiro a servir-se, pensou Seth, todo convencido. *Além disso, tu nunca tinhas sido uma Terceira do Alfa. Isso continua a ser uma promoção.*

Não é promoção nenhuma ficar atrás do meu irmão mais pequeno.

Chiu! proferi irritado. *As vossas posições não são para aqui chamadas. Calem-se e estejam a postos!*

Segundos depois, eles surgiram à nossa frente, caminhando a passo, conforme Seth pensara. Jared vinha à frente, na forma humana, de mãos no ar. Paul, Quil e Collin seguiam-no em forma de lobo. Não faziam movimentos agressivos. Limitavam-se a segui-lo, de orelhas erguidas, atentos, mas serenos.

No entanto... era estranho Sam mandar Collin em vez de Embry. Se enviasse uma comitiva de paz ao território inimigo não teria feito aquela escolha. Nunca seria enviado um miúdo, mas um combatente experiente.

Será uma manobra de diversão?, pensou Leah.

Havia a hipótese de Sam, Embry e Brady estarem a operar isolados? Não me parecia lógico.

Achas que devo avisar os Cullen?, perguntou Seth.

E se o objectivo deles é separar-nos?, contrapus. *Os Cullen sabem que se passa qualquer coisa e estão de sobreaviso.*

O Sam não seria tão estúpido... murmurou Leah, com o medo a moldar-lhe o pensamento. Imaginei um ataque de Sam aos Cullen, apenas com os outros dois na retaguarda.

Não, ele não faria isso, garanti-lhe, embora a imagem mental que ela transmitira me arrepiasse ligeiramente.

Enquanto isso, Jared e os três lobos aguardavam, olhando fixamente para nós. Era esquisito não ouvir o que Quil, Paul e Collin diziam entre si. As suas expressões estavam vazias, indecifráveis.

Jared tossiu para a clarear a garganta e, depois, dirigiu-me um aceno com a cabeça.

– Vimos em missão de paz, Jake. Queremos falar contigo.

Achas que é verdade?, perguntou Seth.

Tem alguma lógica, mas...

Sim, concordou Leah. *Mas...*

Mantivemo-nos vigilantes.

Jared franziu o sobrolho.

– Seria mais fácil falar se também te conseguisse ouvir.

Mirei-o de alto a baixo. Não voltaria a transformar-me, sem decifrar melhor a situação. Até fazer algum sentido. A que se devia a presença de Collin? Essa parte deixava-me mesmo apreensivo.

– Está bem. Então, parece-me que o melhor é começar a falar – observou Jared. – Jake, eu quero que voltes.

Atrás dele, Quil emitiu um ligeiro ganido, apoiando o que ouvia.

– Deixaste a nossa família dividida. As coisas não se deviam passar assim.

Não discordava exactamente do que ouvia, mas não era realmente o que estava em questão. Longe disso. Naquele momento, havia algumas opiniões divergentes e pendentes entre Sam e eu.

– Sabemos que a situação dos Cullen te... afectou bastante. E que constitui um problema. Mas a tua reacção foi exagerada.

Seth rugiu. *Reacção exagerada? E atacar de surpresa os nossos aliados, não é?*

Seth, já ouviste falar em expressões impenetráveis? Mantém a cabeça fria.

Desculpa.

Os olhos de Jared vacilaram até Seth e, em seguida, regressaram até mim.

– O Sam está disposto a resolver o assunto a bem, Jacob. Já se acalmou e falou com os mais velhos. Eles são da opinião que uma acção imediata não é a melhor medida a tomar nesta altura.

Tradução: eles já perderam o elemento surpresa, pensou Leah.

Era estranho como os nossos pensamentos conjuntos se diferenciavam. A alcateia já era a alcateia de Sam e já os referíamos como "eles", como algo externo e distinto. E mais estranho era ser Leah a pensar assim – enquanto o elemento firme do "nós".

– O Billy e a Sue acham, tal como tu, Jacob, que devemos esperar que a Bella fique... separada do problema. Matá-la era algo que nenhum se sentiria bem a fazer.

Embora tivesse acabado de chamar a atenção de Seth, não consegui controlar uma pequena rosnadela. Então eles não se *sentiam bem* a cometer assassínios, era isso?

Jared ergueu de novo as mãos.

– Calma, Jake. Compreende o que eu quis dizer. O que interessa é que vamos esperar e reavaliar a situação, no sentido de tomar uma decisão mais tarde, caso continue a haver problemas com a... coisa.

Ah, pensou Leah. *Que monte de tretas.*

Não acreditas nisto?

Eu sei o que eles estão a pensar, Jake. Aquilo que o Sam está a pensar. Estão a contar que, de uma maneira ou de outra, a Bella morra. E entretanto ficam a aguardar que tu te enfureças de tal maneira...

Que serei eu a liderar o ataque.

Tinha as orelhas baixas e coladas à cabeça. Aquilo que Leah sugeria fazia bastante sentido. E era bem possível. Quando... aquela coisa acabasse com Bella, seria muito fácil esquecer o que sentia no momento pela família de Carlisle. Era provável que passasse novamente a considerá-los meus inimigos, nada mais que sanguessugas bebedoras de sangue.

Eu lembro-te, murmurou Seth.

Eu sei que sim, miúdo. A questão é saber se eu te ouço.

– Jake? – insistiu Jared.

Bufei de impaciência.

Leah, vai dar uma volta, só para ver se não há problemas. Vou ter de falar com ele e quero ter a certeza de que não teremos novidades quando estiver transformado.

Tem juízo, Jake. Podes transformar-te à minha frente. Apesar de todo o meu esforço, já te vi nu e isso deixa-me indiferente. Podes ficar tranquilo.

Não estava a proteger a inocência do teu olhar, mas as nossas costas. Desaparece daqui.

Leah resfolegou uma vez e logo se lançou em corrida pela floresta. Ouvi as suas garras a rasparem na terra, imprimindo mais velocidade à passada.

A nudez era uma componente incómoda, mas inevitável, da vida de uma alcateia. Nenhum lhe atribuía importância, até Leah se ter juntado a nós. Depois disso, tornou-se algo embaraçoso.

Ela tinha um controlo razoável no que tocava ao temperamento – quando ficava irritada, demorava o tempo habitual a libertar-se das roupas, no meio de uma explosão. Todos já tínhamos dado uma olhadela. E não era nada que não merecesse a pena ver; só que deixava de merecer tanto a partir do momento em que ela nos apanhava a pensar nisso mais tarde.

Jared e os outros ficaram a olhar, com uma expressão circunspecta, para os arbustos por onde ela se tinha escapulido

– Onde é que ela vai? – perguntou Jared.

Não lhe respondi, fechando os olhos para me concentrar de novo. Parecia que o ar estremecia à minha volta, sacudindo-me por dentro em pequenas ondas. Ergui-me sobre as patas posteriores, escolhendo o momento para ficar completamente de pé, enquanto o corpo vibrava e regressava à forma humana.

– Ah – exclamou Jared. – Viva, Jake!

– Viva, Jared!

– Obrigada por falares comigo.

– De nada.

– Queremos que regresses, meu.

Quil voltou a ganir.

– Jared, não sei se isso vai ser fácil.

– Vem para casa – pediu, inclinando-se para mim, a suplicar. – Conseguiremos resolver tudo. Este não é o teu lugar. Deixa o Seth e a Leah voltarem para casa também.

Dei uma gargalhada.

– Pois sim. Como se não fosse isso que lhes tenho andado a pedir desde o início.

Seth resfolegou atrás de mim.

Jared reparou na reacção dele, novamente com um olhar prudente.

– Então, o que pensas fazer?

Reflecti por um minuto, enquanto ele aguardava.

– Não sei. Mas, de qualquer maneira, não estou certo de que as coisas possam voltar ao normal, Jared. Desconheço o funcionamento desta questão do Alfa, mas não me parece que a possa ligar ou desligar conforme me apetece. Parece-me algo mais definitivo.

– Continuas a ser um dos nossos.

Ergui as sobrancelhas.

– Jared, não podem existir dois alfas no mesmo sítio. Recordas-te como as coisas estiveram renhidas na noite passada? O instinto é demasiado competitivo.

– Então vão limitar-se a ficar pendurados nos parasitas o resto das vossas vidas? – intimou-me ele. – Não têm uma casa aqui. Tu já nem tens roupas – salientou. – Vão ficar na pele de lobo para sempre? Sabes que a Leah não gosta dessa comida.

– A Leah pode fazer aquilo que quiser quando tiver fome. Ela está aqui por opção. Eu não estou a dizer a ninguém o que tem de fazer.

Jared suspirou.

– O Sam lamenta aquilo que te fez.

Assenti com a cabeça.

– Já não estou zangado.

– Mas?

– Mas não vou regressar, por enquanto. Também iremos aguardar e ver como as coisas correm. Assim como estar atentos aos Cullen, o tempo que nos parecer necessário. Porque, apesar do que pensam, isto não tem só que ver com a Bella. Estamos a proteger quem precisa de ser protegido. E isso também se aplica aos Cullen. – Pelo menos a uma boa parte deles, seja como for.

Seth uivou baixinho, demonstrando a sua concordância.

Jared franziu o sobrolho.

– Então parece-me que não há mais nada que te possa dizer.

– Agora não. Vamos aguardar a evolução dos acontecimentos.

Jared voltou-se para olhar para Seth, concentrando as atenções nele e desligando-se de mim.

– A Sue pediu-me para te dizer... não, para te implorar, que regresses a casa. Ela tem o coração despedaçado, Seth. Está completamente sozinha. Não sei como tu e a Leah foram capazes de lhe fazer uma coisa destas. Abandoná-la assim, quando o teu pai acabou de morrer...

Seth emitiu uns latidos, semelhantes a um choro.

– Tem lá calma, Jared – avisei-o.

– Estou só a dizer como as coisas realmente são.

Resfoleguei.

– Pois sim. – Sue era mais resistente que qualquer outra pessoa que conhecesse. Mais forte que o meu pai, mais forte que eu. Tão forte que conseguia jogar com os sentimentos dos filhos, se tal os levasse a voltar para casa. De qualquer modo, não era justo chantagear o Seth daquela maneira. – A Sue está a par disto há quantas horas? E, esse período não passou a maior parte na companhia do Billy, o velho Quil e o Sam? Sim, tenho a certeza que ela sofre imenso de solidão. Mas é claro que tens toda a liberdade para partir, Seth. Sabes isso.

Seth fungou.

Momentos depois, ergueu uma orelha em direcção a Norte. Leah devia estar próxima. Caramba, como ela era rápida! Passados dois segundos, ela estava a travar, imobilizando-se no meio do mato, a alguns metros de distância. Depois trotou para o centro do grupo e parou à frente de Seth. Manteve o focinho no ar, evidenciando ostensivamente que não estava a olhar para mim.

Gostei daquilo.

– Leah? – chamou Jared.

Os dois entreolharam-se e o focinho de Leah recuou ligeiramente sobre os dentes.

Jared pareceu não se surpreender com aquela atitude hostil.

– Leah, tu sabes que não queres estar aqui.

Leah rosnou-lhe. Lancei-lhe um olhar de advertência, no qual ela não reparou; enquanto Seth gania e lhe dava um pequeno empurrão na espádua.

– Desculpa – disse Jared. – Acho que não devia estar a assumir as coisas por ti, mas não tens qualquer laço com os bebedores de sangue.

Leah olhou deliberadamente para o irmão e, depois, para mim.

– Portanto, queres vigiar o Seth, o que até compreendo – continuou Jared. Os olhos dele passaram por mim e, em seguida, regressaram a Leah. Devia estar a interrogar-se, tal como eu, sobre aquele segundo olhar na minha direcção. – O Jake não vai deixar que nada lhe aconteça e ele não tem medo de ficar aqui. – Fez um trejeito, comentando o que dizia. – De qualquer maneira, peço-te *por favor,* Leah. Nós queremos que voltes. O Sam quer que voltes.

A cauda de Leah enroscou-se.

– O Sam disse-me que te implorasse. Disse-me literalmente que me pusesse de joelhos se fosse necessário. Ele quer que regresses a casa, Lee-lee, onde é o teu lugar.

Quando Jared chamou Leah pelo diminutivo que Sam usava no passado, vi-a estremecer. E, quando ele proferiu as últimas palavras, a pelagem eriçou-se, enquanto ela emitia através dos dentes uma longa torrente de rosnadelas. Não precisei de estar no interior da sua mente para perceber a série de impropérios que ela lhe dirigia, e Jared também não. Quase se conseguiam ouvir as palavras.

Fiquei à espera que ela acabasse, para falar.

– Eu arriscava-me a dizer que a Leah pertence onde ela decidir ficar.

A minha companheira rosnou mas, ao vê-la fixar furiosa Jared, concluí que concordava com o que eu dizia.

– Olha, Jared, ainda somos uma família, certo? Nós saímos da vossa alçada. Enquanto essa situação continuar, julgo que é melhor ficares no teu lugar. Só para não haver mal-entendidos. Ninguém está interessado numa rixa entre irmãos, certo? E também não me parece que seja isso que o Sam deseja, correcto?

– Claro que não – retorquiu Jared, com brusquidão. – limita-mo-nos ao nosso território. E onde é que fica o teu, Jacob? No reino dos vampiros?

– Não, Jared. Neste momento estou em terra de ninguém. Mas não te preocupes, porque não durará para sempre. – Tive de respirar fundo. – O tempo de espera vai ser bastante...escasso. Faço-me entender? A seguir, os Cullen devem retirar-se e o Seth e a Leah regressam a casa.

Estes ganiram em uníssono, com os focinhos virados para mim em perfeita sincronia.

– E tu, Jake?

– Julgo que voltarei à floresta. Já não é possível viver em La Push. Dois alfas correspondem a uma tensão demasiado elevada. Além disso, já era o meu projecto. Antes desta confusão.

– E se precisarmos de falar? – insistiu Jared.

– Uivem! Mas atenção aos limites, certo? Nós vamos ao vosso encontro. E o Sam não precisa de enviar tantos. Não andamos à procura de confrontos.

Jared fez uma expressão de poucos amigos, mas anuiu com a cabeça. Não lhe agradava que fosse eu a definir as condições em relação a Sam.

– Até breve, Jake. Ou talvez não. – Fez-me um aceno com a mão, sem grande convicção.

– Espera aí, Jared. O Embry está bem?

Ele olhou-me admirado.

– O Embry? Claro que sim. Porquê?

– Estava só a pensar por que razão o Sam enviou o Collin.

Observei a reacção, ainda a desconfiar de algo que não entendia. Mas a expressão instantânea de entendimento que vi no seu olhar era diferente daquilo que estava à espera.

– Acho que isso é um assunto que não te diz respeito, Jake.

– Podes ter razão. Foi apenas curiosidade.

Pelo canto do olho, vi um vulto a vacilar, mas fiz de conta que não era nada. Quil reagira à questão, mas eu não queria denunciá-lo.

– Eu vou pôr o Sam a par das tuas... instruções. Adeus, Jacob.

Suspirei.

– OK. Adeus, Jared. Olha, diz ao meu pai que está tudo bem por aqui. E diz-lhe que peço desculpa e que o amo.

– Eu transmito-lhe a mensagem.

– Obrigado.

– Vamos, rapazes – disse Jared, encaminhando-se para um sítio onde não o víssemos, para se transformar, tendo em atenção a presença de Leah. Paul e Collin seguiram-no logo, mas Quil ficou hesitante. Latiu com suavidade e deu um passo na minha direcção.

– Sim, eu também vou sentir a tua falta, irmão.

E deu-me um empurrão, de cabeça caída e olhar triste. Dei-lhe uma palmada no lombo.

– Tudo vai correr bem.

Ele ganiu.

– Diz ao Embry que sinto a falta dos dois nos meus flancos.

Ele acenou-me com a cabeça, apoiando-me o focinho na testa. Leah resfolegou e Quil ergueu a cabeça, mas não na sua direcção. Olhou por cima do ombro na direcção por onde os outros tinham seguido.

– Sim, vai para casa – disse-lhe.

Depois de ganir novamente, Quil partiu. Jared não devia estar com muita paciência para esperar. Assim que se foi embora, arrebatei o calor do centro do corpo, deixando-o espalhar-se pelos membros. Num instante voltei a assentar as quatro patas no chão.

Estava a ver que tu e o Quil ainda se abraçavam como dois namorados, comentou Leah num tom trocista.

Não fiz caso.

Concordam com aquilo que disse?, perguntei-lhes. Não me agradava falar por eles daquela maneira quando não ouvia exactamente o que estavam a pensar. Não queria assumir nada, tal como Jared.

Disse alguma coisa com a qual não concordaram? Omiti algo que não devia?

Tu falaste muito bem, Jake!, apoiou-me Seth.

Devias ter batido no Jared, pensou Leah, por seu lado. *Eu não me teria importado.*

Acho que dá para perceber porque é que o Embry não foi autorizado a vir, pensou Seth.

Não estava a perceber. *Não foi autorizado?*

Jake, reparaste no Quil? Ele mostrou-se bastante contrariado, não foi? Aposto o que quiseres em como o Embry ainda está pior que ele. O Embry não tem uma Claire, ao contrário do Quil, que não pode pôr-se a andar de La Push sem mais nem menos. O Embry podia. Logo, o Sam não ia arriscar-se a deixar que ele se convencesse a abandonar o barco. Não quer que a nossa alcateia cresça mais.

A sério? Achas que é isso? Duvido que o Embry se importasse de cortar alguns dos Cullen às postas.

Só que ele é o teu melhor amigo, Jake. Ele e o Quil preferem ficar do teu lado a lutar contra ti.

Bom, então estou contente por o Sam o ter mantido em casa. Esta alcateia já é grande de mais. Soltei um suspiro. *Então muito bem. Por agora, está tudo calmo. Seth, importavas-te de ficar a vigiar durante algum tempo? A Leah e eu estamos à beira de um colapso. Isto parece ter corrido bem, mas nunca poderemos ter a certeza. Pode ter sido uma manobra de diversão.*

Não era costume ser assim paranóico, mas lembrava-me do que Sam sentia em relação às suas obrigações: a sua obsessão em destruir tudo o que lhe parecesse perigoso. Será que iria aproveitar-se do facto de poder esconder os seus pensamentos de nós?

Não há qualquer problema! Seth estava simplesmente ansioso em fazer tudo o que pudesse.

Queres que vá contar aos Cullen como correram as coisas? São capazes de ainda estar nervosos.

Eu vou lá. Na verdade, quero ver como é que as coisas estão a correr.

Os dois captaram o turbilhão de imagens no meu cérebro estafado.

Seth ganiu de surpresa. *Ui!*

Leah agitou bruscamente a cabeça, para a frente e para trás, como se tentasse sacudir as imagens do pensamento.

Essa foi a coisa mais horrorosa e asquerosa que vi em toda a vida. Uf! Se tivesse alguma coisa no estômago, já estava a deitá-la fora.

Eles são vampiros, parece-me, atreveu-se Seth a dizer passado um minuto, compensando a reacção de Leah. *Quero dizer, isso faz sentido. E se ajudar a Bella, é bom, não acham?*

Leah e eu ficámos a olhá-lo, estupefactos.

O que foi?

Quando ele era bebé, a mãe estava sempre a deixá-lo cair, disse Leah.

Aparentemente de cabeça.

E também costumava roer as barras do berço.

Pintadas com tinta de chumbo?

Devia ser, pensou ela.

Seth rosnou.

Muito engraçadinhos. Porque não se calam e vão dormir?

Catorze

SABES QUE ALGO ESTÁ ERRADO QUANDO TE SENTES CULPADO POR SERES RUDE COM VAMPIROS

Quando voltei à casa, não encontrei ninguém cá fora para me fazer o ponto da situação. Ainda continuariam em alerta?

"Está tudo sob controlo", pensei, demasiado cansado.

Havia algo de novo naquele cenário, já familiar, que os meus olhos captaram rapidamente. No último degrau das escadas havia uma pilha de roupa clara. Trotei até lá para investigar. Sustive a respiração, porque o cheiro a vampiro fica entranhado na roupa de uma forma inconcebível, e revolvi a pilha com o focinho.

Eram roupas deixadas ali por alguém. Hum. Edward devia ter dado pelo meu momento de exaltação, ao saltar para fora de casa. Bom. Aquilo era... simpático. E esquisito.

Abocanhei as roupas com toda a delicadeza – uf! – e levei-as para o meio das árvores; caso aquilo não passasse de uma brincadeira da loura psicopata e não fosse eu ter nos dentes um monte de roupa de rapariga. Aposto que ela adorava ver a minha cara de humano, todo despido, com um vestido decotado na mão.

A coberto das árvores, libertei-me da pilha nauseabunda e voltei à fase de humano. Sacudi as roupas com toda a força e batia-as contra uma árvore a fim de arejar parte do mau cheiro. Eram realmente roupas de homem: umas calças castanho-claras e uma camisa branca. Nenhuma suficientemente comprida, mas parecia-me que cabia lá dentro. Deviam ser de Emmett. Enrolei os punhos para cima, mas não podia fazer grande coisa às calças. Enfim...

Tinha de reconhecer que me sentia melhor assim vestido, mesmo com uma roupa nojenta e que não era exactamente para o meu tamanho. Era uma chatice não poder ir até casa, de rajada, e apanhar umas calças de fato-de-treino sempre que precisasse. Lá vinha aquela sensação de não pertencer a lugar algum, de não ter, um local para onde voltar. E de não ter nada meu também; o que até agora não constituía um grande estorvo, mas que em breve poderia tornar-se complicado.

Já vestido com aquelas roupas de segunda mão todas pipis, avancei devagar, completamente exausto, em direcção à casa dos Cullen. No entanto, ao chegar à porta, fiquei hesitante. Deveria bater? Isso era estúpido, porque eles sabiam que estava ali. Perguntei-me porque é que ninguém parecia dar por isso, dizendo-me que entrasse ou que me pusesse a andar. Bom, não queria saber. Encolhi os ombros e fiz-me convidado.

Novas mudanças. Durante os últimos vinte minutos, a sala tinha regressado ao aspecto normal – mais ou menos. O grande ecrã plano estava ligado, com o volume no mínimo, e transmitia uma daquelas séries para raparigas à qual ninguém parecia prestar atenção. Carlisle e Esme estavam de pé, junto às janelas das traseiras, que se abriam de novo para o rio. Alice, Jasper e Emmett não estavam à vista, mas ouvi-os a falar em voz baixa no andar de cima. Bella voltara para o sofá do dia anterior e tinha apenas um tubo ligado ao braço, com o frasco do líquido intravenoso pendurado atrás. Estava embrulhada, como um chouriço, numa série de cobertores felpudos, revelando que pelo menos me tinham dado ouvidos. Rosalie permanecia no chão junto à cabeça dela, de pernas cruzadas, enquanto Edward se sentara na ponta do sofá, do outro lado, com os pés do chouriço sobre o colo. Levantou os olhos quando eu entrei e sorriu-me, torcendo ligeiramente a boca, como se algo lhe tivesse agradado.

Bella não me ouviu chegar. Limitou-se a observar de relance, seguindo o olhar do marido, e depois sorriu-me também, com uma energia genuína e o rosto todo iluminado. Não me lembrava da última vez em que se mostrara tão entusiasmada com a minha presença.

O que é que lhe tinha dado? Ela era uma mulher *casada,* com os diabos! E com um casamento feliz – não havia dúvida de que estava apaixonada pelo seu vampiro, de uma maneira que tocava as raias da loucura. E, ainda por cima, grávida até à última escala.

Então porque tinha ela de ficar toda entusiasmada ao ver-me? Como se a porcaria do dia dela se salvasse, só por eu atravessar aquela porta.

Se se limitasse a não me passar cartão... ou, mais do que isso, se não me quisesse ver pela frente, era muito mais fácil manter--me à distância.

Edward pareceu concordar com o que eu pensava; nos últimos tempos andávamos a curtir muito a mesma onda, o que me deixava louco. Naquele momento, via-o de sobrolho franzido, a observar o rosto de Bella, todo radioso virado para mim.

– Eles só queriam conversar – disse por entre dentes, com a voz arrastada de cansaço. – Não há ataques à vista.

– Sim – confirmou Edward. – Ouvi a maior parte do que se passou.

Aquilo despertou-me ligeiramente. Nós estávamos a uns bons cinco quilómetros dali.

– Agora, consigo ouvi-los melhor; é uma questão de treino e de concentração. E, quando estás na forma humana, os teus pensamentos também são um pouco mais fáceis de captar. Por isso, acompanhei quase tudo o que se passou.

– Ah! – Aquilo deixava-me algo irritado, pelo pior motivo; logo, encolhi os ombros e deixei passar. – Óptimo. Odeio dizer a mesma coisa duas vezes.

– Gostava de te pedir para dormires umas horas – disse Bella –, mas acho que vais cair em cinco segundos; por isso não vale a pena.

Era incrível como a sua voz tinha melhorado tanto e como ela se apresentava muito mais forte. Chegou-me o cheiro de sangue fresco e vi-lhe de novo o copo na mão. De quanto mais sangue precisavam para a manter viva? Passado algum tempo, será que iriam começar a atacar a vizinhança?

Dirigi-me para a porta, a fazer a contagem decrescente dos segundos a cada passo que dava.

– Houston, cinco... quatro...

– Vais partir para a Lua, rafeiro? – resmoneou Rosalie, por entre dentes.

– Sabes como se afoga uma loura, Rosalie? – perguntei-lhe sem parar nem me voltar na sua direcção. – Cola-se um espelho no fundo de uma piscina.

Ouvi o riso de Edward ao bater com a porta. A disposição dele parecia melhorar na proporção exacta à saúde de Bella.

– Essa já é velha! – gritou Rosalie atrás de mim.

Arrastei-me penosamente pelos degraus, com o objectivo único de me aguentar de pé até chegar a uma área no meio das árvores, onde o ar fosse puro. Para não ter de aguentar o cheiro da roupa, em vez de a atar à perna, tencionava enterrá-la a uma distância considerável da casa para uso futuro. Enquanto desapertava os botões em movimentos atabalhoados, ocorreu-me que a roupa com botões nunca seria uma moda para os lobisomens.

À medida que avançava a custo através do relvado, chegava-me o som das vozes.

– Onde é que vais? – perguntava Bella.

– Esqueci-me de lhe dizer uma coisa.

– Deixa o Jacob dormir. Isso pode esperar.

– Sim, por favor, deixa o Jacob dormir.

– Não demoro nada.

Virei-me devagar e vi Edward à porta. Aproximou-se de mim, com uma expressão pesarosa.

– O que diabo foi agora?

– Desculpa – disse ele, hesitando em prosseguir, como se não soubesse transformar em palavras o que estava a pensar.

Em que pensas, leitor de pensamentos?

– Há pouco, quando estavas a falar com os enviados do Sam – começou ele, em voz baixa –, eu ia fazendo o relato ao Carlisle, à Esme e aos outros em simultâneo. Eles estavam preocupados...

– Olha, não estamos a baixar a guarda e vocês não têm de confiar no Sam, tal como nós. Mas continuamos de olhos abertos.

– Não, não, Jacob. Nós confiamos no vosso juízo. O que está a preocupar a Esme são as privações que a tua alcateia está a enfrentar. Ela pediu-me para falar contigo em particular sobre esse aspecto.

Aquilo apanhou-me desprevenido.

– Privações?

– O facto de não terem casa, sobretudo. O que a deixa mais incomodada é ver-vos assim tão... expostos.

Resfoleguei. Uma mãe galinha vampira, que cena bizarra.

– Ela gostaria de ajudar-vos no que for possível. Julgo que a Leah não gosta muito de comer sob a forma de lobo, certo?

– E? – interpelei.

– Bom, Jacob, nós temos a comida normal dos humanos em casa. Por uma questão de fachada e, claro, por causa da Bella. Por isso teremos todo o gosto em que a Leah se sirva do que quiser. Tal como tu e o Seth.

– Eu passo a palavra.

– A Leah odeia-nos.

– E então?

– Se não te importasses, poderias tentar passar a mensagem de um modo convincente?

– Faço o que puder.

– E, depois, há a questão das roupas.

Olhei de relance para as que trazia vestidas.

– Ah, sim. Obrigado. – Se calhar não seria de bom-tom referir o cheiro nauseabundo que exalavam.

Edward sorriu, ligeiramente.

– Bom, nesse aspecto é extremamente fácil ajudar-vos. A Alice quase nunca nos deixa usar a mesma roupa duas vezes. Temos os armários cheios de vestuário por estrear, que íamos doar a obras de caridade. Penso que a Leah tem mais ou menos as medidas da Esme...

– Não sei bem qual será a opinião dela em relação aos refugos de bebedores de sangue. A Leah não é tão pragmática quanto eu.

– Confio em ti para lhe falares sobre esta oferta, da melhor maneira possível. E, ainda, sobre a disponibilização de outros bens de que precisem, assim como de algum transporte ou outra coisa qualquer. E há chuveiros à vossa disposição, uma vez que preferem dormir ao relento. Por favor... não julguem que têm de abdicar de todas as comodidades de uma casa.

E pronunciou a última frase suavemente, sem tentar controlar-se, pelo que manifestou uma emoção sentida.

Fiquei a olhá-lo por uns instantes, piscando os olhos de sono.

– Isso, hum, é muito agradável da vossa parte. Diz à Esme que eu agradeço a, hum, ideia. Mas, como o perímetro atravessa o rio em vários pontos, conseguimos manter-nos mais ou menos lavados, obrigado.

– Mesmo assim, gostava que transmitisses a oferta.

– Claro, claro.

– Obrigado.

Dei meia volta e afastei-me dele, ficando petrificado ao ouvir um grito surdo e aflito vindo de casa. Quando me virei, Edward já tinha desaparecido.

O que teria sido desta vez?

Fui atrás dele, arrastando os pés como um *zombie* e a usar o mesmo número de neurónios que um morto-vivo. Não me parecia haver outra alternativa. Havia um problema qualquer, pelo que tinha de ir ver o que se passava. Não haveria nada que pudesse fazer. E sentir-me-ia ainda pior.

Tudo parecia inevitável.

Voltei a entrar sem bater. Bella respirava ofegante, curvada sobre o vulto no centro do corpo. Rosalie amparava-a, enquanto Edward, Carlisle e Esme se debruçavam sobre ela. O meu olhar foi atraído pelo movimento suave de alguém; Alice encontrava-se ao cimo das escadas, com o olhar fixo na sala e com as mãos a pressionarem as têmporas. Era estranho – parecia que algo esquisito a impedia de se aproximar.

– Espere um momento, Carlisle – pedia Bella, arquejando.

– Bella – disse o médico, num tom ansioso. – Ouvi qualquer coisa a estalar. Tenho de te observar.

– Tenho a certeza... Ai!... que foi uma costela. Ui! Sim. Mesmo aqui. – Apontou para o lado esquerdo com cuidado, no sentido de tocar no ponto dorido.

Agora, aquilo estava a partir-lhe os ossos!

– Tenho de te fazer uma radiografia. Pode haver fragmentos e não queremos que perfurem algo.

Bella respirou fundo.

– Está bem.

Rosalie ergueu Bella cautelosamente. Edward parecia preparar-se para argumentar, mas a outra arreganhou-lhe os dentes e rosnou-lhe:

– Já lhe peguei.

Bella sentia-se mais forte e o mesmo acontecia àquela coisa. Não se podia matar um à fome, sem o outro morrer, e o processo de recuperação funcionava da mesma maneira. Fosse como fosse, perdia-se sempre.

A louraça carregou Bella ao longo da grande escadaria, cheia de agilidade, com Carlisle e Edward atrás, sem que nenhum desse por mim, ali especado no limiar da porta, de boca aberta.

Com que então, eles tinham um banco de sangue e um aparelho de raios X? Dava para adivinhar que o médico levava trabalho para casa.

Sentia-me demasiado cansado para os seguir e para me mexer. Encostei-me à parede e deixei-me escorregar até ao chão. A porta continuava aberta e virei o nariz para a abertura, aliviado ao sentir o sopro de uma brisa cristalina. Apoiei a cabeça na ombreira e deixei-me ficar à escuta.

Distingui o som do equipamento de raios X a chegar do andar de cima. Ou então seria eu a imaginar. Em seguida, chegou-me o ruído de uns passos ligeiros a descer as escadas. Não olhei para ver que vampiro seria.

– Queres uma almofada? – perguntou Alice.

– Não – resmunguei por entre dentes. Agora passavam a vida a querer ajudar-me à força? Aquilo punha-me fora de mim.

– Assim não estás muito confortável.

– Pois não.

– Então, porque não mudas de posição?

– Estou cansado. Porque não estás lá em cima tal como os outros? – retorqui, de mau modo.

– Dor de cabeça – respondeu.

Voltei a cabeça para a ver.

Alice era uma coisinha minúscula; tinha mais ou menos o tamanho de um dos meus braços. Agora parecia mais pequena, como se tivesse mirrado, e o seu pequeno rosto apresentava--se macilento.

– Os vampiros têm dores de cabeça?

– Os normais não.

Bufei. Vampiros normais...

– Então, porque é que nunca mais te vi junto da Bella? – interpelei, conferindo um tom acusatório. Era a primeira vez que pensava no assunto, dado que tinha a cabeça cheia de outras porcarias; no entanto, era estranho nunca ver Alice próxima de Bella, desde que comecei a andar por ali. Se estivesse ao lado dela, talvez Rosalie não ficasse.

– Pensei que vocês as duas eram unha e carne – observei, torcendo um dedo no outro, para acompanhar o comentário.

– Tal como te disse – Alice enroscou-se no chão, a poucos metros de mim, com os braços delgados em redor dos joelhos igualmente delgados –, dor de cabeça.

– A Bella está a dar-te dores de cabeça?

– Sim.

Franzi o sobrolho. Naquele preciso momento queria tudo menos pensar em quebra-cabeças. Deixei a cabeça girar ao contrário, rumo ao ar fresco, e fechei os olhos.

– Não, na verdade não é a Bella – corrigiu ela. – É o... feto.

Ah, havia mais alguém que pensava o mesmo que eu. Era fácil de compreender. Ela tinha pronunciado a palavra de mau modo, tal como Edward.

– Não consigo vê-lo – disse, embora pudesse à mesma estar a falar sozinha. Para ela, eu já estava longe dali. – Não consigo ter ideia nenhuma sobre ele, tal como sobre ti.

Retraí-me e cerrei os dentes. Não me agradava ser comparado àquela criatura.

– A Bella atravessa-se à frente. Ela envolve-o por completo e faz com que a veja... desfocada. Tal como a televisão, quando há interferências e tentamos focalizar figuras indistintas e baralhadas no ecrã. Sempre que tento observá-la, fico com a cabeça em água. E, de qualquer maneira, não consigo prever mais do que uns minutos. O feto... está demasiado envolvido no futuro dela. Inicialmente, quando ela decidiu... quando teve a consciência de que o queria, esbateu-se totalmente perante os meus olhos. Apanhei um susto de morte.

Silenciou por um segundo e acrescentou:

– Devo confessar que é um alívio ter-te perto de mim... apesar do cheiro a cão molhado. Tudo desaparece, como se fechasse os olhos. A dor de cabeça adormece.

– É um prazer ser-lhe útil, minha senhora – resmunguei, por entre dentes.

– Pergunto-me o que há de comum entre ti... porque existe esse paralelo.

De repente, senti uma onda de calor a explodir dentro de mim e tive de crispar as mãos para controlar os tremores.

– Não existe nada de comum entre mim e aquele sugador de vida – disse por entre dentes.

– Bom, há algo.

Não respondi. O calor começava a diminuir e eu estava demasiado esgotado para alimentar a minha raiva.

– Não te importas que fique aqui sentada junto de ti, pois não? – perguntou ela.

– Suponho que não. Cheira mal de qualquer maneira.

– Obrigada – agradeceu Alice. – Acho que é o melhor para isto, uma vez que não posso tomar aspirinas.

– Podes baixar o volume? Aqui, dorme-se.

Ela não me respondeu, remetendo-se de imediato ao silêncio. Segundos depois, eu já estava a dormir.

No meu sonho, tinha muita sede e via um enorme copo de água à minha frente – a água estava tão gelada que as paredes do copo se cobriam de gotas de condensação. Agarrei-o precipitadamente e dei um grande gole, descobrindo num instante que aquilo não era água – mas sim lixívia pura. Cuspi o que tinha na boca, espalhando o líquido por todo o lado, e houve uma parte que saiu pelo nariz, queimando-me. Tinha o nariz a arder...

Aquela dor despertou-me o suficiente para me recordar onde tinha adormecido. O cheiro era bastante intenso, tendo em conta que a minha cabeça estava encostada à ombreira, com o nariz mais virado para fora. Uf! Além de que havia muito barulho. Era alguém que ria demasiado alto. Uma gargalhada familiar, mas que não condizia com o cheiro. Não pertencia ali.

Emiti um grunhido e abri os olhos. O céu estava pintado com um cinzento mortiço – era de dia, mas não fazia ideia que horas seriam. Talvez próximo do pôr-do-sol, na medida em que estava bastante escuro.

– Já não era sem tempo – resmungou a louraça, não muito longe dali. – A tua imitação de motosserra já começava a cansar.

Rebolei sobre mim e torci-me para ficar sentado no chão. Em seguida descobri a fonte do cheiro. Alguém me tinha entalado uma almofada de penas debaixo da cabeça. "Provavelmente na tentativa de ser simpático", deduzi. A não ser que tivesse sido Rosalie.

Assim que desviei a cara das penas fedorentas, captei outros cheiros; como o de *bacon* e de canela, misturados com o odor a vampiro.

Pisquei os olhos, concentrando-me na sala à minha frente.

Não havia grandes mudanças, à excepção de Bella, agora sentada a meio do sofá, e do frasco com o líquido intravenoso ter desaparecido. A louraça sentava-se aos seus pés, apoiando a cabeça nos joelhos dela. Dadas as circunstâncias, aquilo era uma estupidez completa, mas ainda sentia calafrios ao ver como eles lhe tocavam de um modo tão natural. Edward sentara-se ao lado da mulher e segurava-lhe na mão. Alice também estava sentada no chão, à semelhança de Rosalie, sem o rosto desfigurado. E foi fácil descobrir porquê: ela tinha encontrado um outro analgésico.

– Ei, o Jake vem aí! – anunciou Seth, com uma voz esganiçada.

Sentara-se do outro lado de Bella, passando-lhe o braço pelos ombros despreocupadamente, e tinha no colo um prato a abarrotar de comida.

Que diabo era aquilo?

– Ele veio à tua procura – disse Edward, quando me viu levantar. – E a Esme convenceu-o a ficar para tomar o pequeno--almoço.

Ao ver a minha expressão, Seth apressou-se a explicar.

– É isso, Jake, vim ver se estavas bem, porque nunca chegaste a transformar-te e a Leah estava preocupada. Disse-lhe que devias ter caído a dormir na forma humana. Mas sabes como ela é. De qualquer maneira, eles tinham esta comida toda e, com os diabos... – virou-se para Edward –, ...tu cozinhas bem, meu.

– Obrigado – murmurou Edward.

Inspirei devagar, tentando descerrar os dentes. Não conseguia desviar os olhos do braço de Seth.

– A Bella estava com frio – observou Edward, serenamente.

Era isso. De qualquer forma, não tinha de me meter onde não era chamado. Ela não me pertencia.

Seth ouviu o comentário de Edward, olhou para mim e, de repente, lembrou-se que precisava das duas mãos para comer. Afastou o braço dos ombros de Bella e atirou-se à comida. Aproximei-me, conservando uma certa distância do sofá, ainda a tentar dominar-me.

– A Leah está a fazer a patrulha? – perguntei, com a voz entaramelada pelo sono.

– Sim – confirmou Seth, com a boca cheia de comida. Ele também usava roupa nova, que lhe ficava melhor que a minha. – Ela tem tudo sob controlo, não te preocupes. Se acontecer alguma coisa, uiva. Revezámo-nos cerca da meia-noite. Estive a correr doze horas. – Aquilo enchia-o de orgulho, conforme se detectava na voz.

– Meia-noite? Espera aí... que horas são?

– Está prestes a nascer o dia – respondeu Seth, dando uma olhadela à janela para confirmar.

"Maldição." Tinha dormido durante o resto do dia e a noite inteira. Que erro crasso.

– Bolas! Desculpa lá isso, Seth. Sinceramente. Devias ter-me acordado de qualquer maneira.

– Nã, meu, tu precisavas de dormir como deve ser. Já não descansavas desde quando? Desde a noite anterior à tua última patrulha com o Sam? Há cerca de quarenta horas? Cinquenta? Não és uma máquina, Jake. Além disso, não perdeste nada.

Nada mesmo? E lancei uma olhadela rápida a Bella. A sua cor tinha voltado, tal como a recordava. Pálida, mas com um tom róseo subjacente. E os lábios também estavam novamente rosados. Até o cabelo tinha melhor aspecto, havia outro brilho. Ela viu-me a apreciá-la e esboçou-me um largo sorriso.

– Como está a costela? – perguntei.

– Ligada com todo o primor. Já não sinto nada.

Revirei os olhos e, em simultâneo, senti Edward a ranger os dentes. Calculei que aquela atitude de "não-te-rales" o enervaria tanto como a mim.

– O que é que vais tomar ao pequeno-almoço? – perguntei, com uma certa ironia. – O negativo ou AB positivo?

Ela deitou-me a língua de fora. A Bella de sempre estava de regresso.

– Omeleta – respondeu, mas os seus olhos viraram-se para baixo muito depressa e vi o copo com sangue, preso entre a perna dela e a de Edward.

– Toma o pequeno-almoço, Jake – ofereceu Seth. – Há um monte de comida na cozinha. Deves ter o estômago vazio.

Olhei para o prato de comida pousado no colo dele. Vi o que me parecia ser metade de uma omeleta de queijo e o último quarto de um pãozinho de canela, do tamanho de um disco de atirar em plástico. Senti o estômago a revolver-se, mas fiz de conta que não era nada.

– O que é que a Leah tem para o pequeno-almoço? – perguntei, num tom de censura.

– Ei, eu levei-lhe comida, antes de tocar na minha – defendeu-se Seth. – Ela disse que preferia comer o cadáver de um animal atropelado na estrada, mas aposto que dará o braço a torcer. Estes pãezinhos de canela... – Ele parecia nem ter palavras para os descrever.

– Então, eu vou caçar com ela.

Seth soltou um suspiro, quando me viu dar meia-volta para partir.

– Tens um momento, Jacob?

Era Carlisle quem me chamava, pelo que me virei de novo, exibindo uma expressão provavelmente menos desrespeitosa que a que teria se fosse outro a reter-me.

– Sim?

O médico aproximou-se, enquanto Esme se afastava rumo a outra divisão. Entretanto parou a uma distância ligeiramente superior à que separaria dois humanos que quisessem conversar. Fiquei-lhe reconhecido por me dar aquele espaço.

– Por falar em caçar... – começou ele num tom apreensivo. – Isso constituirá um problema para a minha família. Parto do princípio que as nossas tréguas anteriores cessaram durante algum tempo, pelo que gostava de conhecer a tua opinião. O Sam irá tentar apanhar-nos no exterior do perímetro criado? Não queríamos correr o risco de ferir algum membro da tua família, nem de perder um dos nossos. Se estivesses no nosso lugar, como agirias?

Ao ouvi-lo colocar a questão naqueles termos, o espanto fez-me recuar um passo. Alguma vez poderia saber o que era estar no lugar luxuoso dos sugadores de sangue? Por outro lado, conhecia bem Sam.

– A situação é arriscada – respondi, tentando ignorar os olhos dos outros postos sobre mim e dirigindo-me apenas a ele. – O Sam está mais calmo, mas tenho a certeza de que na cabeça dele o acordo já deixou de existir. Enquanto pensar que a tribo ou outro humano qualquer correm um perigo real, ele não se irá questionar primeiro e disparar depois, se compreendes onde quero chegar. Mas, considerando tudo isso, La Push será o sítio prioritário para ele. Eles não são suficientes, nem de longe, para vigiar as pessoas e, em simultâneo, organizarem grandes batidas que possam ter efeitos mais devastadores. Apostava em como apenas rondará as casas.

Carlisle acenou com a cabeça em jeito de concordância, exibindo um ar pensativo.

– Por isso, aconselhava-os a saírem juntos, como prevenção. E, fazê-lo durante o dia, porque os outros estão à espera que saiam de noite. Sabe como são as teorias sobre os hábitos dos vampiros... Vocês são rápidos e dirigem-se às montanhas, o mais afastadas possível, onde não haja o perigo de ele enviar alguém.

– E deixamos a Bella para trás sem protecção?

Bufei de impaciência.

– Então o que é que nós somos? Fogo-de-vista?

Carlisle soltou uma gargalhada e, de imediato, recuperou um ar sério.

– Jacob, vocês não podem lutar contra os vossos irmãos.

Semicerrei os olhos.

– Não vou negar que a situação é difícil, mas se eles realmente vierem para a matar... eu serei capaz de os deter.

Carlisle abanou a cabeça, com um ar ansioso.

– Não, eu não quis dizer que tu... não eras capaz. Só que isso seria cometer um erro muito grave, que não queria ter na minha consciência.

– Não ia pesar-lhe na consciência, doutor. Pesava-me na minha. E eu consigo lidar com isso.

– Não, Jacob. Vamos garantir que as nossas acções podem evitar isso. – Depois enrugou a testa, a reflectir. – Iremos três de cada vez – decidiu, passado um segundo. – É o melhor que podemos fazer.

– Não sei, doutor. Dividir ao meio não é a melhor estratégia.

– Dispomos de alguns recursos extra que podem compensar. Se o Edward for um dos três caçadores, ele dar-nos-á um raio de segurança de vários quilómetros.

Ambos olhámos para Edward de soslaio. A expressão dele levou Carlisle a retroceder.

– E estou certo que teremos outras alternativas – prosseguiu. Era evidente que não havia qualquer necessidade física tão premente que conseguisse afastar Edward de Bella nesta altura. – Alice, suponho que consegues identificar os percursos mais perigosos.

– São os que desaparecem da minha visão – respondeu ela. – É simples.

Edward, que ficara rígido ao ouvir o plano inicial de Carlisle, descontraiu-se um pouco. Bella olhava fixamente para Alice, com uma expressão melancólica, e mantinha aquela ruga entre os olhos que exibia sempre que se enervava.

– Então, muito bem – disse eu –, se já está tudo combinado, vou pôr-me a andar. Seth, espero por ti ao anoitecer. Por isso dorme uma sesta num sítio qualquer, está bem?

– Claro, Jake. Transformo-me assim que terminar. A não ser... – e ficou hesitante, olhando para Bella. – Precisas de mim?

– Ela tem cobertores – acrescentei bruscamente.

– Eu estou bem, Seth, obrigada – apressou-se Bella a dizer.

Entretanto, Esme regressou à sala com o seu passo esvoaçante, transportando uma grande travessa. Parou hesitante, ao lado de Carlisle, com os seus grandes olhos dourados escuros pousados em mim. Estendeu-me a travessa e deu um passo tímido na minha direcção.

– Jacob – disse em voz baixa, num tom menos penetrante que o dos outros –, eu sei que a ideia de comeres aqui não é muito... convidativa com este cheiro menos agradável. Mas eu sentia-me muito melhor se levasses alguma comida contigo. Sei que não podes regressar a casa e também sei que isso se deve a nós. Peço-te: alivia um pouco a minha consciência. Leva algo para comeres. – E estendia-me a comida, com suavidade estampada num rosto e implorante. Não sei como o conseguiu fazer, porque não me parecia ter mais do que vinte e poucos anos e era pálida como o marfim; no entanto, havia algo na sua expressão que, subitamente, me recordou a minha mãe.

Caraças.

– Hum, claro, claro – murmurei por entre dentes. – Acho que sim. Talvez a Leah ainda tenha fome, ou algo do género.

Aproximei-me dela e agarrei na travessa com uma mão, segurando-a com o braço estendido. Mais tarde atirá-lo-ia para debaixo de uma árvore ou para outro lado qualquer. Não queria magoá-la.

Depois lembrei-me de Edward.

Não lhe vais dizer nada! Deixa-a pensar que eu a comi.

Não olhei para ele, para verificar se estava de acordo. Era melhor que sim. O sugador de sangue estava em dívida para comigo.

– Obrigada, Jacob – agradeceu Esme com um sorriso. Como é que um rosto de pedra podia ter *covinhas,* com os diabos?

– Hum, eu é que agradeço – respondi, sentindo a cara a arder... mais do que o costume.

Era isto que eu arranjava ao rodear-me de vampiros – habituava-me a eles. E, por sua vez, eles começavam a baralhar a minha perspectiva do mundo, ao acharem que eram meus amigos.

– Voltas mais tarde, Jake? – perguntou Bella, quando me tentava pôr a milhas dali.

– Hum, não sei.

Ela comprimiu os lábios, na expectativa de conter um sorriso.

– Por favor? Posso vir a ter frio...

Inspirei com toda a força através do nariz, percebendo tarde de mais, que não o deveria ter feito. Estremeci.

– Talvez.

– Jacob? – chamou Esme. Recuei em direcção à porta, enquanto ela dava alguns passos na minha direcção.

– Deixei um cesto com roupas no pórtico. São para a Leah. Foram lavadas outra vez e tentei tocar-lhes o menos possível.

– A seguir, perguntou-me, franzindo a testa:

– Importavas-te de as levar?

– É para já – murmurei e lancei-me porta fora, antes que alguém apelasse à minha consciência para me convencer a fazer mais alguma coisa.

Quinze

TIC, TAC, TIC, TAC,
TIC, TAC.

*Ei, Jake, pensei que tinhas dito que me querias aqui ao
anoitecer. Porque não pediste à Leah para me acordar antes de
ela cair para o lado a dormir?*
Não precisava de ti. Ainda estou em forma.
Seth avançava em direcção à parte norte do círculo.
Alguma novidade?
Nenhuma. Nada de nada.
Andaste a explorar novos caminhos?
Seth reparara no início de um dos circuitos adjacentes ao
perímetro que eu tinha andado a percorrer e dava uma espreitadela ao novo trilho.
*Sim, andei a bater o terreno aqui à volta. Por uma questão de
segurança, percebes? Se os Cullen se preparam para fazer uma
caçada...*
Bem pensado.
Seth regressou a trote ao circuito principal.
Era mais fácil andar na companhia de Seth do que percorrer
aqueles caminhos com Leah. Embora ela estivesse a fazer um
esforço – um esforço assinalável – havia sempre um grão de
areia no seu pensamento. Leah não desejava estar ali. Não
gostava de ver a minha aversão aos vampiros a amolecer. Não
lhe apetecia lidar com a amizade tranquila que Seth tinha com
eles, uma amizade que se aprofundava cada vez mais.
Mas, ao mesmo tempo, era engraçado porque pensara que o
seu maior problema ia ser eu. Passávamos a vida a embirrar um
com o outro na alcateia de Sam. No entanto, o antagonismo de

Leah em relação a mim desaparecera por completo, sobrando apenas a sua animosidade pelos Cullen e por Bella. Interrogava-me porque seria assim. Talvez não passasse da sua gratidão por não a obrigar a regressar a casa. Talvez se devesse a eu compreender melhor as razões da sua hostilidade. Fosse como fosse, correr com Leah não era tão mau como esperara.

É evidente que ela não amansara assim tanto. A comida e as roupas que Esme lhe tinha enviado, neste momento, seguiam rio abaixo. Mesmo depois de eu ter comido a minha parte – não porque o odor acre dos vampiros tivesse desaparecido e a comida me parecesse irresistível, mas para proporcionar um exemplo de tolerância altruísta –, Leah recusara-se a comer. O pequeno alce que caçara por volta do meio-dia não a tinha saciado, apenas contribuindo para lhe reforçar o mau humor. Leah odiava comer coisas cruas.

E se batêssemos agora a zona Este?, sugeriu Seth. *Podíamos explorar aquela área mais a fundo e ver se eles não andam por ali à espreita.*

Estava a pensar nisso, concordei. Mas é melhor irmos quando estivermos os três acordados. Não quero baixar a guarda. Embora seja preciso fazê-lo, antes de os Cullen se aventurarem a ir até lá. Não podemos perder muito tempo.

Certo.

Aquilo dava-me que pensar.

Se os Cullen tinham a hipótese de abandonar as imediações em segurança, não deviam olhar para trás. Deviam-no ter feito, inclusive, no momento em que os avisámos. Com certeza que dispunham de meios financeiros para desencantar um outro covil. E também tinham alguns amigos a Norte, certo? Deviam pegar em Bella e pôr-se a mexer. Parecia ser a resposta mais óbvia aos problemas.

O melhor era aconselhá-los; no entanto tinha receio que me dessem ouvidos. E não desejava que Bella desaparecesse, sem nunca poder saber se tinha sobrevivido ou não.

Não, isso era uma parvoíce. Eu devia intimá-los a partirem. Não havia qualquer lógica em permanecerem ali e seria melhor – não menos doloroso, mas mais saudável – para mim se Bella partisse.

Era fácil de dizer agora, que ela não estava junto de mim, toda entusiasmada com a minha presença, ao mesmo tempo que a sua vida se mantinha suspensa por um fio.

Sim, eu já falei com o Edward sobre isso, pensou Seth.

O quê?

Perguntei-lhe porque que é que ainda não tinham arrancado e ido para junto da Tanya, ou algo do género. Para um sítio que ficasse tão afastado que o Sam não pudesse ir atrás deles.

Tive de me recordar que acabara de decidir dar esse conselho aos Cullen. Que seria o melhor a fazer. Por isso, não devia ficar furioso com Seth por me tirar essa tarefa das mãos. Nada furioso.

Então, o que é que ele disse? Estão à espera do momento mais oportuno?

Não, eles não vão embora.

E eu não devia tomar aquilo como uma boa notícia.

Porque não? É um absurdo.

Não é bem assim, retorquiu Seth num tom defensivo. *Juntar todo o equipamento médico que o Carlisle tem ali é uma tarefa que leva o seu tempo. Ele tem o material necessário para tratar da Bella e dispõe de credenciais para arranjar mais. Essa é uma das razões que os leva a quererem fazer um raide. O Carlisle acha que, em breve, irão precisar de arranjar mais sangue para a Bella. Ela está a esgotar as embalagens de O negativo que havia em* stock *e Carlisle não quer esperar que esgotem. Por isso, vai comprar mais. Sabes que se pode comprar sangue, se fores médico.*

Ainda não estava preparado para raciocinar com lógica. Mesmo assim, era uma estupidez. Eles poderiam levar a maior parte das coisas quando mudassem, não é? E, depois, roubar o que lhes faltasse, onde quer que estivessem. Os mortos-vivos não devem andar muito preocupados com as tretas da legalidade.

O Edward não está disposto a correr riscos, mudando a Bella de um lado para ao outro.

Ela já está melhor.

Isso é verdade, anuiu Seth. Comparava mentalmente as memórias que tinha de Bella toda entubada com a forma como a vira a última vez, ao sair lá de casa. Ela tinha-lhe sorrido e acenado. *O problema era Bella não poder mexer-se muito. Aquela coisa está a destruí-la.*

Tive de conter a bílis que subia pela minha garganta.

Sim, eu sei.

Partiu-lhe outra costela, acrescentou ele, num tom sombrio.

Pousei uma pata em falso e tive de balançar o corpo para recuperar o equilíbrio.

O Carlisle teve de a ligar novamente. É só mais uma fractura, disse ele. Depois a Rosalie começou a debitar qualquer coisa sobre os bebés humanos normais, às vezes, também provocarem problemas semelhantes. Pela expressão, o Edward estava capaz de lhe arrancar a cabeça.

Foi pena que não o tivesse feito.

Seth já tinha ganho balanço e agora fazia-me o relato completo – sabendo o quão era importante para mim estar a par de tudo, mesmo que nunca me mostrasse interessado.

A Bella passou o dia com uma febre intermitente. Não tem temperaturas altas, limita-se a ficar quente e depois arrefece. O Carlisle não sabe muito bem o que lhe há-de fazer. Pode estar apenas enjoada. Neste momento, o sistema imunitário dela não deve estar nas melhores condições.

Sim, deve ser apenas uma coincidência.

Mas está bem-disposta. Estava a tagarelar com o Charlie, a rir e tudo...

Com o Charlie! O quê?! O que queres dizer com isso de estar a falar com o Charlie?

Foi a vez de Seth dar uma passada vacilante, surpreendido pela minha fúria.

Acho que ele lhe telefona todos os dias. E a mãe também lhe liga de vez em quando. A Bella já está com melhor voz, por isso estava a sossegá-lo, dizendo que já estava em convalescença...

Em convalescença? Que diabo pensam eles?! Estão a dar-lhe esperanças, para ele ficar ainda mais destroçado quando a filha morrer? Pensava que o estavam a mentalizar para isso! A tentar prepará-lo! Porque é que ela o engana dessa maneira?

Ela pode não morrer, pensou Seth serenamente.

Respirei fundo, tentando recuperar o autocontrolo.

Seth, mesmo que ela consiga ultrapassar a situação, não o vai fazer sob a forma humana. A Bella sabe isso e os outros também. Se não morrer, terá de fazer uma imitação bastante convincente de um cadáver, miúdo. Ou faz isso, ou desaparece. Pensava que eles estavam a fazer os possíveis para facilitar a situação ao Charlie. Por que razão?...

Acho que foi ideia da Bella. Ninguém disse nada, mas pela cara do Edward parece que ele tinha a mesma opinião que tu.

De novo, na mesma onda do chupador de sangue...

Corremos em silêncio durante alguns minutos e eu comecei a explorar uma nova via, mais a Sul.

Não vás para muito longe.

Porquê?

A Bella pediu para passares por lá.

Cerrei os dentes.

A Alice também te quer ver. Diz que está farta de andar a pairar no sótão, como um morcego no campanário de uma igreja. Seth resfolegou a rir. *O Edward e eu estivemos a trabalhar em turnos, a tentar estabilizar a temperatura da Bella. Do frio para o quente, conforme era preciso. Acho que posso voltar, caso não queiras fazer isso...*

Não, eu vou, disse precipitadamente.

Está bem. Seth não fez mais comentários e concentrou-se com todo o vigor na floresta vazia.

Continuei a correr para Sul, à procura de novidades. Quando avistei os primeiros vestígios da civilização, dei meia-volta e regressei. Ainda não estava muito próximo da cidade, mas não queria dar origem a rumores sobre o aparecimento de lobos. Conseguíamos manter-nos invisíveis e afastados de problemas há um período bem aceitável.

No caminho de regresso, atravessei o perímetro e dirigi-me a casa dos Cullen. Por muito que reconhecesse que era idiota agir assim, não conseguia controlar-me. Devia ser uma espécie de masoquismo.

Não se passa nada de errado contigo, Jake. Esta situação não é normal.

Seth, cala-te, por favor.

Já estou calado.

Desta vez não hesitei junto à porta; limitei-me a avançar, como se aquele lugar fosse meu. Imaginei que isso deixaria Rosalie fula, mas não acertei. Nem ela nem Bella estavam à vista. Olhei em volta, precipitadamente, pensando não estar a ver bem e sentindo o coração a palpitar contra as costas, de uma forma estranha e desconfortável.

– Ela está bem – informou Edward, em voz baixa. – Ou na mesma, melhor dizendo.

O vampiro estava sentado no sofá com a cara apoiada entre as mãos e não a ergueu para falar comigo. Esme estava ao lado, com o braço em redor dos ombros dele e apertando-o contra si.

– Olá, Jacob! – saudou ela. – Estou contente por teres voltado.

– Eu também – disse Alice, com um grande suspiro. Descia as escadas num passo bamboleante e fez-me uma careta. Como se eu tivesse chegado atrasado a um encontro.

– Oh, olá – disse, com uma sensação esquisita ao tentar ser delicado. – Onde está a Bella?

– Na casa de banho – esclareceu Alice. – A maior parte da alimentação é líquida, percebes? Acresce que a gravidez, em geral, provoca isso, segundo ouvi dizer.

– Ah!

Deixei-me ficar ali, numa posição desajeitada, a balançar o corpo para a frente e para trás.

– Hum, que maravilha – resmungou Rosalie. Virei a cabeça de repente e descobri-a a sair de um pequeno átrio, meio escondido debaixo da escadaria. Transportava Bella nos braços com todo o cuidado e dirigia-me ostensivamente uma expressão de desprezo. – Bem me parecia que sentia um cheiro pestilento.

E, exactamente como acontecera antes, o rosto de Bella iluminou-se, como o de uma criança numa manhã de Natal. Tal como se eu lhe trouxesse o melhor presente de sempre.

Aquilo não era justo.

– Jacob – disse ela, com um suspiro. – Estás aqui.

– Olá, Bells.

Esme e Edward levantaram-se ao mesmo tempo, enquanto eu observava o cuidado com que Rosalie deitava Bella no sofá. Reparei que esta sustinha a respiração e que o seu rosto empalidecia, apesar de tentar dominar-se, mostrando-se determinada a não soltar um "ai", por muito que isso lhe custasse.

Edward afagou-lhe a testa e passou-lhe a mão pelo pescoço. Tentou fingir que apenas lhe afastava o cabelo para trás; mas aquilo pareceu-me mais um exame médico.

– Tens frio? – sussurrou-lhe.

– Estou bem.

– Bella, ouviste o que o Carlisle te disse – salientou Rosalie. – Não disfarces nada. Isso não nos ajuda a fazer o que é melhor para os dois.

– Tens razão, sinto algum frio. Edward, passas-me esse cobertor?

Revirei os olhos.

– Não é mais ou menos por isso que eu estou aqui?

– Acabaste de chegar – justificou-se Bella. – E deves ter passado o dia a correr. Devias sentar-te algum tempo, descansa os pés. Daqui a pouco já devo sentir-me mais quente.

Não lhe dei ouvidos e fui sentar-me no chão, junto do sofá, enquanto ela ainda me dizia o que devia fazer. Mas, de repente, fiquei sem saber o que... ela parecia tão frágil, que tinha medo de a mover, até mesmo de lhe passar os braços em volta. Por isso, limitei-me a inclinar-me cuidadosamente ao seu lado, com o meu braço pousado junto ao dela, e segurando-lhe na mão. A seguir, encostei-lhe a outra mão ao rosto. Não consegui distinguir se estava mais fria que o costume.

– Obrigada, Jake – agradeceu Bella e senti-a estremecer uma vez.

– De nada – respondi-lhe.

Edward sentou-se no braço do sofá, junto aos pés de Bella, sem tirar os olhos do rosto dela.

Com tantos ouvidos apurados presentes naquela sala, presumir que ninguém daria pelo meu estômago a roncar era esperar de mais.

– Rosalie, porque é que não trazes qualquer coisa ao Jake para ele comer? – pediu Alice. Nesse momento, estava invisível, sentada tranquilamente atrás do sofá.

Rosalie olhou atónita para o sítio de onde vinha a voz de Alice, sem querer acreditar.

– Obrigada, Alice, mas não me parece que queira comer alguma coisa cuspida pela louraça. Aposto que o meu organismo não iria reagir muito bem à peçonha.

– A Rosalie nunca iria deixar a Esme constrangida com essa falta de hospitalidade.

– É claro que não – acrescentou a louraça com uma voz açucarada, que de imediato levantou as minhas suspeitas. Ergueu-se e abandonou a sala como um furacão.

Edward suspirou.

– Se ela tentar envenenar-me, avisas-me, está bem? – pedi-lhe.

– Sim – prometeu-me.

E eu acreditei nele, sem saber bem como.

Da cozinha chegou um grande estardalhaço e – algo estranho – o som do metal a reclamar, como se estivesse a ser maltratado. Edward voltou a suspirar, mas desta vez esboçou também um ligeiro sorriso. Entretanto, Rosalie já estava de volta, sem me dar tempo para reflectir sobre o assunto. Com um sorriso afectado e todo presunçoso, colocou uma taça de metal no chão, ao meu lado.

– Bom apetite, sabujo.

Aquilo deveria ter sido uma grande taça de metal para preparar bolos ou outra coisa qualquer; no entanto, Rosalie retorcera a borda até lhe dar a forma de uma taça para comida de cão. Não pude deixar de me impressionar com a rapidez do seu trabalho de artífice. E mesmo a atenção que dedicara aos detalhes. Tinha gravado a palavra Fido de lado, com uma caligrafia excelente.

Como a comida parecia tão boa – nada mais, nada menos, que um bife e uma enorme batata assada com todos os acompanhamentos, tive de lhe agradecer.

– Obrigada, louraça.

Ela bufou.

– Ei, sabes como é que se chama uma loura com cérebro? – perguntei-lhe e avancei sem esperar pela resposta. – Um *golden retriever*.

– Essa já é velha – retorquiu ela, já com ar sério.

– Vou continuar a tentar – prometi e depois ataquei o meu prato.

Rosalie exibiu uma expressão de nojo e revirou os olhos. A seguir, foi sentar-se numa das poltronas em frente à enorme televisão e começou a passar os canais com tamanha velocidade que era impossível andar à procura de qualquer programa.

A comida era boa, mesmo com o odor a vampiro que pairava no ar. Na verdade, estava-me a habituar àquilo. Uf! Isso não era exactamente algo que desejasse...

Quando terminei – embora ponderasse se haveria de lamber a taça para arreliar Rosalie – senti os dedos frios de Bella a passarem-me suavemente pelo cabelo, alisando-o contra o pescoço.

– Já está na altura da tosquia, não é?

– Sim, estás a ficar um pouco lãzudo. Talvez...

– Deixa-me adivinhar. Há alguém por aqui que costumava cortar o cabelo num cabeleireiro parisiense?

Bella soltou uma pequena gargalhada.

– Se calhar.

– Não obrigada – atalhei, antes que ela fizesse alguma oferta concreta. – Posso aguentar mais algumas semanas.

Isso fez com que me interrogasse sobre quanto tempo ainda lhe restava. Tentei encontrar uma maneira delicada para colocar a pergunta.

– Então... hum... quando é o grande dia? A data prevista para o nascimento do monstrozinho?

Bella bateu-me na nuca, quase com a força do roçar de uma pena; mas não me respondeu.

– Estou a falar a sério – insisti. – Quero saber quanto mais tempo terei de ficar por aqui. – "Quanto mais tempo tu vais estar aqui", acrescentei em pensamento. Nesse momento, virei-me para ela. Bella tinha um olhar pensativo e a ruga de tensão surgira novamente entre os seus olhos.

– Não te sei dizer – murmurou ela. – Ou seja, não faço ideia do dia exacto. É óbvio que o modelo dos nove meses não se aplica a este caso e não se consegue fazer uma ecografia; pelo que o Carlisle só será capaz de fazer uma previsão de acordo com o que vê. As pessoas normais costumam medir cerca de quarenta centímetros aqui – e passou com o dedo pela barriga, em direcção ao centro –, quando o bebé já atingiu o tamanho máximo. O crescimento é de um centímetro por semana. Hoje, passei a manhã inteira a beber e aumentei dois centímetros apenas num dia. E às vezes até aumento mais...

De duas semanas para um dia, com os dias a passarem a correr. A vida dela acelerava a uma velocidade assustadora. Com esse ritmo e se a meta fossem os quarenta centímetros, quantos mais dias teria? Quatro? Passou algum tempo até me lembrar que tinha de engolir.

– Sentes-te bem? – perguntou-me.

Fiz-lhe um sinal afirmativo com a cabeça, sem saber se conseguia falar.

Enquanto ouvia o que eu pensava, Edward tinha virado o rosto para o lado contrário ao nosso mas distingui-lhe o reflexo na parede em vidro. Voltara a ser o homem consumido pelo fogo.

Era curioso que a existência de um prazo limite me tornasse mais difícil pensar em partir ou vê-la partir. Ainda bem que Seth abordara a questão, permitindo-me ficar a saber que eles não iam abandonar a casa. Seria insuportável ficar à espera do dia em que o iriam fazer, perdendo um ou dois desses quatro dias. Os meus quatro dias.

Era igualmente curioso que, mesmo sabendo que tudo estava a chegar ao fim, a atracção que Bella exercia sobre mim fosse cada vez mais difícil de controlar. Era quase como se estivesse em correlação com o crescimento da barriga – à medida que esta crescia, Bella ganhava uma força gravitacional.

Tentei observá-la à distância durante um minuto, desligando-me daquela força atractiva. Sabia que não estava a imaginar ao sentir mais que nunca a necessidade que tinha de Bella. Porque seria? Porque ela estava a morrer? Ou por saber que, mesmo que ela sobrevivesse – no melhor dos cenários – se ia transformar em outra coisa que eu não conheceria ou compreenderia?

Bella passou um dedo pela minha face e a minha pele ficou molhada onde ela tocou.

– Vai correr tudo bem – afirmou ela, meio a cantar. Não interessava que não significasse nada. Bella dizia-o tal como se cantam às crianças melodias de embalar sem qualquer sentido. Dorme, dorme, meu menino.

– Sim, claro – resmoneei.

Ela enroscou-se no meu braço, descansando a cabeça no meu ombro.

– Não estava à espera de te ver. O Seth dizia que vinhas e o Edward também; mas não acreditei neles.

– Porque não? – perguntei mal-humorado.

– Tu não te sentes feliz aqui. Mas vieste à mesma.

– Querias que viesse...

– Eu sei. Mas não eras obrigado, não é justo pedir-te isso. Eu teria compreendido.

E fez-se silêncio durante um minuto; Edward recompôs-se, regressando à expressão habitual. Olhava para a televisão, enquanto Rosalie prosseguia com o *zapping*. Já tinha chegado ao canal seiscentos. Interroguei-me quanto tempo levaria a regressar ao princípio.

– Obrigada por estares aqui – segredou-me Bella.

– Posso perguntar-te uma coisa?

– Claro.

Edward parecia não estar a ligar nenhuma ao que dizíamos; mas ele sabia qual era a pergunta, por isso não conseguiu enganar-me.

– Porque queres que esteja aqui? O Seth podia manter-te aquecida e, provavelmente, até é mais fácil aturá-lo, a esse rufiãozinho feliz. No entanto, quando eu passo por aquela porta, vejo-te a sorrir como se eu fosse a pessoa de quem mais gostasses neste mundo.

– És uma delas.

– Isso custa-me, percebes?

– Sim – reconheceu Bella, com um suspiro. – Desculpa.

– Mas porquê? Não chegaste a responder.

Edward olhava para o lado, como se estivesse a ver algo através das janelas. O reflexo exibia o seu rosto pálido.

– Sinto-me... *completa,* quando aqui estás, Jacob. Como se tivesse a família toda reunida. Quero dizer, acho que a sensação será essa, porque até hoje nunca tive uma grande família até agora. Isso é bom. – Sorriu por instantes. – E quando não estás, sinto que me falta qualquer coisa.

– Eu nunca hei-de fazer parte da tua família, Bella.

Podia ter feito. E teria sido bom. Mas isso pertencia a um futuro distante que se extinguira muito antes de chegar a acontecer.

– Sempre fizeste parte da minha família – insistiu Bella.

Fiz ranger os dentes.

– Essa resposta não serve.

– Então, que resposta queres?

– Que tal, "Jacob, tenho prazer em ver-te sofrer".

Senti-a estremecer.

– Preferes essa? – murmurou.

– Pelo menos era mais fácil e ajudava-me a raciocinar de outra maneira. Conseguia lidar com isso.

Nesse momento pousei os olhos no seu rosto, tão próximo do meu. Vi-a de olhos fechados e com a testa enrugada.

– Jake, desviámo-nos do caminho certo. Perdemos o sentido do equilíbrio. Tu fazes parte da minha vida de uma forma natural. Eu sinto-o e tu também o deves sentir. – Deteve-se por um segundo, permanecendo de olhos fechados, como se esperasse que eu o negasse. Vendo que eu permanecia em silêncio, continuou. – Mas não desta maneira. Fizemos algo de errado. Não. Eu fiz. Agi mal e fomos pelo caminho errado...

A voz esmoreceu, enquanto o rosto franzido se descongestionava lentamente, até não restar mais do que uma leve ruga ao canto dos lábios. Fiquei à espera de a sentir deitar novas gotas de vinagre nos meus golpes e foi então que ouvi um ressonar leve a elevar-se da sua garganta.

– Ela está exausta – murmurou Edward. – Foi um dia longo. E difícil. Acho que já devia ter adormecido há mais tempo, mas ficou à tua espera.

Não virei a cara na direcção dele.

– O Seth contou-me que aquilo lhe partiu mais uma costela.

– Sim. Agora custa-lhe mais respirar.

– Fantástico...

– Quando sentires a temperatura a subir, diz-me.

– Está bem.

Bella mantinha a pele arrepiada no braço que não estava junto ao meu. Mal erguera a cabeça à procura de um cobertor, Edward agarrou num que estava dobrado sobre o braço do sofá e abriu-o no ar, deixando-o cair sobre o corpo dela.

De vez em quando, a transmissão de pensamentos ajudava a poupar tempo. Por exemplo, eu não tinha de fazer uma grande cena para reclamar em relação ao que estava a acontecer a Charlie. Essa grande trapalhada. Edward *ouvia* muito bem a minha fúria...

– Sim – concordou ele. – Não foi uma boa ideia.

– Então porquê? – O que levava Bella a dizer ao pai que estava em convalescença, se isso só contribuía para que mais tarde ele ficasse pior?

– Ela não conseguia suportar a ansiedade dele.

– Portanto, é melhor...

– Não, *não* é melhor. Só que, agora, não a vou obrigar a fazer nada que a deixe infeliz. Seja qual for o desfecho, ela sente-se melhor assim. Eu trato do assunto depois.

Aquilo não me parecia correcto. Bella não podia limitar-se a adiar o sofrimento de Charlie para mais tarde, deixando outra pessoa a lidar com ele. Mesmo que estivesse a morrer. Isso não era típico dela. Se bem a conhecia, devia ter um outro plano em mente.

– A Bella tem toda a certeza de que vai continuar a viver – afirmou Edward.

– Só que não na forma humana – contrapus.

– Não, não como humana. De qualquer forma, ela tem esperança de voltar a ver o Charlie.

Oh, isto estava cada vez melhor.

– Ver. O Charlie. – Virei-me para ele, com os olhos a espelhar a minha fúria. – Mais tarde. Ver o Charlie, com uma cara branca a cintilar e os olhos raiados de sangue. Como eu não sou um sugador de sangue, pode ser que não esteja a ver o filme, mas parece-me que o *Charlie* não seria muito boa escolha para a primeira refeição dela.

Edward suspirou.

– A Bella sabe que não vai poder aproximar-se dele durante um ano, pelo menos; mas acha que o consegue ir empatando, dizendo-lhe que tem de ir para um hospital especializado, que fica no outro lado do mundo. E, assim, mantém-se em contacto por telefone...

– Isso é uma loucura.

– Sim.

– O Charlie não é burro. Mesmo que ela não o mate, achas que não dava por isso?

– De certa forma, é nisso que ela aposta.

Continuei a olhá-lo fixamente, à espera de uma explicação.

– Ela não iria envelhecer, é óbvio, pelo que teria de se estabelecer um limite de tempo, mesmo que o Charlie aceitasse qualquer desculpa que ela inventasse para explicar a mudança. – Edward esboçou um sorriso. – Lembras-te de quando tentaste falar-lhe da tua transformação? Como a levaste a adivinhar?

Cerrei a mão livre num punho.

– Ela falou-te nisso?

– Sim, quando me estava a explicar a sua... ideia. Não lhe passa pela cabeça contar a verdade ao Charlie, percebes? Isso seria muito perigoso para ele. Mas a Bella sabe que ele é um tipo esperto e pragmático e que, exactamente por isso, irá arranjar a sua própria explicação. Que ela imagina ser diferente da verdadeira, claro... – referiu Edward, expirando com força pelo nariz. – No final de contas, a nossa atitude foge muito aos cânones vulgares dos vampiros. O Charlie irá tirar conclusões erradas sobre nós, à semelhança do que a Bella pensava no início, e será essa a versão que iremos manter. Ela acha que vai poder vê-lo... de vez em quando.

– É uma loucura – repeti.

– Sim – repetiu ele também.

Ele era um fraco ao deixá-la fazer as coisas à sua maneira, só para a manter feliz durante algum tempo. Aquilo iria dar mau resultado.

A situação levou-me a pensar que provavelmente Edward não estava à espera que ela sobrevivesse e que levasse avante aquele plano idiota. Apenas queria amenizar a situação, deixando-a viver feliz durante algum tempo.

Mais quatro dias.

– Eu resolvo tudo o que acontecer – murmurou ele, baixando o rosto e afastando-se o mais possível, para nem me deixar ver o reflexo da sua imagem. – Agora, não lhe vou causar qualquer sofrimento.

– Quatro dias? – perguntei.

O vampiro manteve a cabeça baixa.

– Aproximadamente.

– E depois o quê?

– A que é que te referes, concretamente?

Estava a pensar no que Bella tinha contado. Que a coisa estava bem envolvida e apertada por uma membrana forte, tal como a pele dos vampiros. Então, como é que as coisas funcionavam? Como é que ele saía?

– A pequena pesquisa que fizemos indica-nos que as criaturas se servem dos próprios dentes para sair do ventre – murmurou ele.

Tive de fazer uma pausa para travar a bílis.

– Pesquisa? – repeti, com a voz esmorecida.

– É por essa razão que não vês o Jasper e o Emmett aqui. E também é o que o Carlisle está a fazer neste momento: a tentar decifrar histórias e mitos antigos, tanto quanto é possível, com o material de que dispomos. Trata-se da procura de algo que ajude a prever o comportamento da criatura.

– Histórias? Se existiam mitos, então...

– Esta coisa não seria a primeira da sua espécie? – continuou Edward, adivinhando o que ia perguntar. – Talvez. É tudo muito vago. É muito fácil criar um mito a partir de medos ou da própria imaginação. Embora... – e vi-o hesitar – ...os vossos mitos sejam verdadeiros, não é? E talvez estes também o sejam. Na verdade, parecem estar localizados, ligados...

– Como é que os descobriram?

– Conhecemos uma mulher na América do Sul. Ela foi criada segundo as tradições do seu povo. Contou-me que recebera avisos em relação a essas criaturas e que ouvira histórias antigas, transmitidas de boca em boca.

– Que avisos eram esses? – perguntei em voz baixa.

– Que a criatura devia ser imediatamente morta. Antes de conseguir criar demasiadas resistências.

Tal e qual o que Sam pensava. Ele teria razão?

– É evidente que essas lendas referem o mesmo em relação a nós: que temos de ser destruídos; que somos assassinos desumanos.

Havia mais quem pensasse como eu...

Edward soltou uma gargalhada áspera.

– O que dizem as histórias sobre as... mães?

O rosto dele foi devassado pela agonia e eu encolhi-me, numa tentativa de me afastar do seu sofrimento. Sabia que ele não me iria responder e duvidava até que fosse capaz de dizer alguma coisa.

Foi Rosalie – tão imóvel e sossegada desde que Bella adorme cera, que quase me esquecera dela – quem me respondeu, depois de emitir um som de escárnio.

– É claro que não há sobreviventes – intrometeu-se. "Não há sobreviventes", assim mesmo, de forma brutal e insensível. – Dar à luz no meio de um pântano infestado de doenças, com um curandeiro indolente a espalhar cuspo na tua cara para afugentar os maus espíritos, nunca foi um método seguro. Até os partos normais corriam mal cerca de metade das vezes. Nenhum dispunha das condições que este bebé tem: acompanhantes que conhecem as suas necessidades e tentam satisfazê-las. Um médico com um conhecimento ímpar sobre a natureza de um vampiro. Um plano concebido para que o parto corra em segurança. Veneno para corrigir algo que corra mal. Este bebé vai nascer em perfeitas condições. E todas as outras mães também poderiam ter sobrevivido se contassem com as mesmas condições. Isto, caso alguma vez tenham existido. Trata-se de algo que não tenho a certeza. – E fungou com desdém.

O bebé, o bebé. Como se apenas importasse isso. A vida de Bella era um pormenor de somenos importância – uma carta fora do baralho.

O rosto de Edward ficou branco como a neve, enquanto as mãos se crispavam como garras. Rosalie contorceu-se na poltrona e virou-lhe as costas, numa atitude totalmente egoísta e indiferente. O vampiro inclinou-se para a frente, preparando o salto.

Dás-me licença?, pedi-lhe.

Ele ficou parado, com uma sobrancelha erguida.

Ergui em silêncio a taça de comida de cão que tinha deixado no chão. A seguir, com um impulso rápido e forte do pulso, lancei-a à nuca da louraça com tanta força que a taça lhe bateu em cheio, com um estardalhaço capaz de romper os tímpanos, ricocheteando pela sala, até arrancar a bola do topo do pilar das escadas, junto ao último degrau.

Bella mexeu-se, mas continuou a dormir.

– Loura burra – murmurei por entre dentes.

Rosalie rodou lentamente a cabeça, expelindo fogo pelos olhos.

– Tu-Sujaste-me-O-Cabelo-De-Comida.

O meu dia estava ganho. A vingança serve-se fria.

Afastei-me de Bella para não a agitar e ri-me tanto que as lágrimas começaram a escorrer-me pelo rosto. De trás do sofá, ouvi o riso cristalino de Alice, que fazia coro com o meu.

Fiquei surpreendido por Rosalie não se atirar a mim. Era o que esperava, de certa maneira. Entretanto, apercebi-me que as minhas gargalhadas acordaram Bella, embora ela tivesse estado a dormir durante a verdadeira acção.

– O que aconteceu de tão engraçado? – balbuciou.

– Atirei-lhe com a comida à cabeça – disse, rindo às garga-lhadas.

– Não me vou esquecer disso, cão – ameaçou Rosalie, num tom sibilante.

– Sabias que não é muito difícil apagar a memória de uma loura? – retorqui-lhe. – Basta soprar-lhe ao ouvido.

– Vê se arranjas piadas novas – vociferou ela.

– Vá lá, Jake. Deixa a Rose em... – Bella parou a meio da frase, com a respiração arquejante. Nesse instante, Edward inclinava-se sobre mim, afastando bruscamente o cobertor para o lado. Bella arqueava as costas, parecendo tremer com violência.

– Ele só está – disse a custo – a esticar-se.

Ela tinha os lábios brancos e os dentes cerrados, como se estivesse a conter-se para não gritar.

Edward amparou-lhe o rosto com as mãos.

– Carlisle? – chamou, num tom baixo e tenso.

– Estou aqui – respondeu o médico. Não o tinha sentido a entrar.

– Já estou bem – disse Bella, mantendo a respiração difícil e irregular. – Acho que já passou. O pobrezinho não tem espaço suficiente; é só isso. Está a ficar muito grande.

Era verdadeiramente difícil aceitar aquele tom de adoração que Bella usava ao descrever a coisa que a rasgava por dentro. Especialmente, no seguimento das palavras revoltantes de Rosalie. Tive vontade de lhe atirar mais qualquer coisa à cabeça.

Ela não reparou na minha reacção.

– Sabes que ele me faz lembrar de ti, Jake? – revelou-me, ainda ofegante, com o mesmo tom de adoração.

Não me compares com essa coisa – disse, por entre dentes.

– Só estava a pensar no teu crescimento tão súbito – explicou, parecendo ter ficado ofendida. Óptimo. – Tu deste um pulo de repente. Quase que era possível ver-te a crescer minuto a minuto. Ele também é assim. Cresce muito depressa.

Mordi a língua para conter o que me apetecia dizer – com tanta força que senti sangue na boca. É claro que iria sarar antes de engolir. Era disso que Bella precisava. De ser forte como eu, de conseguir sarar...

Bella respirou mais à vontade e depois descontraiu-se, deixando o corpo abater-se sobre o sofá.

– Hum – murmurou Carlisle. Ao erguer os olhos, vi-o a observar-me.

– O que foi? – perguntei, ao reparar que Edward inclinava a cabeça, reflectindo sobre o que ele estaria a pensar.

– Sabes que tenho estado a tentar descobrir a composição genética deste feto, Jacob. O número de cromossomas que ele pode ter.

– E daí?

– Bom, atendendo às vossas semelhanças...

– Semelhanças? – grunhi, não me agradando aquele plural.

– O crescimento acelerado e o facto de Alice não conseguir ver nenhum dos dois.

Fiquei confuso. Tinha esquecido esse aspecto.

– Bom, interrogo-me sobre se isso nos pode disponibilizar uma resposta. Se as semelhanças irão até ao plano dos genes.

– Vinte e quatro pares – disse Edward com um tom de voz tão baixo que quase não se ouvia.

– Não sabes se é assim.

– Não, mas é interessante pensar que pode ser – afirmou Carlisle, num tom apaziguador.

– Sim. Realmente é *fascinante.*

O ressonar suave de Bella fez-se ouvir de novo, destacando o meu sarcasmo.

Os dois começaram a falar, conduzindo rapidamente a conversa sobre Genética para um terreno onde as únicas palavras que conseguia perceber eram "o" e "e". Além do meu nome, claro. Alice juntou-se a eles, metendo uma colherada aqui e ali, com a sua voz viva e chilreante.

Mesmo que estivessem a falar sobre mim, não tentei perceber as conclusões a que chegavam. Tinha outras coisas em que pensar, alguns factos que tentava articular.

Primeiro, Bela tinha dito que a criatura estava protegida por uma membrana tão forte como a pele de um vampiro, demasiado impermeável aos ultra-sons e demasiado espessa para agulhas. Segundo facto, Rosalie referira que existia um plano para a realização do parto da criatura em segurança. Terceiro, no plano dos mitos Edward dissera que monstros como aquele abriam o seu caminho com os dentes para sair das mães.

Estremeci.

Na realidade, existia ali uma lógica perversa, porque, quarto facto: não havia muita coisa que conseguisse perfurar algo tão forte como a pele de um vampiro. Os dentes da semi-criatura – segundo a lenda – eram bastante duros. E os meus dentes eram bastante duros.

Assim como os dentes dos vampiros eram bastante duros.

Era difícil ignorar o óbvio, embora preferisse não o saber. Eu tinha uma ideia bem precisa de como Rosalie planeava extrair aquela coisa com "segurança".

Dezasseis

ALERTA:
INFORMAÇÃO A MAIS

Parti de madrugada, muito antes do nascer do Sol. Tinha conseguido dormir um curto sono intranquilo, encostado ao sofá. Quando Edward viu o rosto de Bella a ficar corado, acordou-me e ocupou o meu lugar para a fazer voltar a arrefecer. Espreguicei-me e concluí que já tinha descansado o suficiente, pelo que era tempo de fazer alguma coisa.

– Obrigado – agradeceu em voz baixa, ao inteirar-se dos meus planos. – Se o caminho estiver livre, eles irão hoje.

– Aviso-te mais tarde.

Soube-me bem regressar à forma animal. Sentia-me emperrado por ter passado tanto tempo sentado e sem me mexer. Alonguei a passada, descontraindo os músculos para evitar as cãibras.

Bom dia, Jacob, saudou-me Leah.

Ena, estás acordada! Que bom. Há quanto tempo é que o Seth foi dormir?

Ainda aqui estou, pensou Seth, ensonado, quase a cair para o lado. *Precisas de mim?*

Aguentas mais uma hora?

Claro que sim. Sem problema. O meu companheiro pôs-se imediatamente de pé, sacudindo a pelagem.

Vamos fazer uma corrida de fundo, propus a Leah. *Seth, tu segues à volta do perímetro.*

É para já. Seth começou a correr, num trote ligeiro.

Lá vamos nós fazer um recadinho aos vampiros, resmungou Leah.

Isso incomoda-te?

É claro que não. Para mim, é um prazer dar miminhos àquelas sanguessugas adoráveis.

Óptimo. Vamos ver se conseguimos bater o nosso próprio recorde.

Está bem! Para isso estou pronta!

Leah encontrava-se na orla do perímetro mais a Oeste. Em vez de seguir pelo atalho que a levava para mais perto da casa dos Cullen, manteve-se no trilho circular, correndo a toda a velocidade para se cruzar comigo. Investi rapidamente em direcção a Leste, sabendo que, mesmo com um focinho de avanço, ela me iria ultrapassar se abrandasse nem que fosse um segundo.

Leah, focinho no chão. Isto é uma missão de reconhecimento e não uma corrida.

Posso fazer as duas coisas ao mesmo tempo e mesmo assim morder-te as canelas.

Nesse ponto, tinha de dar o braço a torcer.

Eu sei.

Leah soltou uma gargalhada.

Seguimos por um caminho sinuoso, que cruzava as montanhas a Leste. Era um trilho familiar. Um ano antes, quando os vampiros tinham partido, costumávamos andar por aqueles sítios, incluindo-os nas nossas patrulhas e alargando a zona de protecção às pessoas que viviam mais perto. Depois, regressámos aos limites anteriores, quando os Cullen regressaram. Ao abrigo da aliança, esta era novamente a sua terra.

Mas agora isso já não deveria significar nada para Sam. O acordo estava morto. A questão que se punha era saber até onde ele estaria disposto a ir. Será que tencionava apanhar os Cullen desprevenidos e caçá-los furtivamente nas suas terras? Jared ter-me-ia dito a verdade ou aproveitara-se do silêncio instalado entre nós?

Embrenhámo-nos cada vez mais através das montanhas, sem encontrar quaisquer sinais da alcateia. Descobri trilhos antigos dos vampiros por todo o lado, no entanto agora os odores eram familiares. Respirava-os a toda a hora.

Num desses odores existia uma grande convergência de sinais de aspecto recente, indicando que os Cullen tinham andando por ali, à excepção de Edward. Haveria qualquer razão que os levara a reunir-se naquele local e que fora esquecida depois de Edward trazer a mulher grávida e combalida para casa. Rangi os dentes. Fosse qual fosse o motivo, não era da minha conta.

Leah não arrancou a correr à minha frente, embora o pudesse fazer. Naquele momento, concentrava-me mais nos novos cheiros que captava, colocando de lado o anterior desafio de batermos a nossa marca. No entanto, Leah manteve-se junto ao meu flanco direito, correndo em paralelo, em vez de tentar ultrapassar-me.

Já avançámos bastante, comentou.

Pois é. Se o Sam tivesse andado à procura de alguma caça tresmalhada, já devíamos ter apanhado algum trilho dele.

Para o Sam faz mais sentido ficar barricado em La Push, pensou Leah. *Ele sabe que demos três pares de olhos e pernas extra aos sugadores de sangue. Isso tira-lhe a capacidade de os apanhar desprevenidos.*

Na verdade, esta ronda é mais uma medida de prevenção.

Não queremos que os nossos queridos parasitas corram riscos desnecessários.

Nem pensar, concordei, sem dar relevância à ironia.

Mudaste muito, Jacob. Deste uma volta de cento e oitenta graus.

E tu também não és exactamente a Leah que sempre conheci e adorei.

Dizes bem. Agora, já sou menos chata que o Paul?

Para meu grande espanto... sim.

Ah, doce sucesso!

Parabéns!

Ficámos de novo em silêncio, enquanto prosseguíamos a corrida. Naquela altura, já podíamos dar meia-volta e regressar, mas nenhum tinha vontade de o fazer. Sabia bem correr assim, depois de estar encalhados tanto tempo no trilho em volta do perímetro. Era um prazer puxar pelos músculos e desbravar terra agreste. Como não tínhamos pressa, pensei que poderíamos caçar no caminho de regresso. Leah estava cheia de fome.

Nham, nham, pensou ela, com acrimónia.

Está tudo na tua cabeça, disse. *Os lobos alimentam-se dessa maneira. É um processo natural e a comida sabe-lhes bem. Se não vires as coisas sob uma perspectiva humana...*

Pára com a conversa fiada, Jack! Eu vou caçar, mas isso não me obriga a gostar do que como.

Claro, claro, retorqui de imediato. Se queria tornar as coisas piores, isso era lá com ela.

Leah ficou em silêncio durante algum tempo. De repente, quando já estava a pensar em regressarmos, ouvi-a a dirigir-se a mim num tom completamente diferente.

Obrigada.

Porquê?, perguntei.

Por me deixares estar aqui. Por me deixares ficar. Tens sido muito melhor para mim do que teria o direito de esperar.

Hum, não te preocupes. Estou a falar a sério. Ao contrário do que tinha pensado, até não me importo que estejas aqui.

Leah resfolegou, mas de satisfação.

Que belo cumprimento!

Não deixes que te suba à cabeça.

Está bem, se fizeres o mesmo em relação ao que te vou dizer. E fez uma pausa momentânea, para logo prosseguir. *Acho que estás a ser um bom Alfa. Não à maneira do Sam, mas à tua maneira. Vale a pena seguir-te, Jacob.*

A surpresa deixou-me sem palavras e precisei de um momento para me recompor antes de lhe conseguir responder.

Hum, obrigado. Mas agora já não posso garantir que não me suba à cabeça. Como chegaste a essa conclusão?

Leah não respondeu de imediato, pelo que me limitei a seguir o rumo silencioso dos seus pensamentos. Ela reflectia sobre o futuro, enquadrando-o no que eu tinha dito a Jared na outra manhã, quando falei no pouco tempo que restava até eu regressar à floresta. E, também, quando prometi que Seth regressaria à alcateia, assim que os Cullen partissem...

Eu quero ficar contigo, afirmou ela.

O choque atingiu-me as pernas, tolhendo-me as articulações, o que permitiu a Leah ultrapassar-me como uma flecha. Travou mais à frente e regressou lentamente ao local onde permanecera completamente imóvel.

Eu não vou complicar-te a vida, juro. Nem vou andar sempre atrás ti. Podes ir para onde quiseres e eu faço o mesmo. Só terás de me aturar quando estivermos os dois sob a forma de lobo. A seguir, começou a andar à minha frente, de um lado para o outro, com a grande cauda cinzenta a agitar-se nervosamente. *E estou a pensar partir, assim que o conseguir fazer... por isso, até nem terás de me aturar muitas vezes.*

Não sabia o que havia de dizer.

Há muitos anos que não me sentia tão feliz, como ao fazer parte da tua alcateia.

Eu também quero ficar convosco, pensou Seth, de mansinho. Não me tinha apercebido que estava tão atento ao que dizíamos enquanto fazia o seu circuito. *Gosto desta alcateia.*

Ei, espera aí! Seth, esta alcateia não vai durar muito mais. Tentei coordenar os pensamentos, a fim de me tornar o mais convincente possível. *Neste momento, temos um objectivo comum, mas quando... tudo terminar, eu passarei a ter apenas uma vida de lobo. Enquanto tu, Seth, precisas de um objectivo. És um miúdo fixe, daqueles que se batem sempre por uma causa. Além disso, neste momento é impossível saíres de La Push. Tens de acabar os estudos e fazer qualquer coisa da tua vida. E, claro, tens de tomar conta da Sue. Os meus problemas não poderão interferir no teu futuro.*

Mas...

O Jacob tem razão, comentou Leah, dando-me o seu apoio. *Estás a concordar comigo?*

Claro que sim, o que não quer dizer que o mesmo se aplique a mim. Eu já tinha decidido partir antes de isto acontecer. Talvez faça alguns cursos numa escola qualquer. E posso inscrever-me em aulas de ioga e meditação para aprender a refrear o meu temperamento... continuando, em simultâneo, a fazer parte desta alcateia, para bem da minha sanidade mental. Jacob... reconheces que isso faz todo o sentido, não é? Eu não te chateio, tu não me chateias, e todos ficamos felizes.

Voltei-lhe as costas e galopei lentamente em direcção a Oeste.

Isto é muita areia para a minha camioneta, Leah. Tens de me deixar pensar no assunto, está bem?

Claro que sim. O tempo que quiseres.

Demorámos mais a fazer o caminho de regresso. Não tinha preocupações de velocidade, tentando apenas concentrar-me o suficiente para não afocinhar de cabeça numa árvore. Seth ainda resmungou um pouco, junto ao meu cachaço, mas consegui fazer orelhas moucas. Ele sabia que eu tinha razão e não iria abandonar a mãe. Teria de regressar a La Push e proteger a tribo, conforme era o seu dever.

Ao contrário, não conseguia prever o mesmo futuro para Leah. E isso deixava-me simplesmente aterrorizado.

Uma alcateia constituída pelos dois? Independentemente da distância física, para mim, era impossível conceber a... intimidade da situação. Perguntei-me se ela teria medido tudo o que estava em jogo ou se se sentia apenas desesperada por conquistar a liberdade.

Enquanto matutava no assunto, a minha companheira seguia calada. Parecia tentar provar-me como seria fácil quando estivéssemos apenas os dois.

Encontrámos uma manada de veados, na altura em que o Sol nascia e iluminava, suavemente, as nuvens atrás de nós. Leah suspirou em silêncio, mas não hesitou. A sua arremetida foi rápida e eficiente – até graciosa. Investiu sobre um macho, o maior do grupo, antes de o animal assustado conseguir aperceber-se do perigo.

Para não ficar atrás, lancei-me a uma fêmea quase tão grande quanto o macho, quebrando-lhe de imediato o pescoço com as mandíbulas, para não lhe infligir um sofrimento maior. Apercebi-me da repugnância de Leah a esgrimir com a fome e tentei facilitar-lhe a tarefa deixando a minha essência de lobo dominar-me o pensamento. Já tinha vivido sob a pele de lobo o tempo suficiente para assumir totalmente o instinto animal, tal como a sua visão e o seu raciocínio. Deixei-o assumir o comando, na tentativa de conduzir Leah a sentir o mesmo. Ela hesitou por um segundo, mas, a pouco e pouco, pareceu abrir a sua mente à minha, seguindo o mesmo caminho. Era uma sensação estranha... as nossas mentes nunca tinham estado tão unidas como naquele momento e isso devia-se à tentativa de ambos pensarmos em conjunto.

Estranha, mas útil. Leah abriu caminho entre o pêlo e a pele da presa, arrancando um grande naco de carne em sangue. A seguir, não estremeceu tal como lhe pedia a mente humana, e deixou os instintos da sua personalidade lupina reagirem. Tratava-se de uma espécie de acto dormente, inconsciente, que lhe permitiu comer em paz.

Para mim foi fácil fazer o mesmo, satisfeito por não me ter esquecido daquele processo. Em breve, esta seria a minha vida.

Leah iria fazer parte dela? Uma semana antes, a ideia teria ultrapassado as raias do horror, tornando-se insuportável concebê-la. Mas agora, eu conhecia-a melhor. E o facto de se ter libertado do seu sofrimento permanente fizera dela uma nova loba. Uma rapariga diferente.

Comemos em conjunto, até ficarmos saciados.

Obrigada, agradeceu Leah, quando limpava o focinho e as patas na erva molhada. Nem me dei a esse trabalho; começara a chuviscar e teríamos de atravessar o rio no caminho de regresso, o que bastava em termos de limpeza. *Pensar à tua maneira não foi assim tão mau.*

Não tens de agradecer.

Ao atingirmos o perímetro, encontrei Seth a arrastar-se. Ordenei-lhe que fosse dormir; Leah e eu trataríamos da ronda. Não foi preciso muito tempo para ele cair para o lado, extenuado.

Vais regressar ao antro dos sugadores de sangue?, perguntou Leah.

Talvez.

Para ti, é tão difícil estares lá, quanto ficares à distância. Eu sei o que sentes.

Sabes o que te digo, Leah? É melhor reflectires sobre o teu futuro e sobre o que queres realmente fazer. A minha cabeça não será o local mais feliz do mundo e será necessário suportar isso comigo.

Ela ponderou durante algum tempo, antes de responder.

Ena, isso parece assustador. Mas, francamente, penso ser mais fácil lidar com as tuas angústias do que com as minhas.

Compreendo.

Estou ciente que os tempos que se avizinham não serão fáceis para ti, Jacob. Percebo-o... talvez até melhor do que possas imaginar. Não gosto dela, mas... a Bella representa para ti o mesmo que o Sam para mim. Tudo o que queres e nunca irás ter.

Não consegui dizer-lhe nada.

E também sei que a tua situação é pior do que a minha. Pelo menos, o Sam está feliz. Vivo e de boa saúde. O amor que sinto por ele leva-me a ficar satisfeita com isso e a desejar o que for melhor para ele. O que não quero é ter de ficar ao lado dele, a ver tudo isso, confessou Leah, com um suspiro.

Temos de falar sobre esse assunto?

Acho que sim. Quero que saibas que não estou aqui para piorar as coisas. Talvez até possa ajudar, que diabo! Quando nasci, não era a víbora empedernida que vês à tua frente. Até era mais ou menos boazinha, sabias?

A minha memória não vai tão longe.

Soltámos uma gargalhada em uníssono.

Lamento que as coisas estejam assim, Jacob, e lamento igualmente o teu sofrimento. Desejava que tudo estivesse a melhorar e não o contrário.

Obrigado, Leah.

Ela ficou a reflectir sobre os acontecimentos piores e as imagens negras que me povoavam a cabeça, enquanto eu tentava não lhes prestar atenção; mas, sem grande sucesso. Leah conseguia observar a situação com algum distanciamento e sob uma perspectiva diferente. Tive de reconhecer que esse posicionamento me ajudaria e imaginei que talvez viesse a ver as coisas dessa maneira, uns anos mais tarde.

Leah identificou a parte divertida do tormento que era lidar todos os dias com os vampiros. Gostou de me ver a arreliar Rosalie, rindo-se para si e chegou a evocar algumas anedotas de louras que eu poderia aproveitar. Mas, entretanto, os seus pensamentos voltaram a ficar sérios, fixando-se no rosto de Rosalie de um modo desconcertante.

No meio disto, sabes o que é mais disparatado?

Dom, neste momento tudo é um disparate pegado. Mas onde é que queres chegar?

Em relação a essa vampira loura que detestas tanto... eu consigo entender a perspectiva dela.

Por momentos, julguei que ela estava a visualizar uma piada de mau gosto. Mas depois, ao perceber que falava a sério, a fúria que me atingiu tornou-se difícil de controlar. Foi bom que nos mantivéssemos afastados um do outro, cada um a correr para seu lado, enquanto patrulhávamos. Se Leah estivesse ao alcance dos meus dentes...

Espera aí! Deixa-me explicar!

Não quero ouvir. Vou embora!

Espera! Espera!, implorou, enquanto eu tentava controlar-me o mais possível, na tentativa de transformar-me. *Vá lá, Jake!*

Leah, essa não é a melhor forma de me convenceres a passar mais tempo contigo de futuro.

Caramba! Estás a dramatizar. Nem percebeste onde queria chegar.

Então onde tu queres chegar?

Subitamente, ela voltou a ser a Leah angustiada, de outros tempos. *Estou a falar de um beco sem saída, em termos genéticos.*

O tom cortante das suas palavras deixou-me baralhado. Não estava à espera de a ver torpedear, assim, a minha cólera.

Não estou a perceber.

Até percebias, se não te limitasses a ser como os outros. Se a minha "vertente feminina" – entoou as palavras com um sarcasmo violento – *não te levasse a fugir como qualquer macho idiota, sem dar atenção ao que quis dizer.*

Ah.

Até era verdade. Nenhum de nós parecia olhar para Leah dessa perspectiva. Quem é que o iria fazer? É claro que recordava os momentos de pânico que enfrentara quando viera para a alcateia – e também de me abstrair do assunto, tal como os outros. Porque Leah não podia *engravidar,* a não ser por obra de alguma intervenção divina de outro mundo. A seguir a Sam, ela não andara com ninguém. E, depois, à medida que as semanas se arrastavam e nada acontecia, Leah compreendeu que o seu corpo deixara de seguir os padrões normais. O horror batia-lhe à porta. O que seria ela? O seu corpo mudara por se transformar em lobisomem? Ou ela transformara-se num lobisomem por ter um corpo *anormal?* Até à data, era a única fêmea a ascender a tal estado. Dever-se-ia ao facto de ser menos feminina do que deveria?

Leah enfrentara sozinha o desmoronar do seu mundo. Obviamente, nenhum de nós conseguia colocar-se na sua pele.

Sabes porque é que o Sam pensa que nós temos capacidade para marcar, pensou ela, mais calma.

Claro! Segundo ele, é para perpetuar a espécie.

Exactamente. Para gerar um punhado de pequeninos lobisomens. Trata-se da sobrevivência da espécie, controlada pelo aspecto genético. És atraído pela pessoa com maiores probabilidades de receber o gene de lobo.

Aguardei que ela me dissesse onde queria chegar.

Se eu prestasse para isso, o Sam teria sentido essa atracção.

Senti-me tão esmagado com o peso daquela dor que fiquei paralisado.

Mas eu não prestava. Havia algo de errado em mim. Apesar da minha alta linhagem, parecia não ter capacidade para reproduzir os genes. Por isso, passei a ser uma aluada, a lobinha da alcateia que não serve para mais nada. Do ponto de vista genético, sou um beco sem saída, e ambos sabemos isso.

Não sabemos nada, refutei. *Isso não passa de uma teoria do Sam. Sabemos que existem essas marcações, mas desconhecemos porquê. E o Billy tem uma outra versão.*

Eu sei, eu sei. Ele acha que as vossas marcações servem para vos fortalecer como lobos, porque tu e o Sam são uns gigantes descomunais, maiores que os vossos pais. Seja como for, eu não tenho qualquer hipótese. Eu sou... uma carta fora do baralho. Tenho vinte anos e já atingi a menopausa.

Uf. Eu bem queria evitar aquele assunto.

Leah, tu não tens qualquer certeza sobre o que estás a dizer. Se calhar, isso deve-se apenas ao facto de teres congelado no tempo. Quando a fase de lobo acabar e começares a envelhecer, tenho a certeza que tudo... hum... voltará ao que era antes.

Até podia pensar assim. O facto é que ninguém me marcou, apesar desta minha dinastia impressionante. Sabias, acrescentou, com ar pensativo, *que se não existisses, o Seth seria o mais qualificado para reclamar a posição de Alfa, com base no sangue? É claro, que nunca ninguém pensaria em mim...*

Aquilo que realmente queres é deixar a tua marca, ser marcada, ou exactamente o quê?, questionei-a. *Qual é o problema em andares por aí e apaixonares-te tal como uma outra pessoa qualquer, Leah? A marcação acaba por ser uma forma diferente de te tirarem o poder de escolha.*

Olha para o Sam, o Jared, o Paul, o Quil... Eles parecem não se importar.

Ah, mas nenhum deles tem personalidade suficiente para isso.

Tu não queres fazer marcação?

Não, que diabo!

Então é porque já estás apaixonado por ela. Se chegares a usar a tua marca, isso desaparece, percebes? Aquilo que sofres por causa dela deixa de existir.

Queres esquecer aquilo que sentes pelo Sam?

Leah ponderou um instante.

Acho que sim.

Suspirei. A posição dela era mais saudável que a minha.

Agora, voltemos ao que disse inicialmente, Jacob. Eu compreendo porque é que a tua vampira loura é tão fria. Em sentido figurado, claro... Ela está concentrada num objectivo, no prémio que pretende obter, não é? Porque é normal desejarmos muito aquilo que não conseguimos obter.

Tu serias capaz de fazer o mesmo? Tu matarias alguém, sim porque na realidade é isso que ela está a fazer ao proibir todos de tentar salvar a Bella, só para ter um bebé? Desde quando é que sentes essa sede de reprodução?

Eu apenas quero reaver as opções que me foram retiradas, Jacob. Se tudo estivesse bem comigo, se calhar nem parava um segundo para reflectir no assunto.

Eras capaz de matar por causa disso?, interpolei-a, sem deixar qualquer margem de manobra.

Não é isso que ela está fazer. Parece-me que ela vive através da Bella aquilo que não pode ter. E... se a Bella me pedisse para a ajudar nesse sentido... E fez uma pausa, reflectindo sobre o assunto. *Mesmo com a antipatia que nutro por ela, julgo que faria o mesmo que a sugadora de sangue.*

Soltei um rugido sonoro por entre dentes.

Porque, se fosse ao contrário, eu gostaria que a Bella fizesse o mesmo por mim. E a Rosalie também. Ambas seguiríamos o mesmo caminho.

Uf! Tu és tão ruim como eles!

É isso que acontece quando sabemos que não podemos ter algo. Ficamos desesperados.

E... já chega. Ponto final. A conversa acaba aqui.

Está bem.

Para mim não chegava Leah concordar em parar. Na verdade, gostaria de um fim bem mais forte que aquele.

Estava apenas a quilómetro e meio do local onde tinha deixado a roupa, pelo que voltei a transformar-me em humano e caminhei até lá. Não reflecti na conversa anterior; não porque não tivesse nada que me fizesse pensar nela, mas por não conseguir suportá-la. Não olharia para a situação daquela perspectiva. No entanto, isso tornava-se difícil depois de Leah me encher a cabeça com tais pensamentos e emoções.

Ah, iria correr com ela, depois de isto acabar. Bem podia ir carpir as suas mágoas para La Push. Uma pequena ordem de Alfa antes de eu partir para sempre, não fazia mal a ninguém.

Quando cheguei à casa, ainda era cedo. Bella devia estar a dormir. Dispus-me a dar uma espreitadela ao interior, para ver como corriam as coisas. Iria dar-lhes luz verde para a caçada e, a seguir, arranjar uma zona de relva macia para dormir enquanto humano. Não iria metamorfosear-me de novo, enquanto Leah estivesse acordada.

No entanto, os meus ouvidos captaram um grande burburinho vindo do interior, o que me fez calcular que Bella não estaria a dormir. A seguir, ouvi o ruído de algo a trabalhar no andar de cima; seria o aparelho de raios X? Parecia que o quarto dia da contagem decrescente começava bem...

Antes de ter tempo para entrar, Alice abriu-me a porta e acenou-me com a cabeça:

– Olá, lobo.

– Viva, baixinha. O que se passa lá em cima? – A grande sala estava deserta, pelo que os murmúrios eram todos provenientes do segundo andar.

Alice encolheu os ombros pequeninos e pontiagudos.

– Talvez seja uma outra fractura. – Tentou falar de um modo descontraído, mas eu distingui-lhe a raiva por trás dos seus olhos. Edward e eu não éramos os únicos a quem esta situação deixava à beira de um ataque de nervos. Alice também adorava Bella.

– Outra costela? – perguntei, com a voz rouca.

– Não. Desta vez é a bacia.

Era curioso eu continuar a ficar atordoado, como se cada novo facto constituísse uma surpresa. Quando é que passaria a reagir com naturalidade? Ao observar tudo em retrospectiva, cada novo acidente parecia mais ou menos óbvio.

Alice olhava fixamente para as minhas mãos, vendo-as a tremer.

A seguir, soou a voz de Rosalie no andar de cima.

– Estás a ver, tinha-te dito que não ouvi nenhum estalo. Tens de fazer um exame aos ouvidos, Edward.

Não se ouviu qualquer resposta.

Alice fez um trejeito.

– Acho que o Edward ainda acaba por desfazer a Rose em bocadinhos. Estou admirada por ela não se aperceber disso. Ou então, julga que o Emmett o conseguirá controlar.

– Eu ocupo-me do Emmett – ofereci-me. – E tu ajudas o Edward a dar cabo dela.

Alice esboçou um ténue sorriso.

Nessa altura, a procissão começou a descer as escadas – desta vez era Edward quem trazia Bella ao colo. Ela agarrava no copo de sangue com toda a força e tinha o rosto branco. Vi que sofria, embora o vampiro tentasse evitar que ela oscilasse, contrabalançando cada pequeno movimento que fazia.

– Jake – murmurou ela, sorrindo em pleno sofrimento.

Limitei-me a olhá-la, sem dizer nada.

Edward colocou-a carinhosamente sobre o sofá, sentando-se no chão, junto à sua cabeça. Por breves instantes, perguntei-me porque não a tinham deixado lá em cima, mas logo concluí que seria ela a preferir assim. Certamente queria agir como se tudo estivesse bem, evitando cenários que lhe lembrassem um hospital. E Edward fazia-lhe a vontade. Claro.

Carlisle foi o último a aparecer, descendo os degraus devagar, com a preocupação estampada no rosto enrugado. A expressão envelhecia-o tanto que, pela primeira vez, parecia ter idade suficiente para ser médico.

– Carlisle, percorremos metade da distância que nos separa de Seattle e não encontrámos vestígios da alcateia – informei. – O caminho está livre.

– Obrigado, Jacob. Mesmo na altura certa. Precisamos de muita coisa. – Os seus olhos pretos passaram, ao de leve, pelo copo que Bella segurava com tanta força.

– Na verdade, julgo poderem ir mais de três em segurança. Estou certo que o Sam se concentra unicamente em La Push.

Carlisle acenou com a cabeça, a concordar, surpreendendo-me ao vê-lo acatar o meu conselho tão prontamente.

– Se é assim, irei com a Alice, a Esme e o Jasper. Depois, a Alice vai com o Emmett e a Rosa...

– Nem pensar – sibilou Rosalie. – O Emmett pode ir com vocês agora.

– Devias ir caçar – aconselhou Carlisle, com uma voz afável. O tom dele não a amoleceu.

– Eu vou caçar, quando ele for – rugiu, virando a cabeça na direcção de Edward, e atirou o cabelo para trás com um gesto brusco.

Carlisle suspirou.

Emmett e Jasper desceram as escadas em menos de um segundo. Alice juntou-se a eles no mesmo instante, junto da porta de vidro, nas traseiras. Esme colocou-se ao lado deles, num passo esvoaçante.

Carlisle pousou-me a mão no braço. Aquele toque de gelo arrepiou-me, mas não lhe sacudi a mão. Fiquei parado, dividido entre a surpresa e o receio de o magoar.

– Obrigado – agradeceu-me de novo, lançando-se para o exterior com os outros quatro. Segui-os com o olhar, enquanto eles fluíam rapidamente pelo relvado, vendo-os desaparecer antes de voltar a respirar. As necessidades que sentiam deveriam ser mais urgentes do que eu pensava.

Fez-se silêncio por um momento. Senti alguém a fulminar-me com o olhar e adivinhei quem seria. Planeava arrancar dali para ir descansar umas horas; mas a hipótese de estragar a manhã a Rosalie era demasiado tentadora para a deixar escapar.

Por isso, num andar pachorrento, dirigi-me à poltrona ao lado e sentei-me lá, todo esparramado, com o pé esquerdo próximo da cara dela e a cabeça virada para Bella.

– Uf. Alguém deixou fugir o cão – murmurou ela, de nariz franzido.

– Já ouviste esta, Psico? Como é que o neurónio de uma loura morre?

Não respondeu.

– Então? – insisti. – Sabes o resto ou não?

Rosalie fez-se desentendida e pregou os olhos na televisão.

– Ela sabe? – perguntei a Edward.

No seu rosto tenso não havia qualquer ponta de humor – não desviava os olhos de Bella. Mas, respondeu-me:

– Não.

– Fantástico. Então vais gostar, chupadora de sangue: o neurónio de uma loura morre de solidão.

Rosalie continuou a não olhar para mim.

– Já matei mais de uma centena de vezes mais do que tu, animal nojento. Não te esqueças disso.

– Um dia, rainha de beleza, ficarás farta de fazeres ameaças. Espero, ansiosamente, que esse dia chegue.

– Já chega, Jacob! – ordenou Bella.

Virei os olhos na sua direcção e via-a de sobrolho franzido. Parecia que a boa disposição da véspera tinha passado.

Bom, longe de mim incomodá-la.

– Queres que vá embora? – propus-lhe.

Antes de esperar – ou recear – que ela finalmente se tivesse cansado de mim, Bella pestanejou, dissipando a expressão carrancuda. As minhas palavras pareciam deixá-la totalmente consternada.

– Não. Claro que não.

O meu suspiro foi acompanhado por um outro, mais baixo, de Edward. Por vontade dele, Bella também já me teria esquecido. Azar dele, se nunca lhe pedia para fazer algo que a contrariasse.

– Pareces cansado – comentou ela.

– Morto de cansaço.

– Eu matava-te de outra maneira – resmoneou Rosalie, demasiado baixo para Bella a conseguir ouvir.

Limitei-me a arranjar uma posição mais confortável na poltrona, afundando-me até onde podia. O meu pé descalço agitou-se mais próximo de Rosalie e ela fungou. Minutos depois, Bella solicitou uma nova dose à sua protectora. Senti um sopro de vento, quando esta subiu as escadas, como um vendaval, para lhe trazer mais sangue. Estava tudo muito tranquilo. "Já agora, podia fazer uma sesta", pensei.

E foi então que Edward, algo perplexo, perguntou:

– Disseste alguma coisa?

Era estranho. Porque ninguém tinha dito nada e porque o ouvido dele era tão apurado quanto o meu, conforme o devia saber.

Vi-o a olhar fixamente para Bella e esta a devolver-lhe o olhar. Ambos exibiam um ar surpreendido.

– Eu? – respondeu Bella, passado um segundo. – Eu não disse nada.

Edward pôs-se de joelhos, debruçando-se sobre ela, e de súbito revelou uma expressão intensa e totalmente diferente da que tivera até aí. Os seus olhos negros focavam-se no rosto de Bella.

– Em que é que estavas a pensar agora?

Bella olhava-o, atónita.

– Em nada. O que está a acontecer?

– E um minuto antes? – insistiu Edward.

– Apenas... na ilha Esme. E nas penas.

Tudo aquilo parecia não fazer qualquer sentido; entretanto, vi-a a corar e concluí que seria melhor não tentar saber mais nada.

– Diz mais alguma coisa – murmurou ele.

– O quê? Edward, o que é isso?

O rosto dele voltou a alterar-se e, nesse momento, vi-o a fazer algo que me deixou boquiaberto. Apercebi-me de alguém a sobressaltar-se atrás de mim e reparei que Rosalie tinha voltado, e que estava tão atordoada quanto eu.

Edward, com muito cuidado, colocara as mãos sobre a grande barriga redonda.

– O f... – e engoliu em seco. – Isto... o bebé gosta do som da tua voz.

Seguiu-se um instante de silêncio absoluto, durante o qual não consegui mover um só músculo, nem para piscar os olhos. A seguir...

– *Caramba! Tu consegues ouvi-lo!* – gritou Bella.

No segundo a seguir, estremeceu.

Ele moveu a mão para o cimo da barriga e massajou com suavidade o ponto onde ela devia ter sentido o pontapé.

– Chiu – murmurou. – Assustaste isso... assustaste-o.

Os olhos de Bella abriram-se ainda mais, maravilhados, enquanto ela batia levemente num dos lados da barriga.

– Desculpa, bebé.

Edward inclinou a cabeça para o vulto, escutando com toda a atenção.

– Em que estará ele a pensar neste momento? – perguntou ela, ansiosa.

– Isso... ele ou ela está... – e interrompeu para fitar Bella e o olhar dele reflectia o mesmo assombro, embora mais atento e relutante. – Ele está feliz – acabou por afirmar num tom incrédulo.

Bella susteve a respiração; era impossível não visualizar o brilho intenso da sua expressão. A adoração e a devoção. Nos olhos dela apareciam lágrimas grossas, que lhe corriam em silêncio pelas faces, chegando-lhe aos lábios.

E Edward, ao olhar para ela, deixara de ter aquelas expressões de medo, fúria ou sofrimento atroz que lhe via desde o seu regresso. Estava igualmente maravilhado.

– Claro que estás feliz, lindo bebé, claro que sim – disse Bella numa voz cantante, a esfregar a barriga, com o rosto inundado de lágrimas. – Como podias não estar, assim tão quente e seguro, e com tanto amor? Eu amo-te tanto, meu pequeno EJ, por isso só podes estar feliz.

– O que é que lhe chamaste? – perguntou Edward, com curiosidade.

Bella voltou a corar.

– É uma espécie de nome que lhe dou. Não pensei que quisesses... bom, percebes porquê.

– EJ?

– O teu pai também se chamava Edward.

– Sim, pois era. O quê?... – Fez uma pausa e depois acrescentou: – Hum.

– O que foi?

– Ele também gosta da minha voz.

– Claro que gosta. – Falava quase num tom de exaltação. – Tu tens a voz mais bela do universo. Quem podia não gostar dela?

– Tens outra opção? – perguntou Rosalie, inclinando-se sobre as costas do sofá, com a mesma expressão maravilhada e exultante de Bella.

– E se ele for ela?

Bella passou as costas da mão sob os olhos molhados.

– Estive a dar voltas à cabeça e a jogar com os nomes da Renée e da Esme. Estava a pensar em... Ruhnezmay.

– Ruhnezmay?

– R-e-n-e-s-m-e-e. É esquisito?

– Eu gosto – tranquilizou-a Rosalie. As cabeças das duas estavam juntas: o ouro e o mogno. – É lindo, além de bastante invulgar, o que até vem a propósito.

– Continuo a pensar que é um Edward.

O vampiro escutava-as com um olhar absorto.

– O que foi? – perguntou Bella, com o rosto resplandecente. – Em que é que ele está a pensar?

Ele começou por não lhe responder e, depois, – espantando-nos a todos e provocando três exclamações diferentes e autónomas – encostou o ouvido à barriga com ternura.

– Ele *ama-te* – murmurou, num tom deslumbrado. – Ele tem uma adoração absoluta por ti.

Nesse momento, percebi que estava só. Completamente só.

Desejei bater em mim próprio, ao perceber até que ponto tinha confiado naquele vampiro repugnante. "Que estúpido – como se alguma vez se pudesse confiar numa sanguessuga! É claro que ele acabaria por me espetar uma faca nas costas".

Confiara e contara com ele do meu lado. Tinha imaginado que ele sofresse mais do que eu. E, acima de tudo, tinha contado que ele odiasse aquela coisa abominável que estava a destruir Bella mais do que eu.

Tinha confiado nessa matéria.

No entanto, agora via-os unidos, os dois debruçados sobre aquele monstro invisível, com os olhos brilhantes, integrado numa família feliz.

E eu estava só, com um ódio e uma dor tão atrozes, que pareciam torturar-me. Como se me arrastassem lentamente sobre uma cama cheia de lâminas. Uma dor tão violenta que encaramos a morte com um sorriso, só para lhe escapar.

O calor derreteu-me os músculos gelados e pus-me de pé.

As outras três cabeças viraram-se para mim de imediato e vi a minha dor a passar devagar pelo rosto de Edward, mal ele voltou a invadir-me a mente.

– Ah – exclamou o vampiro, com uma voz sufocada.

Não sabia o que fazia; limitava-me a estar ali parado, a tremer, pronto a fugir pelo primeiro buraco que me viesse à cabeça.

Edward precipitou-se para uma pequena mesa de apoio, movendo-se como o corpo de uma serpente, e tirou bruscamente uma coisa de dentro da gaveta. Atirou-ma e eu apanhei-a no ar, num gesto automático.

– Vai, Jacob. Desaparece daqui. – Não o disse num tom duro; antes me atirou com as palavras como se aqui elas fossem um colete salva-vidas. Ajudava-me a encontrar a saída que eu procurava em desespero.

O objecto que tinha nas mãos eram as chaves de um carro.

Dezassete

TENHO CARA DE QUÊ? DE FEITICEIRO DE OZ? PRECISAM DE UM CÉREBRO? DE UM CORAÇÃO? LEVEM-NOS. LEVEM TUDO O QUE É MEU.

Enquanto corria para a garagem dos Cullen, ia magicando numa espécie de plano. A segunda parte passava por dar cabo do carro do sugador de sangue, na viagem de regresso.

Por isso, fiquei completamente desorientado ao accionar o controlo remoto e não ver o *Volvo* a responder com um bip e com as luzes a piscar. Respondeu um outro carro, que conseguia sobressair entre todos os que ali havia, que na sua maior parte, deixariam qualquer um a salivar.

Ele quis mesmo passar-me as chaves de um *Aston Martin Vanquish* para a mão, ou teria sido por acaso?

Não fiquei a pensar no assunto ou na hipótese de ele alterar a segunda parte do meu plano. Limitei-me a saltar para o banco de pele macia e a ligar a ignição, enquanto os meus joelhos eram esmagados contra o volante. Em qualquer outro dia, o som ronronante daquele motor ter-me-ia levado às nuvens, mas, nesse momento, só conseguia concentrar-me o suficiente para tirar o carro dali.

Depois de encontrar o regulador do banco impulsionei-me para trás, carregando ao mesmo tempo no acelerador. Pelo que o carro quase pareceu levantar voo, saindo disparado.

Levei alguns segundos a chegar à rampa de acesso estreita e sinuosa. O carro respondia aos meus impulsos, como se o conduzisse com os pensamentos e não com as mãos. Ao sair a toda a velocidade do túnel de copas de árvores para entrar na estrada, captei a imagem fugaz do focinho cinzento de Leah, a espreitar inquieto por entre os fetos.

Ainda ponderei um segundo sobre o que ela estaria a pensar, depois concluí que não me importava.

Virei para Sul, sem paciência para me empatar com o trânsito, a fila de espera da travessia dos *ferryboats*, ou com outra coisa qualquer que me fizesse levantar o pé do acelerador.

De um modo perverso, aquele era o meu dia de sorte. Isto se ela pressupunha seguir por uma estrada cheia de trânsito, a duzentos à hora, sem encontrar a polícia, nem mesmo nas localidades armadilhadas com o limite de velocidade dos cinquenta quilómetros. Que decepção! Uma pequena perseguição teria sido interessante, para não falar na placa da matrícula que colocaria a sanguessuga em sarilhos. É claro que ele teria dinheiro suficiente para conseguir safar-se; de qualquer modo, seria ligeiramente inconveniente.

O único sinal de vigilância que apanhei foi uma pontinha de pelagem castanho-escura, que passava rapidamente pela floresta e corria em paralelo ao carro, a alguns quilómetros da zona meridional de Forks. Deveria ser Quil, que também me terá reconhecido, ao desaparecer passado um minuto, sem qualquer sinal de alarme. Mais uma vez, meditei no caso dele, antes de me lembrar que isso não interessava.

Acelerei pela estrada longa e cheia de curvas apertadas, à procura da maior cidade que surgisse no horizonte. Era a primeira parte do meu plano.

A viagem pareceu durar uma eternidade, provavelmente por sentir que estava numa espécie de cama de lâminas. Mas na realidade não cheguei a demorar duas horas até me desviar para Norte, acedendo à periferia urbana e indefinida que abrangia parte de Tacoma e de Seattle. Nessa altura, abrandei, até porque o meu objectivo não consistia em matar transeuntes inocentes.

O plano era completamente idiota e não iria resultar. Só que as palavras de Leah tinham irrompido na minha cabeça, quando procurava uma forma de me afastar do meu sofrimento.

Se chegares a usar a tua marca, isso desaparece, percebes? Não precisas de sofrer mais por ela.

Parecia que tirarem-nos a capacidade de decidir não seria a pior coisa do mundo; talvez a pior fosse mesmo o que eu sentia.

No entanto, já conhecia todas as raparigas de La Push, da reserva dos Makah e de Forks. Daí que precisasse de uma zona de caça mais alargada.

Como é que se faz para encontrar uma alma gémea, ao acaso, no meio da multidão? Bom, para começar precisava de uma multidão. Por isso, circulei de carro, à procura do melhor local. Passei por uma série de centros comerciais, onde haveria boas hipóteses de encontrar raparigas da minha idade; no entanto, não consegui deter-me em nenhum. Será que gostaria de marcar uma rapariga que passava o dia metida num centro comercial?

Continuei a rumar a Norte, atravessando zonas cada vez mais povoadas. Finalmente, encontrei um parque cheio de miúdos, famílias, *skates*, bicicletas, papagaios de papel, e tudo o resto. Só então reparei que estava um dia magnífico, cheio de Sol. As pessoas tinham saído para festejar aquele céu azul.

Estacionei o carro atravessado, ocupando dois lugares para deficientes – com o desejo ardente de ser multado – e juntei-me à multidão.

Caminhei durante o que me pareceram horas. Aliás, o tempo suficiente para o Sol mudar de posição. Para onde quer que fosse, olhava para a cara das raparigas que se cruzavam comigo, esforçando-me por prestar atenção a todos os pormenores: desde ver quem era gira, tinha olhos azuis, não ficava mal com o aparelho nos dentes e que usava maquilhagem em excesso. Para ter a certeza de que me esforçava de facto, tentei descobrir algo de interesse em cada um dos rostos. Por exemplo: uma tinha um nariz perfeito; a outra ficava melhor sem o cabelo nos olhos; e aquela poderia fazer anúncios de batom, se o resto da cara fosse tão bonita quanto a boca...

Às vezes, elas devolviam-me o olhar; outras vezes, pareciam ficar assustadas, como se pensassem: "Quem é este matulão esquisito que não tira os olhos de mim?". Outras vezes ainda, pensava que me olhavam com algum interesse, mas talvez isso se devesse a algum delírio do meu ego.

No entanto, o resultado era nulo qualquer que fosse a situação. Mesmo quando apanhei o olhar da rapariga que era – de longe – a mais gira do parque e provavelmente da cidade, e ela me fixou com o ar de quem parecia interessada, fiquei indiferente. Não passava do mesmo impulso desesperado para escapar à dor.

À medida que o tempo passava, comecei a reparar nas coisas erradas, que se relacionavam com Bella. Esta tinha o cabelo da mesma cor. Os olhos daquela eram mais ou menos do mesmo formato. As maçãs do rosto de uma outra sobressaíam no rosto, exactamente da mesma maneira. E havia uma que tinha entre os olhos uma ruga pequenina muito parecida, o que me levou a interrogar-me sobre qual seria o seu problema...

Foi então que desisti. Porque era uma estupidez de todo o tamanho pensar que tinha escolhido o tempo e o local certos, onde iria simplesmente encontrar a minha alma gémea só por estar desesperado para que tal acontecesse.

De qualquer maneira, até nem fazia sentido procurar ali. Se Sam não se tinha enganado, La Push era o lugar ideal para encontrar a minha parceira genética. E lá ninguém preenchia os requisitos, de certeza. Se era Billy quem tinha razão, então quem sabe? O que poderia contribuir para tornar um lobo mais forte?

Regressei ao carro, num passo vagaroso, e reclinei-me contra o capô a brincar com as chaves.

Talvez eu fosse igual ao que Leah pensava sobre si. Uma espécie de beco sem saída que não transitaria para a geração seguinte. Ou então, a minha vida não passava de uma grande anedota cruel, sem me permitir escapar à tirada final.

– Estás bem? Ei, tu aí, ó do carro roubado.

Levei um segundo a perceber que aquela voz se dirigia a mim e mais um outro, para me decidir a erguer a cabeça.

Uma rapariga, cuja cara me era familiar, observava-me com uma expressão algo ansiosa. Percebi porque é que a conhecia – já a catalogara antes. Cabelo ruivo claro e dourado, pele branca, algumas sardas leves a salpicar-lhe as faces e o nariz, e olhos cor de canela.

– Se estás com remorsos por teres *desviado* o carro – disse-me a sorrir, com uma covinha a formar-se no queixo – tens sempre a hipótese de te entregares.

– Não é roubado, é emprestado – retorqui bruscamente. A minha voz emitia um som horrível. Parecia que estivera a chorar ou coisa parecida. Que situação embaraçosa!

– Pois, isso vai mesmo convencer o juiz.

Fiz uma cara de poucos amigos.

– Precisas de alguma coisa?

– Não, não preciso de nada. Só estava a meter-me contigo por causa do carro. É que... parece que tens qualquer problema grave. Ah, eu sou a Lizzie. – E a rapariga estendeu-me a mão.

Fiquei a olhar para a mão, até ela a deixar cair.

– De qualquer maneira... – continuou, pouco à vontade – só queria saber se precisas de ajuda. Vi-te ali e pareceu-me que procuravas alguém. – E apontou para o parque, encolhendo os ombros.

– Sim.

Ela ficou à espera.

– Não preciso de ajuda – respondi com um suspiro. – Ela não está ali.

– Ah. Tenho pena.

– Eu também.

Voltei a olhar para a rapariga. Lizzie. Era gira. E revelava--se bastante simpática, ao tentar ajudar um desconhecido mal-humorado e com ar de maluco. Porque não podia ser ela a tal? Porque tinha de ser tudo uma maldita complicação? Uma rapariga simpática, gira e com algum sentido de humor. Porque não?

– Esse carro é lindo – comentou ela. – É uma pena já não os fabricarem. Quero dizer, as linhas do *Aston Vantage* continuam a ser magníficas, mas os *Vanquish* têm qualquer coisa de especial...

Uma miúda simpática *que sabia falar de carros.* Uau! Observei-a com mais atenção, desejando saber como é que se fazia. "Vá lá. Jake... marca-a já."

– Qual é a sensação de o conduzir? – perguntou.

– Nem queiras saber – declarei.

Ela esboçou de novo aquele largo sorriso que lhe deixava uma covinha no queixo, nitidamente satisfeita por me ter arrancado uma resposta mais ou menos civilizada; entretanto, respondi-lhe com um sorriso um tanto relutante.

De qualquer modo, o sorriso de Lizzie não contribuiu para afastar as lâminas cortantes que me arranhavam o corpo de alto a baixo. Por muito que o quisesse, a minha vida não recomeçaria ali.

Eu não caminhava para uma fase mais saudável, ao contrário de Leah. Não era capaz de me apaixonar como uma pessoa normal. Isso não iria acontecer; não enquanto o meu coração sofresse por alguém. Talvez – se tivessem passado dez anos, o coração de Bella tivesse parado de bater e eu tivesse sobrevivido à fase de luto, para depois me voltar a erguer de corpo inteiro –, talvez então pudesse convidar Lizzie para dar uma volta num carro veloz, falaríamos de marcas e de modelos, eu poderia conhecê-la melhor e verificar se a presença dela me agradava. Mas isso não aconteceria naquele momento.

Eu não iria ser salvo por artes mágicas. Teria apenas de enfrentar a dor como um homem. E aguentar-me.

Lizzie continuava parada, talvez a aguardar que a convidasse para dar essa volta. Ou talvez não.

– Acho que é melhor ir devolver o carro ao tipo que mo emprestou – murmurei por entre dentes.

Ela voltou a sorrir.

– Fico contente por estares no bom caminho.

– Sim, conseguiste convencer-me.

Ficou a ver-me entrar no carro, ainda um pouco preocupada. Deveria estar com uma expressão de quem está prestes a atirar--se por uma ribanceira. O que talvez tivesse feito, se essa atitude causasse algum efeito num lobisomem. Ela acenou-me uma vez, seguindo-me com o olhar enquanto o carro se afastava.

Iniciei a viagem de regresso, conduzindo mais devagar. Já não tinha pressa e não desejava voltar ao meu destino. Voltar para aquela casa, para aquela floresta. Voltar para a dor de onde fugira. Voltar a enfrentá-la completamente só.

Bolas, estava a ser melodramático. Não estaria completamente sozinho, embora aquilo fosse tudo menos agradável. Leah e Seth partilhariam o meu sofrimento, embora fosse bom que o miúdo não tivesse de aguentar muito. Ele não merecia perder a sua paz de espírito; e a irmã também não, mas pelo menos isto era algo que ela compreendia. Para Leah não havia qualquer novidade na dor.

Suspirei profundamente, ao pensar no que Leah queria de mim, porque sabia que ela haveria de levar a sua avante. Ainda não me tinha passado a arrelia em relação a ela; mas não iria ignorar o facto de lhe poder facilitar a vida. E, agora que a conhecia melhor, era provável que ela fizesse o mesmo por mim, se estivesse no meu lugar.

Seria estranho e, no mínimo, também interessante ter Leah como companheira – como amiga. Estava certo que haveríamos de brigar e muito; e que ela não me iria poupar, o que até era bom. Se calhar precisava mesmo de ser abanado de vez em quando. Mas, se fosse preciso, ela seria a única amiga verdadeira que compreendia o que eu estava a passar.

Recordei a caçada daquela manhã e de como as nossas mentes se tinham ligado tão intimamente durante o momento.

Não tinha sido mau. Diferente. Um pouco assustador, um pouco delicado. No entanto bom, de uma forma invulgar.

Não tinha de estar completamente sozinho.

E sabia que Leah era bastante forte para enfrentar, ao meu lado, os meses que se aproximavam. Meses e anos. Ficava cansado só de pensar nisso, parecendo que olhava para o outro lado de um oceano que tinha de atravessar, nadando de costa em costa, até poder descansar novamente.

Tanto tempo que faltava e, ao mesmo tempo, tão pouco que restava até tudo começar. Até eu ser lançado a esse oceano. Três dias e meio, e ali estava eu a desperdiçar esse tempo.

Comecei, outra vez, a acelerar.

Quando subi a estrada em direcção a Forks, a toda a velocidade, deparei com Sam e Jared, um de cada lado da estrada, como sentinelas. Estavam bem escondidos pela vegetação densa; mas, como já esperava vê-los ali, sabia onde havia de procurar. Acenei-lhes ao passar por eles como um raio, sem me ralar a imaginar o que iriam pensar daquele passeio.

Acenei também a Leah e a Seth, quando percorria lentamente o caminho de acesso à casa dos Cullen. Começava a escurecer e o céu estava bastante enublado daquele lado do estreito; de qualquer maneira distingui-lhes o brilho dos olhos a reflectir os faróis do carro. Mais tarde, explicar-lhes-ia. Tempo não iria faltar.

Fiquei surpreendido ao deparar-me com Edward à minha espera na garagem. Há dias que não o via afastar-se de Bella. Ao olhar para ele, percebi que Bella não estava pior. De facto, o vampiro parecia até mais sereno. O meu estômago contraiu-se, ao recordar de onde vinha aquela paz.

Era uma pena ter-me esquecido, perante tanta meditação, de lhe espatifar a viatura. Enfim... O mais certo era não ser capaz de beliscar aquele carro; e essa devia ser a razão principal que o levara a emprestar-mo.

– Jacob, temos de conversar – disse-me, assim que desliguei o motor.

Inspirei a fundo e retive a respiração por um momento. Sai do *Aston* com toda a pachorra e atirei-lhe as chaves.

– Obrigado pelo empréstimo – agradeci com maus modos. Pelos vistos teria de dar algo em troca. – O que queres agora?

– Primeiro que tudo... eu sei como é penoso para ti usar a tua autoridade em relação à alcateia, mas...

Pisquei os olhos, atónito por ele sequer sonhar em começar por ali.

– O quê?

– Se não conseguires controlar a Leah, então eu...

– A Leah? – interrompi, falando por entre dentes. – O que é que aconteceu?

O rosto de Edward endureceu.

– Ela apareceu aqui para saber porque é que tinhas partido tão de repente; e eu tentei explicar-lhe. Suponho que não a devo ter esclarecido da melhor maneira.

– E o que é que ela fez?

– Transitou para a forma humana e...

– A sério? – interrompi-o de novo, desta vez estarrecido. Nem conseguia acreditar. Leah a baixar a guarda mesmo à entrada do covil do inimigo?

– Ela quis... *falar* com a Bella.

– Com a *Bella?*

Edward já estava completamente alterado.

– Não vou permitir que a Bella volte a ser perturbada desta maneira. E pouco me importa que a Leah esteja convencida de que tem toda a razão! Não a ataquei – claro que não o faria –, mas ponho-a fora de casa se isto se repetir. Atiro-a para o outro lado do rio...

– Espera aí! O que é que ela disse? – Nada parecia fazer sentido.

Edward respirou fundo, tentando controlar-se.

– A Leah foi de uma crueldade gratuita. Não vou fingir que percebo porque é que a Bella não consegue deixar-te ir embora, mas sei que ela não procede desta maneira para te magoar.

A dor que te causa a ti, e também a mim, quando pede para ficares, fá-la sofrer bastante. Aquilo que Leah lhe disse foi muito injusto. A Bella tem estado a chorar...

– Espera... a Leah esteve a discutir com a Bela por *minha* causa?

Edward assentiu severamente com a cabeça, anuindo.

– A tua posição foi aqui defendida com toda a veemência.

Alto aí!

– Eu não lhe pedi para fazer nada disso.

– Eu sei.

Revirei os olhos. É evidente que ele sabia. Ele sabia tudo.

Mas Leah surpreendia-me por completo. Quem é que iria acreditar? Entrar no sítio dos sugadores de sangue, sob a forma humana, para reclamar sobre o modo como eu estava a ser tratado.

– Não prometo que a vou controlar – disse para Edward. – Não o posso fazer. Mas vou falar com ela, está bem? E julgo que isto não irá repetir-se. A Leah não é uma pessoa que fique a remoer muito tempo, por isso acho que hoje deitou para fora tudo aquilo que pensava.

– Também me parece.

– De qualquer maneira, gostaria de falar com a Bella sobre a situação. Ela não tem de se sentir mal por isso. É um assunto só meu.

– Já lhe expliquei.

– Claro que explicaste. Ela está bem?

– Agora está a dormir. A Rose está com ela.

A psicopata já passara a ser "Rose". Edward tinha-se mudado para o lado das trevas.

O vampiro ignorou o meu pensamento, concluindo em resposta à minha questão.

– Ela está... melhor, de certa maneira. À parte a intervenção da Leah e o sentimento de culpa que daí resultou.

Melhor. Porque Edward conseguia ouvir o monstro e agora tudo era mel e rosas. Fantástico.

– Há ainda outra coisa – murmurou ele. – Agora, que já consigo aceder aos pensamentos da criança, tornou-se claro que ele, ou ela, desenvolveu aptidões mentais assinaláveis. Ele compreende-nos, até certo ponto.

Fiquei de boca aberta.

– Estás a falar a sério?

– Sim. Ele parece ter uma vaga ideia do que a magoa, pelo que tenta evitá-lo, tanto quanto lhe é possível. Ele... ama-a. Já.

Fixei Edward atónito, com a sensação de que os olhos me iam saltar das órbitas. Simultaneamente, percebi de imediato que aquele seria o factor decisivo. Tratava-se do ponto que levara Edward a mudar de atitude – o monstro tê-lo convencido do seu amor. Edward não podia odiar quem amava a mulher. E talvez fosse essa mesma razão que o impedia de me odiar. Mas havia uma grande diferença: eu não a estava a matar.

Edward prosseguiu, como se não estivesse a ouvir nada.

– Na minha opinião, a situação está a avançar mais depressa do que esperávamos. Quando o Carlisle regressar...

– Eles ainda não voltaram? – interrompi bruscamente, pensando em Sam e Jared a vigiar a estrada. Será que eles quereriam compreender melhor o que estava a acontecer?

– A Alice e o Jasper já. O Carlisle mandou o sangue todo que conseguiu arranjar; todavia, não era tanto como se esperava. Atendendo ao aumento do apetite da Bella, esta dose só chegará para mais um dia. O Carlisle ia tentar um outro sítio. Embora pense que não será necessário; no entanto, ele prefere ter algum de reserva caso haja alguma eventualidade.

– Porque é que dizes que não é necessário? E se ela precisar de mais?

Quando Edward me respondeu, percebi que se mantivera atento à minha reacção.

– Estou a tentar convencer o Carlisle a fazer o parto assim que regressar.

– O quê?

– Aparentemente, a criança está a tentar evitar movimentos bruscos; mas isso é difícil. Ela está muito grande. Seria uma loucura esperar mais, quando é óbvio que o ser se desenvolveu para além do esperado. A Bella está demasiado frágil para adiarmos mais.

Continuavam a tirar-me o tapete: primeiro, por contar que Edward odiasse aquela coisa tanto quanto eu; e agora, por ver que encarara quatro dias como um período garantido. Era neles que investira.

À minha frente estendia-se o oceano infinito de dor, que me aguardava.

Tentei controlar a respiração.

Edward ficou à espera que eu falasse. Enquanto me recompunha, olhei fixamente para a cara dele, distinguindo uma nova mudança.

– Estás a pensar que ela vai conseguir – murmurei.

– Sim. E também era por isso que queria falar contigo.

Não consegui dizer mais nada. Passado um minuto, Edward continuou.

– Sim – voltou a dizer. – Esperar, tal como tem acontecido até agora, que a criança esteja preparada para nascer é algo perigoso e realmente intenso. A qualquer momento, pode ser demasiado tarde. Mas, se nos anteciparmos e se formos suficientemente rápidos, não haverá qualquer razão para temer o pior. E o conhecimento da sua mente é de uma ajuda inestimável. Felizmente, a Bella e a Rose concordaram comigo. Agora que as convenci que temos de agir. Para segurança da criança, não há nada que nos impeça de avançar.

– Quando é que o Carlisle regressa? – perguntei, num fio de voz. Não conseguia respirar com normalidade.

– Amanhã, à hora do almoço.

Senti os joelhos a ceder e tive de me agarrar violentamente ao carro, para me suster de pé. Edward estendeu as mãos, como que oferecendo o seu apoio; mas depois ponderou e deixou-as cair.

– Lamento – murmurou. – Lamento sinceramente a dor que tudo isto te está a causar, Jacob. Embora me odeies, tenho de confessar que não nutro por ti o mesmo sentimento. Olho para ti como um... um irmão, em diversos aspectos. Um camarada de armas, no mínimo. Lastimo o teu sofrimento, mais do que possas acreditar. Mas a Bella irá sobreviver – ele dizia aquilo com uma voz feroz, até violenta – e sei que é isso que verdadeiramente te interessa.

Edward devia ter razão. Mas era difícil sabê-lo, com a cabeça a andar assim à roda.

– Por isso, não me agrada nada ter de o fazer agora, consciente que estás a passar por um momento tão difícil, mas é óbvio que não temos tempo a perder. Preciso de te pedir algo, de te suplicar, caso seja necessário.

– Não tenho mais nada – respondi, com uma voz sufocada.

Ele ergueu a mão, como se a fosse pousar no meu ombro; em seguida, deixou-a cair e suspirou.

– Eu sei que já deste muito – afirmou serenamente. – Mas há algo que tu tens e que mais ninguém tem. Vou pedi-la ao verdadeiro Alfa, Jacob. Ao herdeiro de Ephraim.

Já não reunia condições para conseguir responder-lhe.

– Quero pedir a tua permissão para alterarmos o que foi acordado no tratado com Ephraim. Quero que nos concedas uma excepção. Quero que me autorizes a salvar a vida dela. Sabes que o faria à mesma, mas não desejo trair a tua confiança se houver uma forma de o evitar. Nunca foi nossa intenção faltar à palavra e não é de ânimo leve que o fazemos agora. Quero que o consintas, Jacob, porque sabes exactamente quais são as razões para procedermos desta forma. E quero que a aliança entre as nossas famílias se mantenha quando isto terminar.

Tentei engolir em seco. "Sam", pensei. "É do Sam que precisas."

– Não. A autoridade do Sam foi questionada. Ela pertence-te. Nunca irás exigir que ele a devolva. De qualquer modo, não há mais ninguém que possa aceder de pleno direito ao que estou a pedir, a não ser tu.

A decisão não me cabe a mim.

– Cabe, Jacob, e tu sabes isso. Aquilo que determinares irá condenar-nos ou absolver-nos. Só tu me podes dar o que estou a pedir.

Não consigo pensar. Não sei.

– Não temos muito tempo. – Edward olhou para trás, em direcção à casa.

Não, não havia tempo algum. Os meus escassos dias tinham-se transformado em escassas horas.

Não sei. Deixa-me pensar. Dá-me apenas um minuto, está bem?

– Está bem.

Comecei a caminhar rumo à casa e ele seguiu-me. Era uma loucura sentir como parecia tão fácil andar pela escuridão, com um vampiro nos calcanhares. Na realidade, não me sentia intranquilo ou sequer desconfortável. Parecia que caminhava junto de uma pessoa qualquer. Bom, de uma pessoa que cheirasse mal.

Senti os arbustos a abanar na extremidade do grande relvado e, em seguida, ouvi um ganido baixo. Seth abriu caminho através da vegetação e trotou até nós.

– Olá miúdo – murmurei por entre dentes.

Ele baixou a cabeça e eu dei-lhe uma palmada no cachaço.

– Está tudo bem – menti-lhe. – Depois conto-te. Desculpa ter partido assim, sem te dizer nada.

Ele abriu a boca num sorriso.

– Ei, diz à tua irmã para ter juízo agora, está bem? Já chega!

Seth acenou-me com a cabeça uma vez.

Dei-lhe um ligeiro empurrão.

– Volta para o trabalho. Daqui a pouco falo contigo.

Seth encostou-se a mim, respondendo ao encontrão, e galopou em direcção às árvores.

– Ele tem uma das mentes mais puras, sinceras e generosas que já conheci – murmurou Edward, mal Seth desapareceu. – É uma sorte poderes partilhar os seus pensamentos.

– Eu sei – resmunguei.

Recomeçámos a andar em direcção a casa e subitamente erguemos a cabeça, ao distinguir o som de alguém a beber por uma palhinha. Edward acelerou o passo e lançou-se pelos degraus do pórtico, desaparecendo à minha frente.

– Bella, meu amor, pensei que estavas a dormir – ouvi-o dizer. – Desculpa, não devia ter saído de junto de ti.

– Não te preocupes. Tive apenas sede e foi isso que me acordou. Ainda bem que o Carlisle vai trazer mais. Este miúdo vai precisar quando sair aqui de dentro.

– É verdade, dizes bem.

– Pergunto-me se ele irá querer outra coisa.

– Acho que o vamos descobrir.

Cruzei a ombreira da porta e ouvi Alice a exclamar:

– Finalmente!

Ao mesmo tempo, os olhos de Bella cruzaram-se de relance com os meus e aquele sorriso desesperante e irresistível atravessou-lhe, por instantes, o seu rosto. A seguir, essa expressão facial vacilou e o rosto esmoreceu, enquanto ela franzia os lábios como que se esforçando para não chorar.

Apetecia-me dar um murro naquela boca estúpida de Leah.

– Viva, Bells – disse de pronto. – Como vais?

– Estou bem.

– O dia de hoje começou em beleza, não? Já tens mais material.

– Não tens de fazer isso, Jacob.

– Não sei do que estás a falar – observei, enquanto me sentava no braço do sofá, próximo da cabeça dela. Edward já tinha ocupado o seu lugar no chão.

Bella dirigiu-me um olhar recriminatório.

– Tenho *tanta p...* – ia a dizer.

Pressionei-lhe os lábios entre o polegar e o indicador.

– Jake – balbuciou, na tentativa de afastar a mão, com tão pouca força que quase parecia nem estar a tentar.

Abanei a cabeça.

– Podes falar quando deixares de ser idiota.

– Aceito. Então não falo – pareceu-me ouvi-la dizer.

Retirei a mão.

– Lamento! – concluiu ela rapidamente, rindo-se para mim.

Revirei os olhos e sorri-lhe também.

Ao fixá-la nos olhos, vi tudo o que andara à procura no parque.

No dia seguinte, Bella seria uma pessoa diferente. Mas eu mantinha a esperança de que ela permanecia viva e era apenas isso que interessava, certo? A olhar-me com os mesmos olhos, ou perto disso. E a sorrir-me com os mesmos lábios, mais ou menos. Continuaria a conhecer-me melhor que qualquer outra pessoa que não tivesse a possibilidade de mergulhar no meu pensamento.

Leah podia ser uma companhia interessante, talvez até uma amiga verdadeira – alguém que lutaria por mim. Porém, não era a minha melhor amiga, da mesma maneira que Bella. À parte o amor impossível que nutria por Bella, havia ainda um outro laço que tinha raízes profundas na nossa vida.

No dia seguinte, ela poderia ser minha inimiga; ou minha aliada. E, aparentemente, a distinção apenas dependia de mim.

Suspirei.

"Muito bem!", pensei, cedendo a última coisa que me restava, para apenas ficar com uma sensação de vazio.

Vai em frente, Salva-a. Como herdeiro de Ephraim, dou-te a minha permissão, a minha palavra, que isso não viola o tratado. Caberá apenas aos outros lançar as culpas exclusivamente sobre mim. Tinhas razão. Eles não me podem negar o que é meu direito conceder-te.

– Obrigado. – O murmúrio de Edward foi proferido bastante baixo para Bella não o ouvir. Mas a palavra foi proferida com tanto fervor que, pelo canto do olho, distingui os outros vampiros a viraram-se e a olharem espantados.

– Então – perguntou Bella, esforçando-se por falar num tom natural. – Como correu o dia?

– Nada mal. Fui dar uma volta de carro e dei um passeio no parque.

– Deve ter sido bom.

– Sim, sim.

De repente, Bella fez um trejeito.

– Rose – chamou ela.

Ouvi a louraça a dar uma risadinha.

– Outra vez?

– Devo ter bebido mais de sete litros durante a última hora – desabafou Bella.

Edward e eu afastámo-nos, enquanto Rosalie se aproximava para a levantar do sofá e levá-la à casa de banho.

– Posso ir a andar? – pediu Bella. – Sinto as pernas muito pesadas.

– Tens a certeza? – perguntou Edward.

– A Rose sustém-me, se tropeçar nos meus pés. O que pode acontecer, visto que nem consigo olhar para eles...

Rosalie ajudou-a a erguer-se, cautelosamente, segurando-lhe nos ombros com firmeza. Depois, Bella estendeu os braços em frente e estremeceu, ligeiramente.

– Sabe-me bem – comentou com um suspiro. – Uf, estou mesmo uma bola.

E estava. O seu corpo parecia resumir-se àquela enorme barriga.

– Só mais um dia – murmurou ela, dando uma palmadinha na barriga.

Não consegui controlar a dor que me atingiu numa estocada súbita, mas tentei não a deixar transparecer. Conseguiria fingir mais um dia, não era?

– Então, vamos lá. Ups... ah, não!

O copo que deixara no sofá tombou e o sangue escuro derramou no tecido claro.

Num movimento instintivo, embora outras três mãos a tentassem deter, Bella curvou-se e tentou apanhá-lo.

Do centro do seu corpo algo se rompeu, gerando um som abafado, o mais estranho que alguma vez ouvira.

– Ah – exclamou Bella, com a voz sufocada.

E, no instante seguinte, perdia todas as forças, debruçando-se sobre o solo. Rosalie segurou-a de imediato, impedindo-a de cair. Edward também ali estava, de mãos estendidas, com o incidente do sofá ultrapassado.

– Bella – exclamou ele, surgindo-lhe uma expressão de deso-rientação no olhar, enquanto o pânico lhe moldava o rosto.

Cerca de meio segundo depois, Bella gritou.

Não foi apenas um grito, mas um urro de agonia que gelava o sangue nas veias. O som horripilante foi interrompido por um gorgolejar e os seus olhos reviraram-se. O corpo contorceu-se e arqueou nos braços de Rosalie. Foi então que Bella vomitou um jacto de sangue.

Dezoito

Não Há Palavras Para Isto.

O corpo de Bella, envolvido numa torrente de vermelho, começou a estremecer, agitando-se nos braços de Rosalie como se estivesse a ser electrocutado. O rosto de Bella apagara-se, ao perder os sentidos. Enquanto era assolada por convulsões internas, uma série de espasmos violentos provocava estalidos no interior do seu corpo.

Rosalie e Edward ficaram petrificados por breves instantes, saindo do impasse logo a seguir. A vampira arrebatou o corpo de Bella nos seus braços e disparou juntamente com Edward pelas escadas acima, gritando tão alto que as palavras pareciam pegar-se umas às outras.

Eu lancei-me atrás deles.

– Morfina! – berrava Edward para Rosalie.

– Alice, telefona ao Carlisle! – pedia aos guinchos.

A sala para onde os segui parecia a área de urgências de um hospital, instalada no centro de uma biblioteca. Os focos de luz branca e brilhante conferiam um ar fantasmagórico ao corpo de Bella, deitado numa mesa, contorcendo-se como um peixe fora da água. Rosalie imobilizou-a, rasgando-lhe e removendo-lhe as roupas, enquanto Edward lhe cravava uma seringa no braço.

Quantas vezes a teria imaginado assim nua? Agora, nem conseguia olhar para ela, temendo guardar aquela memória para sempre.

– O que é que está a acontecer, Edward?

– Ele está a sufocar!

– A placenta deve ter-se deslocado.

Algures, em plena confusão, Bella recuperou os sentidos, reagindo a tais palavras com um guincho que me fez doer os tímpanos.

– Tirem-no daqui para FORA! – berrou. – Ele não consegue RESPIRAR! JÁ!

Vi-lhe uns pontinhos vermelhos a destacarem-se dos olhos, no momento em que o impacto do grito lhe rebentou alguns vasos sanguíneos.

– A morfina... – rugiu Edward.

– NÃO! AGORA!... – Os gritos foram sufocados por um novo jacto de sangue e o vampiro segurou-lhe a cabeça no ar, tentando desesperadamente desobstruir-lhe a boca, para a ajudar a respirar.

Alice apareceu a correr, com um pequeno auricular azul, que prendeu no ouvido de Rosalie. De imediato retrocedeu, com os olhos dourados ardentes e muito abertos, enquanto Rose começava a falar ao telefone com uma voz sibilante.

Sob a luz crua, o vermelho-escuro parecia dominar o corpo de Bella e sobrepor-se à brancura da sua pele. Uma torrente de sangue infiltrava-se sob a epiderme do enorme ventre em convulsões. A mão de Rosalie aproximou-se com um bisturi.

– Deixa a morfina fazer efeito! – gritou Edward.

– Não há tempo! – silvou a outra. – Ele está a morrer.

Pousou a mão no ventre de Bella e, do ponto onde o bisturi penetrou na pele, saiu uma torrente de sangue vermelho-vivo. Parecia um balde a tombar, ou uma torneira aberta no caudal máximo. O corpo de Bella arqueou violentamente, mas ela não gritou. Continuava sufocada.

Foi então que Rosalie perdeu completamente o domínio. A expressão do seu rosto alterou-se e ela arreganhou os dentes, com os olhos pretos a brilhar de sofreguidão.

– Rose, não! – rugiu Edward, mas ele tinha as mãos manietadas, a suster Bella para que ela conseguisse respirar.

Atirei-me à vampira, saltando por cima da maca, sem parar para me transformar. Ao atingir-lhe o corpo de pedra e prendendo-a contra a porta, senti o bisturi que ela segurava na mão a penetrar-me no braço. Esmaguei a palma da outra mão na cara dela, cerrando-lhes as mandíbulas e bloqueando-lhe a respiração.

Servi-me dessa posição para a virar e desferir-lhe um murro na barriga; parecia que batia num bloco de cimento. A vampira chocou contra a ombreira da porta, arrancando-a parcialmente e desfazendo o auricular em pedaços. Entretanto, Alice entrou em acção, agarrando-a pelo pescoço e arrastando-a para o corredor.

Tinha de ser justo com a louraça: ela recebera aquele tratamento sem reagir nem um segundo. Queria que ganhássemos, deixando-me maltratá-la daquela maneira para salvar Bella. Bom, para salvar a coisa.

Arranquei o bisturi do braço.

– Alice, leva-a daqui! – ordenou Edward aos gritos. – Leva-a para junto do Jasper e mantém-na lá! Jacob, preciso de ti!

Não vi Alice a terminar a sua tarefa, dando meia-volta em direcção à mesa de operações. Bella estava a ficar roxa, mantinha os olhos abertos e imóveis.

– Fazes a reanimação? – rugiu Edward para mim, rápido e incisivo.

– Sim.

Estudei a expressão dele, de relance, à procura de sinais de uma reacção semelhante à de Rosalie. Não encontrei nada, a não ser uma determinação feroz.

– Obriga-a a respirar! Tenho de o tirar antes...

No interior do corpo ouviu-se um novo estalo dilacerante; foi tão baixo que ficámos petrificados, à espera de a ver reagir com um grito agudo. Nada. As pernas de Bella, até ao momento curvadas em agonia, tombaram inertes e estenderam-se numa posição pouco natural.

– A coluna – exclamou Edward, com a voz sufocada.

– Tira-o lá de dentro! – rugi-lhe, lançando-lhe o bisturi. – Ela já não sente nada!

A seguir, curvei-me sobre Bella. A boca parecia-me desimpedida, pelo que a pressionei com a minha, soprando o ar que tinha nos pulmões com toda a força. Senti o corpo contorcido a expandir-se e calculei que não haveria nada a obstruir-lhe a garganta.

Dos lábios dela senti o sabor a sangue.

O coração batia num ritmo irregular. "Não pares", pensei, com fúria, soprando mais uma golfada de ar. "Tu prometeste. Mantém o coração a bater."

Ouvi o ruído suave e húmido do bisturi a penetrar-lhe no ventre e o sangue voltou a esguichar para o chão.

O ruído que se seguiu avassalou-me, de tão inesperado e terrífico. Parecia metal a ser retalhado. Aquele som fez-me reviver a luta naquela clareira, há tantos meses, e o ruído dos recém-nascidos a serem estraçalhados. Levantei a cabeça e vi Edward a pressionar a cara contra o bojo da barriga. Dentes de vampiro, um instrumento infalível para retalhar a pele de vampiro.

Estremeci e voltei a despejar mais ar para o interior de Bella.

Senti-a a tossir, devolvendo-me o ar dos pulmões, com os olhos a piscar e a flutuar ao acaso.

– Agora, vais ficar comigo, Bella! – gritei-lhe. – Estás a ouvir-me? Fica! Não me vais deixar. Mantém o coração a bater!

Os seus olhos moveram-se, procurando-me ou procurando Edward, mas sem verem nada.

Continuei a fitá-la, sem desviar o olhar.

Senti o seu corpo inerte sob as minhas mãos, embora a respiração tivesse regressado mais ou menos ao normal e o coração continuasse a bater. Aquela imobilidade significava que Bella tinha chegado ao fim. A luta interna terminara. Ele já devia ter saído do seu interior.

E saíra.

Edward sussurrou.

– Renesmee.

Bella estava enganada. Não era o rapaz de que estava à espera. Mas até nem era de admirar. Em que é que ela nunca se enganara?

Não desviei os olhos dos dela, raiados de sangue, mas senti-a a erguer as mãos com esforço.

– Deixa-me... – pediu baixinho, com a voz trémula. – Deixa-me pegar-lhe.

Devia ter calculado que ele lhe daria tudo, por muito idiota que fosse o pedido de Bella. Mas nunca me passou pela cabeça que o faria naquela altura. Por isso, nem pensei em impedi-lo.

Senti algo quente a roçar-me o braço. Isso deveria ter sido o suficiente para chamar a minha atenção. Até porque, tudo o que me tocava parecia frio.

Mas não conseguia desviar os olhos do rosto de Bella. Vi-a pestanejar e, a seguir, prender finalmente o olhar em alguma coisa. Então gemeu, falando num tom meio cantante, estranho e débil.

– Renes... mee. Tão... linda.

Depois arquejou – de dor.

Quando olhei, era demasiado tarde. Edward já tinha arrebatado aquela coisa quente e sangrenta dos braços débeis de Bella. O meu olhar passou rapidamente pela sua pele. Estava vermelha do sangue – que lhe tinha escorrido da boca, espalhado no corpo da criatura e que brotava de uma mordidela em forma de lua crescente, mesmo acima do peito esquerdo.

– Não, Renesmee – murmurou Edward, como se estivesse a ensinar as boas maneiras ao monstro.

O meu olhar não se dirigiu a ele, nem àquela coisa, apenas a Bella, quando os seus olhos se reviraram.

O coração de Bella fraquejou num baque surdo final e ficou em silêncio.

Bastou notar apenas a ausência de meio batimento para lhe pousar as mãos sobre o peito e iniciar as compressões. Comecei a contar mentalmente, tentando manter o ritmo regular. Um. Dois. Três. Quatro.

Recuei um segundo, para soprar uma nova golfada de ar na sua boca.

Os meus olhos estavam húmidos e turvos, já não conseguia ver. Por seu turno, a sensibilidade aos ruídos da sala estava no auge. O gorgolejar involuntário do coração de Bella sob as minhas mãos insistentes, os batimentos do meu e um outro batimento – um pulsar vibrante, demasiado rápido e leve. Que não consegui identificar.

Impeli mais ar através da garganta de Bella.

– De que estás à espera? – gritei-lhe com a voz sufocada, voltando a comprimir-lhe o coração. Um. Dois. Três. Quatro.

– Agarra no bebé – pediu-me Edward, num tom urgente.

– Atira-o pela janela. – Um. Dois. Três. Quatro.

– Eu pego nela – intrometeu-se uma voz baixa, vinda da porta.

Edward e eu rosnámos em uníssono.

Um. Dois. Três. Quatro.

– Já me controlei – garantiu Rosalie. – Dá-me o bebé, Edward. Eu tomo conta dela, até a mãe...

Voltei a respirar por Bella, enquanto a troca se processava e o *bum-bum-bum* vibrante se desvanecia à distância.

– Afasta as mãos, Jacob.

Desviei a atenção dos olhos vazios de Bella, continuando a bombear-lhe o coração. Edward tinha uma seringa na mão, toda prateada, como se fosse de aço.

– O que é isso?

Com uma mão de pedra, ele arredou a minha do caminho. Soou um ligeiro ruído de algo a esmagar-se, no momento em que o gesto dele me quebrou o dedo mindinho. Naquele instante, o vampiro espetou a agulha em direcção ao coração de Bella.

– O meu veneno – respondeu-me, calcando no êmbolo ao mesmo tempo.

Distingui o movimento brusco do coração, como se lhe tivesse aplicado um desfibrilador.

– Prossegue com a massagem – ordenou-me. A voz de Edward era gelada e mortal. Feroz e metálica. Como se fosse uma máquina.

Ignorei a dor candente do dedo e voltei a massajar o coração. Agora era mais difícil; parecia que o sangue tinha congelado ali, tornando-se mais espesso e fluindo lentamente. Enquanto continuava a impelir este sangue viscoso através das artérias, observava os movimentos do vampiro.

Parecia que a beijava, roçando-lhe os lábios pela boca, pelos pulsos e pela dobra no interior do braço. No entanto, eu ouvia o som da pele a rasgar, à medida que os dentes dele a mordiam uma e outra vez, obrigando o veneno a penetrar no seu sistema, em todos os pontos possíveis. Via-lhe a língua pálida a roçar os golpes em sangue e, antes que isso me agoniasse ou enfurecesse, percebi o que Edward estava a fazer. Onde a língua espalhava o veneno na pele, esta sarava e fechava-se, mantendo o sangue e o veneno no interior do corpo.

Soprei mais ar pela boca, mas não senti nada. Apenas me respondeu um erguer inanimado do peito dela. Continuei a bombear-lhe o coração, fazendo a minha contagem, enquanto Edward trabalhava obsessivamente no corpo, tentando recuperá-la. "Todos os cavalos do rei e todos os homens do rei", dizia a canção de embalar...

Mas ali não havia nada, apenas eu e ele.

Debruçados sobre um corpo.

Porque era o que restava da rapariga que ambos amávamos. Um corpo a sangrar, destroçado, dilacerado.

Sabia que era demasiado tarde. Sabia que ela estava morta. Estava certo disso, porque a força atractiva desaparecera e eu não me sentia impelido a ficar ao seu lado. Ela já não estava ali. Por isso, o corpo deixara de me atrair. A necessidade absurda de estar junto dela extinguira-se.

Talvez fizesse mais sentido dizer *modificara-se*. Parecia que uma nova força me impelia agora na direcção contrária, forçando-me a descer as escadas e a sair pela porta. Ansiava por desaparecer dali e nunca, nunca mais voltar.

– Então vai! – disse Edward com brusquidão, voltando a afastar-me as mãos com um gesto incisivo e ocupando o meu lugar. Três dedos partidos, assim me pareceu.

Estiquei-os num estado de torpor, sem me preocupar com a dor lancinante.

Edward acelerou o ritmo das compressões sobre o coração sem vida.

– Ela não está morta – rugiu. – Vai ficar boa.

Não tive a certeza de que continuava a falar comigo.

Voltei-me, deixei-o com a sua morta, e caminhei lentamente em direcção à porta. Muito lentamente. Não conseguia obrigar os pés a moverem-se mais depressa.

Então era isso. Um oceano de dor, com a costa do outro lado da água em ebulição, tão distante que nem conseguia imaginá-la, quanto mais vê-la.

Senti de novo o vazio, agora que perdera o meu objectivo. Salvar Bella fora a grande luta que travara ao longo de tanto tempo. E ela não seria salva. Oferecera voluntariamente o seu sacrifício, para ser despedaçada pela cria de monstro. A batalha estava perdida e tudo terminava ali.

Estremeci sob o impacto do som atrás de mim, à medida que descia as escadas devagar. O som de um coração sem vida, obrigado a bater.

Desejei que me despejassem lixívia no interior da cabeça e que a deixassem causticar-me o cérebro. Assim queimando para sempre as imagens de Bella naqueles minutos finais. Aceitava uma lesão cerebral se me aliviasse de tudo aquilo – os gritos, o som insuportável de algo a rachar e a quebrar-se, à medida que o monstro recém-nascido a rasgava por dentro para sair...

Desejei sair dali a correr, descer as escadas de dez em dez e lançar-me pela porta. No entanto, os pés pesavam-me como se fossem de chumbo e o corpo estava mais cansado do que nunca. Arrastei-me pelas escadas, como um homem velho e inválido.

Descansei ao atingir o último degrau, reunindo as minhas forças para chegar à rua.

Rosalie estava sentada na parte limpa do sofá branco, a arrulhar e a falar baixinho com a coisa aninhada nos braços, embrulhada num cobertor. Terá dado pela minha pausa, mas ignorou-me, envolvida naquele momento de maternidade roubada. Talvez agora ela se sentisse feliz. Tinha o que queria e Bella nunca haveria de aparecer para lhe tirar a criatura. Perguntei-me se não teria sido isso o que a loura venenosa sempre desejara.

Rosalie tinha algo escuro nas mãos e, entretanto, ouvi o sugar voraz da assassina minúscula que segurava ao colo.

O cheiro a sangue pairava no ar. Sangue humano. Rosalie estava a dar-lhe de comer. É claro que aquilo tinha fome de sangue. Que outra coisa se podia dar àquele monstro que mutilara brutalmente a própria mãe? Até podia estar a beber o sangue de Bella. Se calhar era mesmo isso.

Recuperei as forças, ao distinguir o ruído do pequeno carrasco a saciar a fome.

Força e ódio e calor – um calor ardente que me invadia a cabeça, e que me queimava, sem nada apagar. As imagens na minha cabeça eram o combustível daquele inferno, todavia recusavam-se a arder. Senti um frémito a percorrer-me o corpo de alto a baixo e não o tentei deter.

Rosalie concentrava-se exclusivamente na criatura, sem me prestar qualquer atenção. Assim tão distraída, não conseguiria reagir a tempo.

Sam tinha razão. Aquela coisa não passava de uma aberração e a sua existência era contranatura. Um demónio negro e impiedoso. Algo que não tinha qualquer razão de existir.

Algo que tinha de ser destruído.

Afinal, a força anterior não me impelia para a porta. Agora, sentia-a a impulsionar-me em frente. A pressionar-me para acabar com aquilo, para libertar o mundo daquela abominação.

Quando a criatura estivesse morta, Rosalie tentaria dar cabo de mim e eu haveria de lhe dar luta. Não sabia se teria tempo de acabar com ela antes de os outros virem em sua ajuda. Talvez sim, talvez não. Fosse como fosse, nada me importava.

Também não me importava se os lobos, qualquer que fosse a alcateia, me viessem vingar ou encarassem a intervenção dos Cullen como justificada. Nada disso era relevante. Tudo o que me movia era a minha justiça. A minha vingança. A coisa que tinha matado Bella não viveria nem mais um minuto.

Se Bella tivesse sobrevivido, odiar-me-ia por isto e desejaria matar-me com as próprias mãos.

Mas eu não queria saber. Ela também não se importara com o que me tinha feito, ao deixar-se chacinar como um animal. Porque teria de me preocupar com o que ela ia sentir?

E, depois, Edward. Naquele momento, devia estar muito ocupado com a sua recusa obsessiva em encarar a realidade, na tentativa de ressuscitar um cadáver para dar conta dos meus planos.

Portanto, não teria oportunidade de cumprir a promessa que lhe fizera, a não ser que – e essa não seria a hipótese na qual iria apostar – conseguisse vencer Rosalie, Jasper e Alice, numa luta de três contra um. Mas, mesmo que lhes ganhasse, acho que não seria capaz de o matar.

A minha compaixão não dava para tanto. Porque devia poupá-lo às consequências dos seus actos? Não seria mais justo – e satisfatório – deixá-lo viver sem nada, nada em absoluto?

Ao imaginá-lo, o ódio que me dominava quase me levou a sorrir. Sem Bella. Sem a cria assassina. E sem todos os membros da família que eu conseguisse eliminar. É evidente que ele talvez os reconstruísse, já que não ficaria ali para os queimar. Ao contrário de Bella, que nunca mais voltaria a viver.

Perguntei-me se a criatura também poderia ser reconstruída. Duvidei que fosse possível. Ela tinha os genes de Bella, pelo que deveria ter herdado parte da sua vulnerabilidade. Distinguia-o no pulsar minúsculo do seu coração.

Um coração que batia, enquanto o de Bella não.

Levei apenas um segundo a tomar essas decisões simples.

O frémito que me percorria o corpo intensificou-se e acelerou. Curvei-me, preparado para saltar sobre a vampira loura e arrancar-lhe com os dentes a coisa assassina dos braços.

Rosalie colocou a garrafa de metal ao lado, e arrulhou de novo para a criatura, erguendo-a no ar, para lhe encostar o nariz à bochecha.

Perfeito. Aquela nova posição era ideal para o meu ataque. Inclinei-me e senti o calor a começar a transformar-me, à medida que aumentava a força que me impelia na direcção da assassina – agora, sentia-a mais forte que nunca, tão forte que me parecia um comando de Alfa, que iria esmagar-me se não lhe obedecesse.

Desta vez eu *queria* obedecer.

A assassina fitou-me por cima do ombro de Rosalie, reservando uma atenção maior que a que se poderia esperar de qualquer recém-nascido.

Era um olhar castanho e quente, da cor do chocolate leitoso. Tal como fora o olhar de Bella.

Os tremores detiveram-se de súbito, enquanto o calor fluía pelo meu corpo, mais forte mas diferente, porque deixara de arder.

Era como se ele me iluminasse por dentro.

Em mim tudo mudava, enquanto olhava fixamente para o rosto de porcelana minúsculo do bebé semivampiro, semi-humano. Todas as cordas que me prendiam à vida eram cortadas em golpes céleres, tal como os fios de um molho de balões. Tudo o que me fazia ser quem era – o amor pela rapariga morta no andar de cima, o amor pelo meu pai, a lealdade para com a minha nova alcateia, o amor pelos meus outros irmãos, o ódio pelos inimigos, a minha casa, o meu nome, o meu eu – desligou-se de mim nesse segundo e voou rumo ao espaço.

Eu não fiquei a pairar. Havia um novo fio que me ligava àquele sítio.

Não um fio apenas, mas um milhão. E não eram fios, mas cabos de aço. Um milhão de cabos que me ligavam a uma única coisa: o centro do universo.

Agora via-o – como o universo rodava à volta deste ponto único. Nunca assistira à simetria do universo; de qualquer modo ela surgia-me agora com toda a clareza.

A gravidade da Terra deixara de me prender ao lugar onde estava.

Era a bebé, nos braços da vampira loura, que me sustinha ali.

Renesmee.

Do andar de cima, soou um barulho novo. O único que me podia tocar naquele momento interminável.

Um palpitar frenético, um batimento acelerado...

Um coração que se transformara.

LIVRO TRÊS

⊰ ⊱

bella

*Os afectos pessoais são um luxo que
só podemos alcançar depois
de eliminarmos os nosso inimigos.
Até esse momento, todos os que
amamos são reféns, sabotando-nos
a coragem e corrompendo-nos
o discernimento.*

Orson Scott Card
Empire

PREFÁCIO

Já não era um pesadelo, aquela linha de vultos negros que avançava para mim, impelindo a névoa gelada à sua passagem.

"Vamos morrer", pensei em pânico. Estava desesperada, temendo pelo ser precioso que tinha de proteger; mas, até esse pensamento, era uma falha de atenção que não podia ousar.

Eles aproximaram-se, como espectros, de mantos negros a ondear levemente à medida que avançavam. Vi-lhes as mãos a curvarem-se em garras cor de osso, enquanto se espalhavam para nos rodear de todos os lados. Estávamos cercados. Íamos morrer.

E então, como uma explosão momentânea de luz, a cena alterou-se por completo. Embora tudo permanecesse igual – os Volturi prosseguiam a sua marcha ameaçadora, preparados para o morticínio – a minha perspectiva do que via era diferente. De repente, sentia-me sequiosa, desejosa que atacassem. O pânico deu lugar à sede de sangue, enquanto me curvava para a frente, de sorriso no rosto, e lançava um rugido entre os dentes descarnados.

Dezanove

Em Chamas

A dor era desnorteante.

Era isso mesmo – eu estava desnorteada. Não compreendia, não conseguia captar o sentido do que estava a acontecer.

O meu corpo tentou rejeitar a dor e eu fui tragada, uma e outra vez, por uma escuridão que eliminava segundos ou mesmo minutos da agonia, tornando ainda mais difícil lidar com a realidade.

Tentei destrinçá-las.

A não-realidade era negra e não me doía muito.

A realidade era vermelha e fazia-me sentir que me serravam ao meio, que era atropelada por um autocarro, esmurrada por um jogador de boxe, derrubada por touros e submersa num ácido; tudo em simultâneo.

A realidade fazia-me sentir o corpo a torcer e a abanar, quando era impossível mexer-me devido às dores.

A realidade era saber que havia algo muito mais importante do que toda esta tortura, sem me conseguir lembrar do quê.

A realidade chegara demasiado depressa.

Num momento, tudo era como devia. À minha volta, as pessoas que amava. Sorrisos. De certa maneira, por muito difícil que fosse, parecia que teria tudo pelo qual lutara.

E, depois, algo sem significado tinha corrido mal.

Vira o copo a tombar, o sangue escuro a derramar-se, a manchar o branco imaculado, e instintivamente tentara lançar a mão ao local do incidente. Ao mesmo tempo vira outras mãos mais rápidas, mas o meu corpo continuara a dirigir-se para lá, esticando-se.

Dentro de mim, algo balançou na direcção oposta.

Dilacerando-me. Quebrando-me. Fazendo-me agonizar.

A escuridão dominara-me e, a seguir, tinha-me arrastado numa onda de tortura. Não conseguia respirar – uma vez, quase me tinha afogado; no entanto esta sensação era diferente, ao fazer arder a garganta.

Pedaços de mim a estilhaçarem-se, a estalarem, a desprenderem-se...

Mais escuridão.

Vozes, desta vez aos gritos, mal a dor regressou.

– A placenta deve ter-se deslocado!

Algo mais afiado que uma faca a rasgar-me e as palavras a fazerem sentido, apesar das outras torturas. "Deslocação da placenta" – eu sabia o que isso significava. O meu bebé estava a morrer dentro de mim.

– Tirem-no daqui para fora! – gritara para Edward. Porque é que ele ainda não o tinha feito? – Ele não consegue respirar! Já!

– A morfina...

Edward queria esperar, dar-me qualquer coisa para aliviar a dor, enquanto o nosso bebé morria!?

– Não! Agora... – e ficara sufocada, sem conseguir falar.

Uns pontos negros cobriram a luz da sala, quando o foco gelado de uma nova dor penetrou na minha barriga a sangue-frio. Aquilo estava errado... Debati-me para proteger o meu ventre, o meu bebé, o meu pequeno Edward Jacob, mas as forças faltaram-me. Os pulmões doíam-me e o oxigénio começou a desaparecer.

A dor esmoreceu de novo, embora naquele momento quisesse agarrar-me a ela. O meu bebé, o meu bebé, a morrer...

Quanto tempo tinha passado? Segundos ou minutos? Já não sentia dores. Apenas uma dormência, que não me deixava sentir. Também não distinguia nada, embora ouvisse. Os pulmões voltaram a encher-se de ar, que me arranhava a garganta, subindo e descendo em bolhas ásperas.

– Agora, vais ficar comigo, Bella! Estás a ouvir-me? Fica! Não me vais deixar. Mantém o coração a bater!

Jacob? Jacob ainda ali, ainda a tentar salvar-me.

"Claro que sim", queria dizer-lhe. Claro que iria manter o meu coração a bater. Não tinha sido isso que prometera aos dois?

Tentei sentir o coração, encontrá-lo; no entanto, tinha-me perdido no interior do meu corpo. Não sentia o que devia e nada parecia estar no respectivo lugar. Pestanejei e encontrei os meus olhos. Consegui ver a luz, não a que procurava; de qualquer modo era melhor que nada.

E quando tentava focar a visão, Edward murmurou:

– Renesmee.

– Renesmee?

Não era o filho pálido e perfeito que imaginava? Fiquei em choque por um segundo. Em seguida, fui inundada por uma onda de calor.

Renesmee.

Obriguei os lábios a moverem-se e as bolhas de ar a transformarem-se em sussurros, emitidos pela minha garganta. Forcei as mãos a erguerem-se.

– Deixa-me... deixa-me pegar-lhe.

A luz dançou, irradiando a partir das mãos de cristal de Edward. Os raios tingiam se de vermelho, com o sangue que lhe cobria a pele. E havia mais vermelho nas suas mãos. Uma coisa minúscula, que se debatia e de onde pingava mais sangue. Edward encostou-a aos meus braços frágeis, quase parecendo-me que a agarrava. Tinha a pele muito quente – tal como a de Jacob.

Foquei o meu olhar e, de repente, tudo me pareceu perfeitamente nítido.

Renesmee não chorava, mas arquejava e parecia agitada. Os seus olhos estavam abertos e exibiam uma expressão de assombro, que quase me divertiu. A cabeça pequena e com uma forma redonda perfeita estava coberta de caracóis espessos, emaranhados pelo sangue. As pupilas apresentavam uma tonalidade familiar – embora surpreendente – de castanho achocolatado. Sob o sangue, a pele parecia clara, em marfim cremoso, apenas ausente nas bochechas bastante coradas.

O seu rosto minúsculo era de uma perfeição tal, que me surpreendeu. A beleza dela conseguia ultrapassar a do pai. Inacreditável. Impossível.

– Renesmee – suspirei. – Tão... bonita.

O rosto irreal abriu-se num sorriso súbito – amplo e voluntário. Atrás dos lábios em rosa delicado havia um friso de dentes de leite da cor da neve.

Renesmee inclinou a cabeça contra o meu peito, aconchegando-se ao calor do meu corpo. A pele dela era cálida e sedosa, mas diferente da minha.

Foi então que a dor voltou a surgir. Apenas um toque quente na minha pele, que me fez arquejar.

E ela desapareceu. A minha bebé de rosto de anjo não estava em lugar algum. Não a conseguia ver ou sentir.

“Não!”, desejei gritar. “Dêem-ma outra vez!”

Mas a fragilidade apoderou-se de mim. Num momento, os meus braços pareciam mangueiras de borracha vazias; todavia, no momento seguinte, eles já não pareciam meus. Não os sentia. Não me sentia.

A escuridão investiu sobre os meus olhos com mais força. Como se, de repente, me colocassem uma venda muito apertada, que me cobria não só os olhos, como também a consciência, com um peso aniquilador. Era um suplício tentar tirá-la e sabia que seria muito mais fácil desistir. Deixar a escuridão empurrar-me para baixo, cada vez mais, encaminhando-me para um lugar onde não houvesse dor, cansaço ou receio.

Se fosse apenas por mim, não teria tido capacidade para lutar tanto. Era apenas humana e nada mais tinha que a força dos humanos. Conforme Jacob me dissera, andava há demasiado tempo a tentar controlar o sobrenatural.

Mas agora não era apenas eu que estava em jogo.

Naquele momento, se fosse pelo caminho mais fácil, deixando aquele vazio de breu aniquilar-me, eles iriam sofrer.

Edward. Edward. A minha vida e a dele entrelaçavam-se no mesmo fio. Se uma fosse cortada, o mesmo acontecia à outra. Se ele partisse, eu não iria sobreviver. Se eu partisse, ele também não continuava a viver. E o mundo sem o meu amor parecia não fazer qualquer sentido. Edward *tinha* de existir.

Jacob – que se despedira de mim vezes sem conta, mas que continuava a voltar sempre que precisava dele. Jacob, a quem magoara tanto, a ponto de se tornar um crime. Como voltar a magoá-lo e da pior maneira possível? Ele ficara por minha causa, lutando contra tudo. Agora, apenas me pedia que ficasse por causa dele.

Mas ali estava tão escuro que não conseguia distinguir o rosto de nenhum deles. Nenhum me parecia real e isso tornava mais difícil não desistir.

Continuava a resistir à escuridão, embora quase como num acto reflexo. Não tentava empurrá-la para cima, somente resistir, sem a deixar esmagar-me por completo. Eu não era o titã Atlas, mas a negritude parecia pesar tanto como um planeta; não conseguia erguê-la sobre os ombros. Tudo o que era capaz consistia em não ser completamente destruída.

Aquele era, mais ou menos, o meu padrão de vida – nunca tinha tido a força suficiente para enfrentar situações que escapassem ao meu controlo, atacando ou vencendo inimigos. Tudo para evitar a dor. O facto de ser assim humana e fraca, apenas me permitira seguir em frente. Aguentar. Sobreviver.

Até agora, isso bastara. E hoje tinha de bastar. Havia de suportar até chegar alguma ajuda.

Sabia que Edward estaria a fazer tudo quanto fosse possível. Ele não ia desistir. E eu também não.

Mantive a escuridão da inexistência à distância, apenas a alguns centímetros.

Mas não chegava – essa determinação.

À medida que o tempo escoava lentamente e a escuridão se aproximava uns escassos décimos e vigésimos de centímetros, algo mais, eu precisava de algo mais que me fortalecesse.

Não conseguia sequer avistar a cara de Edward. Nem a de Jacob, ou a de Alice, Rosalie, ou Charlie, ou Renée, ou Carlisle, ou Esme... ninguém. Fiquei aterrorizada, perguntando-me se seria tarde de mais.

Sentia que começava a escorregar, sem ter nada a que me agarrar.

"Não!" Tinha de sobreviver. Edward dependia de mim. Jacob. Charlie, Alice, Rosalie, Carlisle, Renée, Esme...

Renesmee.

Então, de repente, sem conseguir ver nada, senti algo. Imaginei que os meus braços tinham regressado tal como os de um fantasma; e neles havia algo pequeno e duro, além de muito, muito quente.

O meu bebé. O meu pequeno vulto.

Conseguira. Contra todas as probabilidades, tinha sido suficientemente resistente para sobreviver a Renesmee e, capaz de ficar ao seu lado, até ela ter força bastante para viver sem mim.

Aquela fonte de calor nos meus braços fantasmagóricos parecia tão real, que a apertei mais contra mim. Era ali exactamente que deveria estar o meu coração. Ao agarrar com força a memória da minha filha, sabia que ia ser capaz de resistir à escuridão, o tempo que fosse necessário.

O calor ao lado do coração tornou-se cada vez mais real e cada vez mais forte. Até escaldar. Era tão real que me parecia inconcebível estar a imaginá-lo.

Mais quente ainda.

Agora era desconfortável. Demasiado escaldante. Demasiado, demasiado...

A minha resposta instintiva seria largar o que me queimava, como quando pegamos na ponta errada de um ferro de frisar. Só que eu não tinha nada nos braços. Eles já não se curvavam contra o peito, reduzindo-se a pesos inanimados estendidos ao longo do meu corpo. Aquele calor estava dentro de mim.

As chamas aumentavam... elevavam-se ao ponto máximo e voltaram a elevar-se, até ultrapassarem qualquer sensação que jamais vivera.

Senti a pulsação para lá do fogo que agora grassava no meu peito e percebi que tinha encontrado o coração na altura em que desejava não o fazer. No momento em que ansiava ter abraçado a escuridão, enquanto fosse possível. Quis erguer os braços e rasgar o peito, para arrancar o coração do seu interior – fazer qualquer coisa que me libertasse daquela tortura. Mas continuava a não sentir os braços, daí nem sequer mover um dedo, que parecia não existir.

Recordei James, a partir-me a perna com a força do pé. Isso não tinha sido nada. Comparado com a situação do momento, era o mesmo que dormir num colchão de penas. Agora, tê-lo-ia suportado uma centena de vezes. Uma centena de fracturas. Tê-las-ia aguentado e ficaria agradecida.

O bebé a escoicear e a abrir-me as costelas, a furar o meu corpo para sair, milímetro a milímetro. Assemelhava-se a flutuar numa piscina de água fresca. Tê-lo-ia suportado um milhar de vezes. E ainda mostrar-me-ia agradecida.

O fogo explodiu de densidade e eu quis gritar. Suplicar a alguém que me matasse agora, antes de viver mais um segundo de dor. Mas não consegui mexer os lábios. O peso continuava lá, a empurrar-me.

Percebi que não era a escuridão que me refreava; mas, sim o meu corpo que me pressionava. Enterrava-me no centro das chamas, que me dilaceravam ao sair do coração, espalhando-se pelos ombros e pelo estômago num tormento insuportável. E, a partir dali, lavravam um caminho escaldante pela garganta até lamberem a minha face.

Porque não me mexia? Porque não gritava? Não era isto o que acontecia nas histórias.

A minha mente estava insuportavelmente lúcida – aguçada pelo sofrimento feroz – permitindo-me obter a resposta quase após ter enunciado as questões.

A morfina.

Parecia ter sido há um milhão de mortes que nós tínhamos falado sobre isso – Edward, Carlisle e eu. Eles tinham a esperança de que uma dose suficiente de analgésicos ajudasse a minorar a dor do veneno. Carlisle fizera a experiência com Emmett, mas antes que o medicamento produzisse efeito e pudesse espalhar-se, o veneno tinha ardido e selara-lhe as veias.

Assenti com a cabeça, numa expressão serena, agradecendo também às minhas raras estrelas da sorte o facto de Edward não conseguir ler o meu pensamento.

Eu já tivera a morfina e o veneno no organismo e conhecia a verdade. Sabia que o torpor provocado pelo analgésico era completamente irrelevante quando o veneno endurecia as veias. Só que nunca iria referir esse facto, nem outra coisa qualquer que aumentasse a relutância de Edward em transformar-me.

Mas jamais teria adivinhado que a morfina podia produzir este efeito: manietando-me e amordaçando-me.

Eu conhecia todas as histórias. Sabia que Carlisle permanecera tanto quanto possível em silêncio enquanto ardia, para não ser descoberto. Sabia igualmente, segundo Rosalie me dissera, que não era aconselhável gritar, pelo que esperava portar-me como Carlisle. Acreditaria nas palavras dela e manter-me-ia de boca fechada. Porque sabia que cada grito que escapasse dos meus lábios só iria atormentar Edward.

Naquele momento, o facto de conseguir concretizar o meu desejo tinha redundado numa ironia hedionda.

Se não conseguia gritar, como poderia pedir-lhes que me matassem?

Apenas desejava morrer. Ou nunca ter nascido. A minha existência não era relevante para compensar esta dor. Não valia a pena aguentar isto, a troco de mais uma batida do coração.

Deixem-me morrer, deixem-me morrer, deixem-me morrer.

E, durante um período interminável, apenas isso subsistiu: a tortura escaldante e os meus gritos mudos que suplicavam a morte. Nada mais, nem sequer o tempo. E isso tornou-os infinitos, sem princípio nem fim. Momentos infinitos de dor.

A única mudança surgiu quando, de súbito, a minha dor duplicou incrivelmente. A parte inferior do corpo, já adormecida antes de me ser administrada a morfina, começou também a arder. Uma ligação interrompida reactivara-se, ao ser soldada pelos dedos abrasadores das chamas.

O fogo infinito intensificou a sua marcha infernal.

Podiam ter sido segundos ou dias, semanas ou anos, mas, finalmente, o tempo voltou a ter um significado.

Três coisas aconteceram em simultâneo, determinadas umas pelas outras: o tempo recomeçou a contar, o efeito da morfina decresceu e eu fiquei mais forte.

Sentia o controlo do meu corpo a regressar por etapas, que foram os primeiros indicadores de que o tempo passava. Soube quando estava apta a mover os dedos dos pés, a torcer os dedos das mãos, ou a cerrá-los num punho. Soube-o, mas não o fiz.

Embora o fogo não tivesse diminuído, nem sequer durante um milionésimo de grau – começava a desenvolver uma nova capacidade para sentir, uma nova forma de apreciar, paralelamente, cada língua de fogo abrasadora que me lambia as veias – descobri que podia pensar noutras coisas.

Recordava porque não devia gritar, assim como o motivo que me fizera empenhar em suportar esta agonia interminável. E, embora naquele momento tudo me parecesse impossível, lembrei-me que haveria qualquer coisa que podia ser merecedora daquela tortura.

Isso aconteceu na altura em que tinha de me agarrar, assim que o peso abandonou o meu corpo. Para quem estivesse a observar-me, essa mudança era invisível. Mas, para mim, enquanto lutava para conservar os gritos e os tumultos no interior do meu corpo, onde não magoariam ninguém, parecia-me que em vez de estar amarrada ao poste enquanto ardia, me agarrava a ele a fim de me manter na fogueira.

Só consegui ter forças para jazer ali, imóvel, enquanto era carbonizada em vida.

A minha audição começou a melhorar, cada vez mais, até ser capaz de contar as batidas fortes e frenéticas do meu coração, que marcavam o tempo.

Podia contar os fôlegos leves que projectava pelos dentes.

Tal como os outros fôlegos, ainda mais leves, e vindos de um ponto qualquer muito próximo de mim. Estes projectavam-se mais devagar, pelo que me concentrei neles. Indicavam-me que o tempo mais longo já tinha passado. Mais uniformes que o pêndulo de um relógio, aqueles fôlegos impeliram-me através dos segundos escaldantes rumo ao fim.

Sentia-me cada vez mais forte e com os pensamentos melhor definidos. Novos ruídos chegavam e conseguia escutá-los.

Eram passos ligeiros e o sopro de ar impulsionado por uma porta a abrir-se. Os passos aproximaram-se e percebi que me pressionavam a parte interna do pulso. Não senti a frialdade dos dedos. O fogo devassara toda a memória do frio.

– Tudo na mesma?

– Sim.

Uma pressão muito ligeira, uma respiração a atingir-me a pele inflamada.

– Não há quaisquer vestígios de cheiro a morfina.

– Eu sei.

– Bella? Consegues ouvir-me?

Sabia, com toda a certeza, que me iria perder se descerrasse os dentes – seria capaz de berrar, guinchar, contorcer-me e sublevar-me. Se abrisse os olhos, se torcesse nem que fosse um dedo... qualquer movimento, por mais insignificante que parecesse, colocaria um fim ao meu controlo.

– Bella? Bella, meu amor? Consegues abrir os olhos? Consegues apertar-me a mão?

Senti uma pressão nos meus dedos. Era difícil não responder a esta voz, mas mantive-me imóvel. Estava ciente que a dor que sentia na sua voz não era nada, comparada com a que ele poderia viver a seguir. Naquele momento, ele apenas *temia* que eu estivesse a sofrer.

– Se calhar... Carlisle, se calhar foi demasiado tarde. – Falava com uma voz abafada, que vacilava na palavra *tarde.*

A minha determinação sofreu um segundo de hesitação.

– Edward, escuta o coração dela. Está mais forte que o do Emmett. Nunca ouvi nada tão *vibrante*. Ela vai ficar óptima.

Sim, eu deveria permanecer sossegada. Carlisle ia tranquilizá--lo e Edward não tinha de sofrer comigo.

– E a... coluna?

– As lesões não eram muito piores que as da Esme e o veneno curou-a. O que também irá suceder com a Bella.

– Mas ela está tão quieta... Devo ter feito qualquer coisa de errado.

– Ou boa, Edward. Filho, fizeste tudo o que eu poderia fazer, e até mais. Não estou certo de que tivesse manifestado a persistência e a fé para a conseguir salvar. Pára de te censurares. A Bella vai ficar bem.

Um sussurro balbuciado.

– Ela deve estar em agonia.

– Não o podemos afirmar. Recebeu muita morfina e desconhecemos o efeito que tal pode exercer no caso dela.

Um toque suave na dobra do cotovelo. E um novo murmúrio.

– Bella, amo-te. Bella, sinto muito...

Desejava tanto responder-lhes, mas não iria fazê-lo sofrer mais. Não, enquanto tivesse forças para me manter quieta.

Enquanto isto acontecia, o fogo devastador continuava a incendiar-me. Mas agora dispunha de muito espaço na minha cabeça. Espaço para reflectir sobre o que diziam, para recordar o que tinha acontecido, para pensar no futuro e, ainda, um espaço interminável para sofrer.

E também havia espaço para me afligir.

Para onde teria ido a minha bebé? Porque não estava ali? E porque é que eles não falavam sobre ela?

– Não, eu fico aqui – disse Edward em voz baixa, em resposta a uma pergunta feita em pensamento. – Eles resolvem isso.

– É uma situação interessante – comentou Carlisle. – Eu pensava que já tinha visto tudo na minha vida.

– Mais tarde trato disso. *Nós* tratamos disso. – Algo me pressionou gentilmente a palma da mão inflamada.

– Tenho a certeza que sim. Entre os cinco, conseguiremos evitar que haja derrame de sangue.

Edward suspirou.

– Não sei que partido hei-de tomar. Adorava dar uma tareia aos dois. Bom, logo se vê.

– Pergunto-me o que a Bella pensará sobre isso. Que partido tomará – reflectiu Carlisle.

Soou uma pequena gargalhada, baixa e nervosa.

– Tenho a certeza de que ela me irá surpreender. É o que acontece sempre.

Os passos de Carlisle desvaneceram à distância, deixando-me frustrada perante a falta de esclarecimento. Eles estavam assim tão misteriosos só para me aborrecer?

Voltei a contar os fôlegos de Edward, para marcar o tempo.

Dez mil, novecentos e quarenta e três fôlegos mais tarde, o som de uns passos diferentes invadiu tranquilamente a sala. Mais leves. Mais... ritmados.

Era estranho conseguir distinguir, pela primeira vez, aquelas diferenças mínimas entre os passos.

– Quanto mais tempo? – perguntou Edward.

– Não falta muito. Reparaste como ela está a ficar mais clara? Já a consigo ver muito melhor – comentou Alice, com um suspiro.

– Ainda anda por aí algum ressentimento?

– Sim, obrigada por falares nisso – resmungou ela. – Também ficarias assim, se te sentisses escravizado pela tua natureza. Vejo melhor os vampiros, porque sou uma deles; vejo os humanos mais ou menos, porque também já fui uma. Não consigo ver nada dessas raças híbridas esquisitas, porque nunca passei por isso. Bah!

– Concentra-te, Alice!

– Está bem. Agora a Bella já se consegue ver muito melhor.

Seguiu-se um longo momento de silêncio e Edward suspirou. Era um novo som, mais feliz.

– Ela vai mesmo ficar boa – disse por entre dentes.

– Claro que sim.

– Há dois dias não estavas tão confiante.

– Não conseguia *ver* bem há dois dias. Mas desde que ela se libertou de todos os pontos obscuros, é canja.

– Podias concentrar-te, por mim? Quanto ao tempo. Dá-me uma estimativa.

Alice suspirou.

– Que impaciente! Está bem. Espera um segundo...

Ouviu-se um respirar pausado.

– Obrigado, Alice. – A voz dele soava mais luminosa.

Quanto tempo? Eles não podiam, pelo menos, dizê-lo em voz alta para que eu ouvisse? Seria pedir-lhes muito? Quantos segundos teria de arder? Dez mil? Vinte? Mais um dia? Oitenta e seis mil e quatrocentos segundos? Mais do que isso?

– Ela vai ficar resplandecente.

Edward resmungou em voz baixa.

– Isso ela sempre foi.

– Tu percebeste o que quis dizer – retorquiu Alice. – Olha para ela.

Edward não respondeu, mas as palavras dela infundiram-me a esperança de não ter o aspecto de um briquete de carvão, que era realmente como me sentia. Naquele momento, a minha imagem resumia-se a uma pilha de ossos carbonizados. Todas as células do meu corpo estavam convertidas em cinzas.

Senti a agitação leve de Alice ao abandonar a sala. Enquanto se movia, ouvi o som produzido pelos movimentos da roupa dela. Ouvi o zumbido tranquilo da luz do candeeiro de tecto. E o vento suave a passar junto à casa. Conseguia ouvir *tudo*.

No andar de baixo, alguém assistia a uma partida de basebol. Os Mariners venciam por dois *runs*.

– Agora é a minha vez – ouvi Rosalie a refilar com alguém, seguindo-se um resmungo grave como resposta.

– Vamos lá a ter juízo – avisou Edward.

Alguém soltou um silvo.

Continuei à escuta, mas só ouvia o jogo a decorrer. O basebol não me interessava o suficiente para me abstrair da dor, pelo que me concentrei novamente na respiração de Edward, contando os segundos.

Vinte e um mil, novecentos e dezassete segundos e meio decorridos, a dor alterou-se.

A boa notícia era ela estar a diminuir na ponta dos dedos das mãos e dos pés. A diminuir *devagar,* mas pelo menos havia uma novidade. Deveria ter chegado a altura. A dor começava a partir...

E, em seguida, as más notícias. O fogo na garganta era diferente. Não me sentia apenas a arder, mas também a ficar ressequida. Tão seca como um osso. E com muita sede. A arder de fogo e de sede.

E mais uma má notícia: o fogo intensificara-se no meu cora-ção.

Como era possível?

O meu batimento cardíaco, demasiado agitado, acelerou ainda mais, com o fogo a elevar-lhe o ritmo a um andamento mais frenético.

– Carlisle! – chamou Edward. A voz dele era grave, mas nítida, pelo que não tive dúvidas que Carlisle o ouviria se estivesse em casa ou próximo dela.

O fogo recuou da palma das minhas mãos, deixando-as dito-samente frias e livres de dor. Todavia, refugiou-se no coração, que abrasava como o Sol e palpitava com uma cadência nova e desenfreada.

Carlisle chegou à sala com Alice ao seu lado. Os passos dos dois distinguiam-se tanto, que soube nomeadamente que Carlisle vinha do lado direito e um pouco à frente.

– Ouçam! – pediu Edward.

O som mais elevado da sala era o meu coração escaldante, que palpitava ao ritmo do fogo.

– Ah! – proferiu Carlisle. – Já está prestes a chegar ao fim.

O alívio transmitido pelas suas palavras foi abalado pela dor torturante que sentia.

No entanto, os meus pulsos tinham sido libertados e o mesmo sucedera aos meus tornozelos. Ali, o fogo extinguira-se totalmente.

– Muito em breve – concordou Alice, com fervor – Vou chamar os outros. Digo à Rosalie que?...

– Sim, mantém a bebé afastada.

O quê? Não. *Não!* O que queria ele dizer com aquilo de manter a minha bebé afastada? Em que é que estava a pensar?

Crispei os dedos, com a contrariedade a derrubar a minha fachada perfeita. A sala silenciou, quando eles reagiram ao movimento, suspendendo a respiração por um segundo. Apenas se ouvia o meu coração a bater.

Uma mão apertou-me os dedos desobedientes.

– Bella? Bella, meu amor?

Conseguiria responder-lhe sem gritar? Reflecti na questão, por um instante, e depois senti o fogo a intensificar-se no meu peito, escoando dos cotovelos e dos joelhos. Era melhor não arriscar.

– Eu vou buscá-los – disse Alice, com um tom urgente na voz; entretanto ouvi um silvo de ar mal ela saiu dali a correr.

E então.

– *Ah!*

O coração descolou, a bater como as pás de um helicóptero, num som que se assemelhava a uma nota única e sustentada, parecendo preparar-se para triturar-me as costelas. O fogo enfureceu-se no centro do peito, sugando o que remanescia das chamas do resto do corpo, para alimentar a labareda mais abrasadora de todas. A dor que senti era suficiente para me abalar e desfazer o meu abraço de ferro em volta da estaca. Arqueei as costas e curvei-me, como se as chamas me içassem pelo coração.

Quando o meu tronco se abateu de novo sobre a mesa, não permiti a nenhuma outra parte do corpo romper as fileiras.

Dentro de mim travava-se uma batalha – o meu coração acelerado lançava-se contra o fogo atacante. Ambos perdiam. O fogo estava condenado, depois de ter consumido tudo o que era combustível; e o coração galopava rumo ao batimento final.

As chamas circunscreveram-se ao único órgão humano que restava, numa vaga final e imparável. Em resposta ouviu-se um baque surdo e profundo. O meu coração estremeceu duas vezes e, a seguir, palpitou devagar apenas mais uma vez.

Não se ouvia um som, um fôlego; nem mesmo o meu.

Durante um momento, tudo o que consegui abranger foi a ausência de dor.

Depois, abri os olhos e olhei para cima maravilhada.

Vinte

RENASCIDA

Tudo parecia tão *claro*.

Nítido. Definido.

Por cima da minha cabeça, a luz brilhante tinha ainda o mesmo clarão ofuscante. De qualquer forma, conseguia distinguir na perfeição os fios incandescentes dos filamentos, no interior da lâmpada. Identificava cada uma das cores do arco-íris na luz branca e, na ponta extrema do espectro, via uma oitava cor que não sabia como designar.

Por cima da luz, avistava cada veio da madeira escura do tecto. À frente, observava os grãos de poeira que dançavam no ar, distinguindo os lados virados para a claridade e os lados que permaneciam na sombra. Assemelhavam-se a pequenos planetas em rotação, que se moviam uns em redor dos outros, num bailado celestial.

O cenário era tão belo que inspirei de emoção e o ar assobiou-me na garganta, agitando a poeira num redemoinho. Aquele impulso pareceu-me desajustado. Reflecti sobre isso e compreendi que a questão estava em não existir um alívio associado à acção. Eu não precisava de ar. Os meus pulmões não estavam à espera dele, limitando-se a reagir com indiferença àquele afluxo.

Não precisava do ar, mas *apreciava-o*. Nele saboreava a sala em redor – provei os grãos de poeira encantadores, a combinação do ar parado com a corrente de ar mais fresco que entrava através da porta aberta. Inspirei uma lufada exuberante de seda e seguiu-se uma alusão delicada a algo quente e tentador, que podia ser húmido mas não era... O cheiro fez-me arder a garganta de secura, num reflexo distante da queimadura do veneno, embora estivesse contaminado com um travo de cloro e amoníaco. E pude, sobretudo, deleitar-me com um aroma parecido a uma mistura de mel, lilás e Sol, que predominava sobre todos os outros e estava mais próximo.

Escutei o som dos restantes, de novo a respirar, agora que eu já o podia fazer. O hálito deles misturava-se com o aroma semelhante a mel, lilás e Sol, facultando-me novos sabores. Canela, jacinto, pêra, água do mar, pão levedado, pinheiro, baunilha, couro, maçã, musgo, lavanda, chocolate... Enumerei mentalmente uma dúzia de comparações distintas, mas nenhuma se ajustava verdadeiramente. Era doce e agradável.

No andar de baixo, a televisão terá sido desligada e ouvi alguém – Rosalie – a mudar o peso de um pé para o outro.

Escutei também uma cadência leve e surda, em conjunto com uma voz inflamada que acompanhava o compasso aos gritos. Seria *rap?* Fiquei baralhada por uns instantes; até que o som se foi extinguindo, como se saísse de um carro que passara ali perto, de janelas abertas.

Sobressaltei-me ao concluir que podia ser exactamente isso. Será que os meus ouvidos conseguiam captar o que se passava na estrada?

Alguém me agarrou na mão, mas só dei conta quando senti que a apertavam levemente. Tal como já tinha acontecido, ao esconder a dor o meu corpo bloqueou novamente perante a surpresa. Não estava à espera daquele toque. A pele era perfeitamente macia, mas não tinha a temperatura certa. Não era fria.

Decorrido o segundo inicial, no qual fiquei paralisada pelo choque, o meu corpo reagiu ao toque desconhecido de uma maneira mais surpreendente.

O ar silvou-me na garganta, atravessando os dentes cerrados num som grave e ameaçador, como se fosse um enxame de abelhas. Antes do som se extinguir, senti os músculos retesados a arquearem-se, retraindo-se abruptamente do desconhecido.

Rodei bruscamente sobre as costas, num movimento que devia transformar a sala em meu redor num enorme borrão – mas isso não aconteceu. Vi cada partícula de poeira, cada lasca de madeira nos painéis das paredes e cada fio solto com uma precisão microscópica, à medida que os meus olhos circulavam.

Por isso, quando dei comigo aninhada contra a parede, numa posição defensiva – cerca de um milésimo de segundo depois –, já tinha entendido a razão do meu espanto, concluindo que a minha reacção fora extemporânea.

Ah. Claro. Eu não sentiria frio ao tocar em Edward. Agora, tínhamos a mesma temperatura.

Mantive-me naquela posição durante mais uma fracção de segundo, adaptando-me ao cenário envolvente.

Edward curvava-se sobre a mesa de operações, que tinha sido a minha pira, e estendia-me a mão com uma expressão ansiosa.

O rosto dele era aquilo que mais me importava, mas a minha visão periférica catalogou tudo o resto, como uma medida de prevenção. Desencadeara-se em mim um instinto de defesa, que me levava a procurar automaticamente qualquer sinal de perigo.

A minha família de vampiros encostava-se à parede mais afastada, junto à porta, aguardando prudentemente, com Emmett e Jasper à frente. Como se houvesse algum perigo. Dilatei as narinas, em busca de alguma ameaça. Não cheirei nada de estranho. O odor vago de qualquer coisa deliciosa, embora corrompida por substâncias químicas tóxicas, voltou a arranhar-me a garganta, deixando-a dorida e a arder.

Alice espreitava atrás do cotovelo de Jasper, com um largo sorriso no rosto; a luz irradiou dos seus dentes, formando um novo arco-íris de oito cores.

Aquele sorriso deixou-me tranquila e ajudou-me a encaixar as peças. Jasper e Emmett estavam à frente para proteger os outros, conforme imaginara. O que não tinha aprendido de imediato é que o perigo era eu.

Tudo isso era secundário. A maior parte dos meus sentidos e pensamentos concentrava-se ainda no rosto de Edward.

Quantas vezes o tinha observado e me maravilhara com a sua beleza? Quantas horas – dias, semanas – da minha vida tinha passado a sonhar com o que considerava ser a beleza suprema? Pensava que lhe conhecia o rosto melhor que o meu e que a sua perfeição era o único fenómeno físico deste mundo em relação ao qual estava absolutamente certa.

Era o mesmo que ter estado cega.

Naquele momento, via-lhe o rosto pela primeira vez: com os olhos aliviados das sombras obscuras e da fragilidade redutora dos humanos. Sobressaltei-me e debati-me com o meu vocabulário em busca dos termos adequados. Precisava de palavras melhores.

Neste ponto, a outra parte dos meus sentidos garantia que não havia qualquer perigo além de mim própria, pelo que abandonei a posição defensiva. Decorrera quase um segundo desde que estivera em cima da mesa.

Durante uns instantes, fiquei preocupada com os movimentos do meu corpo. Quando pensei em erguer-me, já estava de pé e com as costas direitas. Aquela acção nem precisou de um lapso de tempo para se processar; a mudança fora instantânea, quase que dispensando movimentos.

Continuei a fitar o rosto de Edward, de novo sem me mexer.

Ele contornou a mesa devagar, mantendo a sua mão estendida para mim. Demorou cerca de meio segundo a dar cada um dos passos que fluía sinuosamente como a água de um ribeiro a contornar os seixos arredondados.

Admirei a elegância do seu andar, absorvendo-a com o meu novo olhar.

– Bella. – Ele pronunciou o meu nome numa voz baixa e serena; todavia, senti um certo tom de ansiedade a revesti-lo de tensão.

Não consegui retorquir-lhe de imediato, perdida nas ondas aveludadas da sua voz. Era a sinfonia mais perfeita, uma sonata de um só instrumento e este era mais intenso que qualquer outro criado pela mão do Homem...

– Bella, meu amor? Lamento muito, eu sei que estás desorientada. Mas já recuperaste e está tudo bem.

Tudo? A minha mente rodopiou, regressando em espiral à minha última hora humana. A memória já se esbatera, como se a discernisse através de um véu escuro e espesso – a visão humana era imperfeita, captando somente imagens nubladas.

Quando Edward me dissera que tudo estava bem, isso também incluía Renesmee? Onde estaria ela? Com Rosalie? Tentei recordar o seu rosto – sabia que ela era linda – mas começava a tornar-se irritante tentar vê-la através de memórias humanas. A face estava envolvida em escuridão e com uma iluminação deficiente...

E Jacob? Ele estaria bem? O meu melhor amigo, a sofrer há tanto tempo, odiar-me-ia naquele momento? Teria regressado à alcateia de Sam? Seth e Leah também?

Os Cullen estavam em segurança ou a minha transformação tinha funcionado como um rastilho de pólvora a atear a guerra com os lobisomens? O tudo abrangente de Edward também os incluiria? Ou ele tentava apenas sossegar-me?

E Charlie? Agora, o que é que lhe diria? Ele provavelmente teria telefonado enquanto eu estava em plenas chamas. O que lhe tinham contado? O que pensaria ele que me acontecera?

Enquanto levava uma pequena fracção de segundo a decidir o que perguntar primeiro, Edward estendeu-me a mão, hesitante, e roçou com os dedos na minha face. Suaves como cetim, macios como uma pena e, agora, a condizer de forma perfeita com a temperatura da minha pele.

O toque dele pareceu trespassar a pele e tocar-me nos ossos da face. A sensação era ardente e eléctrica, vibrando no meu rosto, projectando-se sobre a coluna e agitando-se no meu estômago.

"Espera", pensei, ao sentir a excitação e o desejo a desabrochar daquela perturbação. Não era de esperar que tivesse perdido isso? O acordo não previa que tais sensações deixassem de existir?

Eu era uma vampira recém-nascida. A dor sequiosa e febril que tinha na garganta provava-o. E eu sabia o que esta nova fase implicava. As emoções e os desejos humanos haveriam de regressar de alguma forma; todavia, estava convencida que não os iria sentir de início. Apenas a sede. Era esse o compromisso, o preço a pagar. E eu concordara em pagá-lo.

No entanto, a mão de Edward curvada, moldando-se à minha cara como aço revestido de cetim, ateara-me o desejo nas veias desidratadas, numa cadência que me percorria da cabeça aos pés.

Ele arqueou uma sobrancelha perfeita, à espera que eu falasse.

E eu lancei os braços em redor dele.

Não voltei a registar qualquer movimento. Num instante, estava direita e imóvel como uma estátua; e, no mesmo instante, ele estava nos meus braços.

Quente, ou pelo menos assim o senti. Com o aroma doce e delicioso que nunca conseguira aspirar perfeitamente através dos sentidos humanos embotados, mas que correspondia a cem por cento a Edward. Aconcheguei o rosto ao seu peito macio.

E, então, ele agitou-se, num movimento de desconforto. A seguir, inclinou-se para trás desviando-se do meu abraço. Fiquei a olhá-lo, confusa e assustada face à sua reacção.

– Hum... cuidado, Bella. Ai!

Assim que compreendi, recolhi os braços bruscamente e coloquei-os atrás das costas.

Eu era forte de mais.

– Ups! – balbuciei.

Edward dirigiu-me aquele sorriso que levaria o meu coração a parar, se ainda continuasse a bater.

– Não fiques assim, meu amor – disse ele, erguendo a mão, para me tocar nos lábios entreabertos de horror. – Neste momento, estás apenas um pouco mais forte que eu.

Franzi o sobrolho. Também o sabia, mas parecia algo mais surreal que qualquer outra parte daquele momento já de si tão absurdo. Eu era mais forte que Edward. E a minha força fazia-o soltar um *ai*.

Edward voltou a acariciar-me a face, varrendo por completo a minha sensação de angústia com uma nova onda de desejo, que inundou o meu corpo imóvel.

Em comparação com o que sentia anteriormente, aquelas emoções eram tão fortes que me dificultavam a tarefa de agarrar-me a uma linha de pensamento, apesar do espaço extra na minha mente. Cada sensação nova dominava-me por completo. Lembrei-me de Edward dizer uma vez – com uma voz que era uma pálida sombra da nitidez cristalina e musical que ouvia agora – que esta espécie, a nossa espécie, se distraía facilmente. Naquele momento, compreendia porquê.

Fiz um esforço concertado para me controlar. Havia uma coisa que tinha de lhe dizer. A mais importante de todas.

Cuidadosamente, ao ponto de conseguir finalmente distinguir o movimento, tirei o braço direito de trás das costas e ergui a mão para lhe tocar na face. Resisti à distracção da cor perlada da minha pele, do tacto sedoso da sua e da descarga que me atingira a ponta dos dedos.

Fixei os olhos de Edward e, pela primeira vez, ouvi a minha voz.

– Eu amo-te – disse-lhe; pareceu-me que cantava. A minha voz repicava e vibrava como um sino.

Ele reagiu com um sorriso que me deslumbrou mais que em qualquer outro momento enquanto humana; agora via-o por completo.

– Como eu te amo a ti – respondeu.

Rodeou-me o rosto com as mãos e curvou-se para mim, com a lentidão suficiente para me lembrar que devia ter cuidado. Beijou-me, primeiro com a suavidade de um sussurro e, depois, com uma força e uma ferocidade inesperadas. Tentei recordar-me que tinha de controlar a força, só que o turbilhão de sensações que me rodeou tornava difícil evocar algo, ou agarrar-me a qualquer pensamento coerente.

Parecia que Edward nunca me beijara, que este era o nosso primeiro beijo. E, na verdade, ele nunca me tinha beijado assim.

Embora não precisasse de oxigénio, a minha respiração disparou num ritmo tão acelerado como quando estava a arder. Mas este fogo era diferente.

Ouvi alguém a pigarrear. Era Emmett. Reconheci o som, de imediato, brincalhão e enfadado ao mesmo tempo.

Tinha-me esquecido de que não estávamos sós. Nesse preciso momento, percebi que a maneira como me enroscava no corpo de Edward não era exactamente recomendável para exibir em público.

Dei meio passo atrás, envergonhada, em mais um movimento instantâneo.

Edward soltou um sorriso e avançou enquanto eu recuava, continuando a apertar-me pela cintura. O seu rosto resplandecia – como se uma chama branca ardesse atrás da pele de diamante.

Inspirei uma lufada de ar desnecessária para me recompor.

Como era diferente aquela forma de beijar! Escrutinei a expressão de Edward, enquanto comparava as memórias humanas imprecisas com esta impressão nítida e intensa. Pareceu-me vê-lo... ligeiramente pretensioso.

– Tens andado a resistir – acusei-o no meu tom de voz cantante, semicerrando um pouco os olhos.

Ele soltou uma gargalhada, radiante de alívio por tudo ter terminado. O medo, o sofrimento, as incertezas, a espera, tudo pertencia ao passado.

– Naquela altura, era mais ou menos necessário – sublinhou ele. – Agora é a tua vez de teres cuidado para não me quebrares. – E deu outra gargalhada.

Franzi a testa, a meditar sobre o assunto; e Edward não foi o único a rir.

Carlisle passou à volta de Emmett e dirigiu-se a mim, caminhando serenamente; nos seus olhos havia uma ligeira expressão cautelosa. Entretanto Jasper vinha imediatamente atrás. Nunca observara o rosto de Carlisle como agora. Senti um impulso estranho que me fez pestanejar, como se olhasse directamente para o Sol.

– Como te sentes, Bella? – perguntou ele.

Reflecti sobre o assunto durante uma diminuta fracção de segundo.

– Esmagada pelas sensações. Há tanta coisa... – a minha voz esmoreceu, ao escutar de novo aquele tom repicado.

– Sim, estes momentos podem tornar-se confusos.

Acenei-lhe com a cabeça, num movimento brusco e instantâneo.

– É verdade. No entanto, sinto-me mais ou menos a mesma pessoa. Não esperava que fosse assim.

Os braços de Edward pressionaram-me a cintura, com delicadeza.

– Eu tinha-te dito – sussurrou.

– Estás bastante controlada – comentou Carlisle, com um ar pensativo. – Mais do que eu contava, mesmo depois do tempo que tiveste para te preparar mentalmente.

Recordei as minhas bruscas alterações de humor, a dificuldade em concentrar-me e murmurei:

– Não estou muito segura disso.

Ele exibiu um ar sério, assentindo com a cabeça, com um brilho de interesse nos seus olhos de cristal puro.

– Desta vez, parece que conseguimos dosear bem a morfina. O que recordas do processo de transformação?

Hesitei, intensamente consciente do hálito de Edward a roçar-me na face, que contagiava a minha pele com uma energia subtil.

– Foi tudo... muito vago. Lembro-me que a bebé não conseguia respirar...

Olhei para Edward, repentinamente atemorizada com aquela memória.

– A Renesmee está bem e de boa saúde – garantiu-me, com um brilho nos olhos, que lhe via pela primeira vez. Pronunciara o nome dela com um fervor contido. Como se a reverenciasse, da mesma maneira que as pessoas devotas falam sobre os seus deuses. – De que é que te lembras a seguir?

Esforcei-me por manter o rosto impenetrável. Nunca tivera muito jeito para mentir.

– Não me lembro bem. Estava tudo muito escuro. E a seguir... abri os olhos e consegui ver tudo.

– Espantoso – disse Carlisle em voz baixa, com os olhos a brilhar.

Senti-me mortificada, receando que o rubor me inundasse as faces e me denunciasse. Entretanto lembrei-me que nunca mais voltaria a corar. Talvez isso protegesse Edward da verdade.

No entanto, haveria de arranjar uma forma de passar a informação a Carlisle. Um dia mais tarde. Se alguma vez ele precisasse de criar um outro vampiro. No entanto, essa possibilidade parecia-me muito remota, o que aliviou ligeiramente a minha culpa.

– Queria que pensasses e que me contasses tudo o que recordas – insistiu Carlisle, entusiasticamente, provocando-me um trejeito involuntário. Não queria continuar a mentir, receando meter os pés pelas mãos. E também não queria lembrar-me do fogo. Ao contrário das memórias humanas, sentia essa passagem muito nítida na minha cabeça, recordando-a com uma precisão angustiante.

– Ah, peço desculpa Bella – retractou-se Carlisle de imediato. – É claro que a tua sede deve ser muito desconfortável. Podemos conversar numa outra altura.

Na verdade, a sede não me causara quaisquer problemas até ele a referir. Havia muito espaço na minha mente e uma parte vigiava constantemente o ardor que sentia na garganta, quase num acto reflexo. Da mesma maneira que a minha mente anterior tinha lidado com o meu respirar e pestanejar.

Contudo, as palavras de Carlisle voltaram a trazer o fogo ao núcleo dos meus pensamentos. De repente, conseguia apenas recordar a dor ardente; e quanto mais a recordava, mais me doía. Rodeei a garganta com a mão, como se pudesse atenuar as chamas, e os meus dedos transmitiram-me uma impressão estranha. A pele era tão lisa que, de certa forma, se tornava suave. No entanto, mantinha a dureza de uma rocha.

Edward deixou cair os braços e pegou-me na outra mão, afagando-a com gentileza.

– Vamos caçar, Bella.

Os meus olhos abriram-se desmesuradamente, enquanto a dor e a sede recuavam, dando lugar ao choque.

Eu? A caçar? Com Edward? Mas... *como?* Não sabia o que haveria de fazer.

Ele distinguiu a minha expressão de alarme e sorriu-me, dando-me coragem.

– Meu amor, é bastante fácil. Tens apenas de seguir o instinto. Eu ensino-te, não te preocupes. – Ao ver-me sem reacção, abriu o rosto naquele seu sorriso enigmático, com as sobrancelhas erguidas. – Tinha a sensação de que sempre quiseste ver-me caçar.

Aquelas palavras evocaram-me conversas humanas enubladas e comecei a rir, numa curta explosão de bom humor, em parte ainda maravilhada com o som que evocava o toque de sinos. A seguir, levei um segundo a percorrer mentalmente os primeiros dias com Edward – o verdadeiro início da minha vida – para nunca mais os esquecer. Não estava à espera que essa operação fosse assim desconfortável, dando-me a sensação de tentar espreitar através de águas turvas. Com base na experiência de Rosalie, eu sabia que se pensasse o suficiente nas memórias humanas, o tempo não as conseguiria apagar. Não queria perder um só minuto passado com Edward, nem mesmo agora, quando a eternidade se estendia à nossa frente. Tinha de garantir que elas permaneciam comigo para sempre, cimentadas na minha mente infalível de vampira.

– Vamos? – perguntou Edward, levantando o braço para me pegar na mão que ainda conservava sobre o pescoço, acariciando-o com os dedos. – Não quero que estejas a sofrer – acrescentou, num murmúrio baixo. Algo que nunca teria conseguido ouvir.

– Eu estou óptima – afirmei, persistindo ainda naquele meu hábito humano. – Espera. Primeiro...

Havia tanta coisa! Não tinha chegado a fazer as perguntas e havia aspectos mais importantes que a dor.

Desta vez foi Carlisle quem aproveitou a deixa.

– Sim?

– Quero vê-la. A Renesmee.

Sentia uma dificuldade absurda em dizer o seu nome. "A minha filha", pensar assim ainda era mais difícil. Tudo parecia muito distante. Tentei recordar de como me sentia três dias antes e, instintivamente, as minhas mãos libertaram-se das de Edward e pousaram na minha barriga.

Lisa. Vazia. Amarfanhei a seda pálida que me cobria, de novo em pânico, enquanto uma parte insignificante da minha mente reparava que, provavelmente, teria sido Alice quem me vestira.

Sabia que nada restava dentro de mim e lembrei de uma forma vaga o acto sangrento da remoção; no entanto, ainda me custava processar aquela experiência física. Apenas sabia que amava o pequeno vulto dentro de mim. Cá fora, ela parecia um fruto da minha imaginação. Um sonho a apagar-se – um sonho meio pesadelo.

Enquanto me debatia com aquela inquietação, reparei que Edward e Carlisle trocavam um olhar circunspecto.

– O que foi? – perguntei.

– Bella – disse Edward num tom tranquilo –, não é muito boa ideia. Ela é semi-humana, meu amor. Tem um coração a bater e o sangue a correr-lhe nas veias. Até a sede estar controlada de forma satisfatória... não queres pôr a vida dela em perigo, pois não?

Franzi a testa. É evidente que não quereria isso.

Estaria descontrolada? Confusa, sim. Desconcentrada, sim. Mas perigosa? Para ela? Para a minha filha?

Não conseguia ter a certeza de que a resposta seria não. Então, era necessário ter paciência. Isso parecia-me difícil. Porque, até a ver outra vez, a criança não seria real. Apenas um sonho a distanciar-se... de uma desconhecida...

– Onde é que ela está? – E prestei atenção a todos os sons, pelo que consegui distinguir o palpitar do coração no andar de baixo. Ouvi mais do que uma pessoa a respirar – pausadamente, como se estivessem à escuta. Havia também um som vibrante, um batimento que não era capaz de definir...

E o som do coração a palpitar era tão húmido e apetecível, que me começou a crescer água na boca.

Por isso, tinha mesmo de aprender a caçar antes de a ver. A minha bebé desconhecida.

– A Rosalie está com ela?

– Sim – respondeu Edward num tom lacónico, levando-me a pensar que havia algo que o irritava. Julgava que ele e Rose já tinham ultrapassado as divergências. A animosidade entre os dois regressara? Antes de conseguir fazer a pergunta, ele afastou-me as mãos da barriga e voltou a puxar-me muito gentilmente.

– Espera – protestei de novo, tentando concentrar-me. – O que se passa com o Jacob? E com o Charlie? Conta-me tudo o que não apanhei. Quanto tempo estive... inconsciente?

Edward pareceu não reparar na minha hesitação ao pronunciar a última palavra. Em vez disso, vi-o trocar um olhar cauteloso com Carlisle.

– Há algum problema? – murmurei.

– Não há qualquer *problema* – afirmou Carlisle, salientando a última palavra de uma forma peculiar. – Na verdade, não houve grandes alterações e só estiveste inconsciente durante dois dias. Foi tudo muito rápido, tendo em conta o que costuma suceder. O Edward desenvolveu um trabalho excelente e bastante inovador. Foi ele quem teve a ideia de injectar o veneno directamente no coração. – E fez uma pausa para dirigir um sorriso de orgulho ao filho; depois suspirou. – O Jacob ainda está aqui e o Charlie continua a acreditar que estás doente. Pensa que estás em

Atlanta neste momento, a fazer testes no Centro de Controlo e Prevenção de Doenças. Demos-lhe um número de telefone errado e ele anda desorientado. A Esme é que tem falado com ele.

– Devia telefonar-lhe... – murmurei para mim, mas, ao ouvir de novo a minha nova voz, lembrei-me que agora havia mais obstáculos. O meu pai não reconheceria a minha voz, facto que não o iria tranquilizar. Entretanto, regressei à surpresa anterior. – Espere aí, Carlisle, o Jacob *ainda cá está?*

Os dois trocaram olhares.

– Bella – interpelou Edward rapidamente –, há muita coisa a discutir, mas deveríamos começar por tratar de ti. Tens estado a sofrer...

Ao ouvi-lo verbalizar aquilo, recordei a sensação ardente na garganta e engoli em seco, convulsivamente.

– Mas o Jacob...

– Meu amor, vamos dispor de todo o tempo do mundo para explicações – lembrou-me, num tom carinhoso.

Claro que sim. Podia esperar um pouco mais pela resposta e seria mais fácil ouvi-la quando a dor cruel daquela sede intensa deixasse de dispersar a minha atenção.

– Está bem.

– Espera, espera, espera – gorjeou Alice à porta da sala, avançando na minha direcção com um andar dançante e graciosamente etéreo. Tal como tinha acontecido com Carlisle e Edward, fiquei espantada ao observar-lhe o rosto com toda a nitidez. Ela era encantadora. – Prometeste-me que iria contigo na primeira vez! E se, de repente, passam por qualquer coisa que reflicta a vossa imagem?

– Alice... – começou Edward a protestar.

– Só demoro um segundo! – Dizendo isto, Alice saiu a correr da sala, deixando Edward a suspirar.

– De que é que ela está a falar?

Mas, entretanto, Alice já voltara, acompanhada pelo enorme espelho de moldura dourada do quarto de Rosalie, que fazia quase duas vezes a sua altura; e muito mais a largura.

Jasper tinha estado tão quieto e silencioso que só dei por ele quando veio atrás de Carlisle. Agora, via-o novamente, suspenso sobre a figura de Alice e com os olhos cravados em mim. Porque era eu quem ali representava o perigo.

Sabia que ele também estaria atento às minhas variações de humor, pelo que deve ter sentido o meu sobressalto quando lhe fixei o rosto, vendo-o mais perto pela primeira vez.

A minha visão humana deficiente quase não me deixara distinguir as cicatrizes que ele trouxera da vida anterior, resultantes da luta contra os exércitos de recém-nascidos do Sul. Apenas uma luz brilhante que salientasse aqueles vincos, ligeiramente em relevo, poderia revelar a sua existência.

Ao conseguir vê-las, conclui que as cicatrizes eram a principal característica do rosto de Jasper. Quase não conseguia desviar o olhar daquele pescoço e queixo tão marcados, que faziam até duvidar que se pudesse sobreviver a tantos golpes de dentes infligidos na garganta, mesmo sendo um vampiro.

Retraí-me instintivamente numa posição defensiva. Qualquer vampiro que olhasse para Jasper teria reagido assim. Aquelas cicatrizes pareciam um anúncio luminoso. "Perigoso", gritavam elas. Quantos vampiros teriam tentado matá-lo? Centenas? Milhares? Em igual número aos que tinham morrido a tentar.

Jasper viu e sentiu, em simultâneo, a minha reacção e esboçou um sorriso irónico.

– O Edward moeu-me o juízo por não te deixar veres-te ao espelho antes do casamento – afirmou Alice, desviando a minha atenção do namorado assustador. – Não me volta a fazer o mesmo.

– Moí-te o juízo? – interpelou Edward com um ar céptico, arqueando uma sobrancelha.

– Se calhar, estou a exagerar – murmurou Alice, com uma expressão ausente e virando o espelho para mim.

– E talvez isso apenas se relacione com o teu prazer *voyeurista* – contrapôs ele.

Alice piscou-lhe o olho.

Dediquei uma ínfima parte da minha atenção à troca de galhardetes. Mantinha-me principalmente concentrada na pessoa que via ao espelho.

Comecei por reagir com um prazer involuntário. A pessoa desconhecida, que permanecia à minha frente, exibia uma beleza incontestável, que em nada ficava a perder quando comparada com Alice ou Esme. Era flexível, mesmo não se movendo, e o seu rosto perfeito era pálido como o luar, realçado pelo friso do cabelo escuro e pesado. Tinha os membros delicados e fortes, com uma luminosidade subtil na pele, nacarada como uma pérola.

A segunda reacção foi de horror.

Quem seria ela? À primeira vista, não conseguia encontrar o meu rosto em parte alguma, entre os contornos suaves e perfeitos daquelas feições.

E os seus olhos! Embora já estivesse à espera disso, aqueles olhos fizeram-me sentir um calafrio de horror.

Enquanto a analisava e reagia, o seu rosto mantinha-se inalterável, talhado como o de uma deusa, sem evidenciar o tumulto que grassava no meu interior. E então os seus lábios cheios moveram-se.

– Os olhos? – murmurei, sem conseguir dizer *os meus olhos*. – Quanto tempo?

– Vão escurecer dentro de poucos meses – respondeu Edward, num tom suave e tranquilizador. – O sangue dos animais dilui a cor mais depressa que uma dieta de sangue humano. Inicialmente irão apresentar uma cor de âmbar e a seguir ficarão dourados.

Os meus olhos iriam arder com estas chamas vermelhas e perversas durante meses?

– Meses? – A minha voz elevara-se, num tom exaltado. No espelho, as sobrancelhas perfeitas arqueavam-se, incrédulas, sobre os olhos vermelhos e incandescentes – mais brilhantes que quaisquer outros que alguma vez vira.

Jasper deu um passo em frente, alarmado com o tom da minha ansiedade súbita. Ele conhecia os vampiros jovens demasiado bem; esta reacção emotiva prenunciava algum movimento falso?

Ninguém respondeu à minha questão. Desviei o olhar na direcção de Edward e Alice. Ambos tinham uma expressão ligeiramente perturbada, reagindo à inquietação de Jasper, atentos ao que a tinha desencadeado e prevendo o futuro imediato.

Inspirei fundo, mais uma vez sem qualquer necessidade.

– Não, está tudo bem – garanti-lhes. Os meus olhos passaram pela imagem reflectida no espelho e voltei a olhá-los. – É apenas... muita coisa para digerir.

As sobrancelhas de Jasper franziram-se, destacando duas cicatrizes sobre o olho esquerdo.

– Não sei – murmurou Edward.

A mulher do espelho exibiu uma expressão perplexa.

– Qual a pergunta que me escapou?

Edward sorriu com ironia.

– O Jasper perguntava-se como é que tu fazes isso.

– Faço o quê?

– Controlas a tuas emoções, Bella – continuou Jasper. – Nunca vi um recém-nascido fazer isso, dominar uma emoção assim à nascença como tu o fazes. Estavas perturbada, mas quando viste a nossa preocupação, dominaste-te e voltaste a assumir o controlo sobre ti. Preparava-me para te ir ajudar, mas não foi preciso.

– Isso está errado? – perguntei. Instintivamente, senti o corpo a gelar, enquanto aguardava pelo seu veredicto.

– Não – respondeu Jasper, recorrendo a um tom inseguro.

Edward passou a mão pelo meu braço, encorajando-me a descontrair.

– Bella, essa reacção é muito impressionante, mas nós não a compreendemos. E também não sabemos quanto tempo a conseguirás manter.

Meditei sobre o assunto durante um milésimo de segundo. Eu poderia descontrolar-me a qualquer momento? Transformar-me num monstro?

Não conseguia sentir quando tal poderia acontecer... talvez não houvesse uma forma de antecipar algo desse género.

– Mas o que é que achas? – perguntou Alice, apontando para o espelho e ligeiramente impaciente.

– Não sei bem – respondi de forma evasiva, sem querer admitir como me sentia realmente assustada.

Olhei fixamente para a bela mulher de olhos terríveis, à procura de sinais que me pertencessem. Havia ali qualquer coisa no formato dos lábios – se me abstraísse da beleza estonteante; realmente, o lábio superior era um pouco assimétrico e demasiado cheio para condizer com o inferior. Aquele pequeno defeito familiar fez-me sentir um pouco melhor. Talvez o resto de mim também se encontrasse ali.

Ergui a mão com alguma hesitação e a mulher do espelho imitou o meu gesto, tocando também na face. Vi os seus olhos vermelhos a examinarem-me cautelosamente.

Edward suspirou.

Desviei o olhar da imagem, virando-me para ele e erguendo uma sobrancelha.

– Desiludido? – perguntei, com a minha voz cantante impassível.

Ele soltou uma gargalhada.

– Sim – confessou.

Senti o choque a penetrar na máscara serena do meu rosto, seguido pela dor.

Alice grunhiu, enquanto Jasper se voltava a inclinar para a frente, na expectativa que eu explodisse.

Mas Edward ignorou-os e passou os braços em redor da minha silhueta, agora gelada, num abraço apertado, pressionando os lábios contra a minha face.

– Tinha a esperança de conseguir ouvir a tua mente, agora que ela se parece com a minha – murmurou. – E aqui estou eu, frustrado como sempre, a imaginar o que se estará a passar pela tua cabeça.

Senti-me melhor.

– Enfim... – proferi num tom mais ligeiro, aliviada por continuar a ter os meus pensamentos só para mim. – Acho que o meu cérebro nunca irá funcionar bem. Resta-me ser bonita.

À medida que me adaptava, tornava-se mais fácil brincar com ele e seguir uma linha de pensamento. Ser eu própria.

– Bella, tu nunca te limitaste a ser apenas bonita – segredou Edward ao meu ouvido.

Depois afastou o rosto e suspirou.

– Está bem, está bem – disse a alguém.

– O que foi? – quis saber.

– Estás a tornar o Jasper mais ansioso, a cada segundo que passa. Ele ficará mais tranquilo depois de ires caçar.

Olhei para a expressão apreensiva de Jasper e assenti com a cabeça. Não queria que me surgisse a vontade súbita de morder alguma coisa, se era isso que me aguardava. Era melhor estar rodeada de árvores do que pela família.

– Está bem. Vamos então – concordei, com um arrepio de nervos e de ansiedade a contrair-me o estómago. Libertei-me dos braços de Edward, prendendo-lhe uma das mãos, e voltei as costas à mulher bela e desconhecida do espelho.

Vinte e Um

A Primeira Caçada

– Pela janela? – perguntei, olhando atónita para o chão, a dois andares de distância.

Nunca sentira medo das alturas *per se,* mas distinguir todos os pormenores com tanta nitidez tornava a paisagem menos apelativa. Lá em baixo, as arestas das pedras pareciam mais afiadas do que alguma vez teria imaginado.

Edward sorriu.

– É a melhor saída. Se tens medo, posso levar-te ao colo.

– Temos uma eternidade à nossa frente e estás preocupado com o tempo que levamos a chegar à porta das traseiras?

Ele enrugou levemente a testa.

– A Renesmee e o Jacob estão lá em baixo...

– Ah!

Certo. Agora o monstro era eu, pelo que me cabia afastar-me dos cheiros que despertassem o meu lado selvagem. Das pessoas que amava, em particular. Mesmo daquelas que ainda não conhecia realmente.

– A Renesmee está bem... com o Jacob lá? – perguntei em voz baixa. Percebia *a posteriori* que deveria ter sido o coração de Jacob que escutara no andar de baixo. Voltei a apurar o ouvido, apenas distinguindo uma pulsação regular.

– Ele não gosta muito dela.

Edward comprimiu os lábios de uma forma estranha.

– Acredita no que te digo; ela está em segurança. Sei exactamente aquilo que o Jacob pensa.

– Claro que sim – murmurei e voltei a fixar o olhar no chão.

– Estás a tentar ganhar tempo? – interpelou, em jeito de provocação.

– Mais ou menos. Não sei como é que...

Também estava muito consciente da minha família atrás de mim, a observar-me em silêncio. Ou, pelo menos, parte deles em silêncio. Emmett já se tinha rido uma vez por entre dentes. Um erro levá-lo-ia a rebolar no chão às gargalhadas. Depois, lá vinham as piadas sobre a única vampira desastrada do mundo...

E o vestido, também! Alice deve ter-me colocado aquela farpela, num momento em que estaria demasiado cega pelo fogo para reparar. Era o último que teria escolhido para saltar ou caçar. Justo, a moldar-me o corpo, e de seda azul? Onde é que ela pensava que eu ia? Havia algum beberete no final da caçada?

– Olha para mim – disse Edward. A seguir, num movimento completamente natural, deu um salto em direcção à janela alta e já aberta, deixando-se cair.

Observei-o com atenção, estudando a forma como ele curvava os joelhos ao amortecer o impacto. O som da aterragem foi muito suave – um baque abafado, semelhante a uma porta a fechar-se devagar ou a um livro a ser colocado, cuidadosamente, sobre a mesa.

Não me parecia difícil.

Cerrei os dentes e concentrei-me, tentando imitar aquele salto descontraído rumo ao vazio.

Ah! O chão pareceu aproximar-se de mim tão devagar que a tarefa de pousar os pés se tornou demasiadamente fácil – que sapatos eram aqueles que Alice me enfiara nos pés? Sapatos de salto agulha? Ela perdera totalmente o juízo – devia achar que aterrar àquela altura com aqueles sapatos idiotas seria o mesmo que caminhar numa superfície plana.

Amorteci o impacto com a parte carnuda dos pés, sem querer espatifar os saltos aguçados, parecendo-me que a chegada ao solo tinha sido tão suave quanto a de Edward. E dirigi-lhe um largo sorriso.

– Tinhas razão. É fácil.

Ele sorriu-me também.

– Bella?

– Sim.

– O salto foi bastante gracioso. Até para uma vampira.

Pensei no que ele dissera e, a seguir, fiquei radiante. Se o tivesse dito só para agradar, Emmett teria desatado a rir. Mas não vi ninguém achar graça, pelo que deveria ser verdade. Era a primeira vez que alguém usava comigo o adjectivo *gracioso* em toda a vida... hum, existência, em todo o caso.

– Obrigada – agradeci.

A seguir, descalcei os sapatos de cetim prateado, à vez, e lancei-os simultaneamente através da janela aberta. Talvez com um pouco de força a mais; de qualquer modo, ouvi alguém a apanhá-los antes de ressaltarem nos painéis de madeira.

Alice resmungou.

– Parece que o gosto para se vestir não melhorou tanto quanto o equilíbrio.

Edward pegou-me na mão e eu não consegui deixar de me sentir maravilhada com a suavidade e a temperatura amena da sua pele. Lançou-se pelo jardim das traseiras em direcção à margem do rio e eu segui-o sem qualquer esforço.

Cada acto físico que Edward executava parecia-me muito simples.

– Vamos a nado? – perguntei, ao pararmos junto à água.

– E estragar um vestido tão bonito? Não. Temos de saltar.

Contraí os lábios, reflectindo. Naquele ponto, o rio tinha cerca de cinquenta metros de largura.

– Vai tu primeiro – pedi.

Ele tocou-me na face, deu dois passos rápidos atrás e voltou a dá-los para a frente, em corrida, dando um impulso a partir de uma rocha lisa cravada na margem. Segui atentamente aquele movimento natural, vendo-o descrever um arco sobre a água e terminar num salto mortal, antes de desaparecer no meio do arvoredo cerrado que se encontrava do outro lado.

– Exibicionista – resmunguei por entre dentes, recebendo uma gargalhada invisível em resposta.

Recuei cinco passos, para garantir o melhor resultado possível, e respirei fundo.

Repentinamente, senti-me receosa. Não de cair ou de me ferir; estava preocupada com algum dano que pudesse causar à floresta.

Formara-se devagar, mas agora sentia-a – a força bruta e maciça que vibrava nos membros do meu corpo. De súbito, tive a certeza de que se quisesse furar por debaixo do rio, escavando a direito ou impelindo o leito rochoso à minha frente, o conseguiria fazer num curto espaço de tempo. Tudo o que me rodeava – as árvores, os arbustos, as rochas... a casa – parecia frágil de mais.

Com muita esperança que Esme não tivesse uma predilecção especial por nenhuma das árvores da outra margem, dei uma primeira passada larga, parando imediatamente a seguir. O meu vestido de seda rasgara-se uns bons quinze centímetros de lado. Alice!

Bom, eu via-a lidar com a roupa como algo descartável: usar e deitar fora. Por isso de certo não ia ficar aborrecida. Curvei-me e agarrei cuidadosamente a bainha pela costura intacta do lado direito e, fazendo a menor pressão possível, rasguei o vestido até ao cimo da coxa. A seguir, repeti a operação do lado contrário.

Muito melhor.

Consegui ouvir os risos abafados no interior da casa e até o som de alguém a ranger os dentes. As gargalhadas soavam nos dois pisos e foi-me fácil reconhecer o sorriso inconfundível, áspero e gutural que vinha do andar de baixo.

Então, Jacob também estava a ver? Não conseguia imaginar o que pensaria ele naquele momento ou o que faria ainda ali. Tinha pensado que o nosso encontro – se ele me chegasse a perdoar alguma vez – sucederia num futuro longínquo, logo que ficasse mais estável e o tempo já tivesse curado as feridas que lhe infligira no coração.

Consciente das minhas alterações de humor, não me voltei para ele naquele momento. Agora, não era conveniente deixar--me dominar pelas emoções, além de que os receios de Jasper também me deixavam intranquila. Tentei esquecer tudo o que não fosse concentrar-me naquele momento.

– Bella! – chamou-me Edward do meio das árvores, com a voz a aproximar-se. – Queres ver outra vez?

Era evidente que me lembrava perfeitamente de tudo. Além disso, não queria dar a Emmett um outro pretexto para troçar da minha educação. Tratava-se de um acto físico, controlado pelos instintos. Por isso, respirei fundo novamente e corri em direcção ao rio.

Livre do incómodo da fralda do vestido, dei um grande salto em direcção à orla da água. Um milésimo de segundo foi o lapso de tempo necessário e mais do que suficiente para o movimento, com a rapidez dos meus olhos e da mente a permitir-me percorrer a distância num único passo. Firmei o pé na pedra lisa com toda a facilidade e exerci a pressão adequada para me impelir a rodopiar pelo ar. Tinha prestado mais atenção ao alvo que à força, enganando-me na quantidade de poder necessária – pelo menos, não errei na direcção, evitando um mergulho no rio. Os quase cinquenta metros eram de longe uma distância demasiado fácil.

Experimentei uma sensação estranha, vertiginosa e electri-zante; mas muito breve. Não tinha passado um segundo e já estava do outro lado.

Receara que o arvoredo denso me colocasse problemas; mas, pelo contrário, ajudou-me. No voo descendente que me levou à floresta cerrada, tudo se resumiu a estender a mão com firmeza e a agarrar o ramo mais conveniente. A seguir, balancei-me levemente na pernada da árvore e pousei a ponta dos pés na copa frondosa de um abeto, a cerca de cinco metros do solo.

Foi fantástico.

O som de Edward a correr na minha direcção, à minha procura, sobrepôs-se ao meu riso feliz e repicado. O salto que acabara de dar tinha o dobro da amplitude do dele. Quando chegou ao pé do meu abeto, Edward vinha de olhos arregalados. Deixei-me cair do ramo com leveza, na direcção dele, aterrando de novo em silêncio sobre a planta dos pés.

– Foi bom? – perguntei, ofegante de excitação.

– Muito bom. – Ele dirigiu-me um sorriso de aprovação, mas o seu tom calmo não condizia com a surpresa que lhe conseguia ler nos olhos.

– Podemos dar outro salto?

– Concentra-te, Bella. Estamos no meio de uma caçada.

– Ah, está bem. – Assenti com a cabeça. – Uma caçada.

– Segue-me... se conseguires. – Edward dirigiu-me um sorriso irónico, esboçando subitamente uma expressão provocadora. E desatou a correr.

Ele era mais rápido que eu. Não conseguia perceber como é que movia as pernas àquela velocidade estonteante; mas isso ultrapassava a minha capacidade de compreensão. No entanto, eu era mais forte e cada passada das minhas correspondia a três das dele. Isso permitiu-me voar ao lado de Edward, e não atrás dele, por entre aquela teia verde cheia de vida. Enquanto seguia, não consegui deixar de me rir baixinho com a emoção; no entanto o riso não me fez abrandar ou desviar do meu objectivo.

Compreendi finalmente porque é que Edward nunca batia nas árvores quando corria – sempre fora um mistério para mim. Aquele equilíbrio entre a rapidez e a visibilidade era uma sensação estranha. Porque, enquanto disparava por cima, por baixo ou pelo meio da malha espessa cor de jade, a uma velocidade que deveria reduzir tudo a uma mancha raiada de verde, eu conseguia ver pormenorizadamente cada folha delgada, mesmo nos ramos mais pequenos de cada arbusto insignificante que deixava para trás.

O vento gerado pela minha marcha veloz impelia-me o cabelo e o vestido rasgado para trás e, embora soubesse que não deveria ser assim, senti um ar morno a tocar-me na pele. Da mesma maneira, era incrível experimentar a sensação de caminhar sobre veludo, pisando o solo agreste da floresta com os pés nus e sentindo a carícia de uma pena, de cada vez que um ramo me açoitava a pele.

A floresta tinha muito mais vida do que alguma vez imaginara. O espaço em redor fervilhava de pequenas criaturas alojadas na vegetação, cuja existência nunca teria imaginado. À nossa passagem, todas ficavam em silêncio, com o medo a acelerar-lhes a respiração. Os animais reagiam ao nosso odor com mais sensatez do que os humanos pareciam ter. É claro que em mim, ele manifestara o efeito contrário.

Continuei à espera de ficar ofegante, mas respirava sem qualquer esforço. Também esperava começar a sentir os músculos doridos, mas, assim que me habituei à minha marcha, parecia que a força simplesmente aumentava. Alonguei as passadas velozes e rapidamente Edward teve de fazer um esforço para conseguir acompanhar-me. Voltei a soltar uma gargalhada exultante, quando o ouvi a ficar para trás. Agora, os meus pés descalços raramente tocavam no chão, dando-me a sensação de voar em vez de correr.

– Bella! – chamou Edward com frieza, num tom inexpressivo e indolente. Não ouvi mais nada; ele tinha parado.

Ponderei, por instantes, na hipótese de uma rebelião.

No entanto, acabei por suspirar e dar meia-volta, alcançando-o de um salto, cerca de cem metros atrás. Fiquei a olhá-lo, na expectativa, e vi-o a sorrir, erguendo uma sobrancelha. Era tão belo que não conseguia deixar de o olhar.

– Tencionas ficar neste país? – perguntou, com um ar divertido. – Ou estás a pensar chegar ao Canadá esta tarde?

– Fico por aqui – repliquei, menos concentrada no que ele dizia e mais absorvida pelo movimento hipnótico dos seus lábios sempre que falava. A minha nova visão tornava difícil não me distrair face a cada novidade. – O que é que vamos caçar?

– Alces. Escolhi algo fácil para a tua primeira vez... – Ao ver-me semicerrar os olhos perante a palavra *fácil,* a voz de Edward esmoreceu.

Não queria discutir; sentia demasiada sede. Assim que me concentrei no fogo seco da minha garganta, não consegui pensar em mais nada. E estava cada vez pior, com a boca a dar-me a sensação de me encontrar no Vale da Morte, às quatro horas da tarde, em pleno mês de Junho.

– Onde? – perguntei impaciente, percorrendo as árvores com o olhar. Agora, que me concentrava na sede, esta parecia contaminar todos os pensamentos, infiltrando-se em imagens mais agradáveis, como correr, os lábios e os beijos de Edward e... a sede escaldante. Não conseguia escapar-lhe.

– Fica quieta por um minuto – pediu ele, pousando levemente as mãos sobre os meus ombros. Aquele toque levou a pressão da minha sede a recuar por uns momentos.

– Agora, fecha os olhos – murmurou. Depois de lhe fazer a vontade, Edward aproximou as mãos da minha cara e afagou-me as faces. Senti a respiração a acelerar e, durante instantes, esperei de novo pelo rubor que não iria aparecer.

– Escuta – pediu Edward. – O que é que ouves?

Tudo, podia ter-lhe respondido; a sua voz perfeita, o seu hálito, os lábios a roçar um pelo outro quando falava, o sussurro das aves a alisar as penas na copa das árvores, o bater palpitante dos seus corações, o friccionar das folhas do ácer, os estalidos suaves de um carreiro de formigas que subia pelo tronco de uma árvore mais próxima. No entanto, eu sabia que ele se referia a algo em particular, pelo que deixei os ouvidos irem até mais longe, em busca de algo diferente do pequeno zumbido da vida que me rodeava. Ali perto, havia uma clareira – o vento soava de uma maneira diferente ao cruzar a erva desprotegida – e um pequeno ribeiro de leito rochoso. E dali, a par do barulho da água, chegava-me o som de línguas a chapinhar e o palpitar sonoro de corações fortes a bombear grossas correntes de sangue...

Tive a sensação de que a garganta se entupia pelo facto das paredes incharem.

– Junto ao ribeiro, a Nordeste? – perguntei, ainda de olhos fechados.

– Sim. – Respondeu-me com um tom de aprovação. – Agora... espera que passe de novo a brisa e... o que é que cheiras?

Acima de tudo ele, a sua fragrância invulgar a mel, lilás e Sol. Mas também o odor rico e telúrico do musgo e da terra em decomposição, a resina nas árvores de folhas perenes, o cheiro quente, quase aromático, dos pequenos roedores acolhidos sob as raízes das árvores. E, depois, procurando mais à distância, o cheiro puro da água, que estranhamente me parecia pouco convidativo apesar da sede. Concentrei-me naquela direcção e descobri o odor que deveria estar associado ao chapinhar e ao bater dos corações. Este também era quente, rico e penetrante, e mais forte que os outros. E, no entanto, quase tão pouco apelativo como o curso de água. Franzi o nariz.

Edward riu-se por entre dentes.

– Eu sei. Leva algum tempo a adquirir o hábito.

– Três? – alvitrei.

– Cinco. Estão mais dois nas árvores atrás.

– O que é que faço agora?

Pelo tom de voz, adivinhei que Edward sorria.

– O que é que te apetece fazer?

Reflecti, continuando a ouvir e a respirar o odor, ainda de olhos fechados. A minha consciência foi invadida por um novo acesso de sede ardente e, de súbito, o odor quente e penetrante deixou de me colocar tantas objecções. Pelo menos, teria algo quente e húmido a penetrar na minha boca desidratada. Abri os olhos de repente.

– Não penses no assunto – sugeriu Edward, retirando as mãos do meu rosto e dando um passo para trás. – Limita-te a seguir os instintos.

Deixei-me guiar pelo odor, mal dando conta dos meus movimentos ao deslizar suavemente pelo declive, que dava acesso ao prado estreito cruzado pelo ribeiro. Curvei por instinto o corpo para a frente, acocorando-me rente ao solo e hesitando, junto à orla das árvores revestida de fetos. Dali, conseguia ver o macho maior do grupo de alces, na borda do ribeiro, com duas dúzias de pontas na armação a rematar-lhe a cabeça; assim como as silhuetas de outros quatro, cobertas pelas sombras, que caminhavam num passo vagaroso rumo a Leste, em direcção ao interior da floresta.

Concentrei-me no odor do macho, visando o ponto quente do pescoço áspero, onde o sangue palpitava com mais força. Apenas cerca de trinta metros – dois ou três saltos – nos separavam. Retesei o corpo, preparando-me para o primeiro impulso.

Mas, no momento em que contraía os músculos, o vento mudou de rumo, soprando mais forte de Sul. Não parei para pensar e saí do abrigo das árvores, resvalando por um trilho perpendicular ao do plano original, espantando o veado para a floresta e correndo atrás de uma nova fragrância tão atractiva que não me deixava hipótese de escolha. Era algo compulsivo.

Aquele odor dominava-me. Enquanto lhe seguia a pista, o meu pensamento concentrava-se apenas na sede e no cheiro que prometia saciá-la. A sede tornou-se mais forte e tão angustiante que baralhou todos os outros pensamentos, trazendo-me à memória o veneno a arder-me nas veias.

E, naquele momento, havia apenas algo que me podia desviar a atenção, uma pulsão mais básica e poderosa que a necessidade de exterminar o fogo: o instinto de autoprotecção. A minha sobrevivência.

De súbito, tive a consciência de que era seguida. A atracção por aquele cheiro irresistível lutava contra o impulso de me virar e defender a minha caça. No meu peito formou-se uma bolha de som, enquanto os lábios recuavam por vontade própria, arreganhando-me os dentes em sinal de aviso. Os pés começaram a abrandar e o meu instinto de protecção debateu-se com o desejo de mitigar a sede.

Foi então que ouvi o meu perseguidor a ganhar terreno e a necessidade de defesa tornou-se mais forte. Quando girei sobre mim, o som ascendente abriu caminho pela garganta e saiu.

O ronco selvagem projectado pela minha boca foi tão inesperado que me paralisou. Fiquei abalada, contribuindo para aliviar, por alguns instantes, o meu pensamento. A angústia causada pela sede abrandou, ainda que esta continuasse a arder na garganta.

O vento mudou mais uma vez e senti-o bafejar-me o rosto com um cheiro a terra molhada e a chuva prestes a cair, libertando-me da obsessão feroz pelo cheiro anterior – tão delicioso que só podia ser humano.

Edward estava hesitante, a alguns metros de distância, de braços levantados como se me fosse abraçar – ou refrear-me. Tinha uma expressão atenta e cautelosa, enquanto me mantinha petrificada, dominada pelo horror.

Compreendi que estivera prestes a atacá-lo. Dei um esticão violento ao corpo, levantando-me e desfazendo a minha posição de defesa. Sustive a respiração, enquanto me concentrava de novo, temendo o poder da fragrância que subia em redemoinho até mim, vinda de Sul.

Ele viu o discernimento a regressar ao meu rosto e deu um passo na minha direcção, deixando cair os braços.

– Tenho de sair daqui – disse-lhe violentamente, por entre dentes, usando o fôlego que me restava.

O rosto de Edward foi inundado pelo choque.

– Consegues fazer isso?

Não tive tempo de lhe perguntar o que significavam aquelas palavras. Sabia que a minha capacidade de raciocínio só resistiria enquanto conseguisse evitar pensar naquela...

Arranquei numa corrida desenfreada, dirigindo-me para Norte e concentrando-me apenas na sensação incómoda da privação dos sentidos, que parecia ser a única resposta do meu corpo à falta de ar. Tinha como única meta percorrer a maior distância possível e apagar por completo a fragrância nas minhas costas. Tornando impossível encontrá-la, mesmo que mudasse de opinião...

Mais uma vez, tive a sensação de que era seguida, mas agora estava lúcida. Lutei contra o instinto de respirar, a fim de usar os aromas que pairavam no ar e assegurar-me que estaria na presença de Edward. Não tive de lutar muito, embora corresse à maior velocidade de sempre, disparando como um cometa pelo caminho mais directo que consegui encontrar por entre as árvores. Decorrido um curto minuto, Edward já me tinha apanhado.

Nessa altura, veio-me outra coisa à ideia e parei, com os pés pregados ao chão. Tinha a certeza de que ali estava segura, mas sustive a respiração, à cautela.

Edward ultrapassou-me a correr, apanhado de surpresa pela minha travagem súbita. Deu meia-volta e um segundo depois estava ao meu lado. Colocou-me as mãos nos ombros e fitou-me nos olhos, com o choque a dominar-lhe o rosto.

– Como é que fizeste isso? – perguntou-me.

– Deixaste-me ganhar antes, não foi? – contra-ataquei, ignorando a pergunta. E eu a pensar que fizera tão boa figura!

Ao abrir a boca, senti o sabor do ar. Já estava despoluído, sem quaisquer vestígios da fragrância obsessiva que me mortificava a sede. Inspirei uma lufada, com toda a cautela.

Ele encolheu os ombros e abanou a cabeça, recusando desviar a conversa.

– Bella, como é que conseguiste fazer isso?

– Fugir? Sustive a respiração.

– Mas, como é que foste capaz de interromper a caçada?

– Quando apareceste atrás de mim... Edward, peço-te muita desculpa pelo que aconteceu.

– Estás a pedir-me desculpa, a mim? Eu é que fui terrivelmente descuidado. Parti do princípio de que ninguém iria desviar-se assim tanto dos trilhos: de qualquer forma, devia ter-me certificado primeiro. Que erro tão estúpido! Não fizeste nada que te faça sentir culpada.

– Mas rosnei-te! – Continuava horrorizada por ter sido fisicamente capaz de cometer aquele acto revoltante.

– Claro que sim. Isso é mais do que natural. Só não consigo perceber como é que conseguiste fugir.

– O que mais poderia fazer? – repliquei. Aquela atitude deixava-me perplexa... o que queria ele que tivesse acontecido? – Podia ter sido alguém conhecido!

Edward deixou-me ainda mais surpreendida, ao rebentar numa explosão de sonoras gargalhadas, atirando a cabeça para trás e deixando o som ecoar pelas árvores.

– De que é que te estás a rir?

Ele parou de imediato e percebi que me olhava novamente com prudência.

"Domina-te", pensei. Tinha de controlar o meu temperamento. Como se fosse um jovem lobisomem, em vez de um vampiro.

– Não me ri de ti, Bella. Só o fiz porque estou em estado de choque. Tudo isto me desorienta por completo.

– Porquê?

– Tu não deverias conseguir fazer nada disto. Não devias ser tão... racional. Nem sequer devias estar aqui parada, a debater o assunto com tanta calma e frieza. E, mais do que isso, não devias ser capaz de parar de repente, em plena caçada, com o ar impregnado de cheiro humano. Até os vampiros maduros sentem dificuldades nesses momentos. Nós escolhemos os sítios onde caçamos criteriosamente, para não nos deixarmos cair em tentação. Bella, tu reages como se tivessem decorrido décadas, em vez de dias.

– Ah! – Só que eu sabia que seria difícil. E tinha tomado todas as precauções para conseguir enfrentar essa dificuldade.

Edward voltou a pousar-me as mãos no rosto, com os olhos inundados de espanto.

– Aquilo que eu não dava para conseguir entrar no teu pensamento, nem que fosse por um momento!

Que emoções tão poderosas! Sentia-me preparada para aguentar a sede, mas não para as enfrentar. Não tinha tanta certeza sobre se tudo continuava igual, quando ele me tocava. Bom, na verdade, agora era diferente.

Tudo era mais forte.

Ergui a mão, para lhe contornar o rosto, e os meus dedos pararam sobre os seus lábios.

– Eu deveria pensar que deixaria de o sentir durante algum tempo? – A minha estranheza levava-me a dizer aquilo, como se o perguntasse. – Mas ainda te desejo.

Edward pestanejou, constrangido.

– Como é que consegues pensar nisso? Não sentes uma sede insuportável?

É claro que sentia, agora que ele tocava no assunto!

Tentei engolir em seco e, entretanto, soltei um suspiro, voltando a fechar os olhos para me concentrar melhor. Deixei os sentidos espalharem-se à minha volta; mas desta vez mantive--me atenta, caso houvesse uma outra investida do odor delicioso e proibido.

Edward deixou cair as mãos, sem respirar, enquanto eu escutava cada vez mais ao longe, na selva viva e verdejante, peneirando os aromas e os sons, em busca de qualquer coisa que a minha sede não rejeitasse por completo. Chegou-me o sinal de algo diferente, um ligeiro rasto para Leste...

Abri os olhos de repente, mas foquei-me nos sentidos mais aguçados, virando-me nessa direcção e lançando-me numa corrida silenciosa. Quase de imediato, o piso elevou-se e ficou mais escarpado. Avancei numa posição de ataque, agachada ou abrigada pelas árvores, sempre que era mais fácil. Sentia mais do que ouvia, Edward junto a mim, circulando em silêncio pela floresta e deixando-me conduzir a escalada.

À medida que subíamos, a vegetação começou a rarear; o cheiro da resina aumentou de intensidade e o mesmo sucedeu ao rasto que me atraía – era um odor quente, mais intenso que o cheiro do alce e mais apelativo. Segundos depois, consegui distinguir o ruído surdo de umas patas enormes, muito mais subtis que o esmagar de cascos. O som vinha de cima, da mesma direcção dos ramos e não do solo. Instintivamente, subi para uma pernada, conquistando uma posição estratégica superior, a meia altura de um enorme abeto prateado.

O ruído suave das patas furtivas continuou a fazer-se ouvir, agora numa posição inferior à minha; o cheiro penetrante estava muito próximo. O meu olhar localizou o movimento associado ao som e descobri a pelagem amarelo-acastanhada do grande felino, a mover-se às escondidas, no enorme ramo de um espruce, sob o meu abrigo, ligeiramente mais para a esquerda. Era possante – fazia, à vontade, quatro vezes a minha massa atómica. Os seus olhos fitavam o solo em baixo, cheios de atenção; o felino também andava à caça. Inspirei o cheiro de algo mais pequeno, quase insípido, face ao aroma da minha presa, acossado num arbusto sob a árvore. A cauda do leão da montanha agitou-se de uma forma intermitente, enquanto ele preparava o salto.

Com um balanço leve, cruzei o ar e aterrei no mesmo ramo do felino. Ao sentir a madeira a estalar, ele voltou-se. Soltou um rugido, num misto de surpresa e ataque, e começou a percorrer a distância que nos separava com as garras possantes e os olhos a brilhar de fúria. Meio alucinada pela sede, ignorei aqueles dentes arreganhados e as garras afiadas, atirando-me a ele e fazendo com que os dois nos precipitássemos no solo.

A luta não chegou a ser muito demorada.

O impacto daquelas garras na minha pele era semelhante a uma carícia. As presas não conseguiam encontrar um ponto de apoio no meu ombro ou na minha garganta. O peso dele era insignificante. Os meus dedos sondaram inflexíveis a garganta do animal e a sua resistência instintiva foi inadequadamente fraca perante a minha força. Cravei as mandíbulas, sem dificuldade, no ponto exacto onde se concentrava o fluxo de sangue.

O esforço foi menor do que se trincasse um pedaço de manteiga. Os meus dentes eram lâminas de aço, escavando a pele, a gordura e os tendões, como se não existissem.

Senti um sabor esquisito, mas o sangue era quente e suculento, mitigando a sede ardente e desumana, enquanto o bebia num ímpeto violento. A resistência do felino começou a diminuir, até os rugidos sufocarem num gorgolejo. O calor do sangue disseminou-se pelo meu corpo, aquecendo-me até a ponta dos dedos, nos pés e nas mãos.

O leão da montanha estava morto, antes de eu terminar. Quando o sangue dele se esgotou, voltei a sentir um assomo de sede e, contrariada afastei a carcaça do meu corpo. Como podia sentir sede depois de tudo aquilo?

Ergui-me bruscamente, num movimento único e instantâneo. Ao pôr-me de pé, descobri que estava com um aspecto relativamente assustador. Limpei a cara à parte superior do braço e tentei compor o vestido. Aquelas garras, tão pouco eficazes na minha pele, conseguiram algum sucesso na seda delicada.

– Hum – proferiu Edward. Ergui os olhos e dei com ele encostado ao tronco de uma árvore, numa atitude descontraída, a observar-me com um olhar pensativo.

– Acho que podia ter feito melhor. – Estava coberta de sujidade, com o cabelo desgrenhado e o vestido, em farrapos e cheio de manchas de sangue. Sempre que regressava a casa a seguir a uma caçada, Edward nunca exibia aquele aspecto.

– Estiveste muito bem – garantiu ele. – Só que... para mim foi muito mais difícil observar-te do que estava à espera.

Ergui as sobrancelhas numa expressão perplexa.

– Vai contra os nossos princípios – explicou ele –, deixar-te lutar com leões da montanha. Estive este tempo todo à beira de um ataque de nervos.

– Pateta.

– Eu sei. Os velhos hábitos custam a morrer. Mas gostei das alterações no vestido.

Teria corado, se ainda o pudesse fazer. Mudei de assunto.

– Porque continuo com sede?

– Porque és jovem.

Suspirei.

– E não me parece que haja mais leões da montanha aqui.

– Pelo contrário, há imensos veados.

Fiz uma careta.

– Eles não cheiram tão bem.

– São herbívoros. O cheiro dos carnívoros assemelha-se mais ao dos humanos – explicou ele.

– Não é tanto assim – discordei, na tentativa de não recordar.

– Podemos voltar para trás – acrescentou com ar sério, mas um brilho divertido no olhar. – Quem quer que ande por ali, se for homem, até não se importará de morrer, se tu fores o carrasco. – E o seu olhar voltou a percorrer o meu vestido esfarrapado. – Na realidade, quando te visse até pensaria que já tinha morrido e chegado ao céu.

Revirei os olhos e resmunguei:

– Vamos lá caçar alguns herbívoros malcheirosos.

Encontrámos uma grande manada de veados-mula, quando corríamos de regresso a casa. Desta vez, como já tinha apanhado o jeito, Edward caçou comigo. Abati um macho enorme, fazendo um estardalhaço algo idêntico ao do leão da montanha. Antes de me despachar do primeiro, ele já tinha dado conta de dois, sem um cabelo fora do lugar ou uma mancha na camisa branca. Voltámos a perseguir a manada aterrorizada e dispersa; mas, desta vez, em vez de me alimentar, fiquei a observá-lo atentamente para perceber como é que ele caçava daquela maneira irrepreensível.

De todas as vezes em que desejara que Edward não me deixasse ficar para trás, quando ia caçar, sentia uma espécie de alívio secreto. Porque tinha a certeza de que seria horrível assistir. Aterrador. E que vê-lo caçar poderia fazer com que o encarasse, finalmente, como um vampiro.

É claro que, agora, a situação era muito diferente; eu era uma vampira. No entanto, duvidava que mesmo os meus olhos humanos ignorassem a beleza que ali existia.

Observar Edward a caçar era uma experiência sensorial surpreendente. A sua investida suave recordava-me o deslizar sinuoso de uma serpente; as suas mãos tinham uma firmeza, uma força e uma implacabilidade assombrosas; e os lábios cheios eram perfeitos quando se entreabriam graciosamente sobre os dentes brilhantes. Era glorioso. De súbito, fui atravessada por uma corrente de orgulho e desejo. Ele era *meu*. Agora, ninguém conseguiria separar-me dele. Eu era demasiado forte para deixar que isso acontecesse.

Edward também era muito rápido. Virou-se para mim e contemplou a minha expressão de deleite, com curiosidade.

– Já não tens sede? – perguntou.

Encolhi os ombros.

– Fiquei distraída a ver-te. És muito melhor que eu.

– Séculos de prática – observou ele, com um sorriso. Nesse momento, havia nos seus olhos uma coloração perturbadora de mel dourado.

– Apenas um – corrigi-o.

Edward riu-se.

– Já estás satisfeita por hoje? Ou queres continuar?

– Acho que chega. – Sentia-me muito cheia, parecendo até estar ensopada por dentro. Não sabia exactamente que quantidade de líquido cabia no meu corpo. Mas o ardor na garganta tinha serenado. Então, percebi que a sede era apenas um segmento desta nova vida a que não podia escapar.

E que valia a pena.

Sentia que estava controlada. Talvez essa segurança fosse falsa, mas estava bastante certa de que não mataria ninguém naquele dia. Se conseguia resistir a humanos desconhecidos, não seria capaz de lidar com o lobisomem e a criança semivampira que amava?

– Quero ver a Renesmee – afirmei. Agora que a minha sede estava domada (se não praticamente anulada) era difícil esquecer as preocupações anteriores. Desejava conciliar a minha filha desconhecida com a criatura que amava há três dias. Parecia muito estranho e muito incongruente, já não a ter dentro de mim. Subitamente, senti-me vazia e desconfortável.

Edward estendeu-me a mão. Ao pegar-lhe, senti a sua pele mais quente que o costume. Havia uma leve cor nas suas faces, com as sombras debaixo dos olhos completamente dissipadas.

Não resisti a acariciar-lhe, de novo, o rosto. E outra vez, logo a seguir.

Ao contemplar aqueles olhos dourados e brilhantes, quase me esqueci de que esperava a resposta ao meu pedido.

Embora fosse quase tão difícil como quando voltara as costas ao sangue humano, consegui não esquecer a necessidade de ter cuidado ao erguer-me na ponta dos pés para o envolver nos meus braços. Gentilmente.

Edward não teve a mesma hesitação de movimentos; os braços dele fecharam-se em torno da minha cintura e puxaram-me contra o seu corpo com firmeza. Os lábios dele esmagaram os meus, mas senti-os macios. A minha boca deixara de se moldar à sua e agora ganhara força própria.

Tal como antes, senti o toque da sua pele, dos lábios e das mãos a penetrar directamente na minha pele dura e macia, a gravar-se nos meus ossos. E na minha própria essência. Nunca poderia imaginar que conseguia amá-lo ainda mais.

A minha antiga mente não tinha capacidade para guardar tanto amor. O meu velho coração nunca teria tido forças para o aguentar.

Talvez fosse uma parte de mim que ficara guardada, para agora se intensificar nesta minha nova vida. Tal como a compaixão de Carlisle e a devoção de Esme. Se calhar, nunca seria capaz de fazer nada de interessante ou especial, como Edward, Alice ou Jasper. Talvez fosse apenas amar Edward mais do que qualquer outra pessoa na história do mundo.

Podia aceitar isso.

Recordava segmentos daqueles gestos – enrolar os dedos no cabelo dele, percorrer os contornos do seu peito – mas agora havia novos. Era uma experiência inteiramente diferente quando Edward me beijava com tanta força e temeridade. Correspondi à intensidade e, de repente, caímos os dois.

– Ups – proferi, e ele riu-se debaixo de mim. – Não queria placar-te desta maneira. Estás bem?

Edward acariciou-me a face.

– Um pouco melhor que bem. – A seguir, exibiu uma expressão de perplexidade. – Renesmee? – perguntou, hesitante, tentando confirmar o que eu mais desejava naquele momento. Algo muito difícil de definir, quando queria tanta coisa ao mesmo tempo.

Reconheci que ele não teria grande relutância em adiar a nossa viagem de regresso e que era difícil pensar em muito mais do que a pele dele sob a minha – na verdade, não sobrava muito do meu vestido. No entanto, o que recordava de Renesmee, antes e depois do seu nascimento, assemelhava-se cada vez mais a um segmento de sonho. Algo de irreal. Todas as memórias que tinha dela eram humanas e rodeava-as uma áurea de artificialidade. Nada que eu não tivesse visto com estes olhos ou tocado com estas mãos me parecia real.

A cada minuto, a realidade daquela pequena desconhecida deslizava para mais longe.

– Renesmee – decidi, num tom penitente, e dei meia-volta para me levantar, arrastando-o atrás de mim.

Vinte e Dois

PROMETIDA

Pensar em Renesmee trouxe-a para primeiro plano, neste palco estranho, novo e espaçoso, mas aleatório, que prendia agora a minha mente. Com tantas questões...

– Fala-me sobre ela – pedi a Edward, quando ele me deu a mão. Mesmo de mãos entrelaçadas, a nossa corrida mal chegou a abrandar.

– Não existe nada igual neste mundo – afirmou, mais uma vez com uma inflexão na voz que raiava a devoção.

Senti uma pontada de ciúme em relação àquela desconhecida. Ele conhecia-a e eu não. Não era justo.

– Quanto é que se parece contigo? E comigo? Quero dizer, com o que eu era.

– As parecenças estão bem distribuídas.

– Ela tinha sangue quente – recordei.

– Sim, tem um coração a palpitar, se bem que um pouco mais acelerado que o dos humanos. E a temperatura também é ligeiramente mais quente que o habitual. E dorme.

– A sério?

– Bastante bem para uma recém-nascida. Somos os únicos pais do mundo sem precisar de dormir e a nossa filha dorme a noite inteira – comentou Edward, rindo baixinho.

Gostei da maneira como ele dizia a nossa filha. Aquelas palavras tornavam-na mais real.

– Os olhos dela têm exactamente a cor dos teus. Por isso, afinal há qualquer coisa que não se perdeu – referiu Edward, com um sorriso. – São muito bonitos.

– E em relação a características de vampiros? – perguntei.

– A pele dela parece ser tão impenetrável como as nossas. Embora não passe pela cabeça de ninguém verificar se é mesmo assim.

Voltei-me para ele, a piscar os olhos, algo chocada.

– É claro que ninguém vai fazer isso – garantiu Edward de novo. – Quanto à comida... bom, ela prefere beber sangue. O Carlisle continua a tentar convencê-la a beber uma fórmula para bebés, mas a Renesmee não parece muito interessada. Até compreendo... Mesmo para a raça humana aquilo deve ser nauseabundo.

Agora já o olhava, sem disfarçar o espanto. Pela forma como Edward o dizia, até parecia que conversavam com ela.

– Convencê-la?

– Ela é inteligente, de uma forma invulgar, e está a desenvolver grandes progressos. Embora não fale, por enquanto, comunica de uma maneira bastante eficiente.

– Não. Fala. Por enquanto.

Edward abrandou a corrida, para me deixar absorver tudo o que ouvia.

– O que queres dizer com isso de comunicar de maneira eficiente? – perguntei.

– Acho que é mais fácil... veres com os teus próprios olhos. Torna-se difícil explicar em palavras.

Reflecti no que ele dizia. Já sabia que havia muitas coisas que tinha de ver por mim, para que passassem a ser reais. De momento, não sabia se estava preparada para ouvir muito mais, pelo que optei por mudar de assunto.

– O Jacob ainda lá está? – perguntei. – Como é que ele consegue aguentar? E porquê? – A minha voz gorjeante estremeceu um pouco. – Porque tem de sofrer ainda mais?

– O Jacob não está a sofrer – afirmou Edward, com um tom de voz estranho e que desconhecia. – Embora eu tivesse vontade de mudar essa situação – acrescentou ainda, por entre dentes.

– Edward – exclamei, num tom sibilante, obrigando-o a parar de repente (e sentindo ao mesmo tempo um pouco de vaidade por conseguir fazê-lo). – Como é consegues dizer uma coisa dessas? O Jacob deu tudo o que podia para nos proteger! Aquilo que o fiz passar... – Estremeci, sob o impacto de uma memória turva de vergonha e remorsos. Agora, parecia-me estranho que tivesse precisado tanto dele naquela altura. O vazio que sentia, sempre que ele se ausentava, tinha desaparecido; deveria ter sido uma fraqueza humana.

– Terás oportunidade de perceber porque falo assim – resmoneou Edward. – Prometi ao Jacob que deixaria que fosse ele a explicar, embora duvide que vejas as coisas de uma maneira diferente. É óbvio que me engano muitas vezes em relação ao que pensas, verdade? – E comprimiu os lábios, lançando-me um olhar penetrante.

– Explicar o quê?

Ele abanou a cabeça.

– Fiz uma promessa. Embora não me pareça que continue a dever-lhe alguma coisa... – E rangeu os dentes.

– Edward, não estou a compreender. – Fui dominada por irritação e angústia.

Ele roçou a mão pela minha face, sorrindo com ternura ao vê-la a suavizar-se, com o desejo a sobrepor-se por um instante à contrariedade.

– Eu sei que é mais difícil para ti do que aquilo que revelas. Não me esqueço disso.

– Não gosto de me sentir tão confusa.

– Eu sei. Por isso, vamos para casa para ficares a par da situação. – Ao falar em regressarmos, o olhar de Edward pairou sobre o que restava do meu vestido. – Hum – proferiu, de sobrolho franzido. Reflectiu meio segundo e desabotoou a camisa branca, estendendo-ma para a vestir.

– Está assim tão mau?

Ele esboçou um sorriso irónico.

Enfiei os braços nas mangas da camisa e abotoei-a à pressa sobre a minha indumentária esfarrapada. Claro que a oferta o deixara de tronco nu, tornando impossível não me distrair de novo.

– Vamos fazer uma corrida – propus. – E sem batota, desta vez – avisei, logo a seguir.

O meu marido largou-me a mão e revelou um largo sorriso.

– Aos vossos lugares...

Encontrar o caminho para casa foi mais fácil que descer a rua de Charlie em direcção ao meu antigo lar. O nosso odor deixara um rasto bem definido e fácil de seguir, mesmo a correr com o máximo de velocidade que conseguia.

Edward seguiu na frente até chegarmos ao rio. Nessa altura, decidi arriscar e saltei antes dele, recorrendo à força extra para o ultrapassar.

– Ah – exclamei, exultante, ao sentir os meus pés a tocar na relva antes de ele aterrar.

Ao escutar o baque dos pés de Edward, os meus ouvidos captaram um outro ruído de que não estava à espera. Era sonoro e estava demasiado próximo. Um coração a bater.

No mesmo instante, ele aproximou-se de mim, prendendo-me a parte superior dos braços com firmeza.

– Não respires – recomendou-me, rapidamente.

Enquanto parava a meio da inspiração, tentei não entrar em pânico. No meu corpo apenas os olhos se moviam, girando instintivamente, em busca da origem do som.

Jacob estava sobre a linha divisória entre a floresta e o relvado dos Cullen, de braços cruzados à frente do corpo e com a boca fortemente cerrada. Atrás dele, e ocultas no arvoredo, ouviam-se duas batidas de corações mais robustos, acompanhadas do estalar abafado dos fetos sob patas pesadas e em movimento.

– Tem cuidado, Jacob – recomendou Edward. Uma sonora rosnadela oriunda da floresta reflectiu a apreensão da sua voz. – Talvez não seja a melhor maneira...

– Achas que era melhor deixá-la chegar perto da bebé? – interrompeu Jacob. – É mais seguro vermos como a Bella reage comigo. As minhas feridas saram mais depressa.

Aquilo era um teste? Para se certificarem que não acabava com Jacob antes de tentar matar Renesmee? Senti-me agoniada, de um modo muito estranho – o mal-estar não provinha do estômago, mas da cabeça. Aquela ideia teria partido de Edward?

Olhei-o rapidamente, ansiosa; vi-o a tomar uma decisão e a preocupação desapareceu-lhe do rosto, dando lugar a um sentimento diferente. Encolheu os ombros e, quando falou, senti uma corrente de hostilidade subjacente à sua voz.

– É o teu pescoço...

Desta vez, no meio da floresta, soou um rugido de cólera; Leah, com toda a certeza.

O que é que se passava com Edward? Depois de tudo o que tínhamos passado, não deveria sentir alguma afinidade com o meu melhor amigo? Pensara – talvez de uma forma algo disparatada – que existia uma espécie de amizade entre os dois. Provavelmente, enganei-me.

Mas o que é que Jacob estava a fazer? Porque se oferecia como cobaia para proteger Renesmee?

Aquilo não fazia qualquer sentido. Mesmo que a nossa amizade se mantivesse intacta...

E, quando os meus olhos se cruzaram com os de Jacob, conclui que talvez fosse assim mesmo. Continuava a parecer-me o meu melhor amigo. Nele não havia mudanças. O que pensaria ele sobre as minhas?

Jacob sorriu-me como sempre fizera e com o mesmo sorriso de alma gémea, fazendo-me acreditar que a nossa amizade permanecia inalterada. Tal como era, quando nos juntávamos na garagem da casa dele, como dois amigos a passar tempo. Algo simples e *natural*. Mais uma vez, percebi que a estranha necessidade que sentia dele antes da minha transformação desaparecera por completo. Jacob era apenas meu amigo, da maneira que deveria ser.

Contudo, as atitudes continuavam a não fazer sentido. Seria Jacob assim tão altruísta que tentasse impedir-me – com a própria vida – de fazer algo numa fracção de segundo de descontrolo, que lamentaria para sempre em agonia? Isso ultrapassava a mera tolerância por aquilo em que me transformara ou o modo milagroso como a nossa amizade continuava a existir. Jacob era uma das melhores pessoas que conhecia, mas não era justo aceitar aquilo, independentemente de quem viesse.

Jacob encolheu os ombros, ampliando o sorriso.

– Tenho de te dizer isto, Bella. Estás completamente estrambólica.

Sorri-lhe abertamente, resvalando sem dificuldade para a nossa antiga matriz. Aquela era uma faceta de Jacob que eu compreendia bem.

Edward resmungou.

– Vê se tens tento na língua, rafeiro.

O vento soprou nas minhas costas e apressei-me a encher os pulmões com aquele ar seguro, para poder falar.

– Não, ele tem razão. Os olhos são uma coisa do outro mundo, não achas?

– Super-sinistros. Mas não é tão mau como imaginei.

– Uau! Obrigada pelo elogio incrível!

Jacob revirou os olhos.

– Tu percebes onde quero chegar. Ainda te pareces contigo... de certa maneira. Talvez não seja o aspecto, mas a maneira de... continuares a ser a Bella. Não acreditava que voltaria a ter a sensação de ainda estares aí. – Sorriu-me novamente, sem uma ponta de amargura ou de ressentimento estampada no rosto. A seguir, soltou um sorriso por entre dentes. – De qualquer maneira, acho que vou habituar-me a esses olhos em pouco tempo – afirmou.

– Ah, vais? – retorqui, confusa. Era muito bom continuarmos amigos, mas não esperava que passássemos muito tempo juntos.

Um olhar muito estranho cruzou-lhe o rosto e dissipou o sorriso. Parecia um olhar de... culpa? A seguir, Jacob voltou-se para Edward.

– Obrigado – agradeceu. – Não tinha a certeza de que conseguirias guardar segredo, mesmo com a promessa. Normalmente, limitas-te a dar-lhe tudo o que ela quer.

– Talvez estivesse à espera que ela se enfurecesse e te arrancasse o pescoço – insinuou Edward.

Jacob bufou.

– O que é que aconteceu? Estão a esconder-me alguma coisa? – perguntei, atónita.

– Mais tarde explico-te – acrescentou Jacob, meio constrangido, e como se não tivesse intenção de o fazer na realidade. A seguir, mudou de assunto. – Mas, primeiro, deixa-me pôr o espectáculo na rua. – Naquele momento, enquanto avançava devagar, sorria de uma maneira provocante.

Nas costas dele, soou um coro de gemidos de protesto e o corpo cinzento de Leah deslizou do abrigo das árvores. O corpanzil mais alto e cor de areia de Seth surgiu imediatamente atrás.

– Calma, amigos – pediu Jacob. – Não se metam nisto.

Fiquei aliviada por não lhe darem ouvidos, limitando-se a segui-lo, um pouco mais devagar.

O vento amainara, não permitindo que o cheiro dele voasse para longe.

Jacob aproximou-se de mim o suficiente para eu sentir o calor do seu corpo através do espaço que nos separava. Um fogo deflagrou na minha garganta, reagindo à proximidade.

– Vá lá, Bells. Faz o teu pior.

Leah sibilou.

Eu não queria respirar. Não era justo aproveitar-me de Jacob naquele processo tão perigoso, mesmo que fosse ele a oferecer-se. Assim como não podia deixar de raciocinar com lógica. De que outra maneira poderia ter a certeza de que não iria ferir Renesmee?

– Já estou a envelhecer só de estar aqui parado – desafiou-me. – Não tecnicamente, mas percebeste a ideia. Vá, lá respira fundo!

– Segura-me – pedi a Edward. Encostei-lhe as costas ao peito e senti a pressão das suas mãos em volta dos braços.

Retesei e travei os músculos, esperando conseguir mantê-los paralisados, e decidi que me comportaria tão bem como na caçada. Na pior das hipóteses, parava de respirar e corria, distanciando--me o mais depressa possível. Comecei por inspirar suavemente pelo nariz, preparada para toda e qualquer reacção.

Tive uma ligeira sensação de dor mas, fosse como fosse, o fogo da minha garganta começara a desaparecer. O cheiro de Jacob não era muito mais humano que o do leão da montanha. Havia uma componente animal naquele sangue que rejeitei de imediato. Embora me sentisse atraída pela batida sonora e húmida do coração, o odor associado levou-me a franzir o nariz. Na verdade, o cheiro ajudava-me a esfriar a minha reacção ao som e ao calor do sangue a pulsar.

Inspirei de novo e senti-me mais calma.

– Uf! Já percebi o que é que toda a gente tem sofrido contigo. O teu cheiro é fedorento, Jacob.

Edward rebentou a rir, deslizando as mãos dos meus ombros para me envolver pela cintura. Seth soltou um latido baixo, sob a forma de gargalhada, fazendo coro com Edward e aproximando--se um pouco mais, enquanto Leah dava algumas passadas para trás. A seguir, percebi que havia mais espectadores, quando me chegou aos ouvidos o riso abafado e grosseiro característico de Emmett, levemente bloqueado pela parede de vidro que nos separava.

– Olha quem fala – retorquiu Jacob, apertando o nariz num gesto teatral. O rosto dele não se contraiu quando Edward me abraçou, nem mesmo quando se recompôs e segredou "amo-te" ao meu ouvido. Jacob limitou-se a sorrir. Aquela reacção fazia renascer a esperança de que tudo se iria compor entre nós, ao contrário do que acontecia há tanto tempo. Talvez pudesse ser realmente amiga dele, agora que o meu aspecto físico o repelia o suficiente para ele não me amar da mesma forma. Talvez fosse apenas disso que todos precisávamos.

– Muito bem. Então estou aprovada, certo? – perguntei. – Podes contar-me o grande segredo?

Jacob reagiu com um nervosismo inesperado.

– Não é nada que te deva preocupar neste momento...

Ouvi outra vez o riso abafado de Emmett, numa reacção de expectativa.

Teria continuado a teimar, mas aquele som surgia acompanhado de outros. Sete pessoas a respirar. Um par de pulmões que se movia mais rapidamente que os outros. Um coração apenas, a vibrar leve e veloz, como as asas de um pássaro.

A minha atenção divergiu totalmente do sítio onde estava. A minha filha encontrava-se do outro lado daquele fina parede de vidro. Não a conseguia ver – a luz ressaltava do vidro reflexivo, como se fosse espelhado. Apenas avistei a minha imagem, que parecia estranha – muito pálida e imóvel – ao lado de Jacob. Ou igual a Edward, quando me comparava com ele.

– Renesmee – murmurei. O stresse voltou a transformar-me numa estátua. Renesmee não podia ter o cheiro de um animal. Será que eu representava uma ameaça para ela?

– Vem e já verificamos isso – segredou-me Edward. – Eu sei que consegues lidar com a situação.

– Ajudas-me? – pedi, muito baixinho.

– Claro que sim.

– E o Emmett e o Jasper também? Só para prevenir.

– Nós vamos tomar conta de ti, Bella. Não te preocupes, porque estamos todos preparados e nenhum colocaria a vida dela em perigo. Acho que ficarás surpreendida com a maneira como ela já envolveu todos com aqueles dedos pequeninos. Aconteça o que acontecer, a Renesmee está em perfeita segurança.

O desejo intenso de a ver, de compreender aquele tom de adoração que sentia na voz de Edward, pôs um fim à minha paralisia. E dei um passo em frente.

De imediato, deparei-me com Jacob à minha frente, apresentando o rosto contorcido numa máscara de aflição.

– Tens a certeza, sugador de sangue? – perguntou a Edward, num tom quase suplicante. Nunca o vira falar-lhe daquela maneira. – Não estou a gostar disto. Talvez devêssemos esperar...

– Já fizeste o teu teste, Jacob.

O teste era de Jacob?

– Mas... – começou este.

– Mas, nada – retorquiu Edward, repentinamente exasperado. – A Bella precisa de ver a *nossa* filha. Sai da frente.

Jacob lançou-me um olhar estranho, meio desvairado, e deu meia-volta, ultrapassando-nos, para se lançar na direcção da casa quase em passo de corrida.

Edward deixou escapar um grunhido.

Não estava a perceber nada do conflito que os dividia, mas também não podia prestar-lhe atenção. Naquele momento, apenas pensava na imagem esborratada da criança na minha memória, lutando contra essa imprecisão e tentando recordar os seus contornos precisos.

– Vamos? – convidou Edward, de novo com uma voz meiga.

Assenti com a cabeça, cheia de nervosismo.

Ele agarrou-me pela mão, com firmeza, e conduziu-me rumo à casa.

Estavam todos à minha espera, numa fileira sorridente, que me pareceu simultaneamente de boas-vindas e de defesa. Rosalie mantinha-se alguns passos mais para trás, junto à porta da frente. Estava sozinha, até Jacob se aproximar dela, colocando-se à sua frente, mais perto do que seria normal. Reparei que aquela proximidade era desconfortável para ambos, parecendo-me que a encaravam com alguma tensão.

Nos braços de Rosalie, um pequeno ser inclinava-se para a frente, espreitando por cima de Jacob. De imediato, concentrei aí uma atenção absoluta – cada um dos meus pensamentos – como nunca o fizera com ninguém desde que tinha aberto os olhos pela primeira vez.

– Estive apenas inconsciente durante dois dias? – perguntei, sobressaltada, sem querer acreditar.

A criança desconhecida que Rosalie tinha ao colo apresentava ter semanas de idade, para não dizer meses. Talvez tivesse o dobro do tamanho do bebé da minha memória de sombras, parecendo manter com facilidade as costas direitas, enquanto se estendia para mim. O cabelo acobreado e brilhante caía-lhe em caracóis, ultrapassando a altura dos ombros. Os olhos castanhos achocolatados fitavam-me com uma expressão atenta, que em nada tinha que ver com a de uma criança; era uma expressão madura, vigilante e inteligente. Levantou a mão na minha direcção, por uns momentos, e depois retirou-a pousando-a no pescoço de Rosalie.

Se não reconhecesse a beleza e a perfeição espantosas daquele rosto, não teria acreditado que era a mesma criança. A minha filha.

Edward estava ali presente, naquelas feições, e eu, na cor dos olhos e das faces. Até havia um pouco de Charlie nos caracóis espessos, embora a tonalidade do cabelo fosse igual à do pai. Ela tinha de ser nossa. Algo incrível, mas verdadeiro, em todo o caso.

O facto de ver aquela pequena criatura inesperada não a tornou mais real; pelo contrário, pareceu-me ainda mais fantástica.

Rosalie acariciou a mãozinha pousada sobre o seu pescoço, murmurando:

– Sim, é ela.

Os olhos de Renesmee suspenderam-se em mim. A seguir, tal como tinha acontecido segundos após o seu nascimento violento, sorriu-me. Um instante resplandecente, revelando uns dentes brancos, pequenos e perfeitos.

Senti a cabeça a andar à roda e ensaiei um passo hesitante na sua direcção.

Todos se moveram muito depressa.

Emmett e Jasper surgiram à minha frente, lado a lado, de mãos erguidas. Edward susteve-me pelas costas, apertando-me de novo a parte superior dos braços. Até Carlisle e Esme avançaram, para ladear Jasper e Emmett, enquanto Rosalie recuava para a porta, envolvendo Renesmee nos braços. Jacob deslocou-se simultaneamente, mantendo a atitude protectora em frente das duas.

Alice foi a única que permaneceu no mesmo lugar.

– Ah, dêem-lhe o benefício da dúvida – afirmou ela, num tom de censura. – A Bella não ia fazer nada. Se fossem vocês, também a quereriam ver mais de perto.

Ela tinha razão. Eu exercia um controlo completo sobre mim e sentia-me preparada para tudo o que pudesse acontecer; em particular para um odor obsessivamente insistente, à semelhança do cheiro humano da floresta. Mas a tentação que tinha à minha frente não era comparável. No odor de Renesmee havia um equilíbrio perfeito entre o perfume mais fragrante e a comida mais deliciosa. Ela tinha o cheiro suficientemente doce a vampiro para compensar qualquer excesso de essência humana.

Seria capaz de lidar com a situação. Tinha a certeza.

– Estou bem – garanti, dando uma palmada suave na mão que Edward pousava sobre o meu braço. A seguir, hesitei. – Fica junto de mim, só para prevenir – acrescentei.

Jasper fixou-me atentamente, de olhos semicerrados. Percebi que ele avaliava o meu estado emocional, pelo que me esforcei por exibir o máximo de serenidade. Senti Edward a libertar-me os braços, depois de receber o consentimento do irmão. No entanto, embora Jasper estivesse ciente de tudo o que se passava, pareceu-me ainda identificar alguma insegurança da minha parte.

Ao ouvir a minha voz, a criança, demasiado consciente, debateu-se nos braços de Rosalie, esticando-se na minha direcção. De certa maneira, a expressão dela conseguiu revelar alguma impaciência.

– Jazz, Em, deixem-nos passar. A Bella está controlada.

– Edward, há um risco... – contrapôs Jasper.

– Que é mínimo – interrompeu Edward. – Ouve, Jasper, durante a caçada ela apanhou o cheiro de uns montanhistas que estavam no sítio errado à hora errada...

Senti Carlisle a reprimir a respiração de sobressalto, enquanto uma expressão de ansiedade e de empatia era espelhada no rosto de Esme. Jasper arregalou os olhos, mas limitou-se a acenar levemente com a cabeça, como se as palavras de Edward facultassem a resposta a uma questão que tinha na cabeça. Ao mesmo tempo, Jacob contraiu a boca num trejeito de repulsa. Emmett encolheu os ombros, mas Rosalie pareceu-me menos preocupada que ele, tentando serenar a criança que se debatia nos seus braços.

A reacção de Alice provou-me que ela não se deixava iludir com tanta facilidade. Fitava a minha camisa emprestada com uma intensidade flamejante no seu olhar atento, parecendo mais preocupada com o que eu fizera ao vestido do que com qualquer outra coisa.

– Edward – exclamou Carlisle, em tom de censura. – Como pudeste distrair-te assim?

– Eu sei, Carlisle, eu sei. Foi de uma irresponsabilidade tremenda. Deveria ter demorado mais a confirmar que estávamos numa área segura, antes de a deixar à vontade.

– Edward – balbuciei, intimidada com a atenção que todos me dirigiam. Parecia que tentavam discernir um vermelho ainda mais vivo nos meus olhos.

– O Carlisle tem toda a razão em repreender-me, Bella – afirmou Edward, com um esgar. – Eu cometi um erro colossal e o facto de seres mais forte que qualquer outro que conheço não muda nada.

Alice revirou os olhos.

– Que piada tão refinada, Edward.

– Não é piada. Ia explicar ao Jasper porque é que sei que a Bella consegue controlar a situação. Não tenho a culpa de que todos tenham tirado conclusões precipitadas.

– Espera aí – exclamou Jasper, surpreendido. – A Bella não caçou os humanos?

– Começou por tentar fazê-lo – contou Edward, nitidamente satisfeito, enquanto eu rangia os dentes. – A Bella estava totalmente concentrada na caçada.

– Então, o que é que aconteceu? – interpôs-se Carlisle. De repente, os olhos dele iluminaram-se, exibindo um sorriso de espanto que se desenhava no seu rosto. Aquela reacção fez-me regressar ao momento em que ele me pedira mais pormenores sobre a minha transformação. A emoção de novos conhecimentos.

Edward inclinou-se, entusiasmado.

– Quando a Bella me sentiu atrás dela, reagiu de uma forma defensiva. Libertou-se imediatamente daquele instinto, assim que a minha perseguição a desconcentrou. Nunca vi nada igual. Ela percebeu o que estava a acontecer e então... susteve a respiração e fugiu.

– Uau – exclamou Emmett. – A sério?

– O Edward não está a contar exactamente o que sucedeu – balbuciei, ainda mais envergonhada. – Ele omitiu a parte em que eu lhe rosnei.

– Aplicaste-lhe uns golpes valentes? – lançou Emmett, avidamente.

– Não! É claro que não.

– Não fizeste isso? Não o atacaste a sério?

– Emmett! – protestei.

– Ah! Que desperdício – resmungou ele. – Aí estás tu, a única pessoa que o podia levar à certa, já que Edward não pode entrar na tua cabeça e fazer batota, além de que ainda dispunha da desculpa perfeita. – Soltou um suspiro. – Ando *morto* de ansiedade para ver como ele consegue sobreviver sem esse trunfo.

Lancei-lhe um olhar furioso e glacial.

– Nunca irás ver.

Nesse preciso momento, reparei que Jasper me olhava de sobrolho franzido, mais apreensivo que nunca.

Edward deu-lhe um murro ao de leve no ombro, num gesto de brincadeira.

– Estás a ver o que eu queria dizer?

– Não é natural – resmoneou ele.

– Ela podia ter-se voltado contra ti. A Bella ainda só viveu umas horas! – repreendeu Esme, levando a mão ao coração. – Oh, nós devíamos ter ido com vocês.

Depois de Edward contar a parte mais emocionante da história, eu deixara de lhe prestar tanta atenção. Na altura, fitava intensamente a criança deslumbrante que se encontrava junto à porta, e que também olhava para mim. Ela estendeu-me as mãos pequeninas e cheias de covinhas, como se soubesse exactamente quem eu era. Ergui as minhas, de imediato, fazendo o mesmo gesto.

– Edward – disse então, inclinando-me sobre Jasper, para a ver melhor. – Posso, por favor?

Jasper manteve os dentes cerrados, sem se mover um milímetro.

– Jazz, a situação não corresponde a nada que alguma vez tenhas visto – sublinhou Alice, em voz baixa. – Confia em mim.

Os dois trocaram um olhar, por breves instantes, e Jasper anuiu, com um aceno de cabeça. Afastou-se do meu caminho, mas pousou-me a mão no ombro e acompanhou-me, à medida que eu avançava.

Pensei cada passo antes de o dar, analisando o meu estado de espírito, a ardência na garganta e a posição dos outros em meu redor. A força que exerceria perante a deles, caso fosse necessário controlarem-me.

Foi um andamento bastante lento.

Enquanto isso, a criança que Rosalie tinha nos braços, a espernear e a esticar-se, com uma expressão cada vez mais impaciente, soltou um vagido agudo e vibrante. Todos reagiram como se nunca tivessem ouvido a sua voz, o que era apenas o meu caso.

Num segundo, Renesmee foi rodeada por uma multidão, que me deixou isolada e petrificada no mesmo sítio. O som daquele pranto trespassava-me, não me deixando mover. Os olhos ardiam-me de uma maneira estranha, como se as lágrimas lutassem por sair.

Parecia que cada um tinha uma mão em cima dela, a mimá-la e a apaziguá-la. Todos, menos eu.

– O que se passa? Ela está doente? O que aconteceu?

A voz de Jacob era a mais estridente, fazendo-se ouvir sobre as outras, num tom ansioso. Comecei por ficar apavorada ao vê-lo estender os braços para Renesmee e, depois, o meu horror ultrapassou todos os limites, quando Rosalie a passou para os braços dele sem resistir.

– Não, ela está bem – garantiu-lhe.

Rosalie estava a tranquilizar Jacob?

Renesmee foi para o colo de Jacob com bastante à-vontade, pressionando o punho minúsculo contra o peito dele, para então se torcer e esticar-se de novo para mim.

– Estás a ver? – insistiu Rosalie. – Ela só quer a Bella.

– Ela quer-me a mim? – murmurei.

Os olhos da criança – os meus olhos – observavam-me com impaciência.

Edward avançou rapidamente para junto de mim, colocando-me as mãos sobre os braços com suavidade e impelindo-me para a frente.

– Ela está à tua espera, há praticamente três dias – confirmou-me.

Naquele momento, a distância que nos separava era muito reduzida. Senti o corpo da criança a estremecer em correntes de calor que se estendiam até mim.

Ou talvez fosse Jacob que tremia. Ao chegar-lhe mais próximo, reparei-lhe nas mãos trémulas. No entanto, apesar daquela ansiedade tão óbvia, o rosto dele revelava uma expressão muito serena, como não lhe via há muito.

– Jake, eu estou bem – afirmei. Senti-me à beira do pânico, vendo Renesmee a ser agarrada por aquelas mãos a tremer; mas esforcei-me por manter a serenidade.

Jacob franziu-me o sobrolho, de olhos semicerrados, como se estivesse a passar pelo mesmo momento de pânico, ao imaginar a criança nos meus braços.

Ela choramingava ansiosa e esticava-se, agitando sem cessar os punhos minúsculos.

Nesse preciso momento, alguma coisa encaixou no respectivo lugar. O som do choro, a familiaridade dos olhos, a forma como ela parecia aguardar o nosso encontro com uma impaciência maior que a minha – tudo se encaixou num padrão lógico, enquanto a criança lançava as mãos ao ar que nos separava. De súbito, Renesmee era absolutamente real e é claro que eu a conhecia. Foi perfeitamente natural dar aquele último e simples passo. Peguei nela, coloquei as mãos no sítio onde se ajustariam melhor, enquanto a puxava ternamente para mim.

Jacob estendeu os seus braços compridos, permitindo-me que a aninhasse no meu corpo, sem a soltar. Quando a pele das duas se tocou, vi-o a estremecer ligeiramente. E a pele dele, outrora cálida e agradável, surgia quase como uma chama ardente. Tinha praticamente a mesma temperatura de Renesmee, talvez apenas com um ou dois graus de diferença.

A minha filha parecia não se aperceber da frialdade da minha pele ou, então, já estaria habituada a senti-la.

Ergueu os olhos e voltou a sorrir-me, revelando-me uns pequenos dentes simétricos, a par de duas covinhas nas faces. Então, num gesto cheio de voluntarismo, tocou-me no rosto.

No instante em que o fez, todas as mãos pousadas sobre mim se crisparam, antecipando a minha reacção. Mal dei por isso.

Nesse momento, observava, surpreendida, a imagem estranha e alarmante que me enchia a mente, deixando-me sufocada e receosa. Senti aquela memória com muita intensidade – ao vê-la com os meus olhos e também em pensamento –, embora ela me fosse totalmente desconhecida. Olhei através dessa memória para o rosto expectante de Renesmee, na tentativa de compreender o que se passava e lutando tenazmente por manter a calma.

Além de chocante e desconhecida, aquela imagem tinha algo de errado – quase me reconhecia ali, com a minha cara de antigamente; mas esta apresentava-se deslocada, como se estivesse virada ao contrário. Percebi de imediato que aquele era o meu rosto visto pelos olhos dos outros, sendo a antítese de quando o via reflectido.

A cara da minha memória estava distorcida, devastada, coberta de suor e de sangue. Apesar disso, a expressão da minha visão abria-se num sorriso de adoração, com os meus olhos castanhos a brilhar sobre as pupilas profundas. A imagem ampliou-se, com o meu rosto a aproximar-se de um ponto de visão privilegiado e invisível, para então desaparecer de súbito.

Renesmee tirou a mão da minha face e o seu sorriso alargou-se ainda mais, surgindo-lhe de novo covinhas no rosto.

Na sala, tudo se mantinha em silêncio; à excepção dos dois corações a bater. Além de Jacob e Renesmee, ninguém tentava respirar. O silêncio prolongou-se; parecia que todos aguardavam que eu dissesse algo.

– O que... foi... aquilo? – consegui proferir, com a voz sufocada.

– O que viste? – perguntou Rosalie com curiosidade, espreitando ao lado de Jacob que, naquele momento, parecia estar ali a mais e desenquadrado do contexto. – O que é que ela te mostrou?

– Ela mostrou-me aquilo? – murmurei.

– Eu disse-te que era difícil de explicar – recordou Edward, ao meu ouvido. – Mas trata-se de algo real em termos de comunicação.

– O que foi? – perguntou Jacob.

Pestanejei rapidamente e repetidas vezes.

– Hum. Eu. Acho que era isso. Só que eu tinha um aspecto terrível.

– É a única memória que ela guarda de ti – explicou Edward. Era evidente que ele acedera ao que Renesmee me mostrara. Ao reviver aquela recordação, ele tremia, falando com a voz rouca. – Ela está a comunicar-te que estabeleceu a ligação e que sabe quem és.

– Mas como é que o faz?

A minha filha parecia não dar pela minha expressão de espanto. Naquele momento, sorria levemente e puxava-me uma madeixa de cabelo.

– Como é que eu ouço os pensamentos? Como é que a Alice vê o futuro? – retorquiu Edward, retoricamente, encolhendo os ombros a seguir. – Ela tem um dom.

– É uma reviravolta interessante – comentou Carlisle. – Parece que ela tem um dom exactamente oposto ao teu.

– Interessante – concordou este. – Pergunto-me...

Apercebi-me que os dois começariam a tecer conjecturas; mas não me importei. Nesse instante, olhava para o rosto mais belo do mundo. Sentia-a quente nos meus braços, recordando o momento em que as trevas quase tinham ganho, quando não havia mais nada no mundo a que me pudesse agarrar. Nada bastante forte para me arrancar àquela sensação tenebrosa de ser esmagada. Tratara-se do momento em que tinha pensado em Renesmee, encontrando algo que nunca haveria de largar.

– Eu também me lembro de ti – disse-lhe baixinho.

Pareceu-me muito natural inclinar-me e pousar-lhe os lábios na testa. Ela tinha um odor maravilhoso. O aroma da sua pele deixava-me a garganta a arder, mas era fácil esquecê-lo e não interferia com a alegria do momento. Renesmee era real e eu conhecia-a. Era por quem tinha lutado desde o princípio. O meu pequeno vulto, aquele ser que também me tinha amado no interior do meu corpo. A metade de Edward, perfeita e adorável. E a minha metade – o que, de uma forma espantosa, a tornava melhor e não pior.

A razão estivera sempre ao meu lado. E tinha valido a pena lutar por ela.

– Ela está bem – murmurou Alice, talvez para Jasper. Sentia--os a pairar sobre mim, desconfiados.

– Não experimentámos o suficiente para um dia? – perguntou Jacob, com a voz a elevar-se uma oitava, devido ao stresse. – Excelente, a Bella está a portar-se bem, mas é melhor não forçar além do razoável.

Fulminei-o com o olhar, completamente furiosa. Jasper arrastou os pés pouco à vontade, aproximando-se de mim. Encontrávamo-nos tão amontoados, que cada movimento adquiria grandes proporções, por mais pequeno que fosse.

– Qual é o teu problema, Jacob? – questionei-o. Resisti à pressão com que ele segurava Renesmee, o que apenas o fez aproximar-se mais. Quase que nos comprimíamos um contra o outro, separados apenas pelo corpo de Renesmee, que tocava no peito dos dois.

Edward dirigiu-se a Jacob num tom sibilante.

– Só porque eu compreendo a situação, isso não significa que não te ponha na rua, Jacob. A Bella está a portar-se incrivelmente bem. Não lhe estragues o momento.

– Eu ajudo-o a pôr-te fora daqui, ó rafeiro – assumiu Rosalie, a ferver. – Fiquei-te a dever um bom pontapé nessa pança. – Parecia óbvio que aquela relação não tinha mudado, a não ser para pior.

Fixei intensamente a expressão ansiosa e algo irada de Jacob e distingui o olhar dele ainda preso ao rosto de Renesmee. Com o resto da família a juntar-se, parecia que ele tocava pelo menos em seis vampiros ao mesmo tempo e que isso não o afectava.

Jacob estava realmente a passar por tudo isto, só para me proteger de mim? O que teria acontecido durante a minha transformação – a minha mudança em algo que ele odiava –, que o levasse a transigir assim, na expectativa de aprender o motivo de tal necessidade?

Dei voltas à cabeça, observando-o a contemplar a minha filha. A fitá-la como... um cego que vê o Sol pela primeira vez.

– *Não!* – exclamei, sufocada.

Jasper cerrou os dentes e Edward passou-me os braços em redor do peito, com a força de duas cascavéis. Nesse segundo, Jacob tirava-me Renesmee dos braços, sem que eu a tentasse reter. Porque sentia que ela estava a chegar. A investida que todos esperavam.

– Rose – disse por entre dentes, devagar e articulando as palavras. – Leva a Renesmee.

Rosalie estendeu os braços e Jacob passou-lhe a minha filha. A seguir, ambos recuaram.

– Edward, eu não te quero magoar, por isso solta-me.

Ele ficou hesitante.

– Põe-te à frente da Renesmee – sugeri-lhe.

O facto de seguir um momento de reflexão, libertou-me.

Curvei-me na minha posição de ataque e dei dois passos lentos em direcção a Jacob.

– Tu não fizeste isso – rosnei-lhe.

Jacob recuou, de mãos erguidas e tentando chamar-me à razão.

– Sabes que é uma coisa que não consigo controlar.

– Seu sabujo nojento! Como foste capaz? A minha bebé!...

Naquele momento, enquanto eu o acossava, ele já ultrapassara a porta da frente e descia as escadas quase a correr.

– A ideia não foi minha, Bella!

– Eu segurei-a ao colo apenas uma vez e tu já me vens com essas reivindicações de lobo atrasado mental? Ela é minha!

– Eu posso partilhar – afirmou Jacob, num tom suplicante, recuando sobre o relvado.

– Agora, paga-me o que deves – ouvi Emmett a dizer atrás de mim. Uma parte ínfima do meu cérebro interrogou-se sobre quem teria apostado que tal iria suceder. Mas não me detive a pensar mais nisso. Sentia-me demasiado enraivecida.

– Como te atreveste a marcar a minha bebé? Perdeste a cabeça?

– Foi involuntário! – insistiu ele, acolhendo-se junto às árvores.

Nesse preciso momento, Jacob deixou de estar só. Os dois enormes lobos reapareceram, posicionando-se um em cada flanco. Leah cerrou os dentes e observou-me.

Um rugido terrível disparou através dos meus dentes em direcção a ela. O som perturbou-me, mas não o suficiente para me deter.

– Bella, podes tentar ouvir-me por um segundo? Por favor? – implorou Jacob. – Leah, vai para trás! – acrescentou.

Leah arreganhou-me os dentes e não se moveu.

– Ouvir-te para quê? – retorqui-lhe, num tom sibilante. A fúria reinava na minha cabeça, ensombrando tudo em redor.

– Porque foste tu quem me disse isto. Lembras-te? Disseste que as nossas vidas estavam ligadas, não foi? Que éramos uma família. E que era assim que tu e eu devíamos ser. Por isso... agora é assim que somos. Era o que tu querias.

Lancei-lhe um olhar de cólera. Realmente, tinha uma vaga recordação daquelas palavras. Só que a agilidade da minha nova mente colocava-me dois passos à frente desse disparate.

– Estás a pensar que vais fazer parte da minha família, como meu genro! – atirei-lhe aos guinchos. A minha voz de sino elevou-se duas oitavas, continuando a soar como uma melodia.

Emmett soltou uma gargalhada.

– Detém-na, Edward – murmurou Esme. – Ela vai sentir-se infeliz se o magoar.

Mas não senti ninguém atrás de mim.

– Não! – insistiu Jacob ao mesmo tempo. – Como podes encarar as coisas assim? Ela é apenas um bebé, com os diabos!

– É por isso que o digo! – berrei.

– Tu sabes que não olho para ela dessa maneira! Achas que o Edward me tinha deixado vivo, se assim fosse? Tudo o que eu quero é que ela viva feliz em segurança. Isso é assim tão ruim? É muito diferente daquilo que queres? – Jacob gritava-me no mesmo tom.

Lancei-lhe um rugido agudo, mais forte que as palavras.

– Ela é espantosa, não é? – ouvi Edward a murmurar.

– Não chegou a saltar-lhe para a garganta, nem uma só vez – concordou Carlisle, num tom estupefacto.

– Está bem, desta vez ganharam – resmungou Emmett.

– Vais ficar longe dela – disse para Jacob, com a voz sibilante.

– Não posso fazer isso!

Por entre dentes:

– Tenta. A partir de agora.

– Não é possível. Lembras-te como desejavas tanto que estivesse ao pé de ti, há três dias? Como era difícil afastarmo-nos um do outro? Já te esqueceste?

Fulminei-o com o olhar, sem perceber onde queria chegar.

– Era ela – insistiu Jacob. – Desde o princípio. E nessa altura, tínhamos de ficar juntos.

Recordei e então entendi, perante a explicação daquela loucura a aliviar uma pequena parte de mim. Mas, por outro lado, aquele alívio só me punha mais furiosa. Será que Jacob esperava que isso me bastasse? Que aquela pequena clarificação me fizesse aceitar tudo?

– Corre enquanto é tempo – ameacei-o.

– Vá lá, Bells! A Nessie também gosta de mim – insistiu Jacob.

Fiquei gelada. Deixei de respirar. Atrás de mim, no silêncio absoluto, percebi a reacção ansiosa de todos.

– O que é que... lhe chamaste?

Jacob recuou um passo, simulando um certo acanhamento.

– Bom – balbuciou –, aquele nome que lhe arranjaste é um palavrão e ...

– Tu inspiraste-te no monstro de Loch Ness para dar uma alcunha à minha filha? – guinchei.

E, então, saltei-lhe para a garganta.

Vinte e Três

MEMÓRIAS

– Sinto muito, Seth. Deveria ter estado mais perto.

Edward continuava a pedir desculpa e eu não achava que fosse justo ou apropriado. Afinal de contas, não tinha sido Edward a perder a cabeça, de uma maneira indesculpável. Nem a tentar arrancar o pescoço a Jacob – que nem se transformara para se proteger –, para depois partir o ombro e a clavícula de Seth inadvertidamente, quando este se meteu no meio. Nem sequer estivera prestes a matar o seu melhor amigo.

Não é que não houvesse pequenas coisas a ajustar com esse melhor amigo mas, obviamente, nada que Jacob tivesse feito justificava o meu comportamento.

Então, não deveria ser eu a pedir desculpa? Tentei uma outra vez.

– Seth, eu...

– Não te preocupes com isso, Bella – interrompeu-me Seth, ao mesmo tempo que Edward dizia:

– Bella, meu amor, ninguém te está a julgar. Tu estás a portar-te muito bem.

Ainda não era desta que me deixavam terminar a frase.

E era ainda pior ver que Edward quase não conseguia esconder um sorriso. Eu sabia que Jacob não merecia a minha reacção intempestiva, mas Edward parecia encontrar nela algo que o deixara satisfeito. Talvez só desejasse dispor da desculpa de ser um recém-nascido para descarregar, também, a sua irritação sobre Jacob de uma forma física.

Tentei apagar a cólera do meu sistema, mas era difícil, sabendo que naquele preciso momento Jacob estava lá fora com Renesmee. Defendendo-a de mim, a recém-nascida enlouquecida.

Carlisle ajustou uma outra parte da tala ao braço de Seth, fazendo-o estremecer.

– Desculpa, desculpa! – balbuciei, sabendo que nunca conseguiria terminar a frase de arrependimento.

– Não entres em pânico, Bella! – disse Seth, dando-me umas palmadinhas no joelho com a mão boa, enquanto Edward me esfregava o braço do outro lado.

Seth parecia não ter receio de me ver sentada ao seu lado no sofá, enquanto Carlisle o tratava.

– Daqui a meia hora já devo estar bem – acrescentou, continuando a bater-me suavemente no joelho, como se não o sentisse duro e gelado. – Qualquer um teria feito o mesmo, ao saber do Jack e da Ness... – e interrompeu-se a meio da palavra, mudando rapidamente de assunto. – Quero dizer, pelo menos não me mordeste ou algo do género. Isso teria sido horrível!

Escondi o rosto entre as mãos, estremecendo só de pensar e de imaginar essa possibilidade. Poderia ter acontecido com toda a facilidade. E, conforme agora sabia, os lobisomens não reagiam ao veneno dos vampiros da mesma maneira que os humanos. Para eles, esta peçonha era funesta.

– Sou uma pessoa má.

– Claro que não és. Eu devia ter... – começou Edward.

– Pára com isso! – pedi-lhe, com um suspiro. Não queria que ele assumisse as culpas, como sempre o fazia em relação a tudo.

– É uma sorte, a Ness... a Renesmee não ter veneno – afirmou Seth, cortando um segundo de silêncio constrangedor. – Porque ela passa a vida a morder o Jake.

Deixei cair as mãos.

– Ela morde-o?

– Claro. Sempre que ele ou a Rose demoram a levar-lhe a comida à boca; a Rose acha-lhe imensa graça.

Fiquei a observá-la, surpreendida e com alguns remorsos, pois tinha de admitir que aquilo me agradava de uma forma levemente arrogante.

É claro que já sabia que Renesmee não era venenosa. Tinha sido a primeira pessoa a ser mordida por ela. Não fiz a observação em voz alta, para manter a versão de que perdera a memória de tais acontecimentos recentes.

– Bom, Seth – disse Carlisle, endireitando-se e afastando-se um pouco –, acho que é tudo o que posso fazer. Tenta ficar imóvel durante, hum, duas ou três horas, penso eu. – E soltou um riso abafado. – Quem me dera que o tratamento dos humanos fosse tão gratificante. – E pousou a mão, por alguns instantes, no cabelo preto de Seth. – Não te mexas – ordenou-lhe, desaparecendo pelas escadas acima. Ouvi a porta do escritório a fechar-se, perguntando-me se já teriam removido os sinais da minha passagem por lá.

– Acho que consigo ficar sentado e quieto durante algum tempo – considerou Seth, depois de Carlisle se ir embora e bocejando intensamente. A seguir, e tendo o cuidado de manter o ombro imóvel, encostou a cabeça às costas do sofá e fechou os olhos. Segundos depois, a sua boca já pendia inerte.

Franzi o sobrolho durante um minuto, a observar aquele rosto tranquilo. Tal como Jacob, Seth parecia ter o condão de adormecer no instante em que decidia fazê-lo. Levantei-me, sabendo que durante algum tempo não poderia desculpar-me mais uma vez. O meu movimento não agitou o sofá nem um pouco. Todos os actos físicos eram muito fáceis. Contudo, em relação ao resto...

Edward seguiu-me até às janelas das traseiras e pegou na minha mão.

Leah marchava ao longo do rio, parando aqui e além a observar a casa. Era fácil identificar quando estava à procura do irmão ou à minha. Ia alternando entre olhadelas ansiosas e olhares mortíferos.

Ouvi Jacob e Rosalie no exterior da casa, nos degraus de entrada, a implicarem um com o outro em voz baixa, discutindo sobre quem iria dar a comida a Renesmee. A relação entre os dois mantinha-se tão antagónica como sempre; agora, o único ponto em que ambos estavam de acordo era o facto de ter de ficar afastada da minha filha, até recuperar a cem por cento do acesso de fúria. Edward opusera-se ao veredicto, mas eu tinha acedido. Também gostaria de me sentir cem por cento segura. No entanto, estava apreensiva, ao pensar que os meus cem por cento e os deles poderiam constituir valores muito diferentes.

Além da querela dos dois, da respiração lenta de Seth e do passear entediante de Leah, tudo estava muito tranquilo. Emmett, Alice e Esme andavam a caçar. Jasper deixara-se ficar para me vigiar. Naquele momento, permanecia atrás do pilar das escadas, na tentativa de tornar a sua posição o mais discreta possível.

Aproveitei a serenidade daqueles momentos para pensar no que tinha ouvido, enquanto Carlisle colocava a tala no braço de Seth. Os dias passados no processo de combustão tinham-me feito perder muita coisa e o relato de Edward e de Seth fora a primeira oportunidade de ficar a par dos acontecimentos.

Entre eles, o principal assunto era o final da contenda com a alcateia de Sam – razão pela qual os outros se sentiam de novo seguros para sair e entrar sempre que lhes apetecesse. As tréguas estavam mais fortalecidas que nunca; ou mais compulsivas, supunha eu; dependia do ponto de vista.

Compulsivas, porque a lei mais irrefutável de todas as alcateias determinava que nenhum lobo podia matar o objecto da marcação de outro lobo, independentemente do caso. A punição de tal acto era devastadora para todos os membros do grupo. Não havia qualquer perdão para a infracção, quer fosse premeditada ou acidental, e os lobos envolvidos não teriam outra opção senão a de lutar até à morte. De acordo com o que Seth me contara, tinha acontecido um caso semelhante há muito tempo, mas não passara de um acidente. Nenhum lobo iria destruir um irmão num acto premeditado.

Sendo assim, e com base na relação de Jacob com Renesmee, esta tornava-se intocável. Tentei concentrar-me no alívio que tal me levava a sentir, em vez do desgosto, de qualquer modo não era nada fácil. A minha mente tinha espaço suficiente para sentir ambas as emoções com intensidade, e em simultâneo.

E Sam também não podia enfurecer-se com a minha transformação, porque Jacob – no uso da palavra como o Alfa legítimo – a autorizara. Angustiava-me constatar, vezes e vezes sem conta, o quanto devia a Jacob, no momento em que o que mais desejava era estar furiosa com ele.

Redireccionei os meus pensamentos deliberadamente, para poder controlar as emoções. Entretanto, pensei num outro fenómeno interessante: embora o silêncio entre as duas alcateias se prolongasse, Jacob e Sam tinham descoberto que os alfas conseguiam comunicar entre si enquanto estivessem na fase de lobo. Todavia, a situação era diferente; eles já não podiam ouvir todos os pensamentos, conforme acontecia antes da cisão. Era mais como se falassem em voz alta, explicara Seth. Sam só podia ouvir os pensamentos que Jacob entendesse partilhar e vice-versa. Ao descobrirem que também podiam comunicar à distância, a comunicação entre os dois ter-se-ia restabelecido.

Essa realidade só foi constatada, quando Jacob partiu sozinho ao encontro de Sam – apesar das objecções de Seth e de Leah – para lhe explicar o que sucedera com Renesmee; era o primeiro momento em que a deixava, desde que a vira pela primeira vez.

Ao compreender que tudo tinha mudado de forma absoluta, Sam regressara com Jacob, para os dois falarem com Carlisle. Tinham conversado sob a forma humana (Edward recusara-se a sair do meu lado, para fazer a tradução) e o acordo fora renovado. Contudo, a parte amistosa da relação poderia nunca mais ser a mesma.

Um problema a menos.

Mas havia outro que, embora não fosse tão perigoso do ponto de vista físico como uma alcateia de lobos enfurecida, continuava a ser mais urgente para mim.

Charlie.

No início dessa manhã, ele estivera a falar com Esme. Mas isso não o impedira de ligar de novo, duas vezes seguidas, enquanto Carlisle estava a tratar de Seth. Tanto ele como Edward tinham deixado o telefone tocar, sem atender.

O que se lhe poderia dizer? Será que os Cullen estavam a agir da melhor maneira? Dizer-lhe que morrera, seria a melhor solução e a menos dolorosa? Conseguiria permanecer deitada num caixão, sem me mover, enquanto ele e a minha mãe choravam ao meu lado?

Nada daquilo me parecia justo. Só que colocar Charlie e Renée em perigo, por causa da obsessão dos Volturi com o segredo, estava totalmente fora de questão.

Continuava a meditar na minha ideia: deixar Charlie ver-me, quando estivesse preparada para isso e, então, deixá-lo retirar as suas próprias conclusões. Do ponto de vista prático, as leis dos vampiros não seriam violadas. E não seria melhor para Charlie saber que eu estava viva – mais ou menos – e feliz? Mesmo que ele achasse a sua filha estranha e diferente, e, provavelmente, assustadora?

Os meus olhos, em particular, eram bastantes assustadores naquele momento. Quanto tempo levaria a recuperar a cor e o autocontrolo para poder enfrentar Charlie?

– O que se passa, Bella? – interpelou Jasper, serenamente, ao distinguir a tensão crescente dentro de mim. – Ninguém está zangado contigo – uma rosnadela grave vinda da margem do rio contrariou aquela afirmação, mas ele ignorou-a – ou mesmo surpreendido, para ser franco. Bom, acho que o facto de teres conseguido controlar-te tão depressa até nos surpreendeu. Tiveste uma atitude equilibrada e melhor do que alguém conseguiria imaginar.

Enquanto ele falava, a sala ficou muito calma. A respiração de Seth deslizou para um ressonar grave. E senti a paz a aumentar, embora continuasse presa às minhas ansiedades.

– Na verdade, estava a pensar no Charlie.

Lá fora, em frente à casa, as questiúnculas interromperam-se.

– Ah! – murmurou Jasper.

– Temos mesmo de sair daqui, não é? – perguntei-lhe. – No mínimo, durante algum tempo, fingindo que estamos em Atlanta ou algo do género.

Sentia o olhar de Edward fixo em mim; mas, nessa altura, eu olhava para Jasper e foi ele quem me respondeu, num tom grave.

– Sim. Essa é a única maneira de protegermos o teu pai.

Matutei no assunto por um momento.

– Vou sentir muito a falta dele. De resto, sentirei a falta de todos.

"De Jacob", não consegui deixar de pensar. Embora a falta insuportável que ele me fizera já estivesse esclarecida e, ao mesmo tempo, extinta, o que me aliviava bastante; de qualquer modo continuava a ser meu amigo. Alguém que me conhecia verdadeiramente e que me aceitara assim. Mesmo que eu fosse um monstro.

Reflecti no que ele me tinha dito, ao argumentar comigo antes de o atacar.

Disseste que as nossas vidas estavam ligadas, não foi? Que éramos uma família. E que era assim que tu e eu devíamos ser. Por isso... agora é assim que somos. Era o que tu querias.

No entanto, neste momento não sentia que esta situação fosse a que desejara. Havia algumas diferenças. Recuei no tempo, muito, até às memórias indistintas e frágeis da minha vida humana. Regressei à parte mais dolorosa – o tempo da ausência de Edward, tão sombrio que tentara enterrá-lo na minha mente. Não conseguia recordar as palavras exactas, apenas que desejara que Jacob fosse meu irmão, para não existir ambiguidade ou dor no amor que nos unia. Como se fôssemos uma família. Mas nunca previra incluir uma filha nessa equação.

Avancei um pouco mais no tempo, para uma das muitas vezes em que me despedira de Jacob e em que me interrogara em voz alta sobre quem ele iria arranjar para tirar o melhor partido da sua vida, depois do que lhe fizera. Fosse quem fosse, essa pessoa nunca seria suficientemente boa para ele, dissera-lhe na altura.

Exalei o ar com força, surpreendendo Edward, que olhou para mim em silêncio com um ar interrogativo. Limitei-me a abanar a cabeça.

No entanto, por muitas saudades que viesse a sentir do meu amigo, existia um outro problema ainda maior. Sam, Jared ou Quil alguma vez tinham passado um dia sem ver Emily, Kim e Claire, os alvos das suas fixações? Eles conseguiam fazê-lo? Como ia reagir Jacob ao separar-se de Renesmee? Isso levá-lo-ia a sofrer?

Dentro de mim, ainda havia o suficiente daquela ira caprichosa para me sentir satisfeita, não com o sofrimento dele mas face à ideia de o afastar a minha filha. Como é que ele esperava que eu reagisse à hipótese de Renesmee lhe pertencer, quando ela mal parecia pertencer-me?

Os meus pensamentos foram interrompidos pelo ruído de movimentos vindos da entrada. Eram Jacob e Rosalie que se levantavam para entrarem em casa. No mesmo instante, Carlisle desceu as escadas com as mãos a segurarem objectos estranhos: uma fita métrica, uma balança. Como se respondesse a qualquer sinal que me escapara. Até Leah se sentou lá fora, olhando através da janela com uma expressão que indicava esperar por algo não só conhecido, como também completamente desinteressante.

– Devem ser seis – afirmou Edward.

– Como? – proferi, com os olhos dirigidos a Rosalie, Renesmee, ao seu colo, e Jacob. Os três estavam no limiar da porta. Rose apresentava uma expressão desconfiada. Jacob, uma expressão incomodada. E Renesmee, apresentava uma expressão graciosa e impaciente.

– Está na altura de medir a Ness... hum, a Renesmee – informou Carlisle.

– Ah! Faz isso todos os dias?

– Quatro vezes ao dia – indicou Carlisle, com um ar indiferente, referindo aos outros que fossem para o sofá. Pareceu-me ver Renesmee suspirar.

– Quatro vezes? Todos os dias? Porquê?

– Ela está a crescer rapidamente – murmurou-me Edward, com um tom calmo e uma voz contida. Apertou-me a mão e passou-me o outro braço em volta da cintura, com firmeza, como se precisasse do meu apoio.

Os meus olhos continuavam fixos em Renesmee, a avaliar pela sua expressão.

A minha filha tinha uma aparência perfeita, completamente saudável. A sua pele brilhava como o alabastro em contraluz e a cor das bochechas levaria a pensar que estavam cobertas de pétalas cor-de-rosa. Não deveria haver nada de errado naquela beleza tão radiante. De certeza que não existiria nada mais perigoso na vida dela do que a própria mãe. Ou existia?

A diferença entre a criança que saíra de dentro de mim e a que encontrara há uma hora devia ser óbvia para todos. Já a diferença processada ao longo dessa hora era subtil e os olhos humanos jamais a teriam detectado. Mas ela estava ali.

O corpo era ligeiramente mais longo e um pouco mais delgado. O rosto já não estava tão arredondado, parecendo-me levemente mais oval. Os caracóis já ultrapassavam os ombros em mais meio centímetro. Ela debatia-se inutilmente nos braços de Rosalie, enquanto Carlisle ajustava a fita métrica a toda a sua altura, para depois lhe medir o diâmetro da cabeça. Não o vi tomar notas; a memória dele era perfeita.

Tive a percepção de que Jacob cruzava os braços sobre o peito com tanta firmeza como a que Edward aplicava naquele momento ao estreitar-me contra si. As sobrancelhas hirsutas do meu amigo encrespavam-se numa linha contínua sobre os olhos encovados.

No decurso de escassas semanas, Renesmee evoluíra de uma célula para um bebé normal, indicando que estaria a crescer tanto que começaria a andar dias depois de nascer. A manter-se aquela média de crescimento...

A minha mente de vampiro não tinha problemas com a Matemática.

– O que vamos fazer? – murmurei, horrorizada.

Edward apertou-me mais os braços. Ele tinha percebido onde eu queria chegar com a minha pergunta.

– Não sei.

– Está a abrandar – resmoneou Jacob, por entre dentes.

– Vamos precisar de a medir durante mais alguns dias, para estabelecermos um padrão, Jacob. Não posso garantir nada.

– Ontem, ela cresceu cinco centímetros. Hoje, foi menos.

– Por uma diferença de ligeiramente menos que um centímetro, se eu medi bem – salientou Carlisle, serenamente.

– Meça bem, doutor – pediu Jacob, com as palavras a soarem quase como uma ameaça. Rosalie entesou o corpo.

– Sabes que farei tudo o que me for possível – tranquilizou-o Carlisle.

Jacob suspirou.

– Acho que é tudo o que posso pedir.

Voltei a ficar irritada, com a sensação de que Jacob estava a roubar as minhas deixas, mencionando-as por mim.

Renesmee também me pareceu irritada. Começou a torcer-se e depois estendeu uma mão imperiosa em direcção a Rosalie. Esta inclinou-se, para a criança lhe tocar no rosto. Um segundo depois, suspirou.

– O que é que ela quer? – questionou Jacob, voltando a roubar-me a deixa.

– A Bella, é claro – esclareceu Rosalie, levando uma onda de calor a invadir-me por dentro.

– Como é que te sentes? – perguntou a seguir, olhando-me.

– Preocupada – confessei, e Edward abraçou-me com mais força.

– Todos estamos. Não era a isso que me referia.

– Eu estou controlada – garanti. Nesse momento, a sede estava muitas escalas abaixo na minha lista de prioridades. Além disso, Renesmee tinha um cheiro bom e nada sedutor em termos de alimento.

Jacob mordeu os lábios, mas não deu qualquer passo para impedir Rosalie quando esta passou Renesmee para os meus braços. Jasper e Edward permaneceram suspensos sobre mim, mas deram o seu consentimento. Vi Rose muito tensa e perguntei-me que sensações estaria Jasper a extrair da sala naquele momento. Ou concentrar-se-ia tanto em mim, que nem conseguia sentir os outros?

Renesmee esticou-se na minha direcção, com um sorriso deslumbrante a iluminar-lhe o rosto, ao mesmo tempo que eu me debruçava para ela. Depois, aninhou-se nos meus braços, como se fossem moldados apenas para a acolher, e colocou a mãozinha quente sobre a minha face.

Embora já estivesse preparada, ainda me sobressaltei ao aceder à memória, como se fosse uma visão na minha mente. Muito brilhante e colorida, mas completamente transparente.

Renesmee recordava a minha investida sobre Jacob, através do relvado em frente à casa, lembrando-se de como Seth se lançara para o meio dos dois. Vira e ouvira tudo com uma claridade absoluta. Não me parecia ser eu, aquele predador gracioso a saltar sobre a presa como uma flecha e a voar em arco, ao ser projectada. Tinha de ser outra pessoa. Isso fez-me sentir um pouco menos culpada ao ver Jacob ali parado, sem defesa, de braços erguidos à sua frente. As mãos não lhe tremiam.

Edward sorriu, ao percorrer comigo os pensamentos de Renesmee. E, a seguir, ambos estremecemos ao ouvirmos os ossos de Seth a estalar.

Renesmee esboçou o seu sorriso esplendoroso, enquanto a projecção da sua memória se mantinha focada no que sucedera a Jacob, durante a confusão que sucedera. A visão forneceu-me um novo sabor – não era bem protector, mas possessivo – enquanto ela olhava para Jacob. Tive a nítida impressão que a minha filha estava satisfeita por Seth se ter atravessado à minha frente. Ela não queria que Jacob se magoasse. Ele era dela.

– Ah, fantástico – exclamei, num tom plangente. – Perfeito.

– É só porque ele tem um sabor melhor que o nosso – garantiu-me Edward, com a contrariedade a endurecer-lhe a voz.

– Eu disse-te que ela também gostava de mim – provocou-me Jacob do outro lado da sala, com os olhos fixos em Renesmee. Senti a alegria dele meio toldada; a contracção tensa das sobrancelhas ainda não se desfizera.

Renesmee, já impaciente, roçou a mão pela minha face, solicitando a minha atenção. Outra memória: Rosalie passava, suavemente, uma escova por cada um dos seus caracóis. Era bom.

Carlisle e a sua fita métrica, sabendo já que teria de se esticar e ficar quieta. Não era interessante.

– Até parece que ela te vai proporcionar uma visita guiada por tudo o que perdeste – comentou Edward ao meu ouvido.

Franzi o nariz quando Renesmee me lançou a memória seguinte. O odor que se elevava de uma chávena de metal estranha – bastante dura para poder ser mordida com facilidade – projectou um fogo instantâneo na minha garganta. Uf!

Foi então que me apercebi que Renesmee já estava fora dos meus braços, agora presos atrás das costas. Não me debati contra Jasper, limitando-me a olhar para a expressão assustada de Edward.

– O que é que eu fiz?

Ele olhou para Jasper, atrás de mim, e voltou a fitar-me.

– Ela estava a recordar de ter sentido sede – argumentou, falando por entre dentes e enrugando a testa. – Estava a lembrar-se do sabor do sangue humano.

Os braços de Jasper pressionaram os meus com mais força, mantendo-os unidos. Uma parte da minha mente sentia que aquilo não me causava qualquer tipo de desconforto e muito menos de dor; ao contrário do que teria acontecido a um humano. Era apenas maçador. Tinha a certeza que conseguiria libertar-me; mas nem o tentei.

– Sim – confirmei. – E?...

Edward franziu o sobrolho durante um segundo e, a seguir, desanuviou a expressão. Entretanto, soltou uma gargalhada.

– E nada, é o que me parece. Desta vez, a reacção excessiva foi minha. Jazz, solta-a.

As mãos que me tolhiam desapareceram, estendi os braços para Renesmee assim que me senti livre. Edward entregou-ma sem quaisquer hesitações.

– Não consigo compreender – desabafou Jasper. – E não estou a aguentar isto.

Fiquei a olhá-lo, surpreendida, vendo-o a dirigir-se rapidamente para a porta de saída. Leah afastou-se para o lado, deixando-lhe um grande espaço de manobra; ele aproximava-se da margem do rio para o atravessar de um só salto.

Renesmee tocou-me no pescoço, repetindo de imediato a partida de Jasper, numa reposição instantânea. Senti a pergunta no pensamento dela, como se ecoasse no meu.

Já tinha ultrapassado o choque desencadeado por aquele pequeno dom estranho, encarando-o como algo perfeitamente natural em Renesmee, quase como se o esperasse. Agora que havia em mim uma componente sobrenatural, talvez nunca mais voltasse a sentir algum cepticismo.

Mas o que é que se passava com Jasper?

– Ele vai voltar – afirmou Edward, sem saber se falava para mim ou para Renesmee. – Só precisa de uns momentos a sós e ajustar a sua perspectiva sobre a vida. – Distendeu a boca num trejeito de sarcasmo, levemente ameaçador.

Mais uma memória humana – Edward a dizer-me que Jasper sentir-se-ia melhor consigo se me "custasse a adaptar-me" a ser uma vampira. Dissera-o no contexto de uma discussão sobre quantas pessoas eu iria matar no primeiro ano de recém-nascida.

– Ele está zangado comigo? – perguntei em voz baixa.

Edward arregalou os olhos.

– Não. Porque haveria de estar?

– Então, o que é que passa com ele?

– Bella, o Jasper está zangado consigo e não contigo. Ele sente-se preocupado com... um prognóstico que se confirmou, se é que o posso dizer assim.

– O que significa isso? – perguntou Carlisle, adiantando-se à minha intervenção.

– O Jasper questiona-se sobre se a loucura de um recém--nascido é de facto tão problemática como sempre julgou, ou se, com a concentração e a atitude correctas, alguém consegue portar-se tão bem como a Bella. Apesar do que está a acontecer, talvez ele se posicione à defesa apenas por estar convencido que isso é natural e inevitável. Se alimentasse expectativas mais elevadas sobre si poderia vir a concretizá-las. Tu fizeste com que ele pusesse em causa muitas teorias que tinha encarado como certas, Bella.

– Isso é injusto – observou Carlisle. – Todos somos diferentes e cada um enfrenta desafios próprios. Talvez a Bella esteja a agir além do que é natural. Talvez seja esse o seu dom, por assim dizer.

A surpresa deixou-me paralisada. Renesmee sentiu a minha reacção e tocou-me. Recordava o último segundo de tempo, perguntando-me porque era assim.

– É uma teoria interessante e bastante plausível – concordou Edward.

Fiquei desapontada durante um curto período de tempo. O quê? Nada de visões mágicas, capacidades ofensivas impres-sionantes como, hum..., disparar raios pelos olhos ou outra coisa qualquer? Nada que fosse útil ou fantástico?

Mas depois compreendi o que poderia implicar ter um "super-poder" que correspondia afinal a um autocontrolo excepcional.

Primeiro que tudo, pelo menos eu tinha um dom. Podia não ter tido coisa alguma.

Mas, além disso, e caso Edward tivesse razão, eu poderia ter evitado a etapa que mais temia.

E se não houvesse necessidade de passar pela fase de recém--nascida? Pelo menos, no que dizia respeito a transformar-me num autómato demoníaco, pronto a matar. E se me conseguisse ajustar aos Cullen desde o primeiro dia? E se não tivéssemos de nos esconder em qualquer local remoto durante um ano, enquanto "eu crescia"? E se, à semelhança de Carlisle, eu nunca chegasse a matar um único ser humano? E se pudesse ser uma boa vampira, logo à partida?

Assim, poderia ver Charlie.

Depois suspirei, ao sentir a realidade a filtrar-se através da esperança. Eu não podia ver Charlie tão cedo. Com estes olhos, esta voz e o meu rosto aperfeiçoado. O que lhe poderia dizer? Por onde iria começar? O facto de dispor de uma justificação que me permitia adiar tudo por algum tempo deixava-me secretamente aliviada. Por muito que desejasse arranjar uma maneira de manter Charlie na minha vida, o primeiro encontro com ele aterrorizava-me. Ver os seus olhos a sairem-lhe das órbitas, mal reparasse no meu novo rosto e na minha nova pele. Saber que o assustava. Imaginar a explicação mais tenebrosa que se formaria na sua cabeça.

Sentia-me suficientemente cobarde para aguardar um ano até os olhos esfriarem; ao mesmo tempo, lembrava-me como tinha pensado que seria corajosa quando me transformasse num ser indestrutível.

– Alguma vez consideraste este tipo de autocontrolo um talento especial? – perguntou Edward a Carlisle. – Pensas que é mesmo um dom, ou apenas uma consequência da sua preparação?

Carlisle encolheu os ombros.

– Trata-se de algo um pouco semelhante ao que a Siobhan sempre conseguiu fazer; embora ela não o designe como um dom.

– Siobhan, a tua amiga do clã irlandês? – perguntou Rosalie. – Não me tinha apercebido de que ela fazia alguma coisa de especial. Pensava que a Maggie era a sobredotada desse grupo.

– Sim, a Siobhan também é dessa opinião. No entanto, ela tem uma maneira muito característica de eleger objectivos e, depois, quase fazer... com que eles se realizem com base no seu desejo. Considera que resulta apenas de um bom planeamento; mas sempre me perguntei se não seria algo mais. Por exemplo, quando ela inseriu a Maggie no clã, o Liam teve uma reacção muito territorial. De qualquer forma, a Siobhan desejou que tudo se concertasse e assim aconteceu.

Enquanto a conversa prosseguia, Edward, Carlisle e Rosalie foram-se sentando. Jacob instalou-se ao lado de Seth, com um ar protector, mas aparentando estar maçado. Pela maneira como vira as suas pálpebras a descair, tive a certeza que adormeceria em pouco tempo.

Ouvia o que se passava, no entanto sentia a atenção dividida. Renesmee continuava a contar-me como passara o dia. Levei-a até junto da parede de vidro, embalando-a instintivamente nos braços, enquanto olhávamos uma para a outra.

Concluí que os outros nunca precisavam de se sentar. Eu sentia-me muito confortável ali de pé, tão descansada como se estivesse estendida sobre uma cama. Reconheci que era capaz de ficar assim durante uma semana, sem me mexer; e que continuaria tão repousada, ao fim dos sete dias, como estaria no início.

Eles deviam sentar-se pela força do hábito. Os humanos achariam estranho ver alguém de pé durante horas, sem mudar o peso de um pé para o outro. Naquele momento, por exemplo, via Rosalie a passar os dedos pelos cabelos e Carlisle a cruzar as pernas. Pequenos movimentos que os impediam de ficar demasiado imóveis, de se parecerem demasiado com um vampiro. Tinha de prestar atenção àqueles gestos e começar a treinar.

Transferi o peso do corpo para o pé esquerdo; senti que acabara de fazer figura de idiota.

Talvez eles estivessem apenas a dar-me algum tempo a sós com a minha bebé – a sós, tanto quanto isso fosse seguro.

Renesmee contou-me todos os acontecimentos do dia, minuto a minuto, e o conteúdo das suas pequenas histórias fez-me adivinhar o seu desejo de me pôr a par de todos os pormenores, tanto quanto eu os desejava conhecer. Ela preocupava-se em garantir que não me escapava nada – como os pardais que se aproximaram aos saltos, quando Jacob a segurava nos braços, e os dois tinham ficado muito quietos ao lado de um dos grandes abetos; os pássaros não se aproximavam de Rosalie. Ou aquela mistela horrorosa – a fórmula para bebés – que Carlisle lhe deitara no copo e que cheirava a lodo. Ou a canção que Edward lhe entoara, tão bonita que Renesmee a cantou duas vezes para mim. fiquei surpreendida ao rever-me no fundo daquela memória, completamente imóvel, mas com um aspecto bastante destroçado. Estremeci, ao recordar o que sucedera. O fogo horrendo...

Quase uma hora depois – com os outros ainda embrenhados na conversa, enquanto Seth e Jacob ressonavam em harmonia, no sofá – as histórias da memória de Renesmee começaram a abrandar. Vi-as a ficarem indefinidas nas margens e a desfocarem, antes mesmo de terminarem. Estava prestes a interromper Edward em pânico – haveria algum problema com ela? –, quando as suas pálpebras oscilaram, até se fecharem. A bebé bocejou, com os lábios rosados e cheios, formando um O perfeito, e os seus olhos nao voltaram a abrir.

Ao adormecer, a mão dela resvalou da minha face – o tom das pálpebras tinha a tonalidade lavanda pálido das nuvens delicadas antes do amanhecer. Peguei lhe na mão com cuidado, para não a despertar, e voltei-a a colocar sobre a minha pele com um sentimento de curiosidade. Primeiro, não notei nada, mas passados alguns minutos um adejar de cores, como uma mão cheia de borboletas, começou a emanar do seu pensamento.

Observei aqueles sonhos como se estivesse hipnotizada. Não havia ali qualquer ordem lógica, apenas cores, formas e rostos. Fiquei contente ao ver como o meu rosto – ambos, o humano horrendo e o imortal glorioso – ressaltava com frequência dos seus pensamentos inconscientes. Mais do que os de Edward ou Rosalie. Surgia a par com o de Jacob. Tentei não me deixar abater por isso.

Pela primeira vez, compreendi como Edward tinha sido capaz de me ver dormir durante tantas noites monótonas, só para me ouvir falar durante os sonhos. Eu seria capaz de ficar ali eternamente a ver Renesmee a sonhar.

Fui despertada pela mudança de tom na voz de Edward, quando ele disse "finalmente" e se virou para observar a janela. Lá fora, a noite estava cerrada, envolvendo-se num tom cor de púrpura; no entanto, a minha visão continuava a alcançar o mesmo. A escuridão deixara de me ocultar a paisagem; tudo se limitava a uma mudança de cor.

Leah, ainda de olhar carrancudo, levantou-se e escapuliu-se para o meio da vegetação, no preciso momento em que Alice surgia na outra margem do rio. Vi-a a baloiçar-se num ramo para trás e para a frente, como uma artista de trapézio, com a ponta dos pés a tocar nas mãos, antes de projectar o corpo numa elegante pirueta sobre o rio. Esme optou por um salto mais tradicional, enquanto Emmett investia a direito pela água, fazendo tanto estardalhaço que os salpicos chegaram a atingir as janelas das traseiras. Para meu espanto, Jasper apareceu de imediato, com o seu salto seguro e peculiar a parecer discreto, quase subtil, comparativamente aos outros.

O grande sorriso espelhado no rosto de Alice era-me familiar, de uma forma vaga e estranha. De repente, todos me sorriam – Esme com ternura, Emmett com entusiasmo, Rosalie com alguma superioridade, Carlisle com benevolência e Edward com expectativa.

Alice escapuliu-se para a sala, à frente de todos, com a mão estendida e a impaciência praticamente a formar uma aura visível em redor. Na palma da mão, vi um grande laço de cetim cor-de-rosa, preso a uma vulgar chave de bronze.

Ela estendeu-me a chave e, instintivamente, segurei Renesmee no braço direito com mais firmeza, para a receber com o braço contrário. Alice deixou-me cair a chave na mão.

– Feliz aniversário – exclamou ela, com uma voz esganiçada.

Revirei os olhos.

– Ninguém faz anos poucos dias depois de nascer – recordei-lhe. – O primeiro aniversário é um ano depois, Alice.

O seu sorriso deu lugar a uma expressão altiva.

– Não estamos a festejar o teu aniversário de vampira. Ainda. Hoje é dia treze de Setembro e fazes dezanove anos, Bella. Parabéns!

Vinte e Quatro

SURPRESA!

– Não, nem pensar! – abanei a cabeça com toda a força e olhei de relance para o sorriso convencido do meu marido com dezassete anos de idade. – Não, isso não conta. Eu parei de envelhecer há três dias. Vou ter dezoito anos para sempre.

– Seja o que for – proferiu Alice, desvalorizando os meus protestos com um breve encolher de ombros. – Nós vamos festejar de qualquer maneira, por isso aguenta-te à bronca.

Soltei um suspiro. Era muito raro levar a minha avante numa discussão com Alice.

O sorriso tornou-se infinitamente maior quando ela conseguiu ler a resignação nos meus olhos.

– Estás preparada para abrir a tua prenda? – perguntou-me, num tom esfusiante.

– Prendas – corrigiu Edward, tirando outra chave do bolso. Esta era prateada e mais comprida, enfeitada com um laço azul menos exuberante.

Fiz um esforço para não revirar os olhos, adivinhando a que corresponderia aquela chave: o carro "para depois". Interroguei-me se deveria sentir-me entusiasmada. Parecia que a conversão em vampira não me despoletara o gosto por carros desportivos.

– A minha primeiro – impôs Alice, deitando a língua de fora ao irmão, prevendo a resposta dele.

– A minha está mais perto.

– Mas olha para a maneira como ela está vestida. – Alice falava praticamente entre gemidos. – Isso pôs-me doente todo o dia. É claro que a minha é prioritária.

Franzi o sobrolho na tentativa de imaginar como é que a chave dela me faria aceder a roupas novas. Haveria um baú à minha espera?

– Já sei! Vamos decidir com um jogo – sugeriu Alice. – Pedra, papel e tesouras.

Jasper riu-se por entre dentes e Edward suspirou.

– Porque não dizes já quem ganha? – perguntou num tom sarcástico.

Alice exibiu um sorriso radiante.

– Ganho eu. Óptimo!

– De qualquer maneira, até será melhor veres a minha amanhã. – Edward dirigiu-me um sorriso de esguelha e, a seguir, apontou com a cabeça para Jacob e Seth. Pelo ar abatido dos dois, provavelmente passariam a noite a dormir; perguntei-me quanto tempo teriam, desta vez, permanecido acordados. – Acho que vai ser mais divertido se a grande revelação for feita com o Jacob presente, não te parece? Assim haverá alguém capaz de manifestar o nível de entusiasmo adequado, não é?

Sorri-lhe com ironia. Edward conhecia-me bem.

– Afirmativo – cantarolou Alice. – Bella, passa a Ness... a Renesmee à Rosalie.

– Onde é que ela costuma dormir?

Ela encolheu os ombros.

– Ao colo da Rosalie. Ou ao colo do Jacob. Ou da Esme. Estás a ver a cena, não é? Ela nunca dormiu sozinha até agora. Vai ser a criança semivampira mais mimada da história.

Edward soltou uma gargalhada, enquanto Rosalie pegava em Renesmee com uma postura experiente.

– Ela também é a criança semivampira mais boazinha da história. É um privilégio ser a única da espécie – respondeu ela enquanto me sorria.

Fiquei satisfeita ao distinguir a nova camaradagem entre as duas, presente naquele sorriso. Não tinha a certeza de que ela continuaria depois de a vida da minha filha deixar de depender de mim. Mas, talvez, as duas tivéssemos lutado do mesmo lado

o tempo suficiente para aquela amizade perdurar. Eu limitara-
-me a fazer uma escolha que Rosalie também faria se estivesse
na minha pele. Isso parecia ter apagado o ressentimento que ela
sentia em relação a outras escolhas minhas.

Alice enfiou-me a chave toda enfeitada na mão e, em
seguida, segurou no meu ombro, conduzindo-me para a porta
das traseiras.

– Vamos, vamos – incitou-me, com a sua voz chilreante.

– Está lá fora?

– Mais ou menos – respondeu, empurrando-me para o
exterior.

– Goza bem a tua prenda – desejou Rosalie. – É oferecida por
todos. Pela Esme, em particular.

– Não vêm connosco? – Reparara que ninguém se mexera.

– Vamos dar-te a oportunidade de a apreciares sozinha –
adiantou Rosalie. – E esperar que nos contes como foi... mais
tarde.

Emmett soltou uma gargalhada estridente. Havia algo no
riso dele que me fez sentir um pouco embaraçada, embora não
percebesse porquê.

Concluí que havia imensos aspectos que me caracterizavam
– como detestar surpresas e não gostar muito mais de prendas
em geral –, que não tinham mudado nem um bocadinho. Era
um alívio e, ao mesmo tempo, uma surpresa descobrir que
muitos dos meus traços mais marcantes se encaixavam neste
corpo novo.

"Não estava à espera de ser eu própria", pensei, esboçando
um grande sorriso.

Alice pegou-me no cotovelo e eu segui-a através da noite cor
de púrpura, sem conseguir deixar de sorrir. Apenas Edward nos
acompanhou.

– Ora aí está o entusiasmo que eu esperava – murmurou Alice,
em tom de aprovação. A seguir, soltou-me o braço, deu dois
impulsos cheios de agilidade e saltou para a outra margem.

– Anda, Bella! – chamou ela, do outro lado.

Edward acompanhou-me no salto sobre o rio, sendo tão divertido como o da tarde daquele mesmo dia. Talvez até um pouco mais, com a noite a colorir a paisagem em tons novos e opulentos.

Alice seguiu à nossa frente, escolhendo o caminho e dirigindo-se para Norte. Era mais fácil seguir-lhe o som dos pés, emitindo ao calcar levemente o solo, e o trilho fresco do seu aroma, do que manter os olhos sobre o seu vulto no meio da vegetação abundante.

De repente, sem me fazer qualquer sinal de aviso, Alice deu meia-volta e, de repente, surgiu junto do local onde eu tinha parado.

– Não me ataques – avisou, investindo para mim.

– O que estás a fazer? – perguntei, a torcer o corpo, quando ela saltou para as minhas costas e me tapou os olhos com a mão. Senti vontade de a sacudir, mas consegui dominar-me.

– A garantir que não vês nada.

– Eu podia ocupar-me disso, sem tanto teatro – comentou Edward.

– E depois deixavas a Bella fazer batota. Dá-lhe a mão e segue em frente.

– Alice, eu...

– Não te preocupes, Bella. Vamos apenas seguir o meu plano.

Senti os dedos de Edward a entrelaçarem-se nos meus.

– É só mais uns segundos, Bella. A seguir, ela vai chatear outro. – Ele puxou-me e eu segui em frente sem qualquer dificuldade. Não estava com medo de bater numa árvore pois, naquelas circunstâncias, seria ela quem ficaria magoada.

– Podias ser um pouco mais reconhecido – comentou Alice com Edward, num tom recriminador. – Isto é tanto para ti como para ela.

– Tens razão. Obrigado mais uma vez, Alice.

– Pois, pois – respondeu, para subitamente exclamar, num pico de excitação. – Muito bem! Pára aqui. Vira-a ligeiramente para a direita. Sim, assim mesmo. Óptimo. Estás preparada? – guinchou.

– Preparada. – Havia ali novos aromas a despertar o meu interesse e a aguçar a minha curiosidade. Aromas que não faziam parte da floresta densa. Madressilva. Fumo. Rosas. Serradura? E também algo metálico. Inclinei-me em direcção ao mistério.

Alice saltou para o chão, tirando a mão de cima dos meus olhos.

Olhei para a escuridão cor de violeta, completamente surpreendida. À minha frente, aninhada numa pequena clareira da floresta, estava uma pequena casa de campo feita de pedra e pintada de cinzento-lavanda pela cor das estrelas.

Integrava-se de uma maneira tão perfeita naquele cenário que parecia ter crescido na rocha, tal como uma formação natural. A madressilva subia por uma das paredes, como se se entrelaçasse na pedra, alcançando o telhado revestido a grossas fasquias de madeira. As rosas do fim de Verão abriam-se em flor no jardim miniatural, colocado sob as janelas escuras e embutidas. Um pequeno carreiro de pedras lisas, a que a noite conferia uma tonalidade de ametista, seguia até à porta de madeira original, em arco.

Curvei os dedos em redor da chave que trazia na mão, completamente maravilhada.

– O que achas? Alice usava um tom de voz sereno, que se ajustava ao silêncio imaculado daquele cenário de conto de fadas.

Abri a boca, mas não consegui articular uma só palavra.

– A Esme pensou que gostaríamos de um sítio só para nós, durante algum tempo, mas não queria que ficasse muito afastado – murmurou Edward. – E ela adora ter um pretexto para fazer renovações. Esta casinha estava aqui a degradar-se há pelo menos cem anos.

Mantinha o meu olhar perplexo e a boca aberta, como um peixe fora da água.

– Não gostas dela? – A expressão de Alice esmoreceu.
– Quero dizer, tenho a certeza de que a podemos arranjar
de uma forma diferente, se quiseres. O Emmett estava todo
entusiasmado com a ideia de a aumentarmos umas centenas
de metros, acrescentarmos um segundo andar, colunas e uma
torre. No entanto, a Esme achou que preferias conservá-la tal
fora construída. – A sua voz começou a alterar-se e a acelerar.
– Se a Esme se enganou, podemos voltar atrás. Não levará
muito tempo a...

– Chiu! – consegui proferir.

Alice apertou os lábios e ficou à espera. Precisei de alguns
segundos para me recompor.

– Vocês estão a oferecer-me uma casa como prenda de
aniversário? – perguntei, num tom de voz muito baixo.

– A oferecer aos dois – emendou Edward. – E não é mais do
que uma pequena casa de campo. Uma casa a sério implica mais
espaço para esticarmos as pernas.

– Nada de pôr defeitos à minha casa – sussurrei-lhe.

Alice fez um sorriso radiante.

– Tu gostaste dela.

Abanei a cabeça.

– Adoraste-a?

Acenei-lhe com a cabeça, confirmando.

– Mal consigo esperar para dizer à Esme.

– Porque é que ela não veio?

O sorriso de Alice desmaiou um pouco, parecendo-me
algo constrangido, como se a minha pergunta fosse difícil de
responder.

– Ah, sabes que... eles conhecem a tua maneira de ser em
relação a presentes. Não queriam pressionar-te a dizeres que
gostavas.

– É evidente que adorei a casa. Como poderia não gostar?

– Eles vão ficar muito contentes quando souberem – afirmou
Alice, dando-me uma palmadinha no braço. – De qualquer

maneira, tens um roupeiro a abarrotar de roupa. Faz bom uso dela. E... acho que é tudo.

– Não vais entrar?

Alice deu alguns passos para trás, mostrando-se desentendida.

– O Edward sabe o caminho. Eu passo por cá... mais tarde. Se não souberes combinar as roupas, telefona-me. – Lançou-me um olhar incrédulo e depois sorriu. – O Jazz quer ir caçar. Até logo!

Disparou a correr por entre as árvores, transformada num projéctil cheio de graciosidade.

– Que estranho... – comentei, assim que o som dos seus passos esmoreceu por completo. – Eu sou assim tão má? De qualquer maneira, eles não tinham de ficar. Agora sinto-me culpada. Nem cheguei a agradecer como devia. Era melhor voltarmos, para dizer à Esme...

– Bella, não sejas pateta. Ninguém está a pensar que não és uma pessoa razoável.

– Então o que...

– A outra prenda foi um tempo para ficarmos sozinhos. A Alice estava a tentar ser discreta.

– Ah!

Aquilo foi o suficiente para a casa deixar de existir. Nós podíamos estar em qualquer parte. As árvores, as pedras ou as estrelas desapareceram. Ali só estava Edward.

Deixa-me mostrar-te o que eles estiveram a preparar – sugeriu, puxando-me pela mão. Será que ele não dava por aquela corrente eléctrica que se espalhava pelo meu corpo, como se o sangue estivesse condimentado com adrenalina?

Mais uma vez, senti uma tremenda falta de equilíbrio, à espera das reacções que o meu organismo deixara de poder revelar. O coração deveria pulsar como um comboio a vapor, prestes a atingir-nos. Não o sentia. As minhas faces deviam ter-se coberto de vermelho-vivo.

E, além disso, era suposto sentir-me exausta. Aquele tinha sido o dia mais longo da minha vida.

Soltei uma gargalhada – apenas uma, não muito alta e produto da minha comoção – ao compreender que este dia nunca iria terminar.

– Será que posso partilhar a piada?

– Esta não tem muita graça – respondi a Edward, enquanto o seguia em direcção à pequena porta arredondada. – Estava só a pensar que hoje é o meu primeiro e último dia de eternidade. É ligeiramente difícil envolver-me nessa realidade. Mesmo dispondo de um espaço extra a envolver-me. – Voltei a sorrir.

Edward juntou um riso abafado ao meu. Depois apontou para a maçaneta da porta, esperando que fosse eu a fazer as honras da casa. Introduzi a chave na fechadura e rodei-a.

– Tu reages sempre de uma forma muito espontânea, Bella – comentou ele. – Isso leva-me a esquecer como tudo deve ser tão estranho para ti. Quem me dera conseguir ouvi-lo.

Curvou-se e ergueu-me nos braços com tamanha rapidez que nem lhe apanhei o movimento – a sensação foi impressionante.

– Eia!

– Comigo é tudo ou nada – recordou Edward. – Mas estou cheio de curiosidade. Diz-me em que é que estás a pensar neste momento.

Abriu a porta, que se moveu com um rangido muito suave, e avançou rumo a uma pequena sala de estar em pedra.

– Em tudo – respondi-lhe. – Tudo ao mesmo tempo, compreendes? As coisas boas, as que me preocupam e as coisas novas. E em como não consigo deixar de as classificar com superlativos. Neste preciso momento, estou a pensar que a Esme é uma artista. Tudo isto é perfeito!

A sala da casinha de campo parecia acabada de sair de um conto de fadas. O chão era uma manta assimétrica de pedras macias e lisas. O tecto baixo de madeira tinha os longos barrotes à vista e, certamente, alguém tão alto como Jacob bateria ali com a cabeça. Nas paredes, os painéis de madeira em tom quente alternavam com alguns pontos em mosaico de pedra. Ao canto, a lareira em alvenaria mantinha as brasas de um fogo em combustão lenta. A madeira que ardia tinha sido apanhada junto ao mar e as chamas baixas exibiam tons de azul e verde devido ao sal.

A sala estava mobilada com peças ecléticas, todas diferentes entre si mas coexistindo em harmonia. Uma cadeira tinha um ar vagamente medieval, enquanto uma otomana baixa, junto à lareira, parecia mais contemporânea e a estante cheia de livros, encostada à parede e abaixo da janela mais afastada, me recordava os cenários de filmes passados em Itália. De certa maneira, cada objecto combinava com os outros, como se todos fizessem parte de um puzzle tridimensional. Vi alguns quadros conhecidos nas paredes – alguns eram os meus preferidos na casa grande. Originais de valor incalculável, sem dúvida, mas que pareciam pertencer àquele lugar, tal como o resto.

Neste local era possível acreditar que a magia existia. Ali podia-se esperar que a Branca de Neve entrasse pela porta com a maçã na mão ou que um unicórnio parasse lá fora, a mordiscar as roseiras.

Edward sempre pensara pertencer ao mundo das histórias de terror. É evidente que sabia que ele estava redundamente enganado. Tinha a certeza de que pertencia a este lugar. A um conto de fadas.

E agora, nesse conto, eu estava ao seu lado.

Quando me preparava para aproveitar o facto de Edward não se resolver a pousar-me no chão e de o rosto dele estar a escassos centímetros do meu, tão belo que me fazia perder a cabeça, ele falou:

– Foi uma sorte a Esme ter-se lembrado de acrescentar mais um quarto. Ninguém estava a contar com a Ness... a Renesmee.

Franzi-lhe o sobrolho, com os pensamentos a desviarem-se para um caminho menos agradável.

– Não comeces tu também – protestei.

– Desculpa, meu amor. Ouço-o nos pensamentos deles o tempo todo, percebes? E fico contagiado.

Suspirei. A minha bebé, com o nome de uma serpente marinha. Talvez já não houvesse nada a fazer. Bom, eu não iria desistir.

– Tenho a certeza que estás ansiosa por ver o roupeiro. Ou então, direi à Alice que o viste, para ela ficar satisfeita.

– É alguma coisa pavorosa?

– Terrível.

Ele levou-me através de um corredor estreito de pedra, com pequenos arcos no tecto, parecendo que atravessávamos o nosso pequeno castelo em miniatura.

– Ali vai ser o quarto da Renesmee – disse ele, apontando com a cabeça para um quarto com o chão forrado a madeira clara. – Não lhe puderam dedicar muito tempo, em parte por causa da zanga dos lobisomens...

Ri-me baixinho, surpreendida com a forma como agora tudo estava tão bem; uma semana antes parecia viver um pesadelo.

Maldito Jacob por resolver tudo na perfeição, daquela maneira.

– Este é o nosso quarto. A Esme tentou trazer um pouco da ilha dela até aqui. Calculou que fosse especial para nós.

A cama era branca e enorme, com nuvens de gaze a flutuar desde o dossel até ao chão. O chão, em madeira clara, era idêntico ao do outro quarto e agora percebia que tinha a mesma tonalidade de uma praia de areia virgem. As paredes estavam pintadas com aquele azul quase branco característico dos dias de Sol resplandecente. Havia umas portas envidraçadas na parede ao fundo, que davam acesso a um pequeno jardim oculto. Deparei-me com rosas trepadeiras e um pequeno lago redondo, liso como um espelho, e rodeado de pedras brilhantes. Um oceano calmo e minúsculo à nossa espera.

– Ah – foi tudo o que eu consegui dizer.

– Eu sei – sussurrou Edward.

Permanecemos ali, por momentos, a recordar. Ainda que as memórias fossem humanas e embaciadas, enchiam a minha mente.

O rosto dele abriu-se num sorriso radioso e a seguir Edward desatou a rir.

– O quarto de vestir fica atrás daquelas portas duplas. Aviso-te já: é maior que o nosso quarto.

Nem cheguei a espreitar. Mais uma vez, não havia mais nada no mundo a não ser ele – com os braços curvados a suster o meu corpo, a sua respiração doce no meu rosto, os lábios a poucos centímetros dos meus –, nem nada que me distraísse naquele momento, fosse ou não fosse uma vampira recém-nascida.

– Vamos dizer à Alice que eu corri de imediato a ver as roupas – segredei-lhe, retorcendo o seu cabelo entre os meus dedos e aproximando-me mais do rosto dele. – Vamos dizer-lhe que passei horas e experimentá-las. Vamos *mentir.*

Edward absorveu o meu estado de espírito, ou talvez também já ali tivesse estado e tentasse apenas deixar-me apreciar a minha prenda de anos, numa atitude cavalheiresca. Puxou o meu rosto para o seu, com uma ferocidade inesperada, deixando escapar um gemido. O som despertou uma corrente eléctrica que me invadiu o corpo num delírio, como se não conseguisse chegar-me o suficiente a ele com a rapidez necessária.

Ouvi o tecido a rasgar-se sob as nossas mãos e fiquei contente por as minhas roupas, pelo menos, estarem desfeitas. Para as dele foi tarde de mais. Parecia quase indelicado ignorar aquela bela cama branca, mas não iríamos conseguir chegar tão longe.

Esta segunda lua-de-mel não foi como a primeira.

O tempo passado na ilha tinha sido o expoente da minha vida humana. A melhor parte. Desejara prolongar ao máximo esse tempo, só para manter mais um pouco aquilo que vivia com ele. Até porque a experiência física não voltaria a ser igual.

Depois de um dia como o de hoje, deveria ter adivinhado que iria ser melhor.

Agora, podia apreciá-lo verdadeiramente. Ver como devia, face à nova capacidade dos meus olhos, os contornos belos do seu rosto perfeito, cada ângulo e linha do seu corpo longo e esbelto. Saborear na minha língua o seu odor puro e intenso, desfrutando da suavidade inacreditável da sua pele de mármore, sob o tacto sensitivo dos meus dedos.

Tal como a minha pele despertava em todos os seus sentidos, sob o toque das mãos dele.

Edward era um ser novo, uma pessoa diferente, enquanto os nossos corpos se fundiam graciosamente num só, sobre o chão cor de areia clara. Sem cautelas ou restrições. Sem medo – sobretudo, sem isso. Podíamos amar-nos em *harmonia*, os dois enquanto participantes activos. Como iguais, finalmente.

Tal como eu sentira nos beijos que tínhamos trocado, cada toque era superior ao que estava habituada a sentir. Havia muito que ele tinha contido. Era necessário na altura; agora nem podia imaginar o quanto tinha perdido.

Tentei não esquecer que era mais forte que ele, só que era difícil concentrar-me em algo, deparando-me com sensações tão intensas que atraíam a minha atenção, a cada segundo, para um milhão de pontos diferentes do meu corpo. Se o magoei, ele não se queixou.

Uma parte muito, muito pequena da minha cabeça reflectiu sobre o dilema interessante desta situação. Eu nunca me iria cansar e ele também não. Não tínhamos de recuperar o fôlego, descansar, comer ou usar a casa de banho; as necessidades mundanas não existiam para nós. Edward tinha o corpo mais belo e perfeito do mundo e era todo para mim; sentindo que nunca iria chegar a um ponto em que pensaria: "por hoje já basta". Iria sempre desejar mais. E o dia nunca haveria de terminar. Por isso, nesta situação, como iríamos alguma vez *parar?*

O facto de não ter uma resposta não me preocupou minimamente.

Tive mais ou menos a percepção de que o céu começava a clarear. Lá fora, o oceano minúsculo deixava de ser negro, tornando-se cinzento, e uma cotovia começava a cantar algures muito próximo – talvez tivesse o ninho no roseiral.

– Sentiste a falta? – perguntei, quando o canto terminou.

Não era a primeira vez que falávamos, mas também não estávamos a manter exactamente uma conversa.

– A falta de quê? – murmurou Edward.

– De tudo: do calor, da pele suave, do cheiro saboroso... eu não sinto falta de nada e perguntava-me se tu sentias e se estarias triste por causa disso.

Ele riu-se baixinho, com ternura.

– Ia ser difícil encontrar alguém no mundo que estivesse mais feliz do que eu. Arriscava-me a dizer que será impossível. Não há muita gente que consiga obter num só dia tudo o que deseja, assim como tudo aquilo de que não estava à espera.

– Estás a fugir à questão?

Edward encostou a mão ao meu rosto.

– Tu és quente – afirmou.

De certa forma, isso era verdade. Para mim, a mão dele estava quente. Era uma sensação diferente da de tocar na pele ardente de Jacob, mas mais confortável. Mais natural.

A seguir, ele percorreu lentamente a minha face com os dedos, seguindo os contornos do queixo, passando depois pelo pescoço e descendo até à cintura. Aquele gesto despertou levemente os meus sentidos.

– Tu és suave.

Os dedos dele pareciam cetim sobre a minha pele, permitindo-me entender o que ele queria dizer.

– E em relação ao cheiro, bom, não posso dizer que tenha sentido a falta dele. Lembras-te do odor daqueles montanhistas na nossa caçada?

– Tento evitar ao máximo.

– Imagina beijar aquilo.

A minha garganta eclodiu em chamas, como um balão de ar quente accionado por um queimador.

– *Ah.*

– Precisamente. Portanto, a resposta é não. Estou preenchido com a mais pura alegria porque não senti a falta de nada. Não há ninguém que tenha mais do que eu neste momento.

Estava prestes a informá-lo da única excepção, em relação ao que me dizia, mas de repente os meus lábios ficaram muito ocupados.

Ao nascer do Sol, quando o pequeno lago se coloriu em tons de pérola, lembrei-me de outra pergunta.

– Quanto tempo vai durar isto? Ou seja, o Carlisle e a Esme, o Em e a Rose, a Alice e o Jasper... eles não passam o dia trancados nos quartos. Andam à nossa vista, completamente vestidos o tempo inteiro. Este... desejo insaciável nunca acaba? – E torci-me para me chegar ainda mais a ele – o que, na verdade, era quase impraticável – para lhe transmitir melhor aquilo de que falava.

– É difícil ter uma ideia definida. Cada um é diferente do outro e até agora... bom, até agora, tu és a mais original de todos. Em geral, um vampiro jovem está demasiado obcecado com a sede para pensar noutra coisa durante algum tempo. Mas esse parece não ser o teu caso. No entanto, em média, passado um ano o vampiro começa a sentir outras necessidades, sem que a sede ou outro desejo qualquer cheguem alguma vez a diminuir. É apenas uma questão de aprender a equilibrá-los, a estabelecer prioridades e a geri-las...

– Por quanto tempo?

Edward sorriu, franzindo levemente o nariz.

– A Rosalie e o Emmett foram o caso mais complicado. Foi preciso uma década completa para eu conseguir aguentar estar a menos de dez quilómetros deles. Até o Carlisle e a Esme sentiam alguma dificuldade em lidar com a situação, o que os levou a colocar o parzinho feliz a alguma distância. A Esme também lhes ofereceu uma casa. Era mais imponente que esta, mas deves perceber porquê. Ela conhece tão bem os gostos da Rose como os teus.

– Então, são precisos dez anos, é isso? – Mesmo assim, estava segura que Rosalie e Emmett não teriam a mesma persistência que nós, mas não queria parecer pretensiosa ao indicar um tempo superior. – E, depois, tudo volta ao normal? Tal como eles estão agora?

Edward voltou a sorrir.

– Hum, eu não sei o que é que entendes por "normal". Tu tens visto a minha família a usufruir da vida de uma maneira mais ou menos humana, só que até há pouco tempo passavas as noites a dormir. – E piscou-me o olho. – Quando não se dorme, há muito tempo disponível. Isso faz com que consigas equilibrar os teus... interesses com facilidade. Existe uma razão para eu ser o melhor músico da família, para – a seguir ao Carlisle – ter lido a maior quantidade de livros, ter estudado mais Ciências, ser fluente em tantas Línguas... O Emmett iria dizer-te que é a minha capacidade de ler as mentes que me torna assim tão sabichão, mas a verdade é que eu tinha imenso tempo livre.

Rimos os dois e a trepidação das nossas gargalhadas teve efeitos interessantes na forma como os nossos corpos estavam ligados; o que foi determinante para a conversa ficar por ali.

Vinte e Cinco

FAVOR

Decorreu muito pouco tempo até Edward me recordar as prioridades.

Bastou uma palavra.

– Renesmee...

Suspirei. Já deviam ser quase sete da manhã e, em breve, ela iria acordar. Será que ia procurar por mim? De repente, fiquei gelada com uma sensação muito próxima do pânico. Como estaria ela?

Edward percebeu que a ansiedade me deixava num estado de desorientação total.

– Veste-te e em apenas dois segundos estaremos em casa.

Para quem me visse naquele momento, deveria parecer uma personagem de uma série de desenhos animados, levantando-me num salto, a olhar para ele – com o seu corpo luminoso a resplandecer levemente sob a luz difusa –, desviando logo o olhar para Oeste, onde Renesmee me esperava, voltar a olhar para Edward, e a seguir, para o lado contrário; com a cabeça a rodopiar de um lado para o outro, uma meia dúzia de vezes, num segundo apenas. Edward limitou-se a sorrir, mas não deu qualquer gargalhada; ele era um homem forte.

– Meu amor, é tudo uma questão de equilíbrio. Estás a reagir tão bem em todas as situações, que em breve colocarás tudo no seu lugar, de certeza.

– E temos a noite toda, não é?

Então, o sorriso dele alargou-se.

– Achas que se não fosse o caso eu te deixava vestir?

Teria de ser o bastante para me aguentar até a noite chegar. Iria suportar este desejo avassalador e irreprimível, ao conseguir ser uma boa... era difícil pensar na palavra. Embora Renesmee fosse muito real e vital na minha vida, ainda era complicado imaginar-me *mãe.* No entanto, supunha que qualquer outra pessoa sentiria o mesmo se não tivesse passado nove meses a habituar-se à ideia. Especialmente perante uma criança que mudava hora a hora.

Bastou um instante para a lembrança da vida tão acelerada de Renesmee me encher de ansiedade. Nem cheguei a parar junto das portas duplas de madeira embutida para recuperar o fôlego, antes de descobrir o que Alice andara a preparar. Limitei-me a vasculhar o interior do roupeiro, pronta a enfiar as primeiras peças de roupa que encontrasse. Devia ter previsto que não seria uma tarefa fácil.

– Onde estão as minhas roupas? – perguntei, exasperada. Tal como me fora sugerido, aquele quarto de vestir era maior que o nosso quarto. Até podia até ser maior que o resto da casa, mas teria de o percorrer para ter a certeza. Pela minha cabeça, passou velozmente a imagem de Alice a convencer Esme a esquecer as proporções normais de um espaço como aquele e a permitir esta monstruosidade. Perguntei-me como é que teria conseguido levar a sua avante.

Estava tudo acondicionado em sacos próprios para roupa – brancos e imaculados – em filas intermináveis.

– Por aquilo que sei, à excepção do que está neste cabide, o resto é teu – Edward apontava para uma barra à esquerda da porta, que se estendia em paralelo à parede, separando a divisão do quarto de dormir.

– Tudo isto?

Ele encolheu os ombros.

– Alice – dissemos em uníssono. Ele pronunciou o nome como uma explicação; eu apenas enquanto desabafo.

– Fantástico – resmunguei, correndo o fecho do saco mais próximo. Em seguida, abafei um grunhido ao deparar-me com um vestido de seda que me dava pelos pés – em cor-de-rosa.

Poderia levar o dia inteiro até encontrar qualquer coisa normal para vestir!

– Deixa-me ajudar-te – ofereceu-se Edward. Aspirou o ar com atenção e seguiu o rasto de um cheiro qualquer até ao fundo do compartimento. Havia ali um jogo de gavetas embutido. Deu uma nova fungadela e abriu uma gaveta. Então, com um sorriso tirou de lá um par de calças de ganga pré-lavadas, em azul desbotado.

Voei para junto dele.

– Como é que conseguiste fazer isso?

– A ganga tem um cheiro característico, tal como outra coisa qualquer. Agora... algodão elástico?

Desta vez o olfacto levou-o a uma estante com quatro prateleiras, onde descobriu uma camisola branca de mangas compridas.

– Obrigada – agradeci-lhe, calorosamente, quando ele ma atirou. Cheirei cada uma das peças, fixando-lhes o cheiro, a prever alguma nova busca naquele sítio de loucos. Recordei os da seda e do cetim; esses cheiros eram a evitar.

Edward levou segundos a descobrir a roupa para vestir – se não o tivesse visto despido, iria jurar que não havia nada mais belo que ele com aquelas calças caqui e um pulôver bege-claro. A seguir, Edward pegou-me na mão e os dois lançámo-nos pelo jardim, ultrapassando com toda a facilidade o muro de pedra, para alcançarmos a floresta à velocidade máxima. Libertei a mão para fazermos uma corrida. Desta vez, foi Edward quem venceu.

Renesmee já tinha acordado. Estava sentada no chão, com Rose e Emmett a pairar junto dela, e brincava com uma pequena pilha de talheres de prata. Na mão direita segurava uma colher toda deformada. Assim que me vislumbrou através do vidro, arremessou a colher para o chão – provocando uma mossa na madeira – e apontou para mim com um ar imperioso. Toda a audiência se riu. Alice, Jasper, Esme e Carlisle estavam sentados no sofá, observando-a como se assistissem ao mais cativante dos filmes.

Mal as gargalhadas começaram, já passara pela porta e corria em direcção à sala, levantando-a do chão no mesmo segundo. Entreolhámo-nos, com um enorme sorriso.

Ela estava diferente, mas não muito. Crescera mais um pouco e as dimensões de bebé começavam a transitar para as de uma criança. O cabelo estava mais longo cerca de meio centímetro, com os caracóis a baloiçar como pequenas molas, a cada movimento que fazia. Durante a viagem de regresso, a minha imaginação desmesurada levara-me a antever os piores cenários. Agora, os receios exagerados faziam com que encarasse aquelas pequenas mudanças com algum alívio. Mesmo sem as medições de Carlisle, tinha a certeza que o crescimento dela era menor que o do dia anterior.

Renesmee bateu-me na face e eu estremeci. Ela estava outra vez com fome.

– Há quanto tempo se levantou? – perguntei, enquanto Edward desaparecia pela porta da cozinha. Tive a certeza de que ia buscar-lhe o pequeno-almoço, depois de saber o que ela tinha pensado com a mesma nitidez que eu. Perguntei-me se Edward alguma vez teria dado por aquele pequeno dom caso fosse o único a lidar com Renesmee. Talvez imaginasse que apenas a ouvia, tal como aos outros.

– Há uns minutos – respondeu Rose. – Em breve, iríamos chamar-te. Ela tem estado a perguntar por ti ou, sendo mais exactos, a exigir a tua presença. A Esme já sacrificou o segundo melhor faqueiro de prata para manter este monstrinho distraído. – Rosalie sorria para Renesmee com uma expressão de afecto tão absoluta que anulava por completo qualquer crítica. – Não queríamos... hum... incomodá-los.

Rosalie mordeu o lábio e olhou para o lado, esforçando-se por conter o riso, enquanto as vibrações das gargalhadas silenciosas de Emmett nas minhas costas faziam estremecer as fundações da casa.

Mantive o queixo erguido.

– Vamos arranjar o teu quarto num instante – prometi a Renesmee. – Vais gostar da casa de campo. Ela é mágica. – A seguir, olhei para Esme. – Obrigada, Esme. Estou muito agradecida. É absolutamente perfeita.

Antes que me pudesse responder, Emmett começou novamente a rir-se, desta vez com um timbre bem audível.

– Então, ela ainda está de pé? – conseguiu dizer, entre as gargalhadas. – Pensei que por esta altura já a tinham reduzido a escombros. O que é que estiveram a fazer ontem à noite? A discutir a dívida nacional? – E ria-se a bandeiras despregadas.

Cerrei os dentes, recordando as consequências negativas do ataque de fúria do dia anterior. É claro que Emmett era mais resistente que Seth...

Ao lembrar-me dele, apercebi-me que qualquer coisa tinha mudado.

– Onde é que estão os lobos? – Espreitei pela parede de vidro, mas não avistei quaisquer sinais de Leah lá fora.

– O Jacob saiu daqui logo de manhã – informou Rosalie, com uma leve ruga a franzir-lhe a testa. – E o Seth foi atrás dele.

– Porque é que ele estava tão aborrecido? – perguntou Edward, que entretanto regressava com o copo de Renesmee. Na memória de Rosalie devia haver algo mais que eu não adivinhara na sua expressão.

Sustive a respiração e passei a minha filha para os braços de Rose. Talvez fosse um autocontrolo exagerado, mas ainda não me sentia capaz de lhe dar a comida. Por enquanto, não.

– Não sei, nem me importa – resmungou ela. Entretanto, respondeu à pergunta de Edward com mais detalhes. – Ele estava a ver a Nessie a dormir, com a boca aberta como um verdadeiro atrasado mental que é e, de repente, levantou-se sem qualquer motivo aparente, pelo menos que eu visse, e saiu daqui furioso.

Para mim foi um alívio livrar-me dele. Quanto mais tempo está aqui, menos hipóteses temos de nos livrarmos do cheiro.

– Rose – censurou Esme, com delicadeza.

Esta sacudiu o cabelo para trás das costas.

– Acho que isso não interessa. Não ficaremos aqui por muito mais tempo.

– Eu continuo a achar que devíamos ir directos a New Hampshire e ficar uns tempos por lá – defendeu Emmett, percebendo-se que retomava uma discussão anterior. – A Bella está matriculada em Dartmouth e não me parece que lhe seja tão difícil recuperar o tempo perdido. – E virou-se para mim com um sorriso sarcástico. – Tenho a certeza que serás uma aluna brilhante... aparentemente não tens nada mais interessante para fazer à noite, a não ser estudares.

Rosalie desfez-se em risinhos.

"Não percas a calma, não percas a calma", entoei para mim própria. E depois senti-me orgulhosa ao conseguir fazê-lo.

Por isso, fiquei surpreendida ao constatar que Edward estava tudo menos calmo.

Ele soltou um rugido, num timbre abrupto e impressionantemente agreste, enquanto a fúria mais negra lhe toldava a expressão, tal como as nuvens de uma tempestade.

Antes que algum de nós conseguisse reagir, Alice pôs-se de pé.

– O que é que ele está a *fazer?* O que é que aquele *cão* fez, que me apagou o plano do dia inteiro? Não consigo ver *nada!* Não! – E lançou-me um olhar angustiado. – Olha para ti! Tu *precisas* que te ensine a usar o teu roupeiro.

Por um segundo, fiquei reconhecida a Jacob por o que quer que ele andasse a fazer.

E então, Edward cerrou as mãos em punhos e rosnou:

– Ele falou com o Charlie e acha que o teu pai vem atrás dele. Para aqui. Hoje.

Alice proferiu uma palavra que soou muito estranha, proferida pela sua voz chilreante e refinada, lançando-se em direcção à porta das traseiras, tão rapidamente que só captei uma mancha a passar à minha frente.

– Ele contou ao Charlie? – proferi, sufocada. – Mas... ele não compreende? Como pôde fazê-lo? – Charlie *não podia* saber nada de mim! Ou dos vampiros! Isso colocava-o na lista de alvos a abater e nem os Cullen o poderiam salvar. – Não!

Edward falou por entre dentes.

– O Jacob está a chegar.

Provavelmente, começou a chover num ponto mais distante, a Leste. Jacob passou pela porta a sacudir o cabelo molhado como um cão, lançando pingos para o tapete e para o sofá, marcando-os com pontos cinzentos que contrastavam com as superfícies brancas. Os dentes dele reluziam contra os lábios escuros e exibia os olhos brilhantes e animados. Caminhava com passos agitados, como se a ideia de destruir a vida do meu pai o deixasse realmente entusiasmado.

– Olá, pessoal – saudou, com um largo sorriso.

Apenas o silêncio lhe respondeu.

Leah e Seth deslizaram para o seu lado, na forma humana – por enquanto; a tensão que se sentia na sala deixou-os de mãos a tremer.

Rose – chamei, esticando os braços. Ela estendeu-me Renesmee, sem pronunciar uma palavra. Apertei-a de encontro ao meu coração imóvel, segurando-a como um talismã e protegi-a de algum comportamento irreflectido. Mantê-la-ia nos meus braços até me certificar que a minha decisão de matar Jacob se baseava por completo num juízo racional e jamais na fúria.

Ela estava muito quieta, a observar e a ouvir. Que entendimento teria do que se passava?

– O Charlie não deve demorar a chegar – informou Jacob, com um ar natural. – É só para te avisar. Presumo que a Alice te arranje uns óculos de sol ou algo do género, não é?

– Tu presumes coisas a mais – disse por entre dentes, como se lhe cuspisse. – O. Que. Foste. Fazer?

O sorriso de Jacob vacilou, mas ainda se mantinha alvoroçado para me responder com calma.

– Esta manhã fui acordado pela louraça e pelo Emmett, que falavam sem parar sobre a vossa partida para o outro lado do país. Como se eu fosse deixar. O Charlie era o grande problema no meio disso tudo, não era? Pois agora o problema está resolvido.

– Tu não consegues perceber o que fizeste? O perigo que o estás a fazer passar?

Jacob refilou.

– Não o estou a pôr em perigo. À excepção daquele que tu representas. Mas parece que tens uma espécie de autocontrolo sobrenatural, certo? Não é tão bom como ler as mentes, se queres a minha opinião. É muito menos excitante.

Nesse instante, Edward moveu-se, atravessando a sala como um raio, para se posicionar à frente dele. Embora Jacob fosse um palmo mais alto, vi-o a recuar perante tal cólera inesperada, como se o seu adversário o fitasse de uma posição superior.

– Isso é apenas uma *probabilidade,* seu rafeiro – rugiu Edward. – Achas que nos atrevíamos a fazer a experiência com o *Charlie?* Chegaste a pensar na dor física que vais infligir à Bella, mesmo que ela consiga controlar-se? Ou a dor emocional, se não conseguir? Até parece que aquilo que acontece com ela já não te incomoda! – E atirou as últimas palavras como se lhe quisesse morder.

Renesmee, impaciente, pressionou-me a face com os dedos, com a ansiedade a colorir a reposição da cena na sua cabeça.

As palavras de Edward conseguiram finalmente colocar um ponto final no comportamento estranhamente agitado de Jacob. A boca dele contraiu-se.

– A Bella vai sofrer?

– Como se lhe introduzisses um ferro em brasa pela garganta.

Estremeci, ao recordar o cheiro do sangue humano puro.

– Não sabia isso – murmurou Jacob.

– Então, talvez devesses ter perguntado primeiro – rosnou Edward, por entre dentes.

– Tu impedir-me-ias.

– Tu *devias* ter sido impedido...

– O problema não sou eu – interrompi-os. Continuava parada, agarrada a Renesmee e à minha sanidade. – O problema é o meu pai, Jacob. Como é que foste capaz de o pôr em perigo desta forma? Não vês que agora só lhe resta a morte ou uma vida de vampiro, também? – A voz tremeu-me com as lágrimas que os olhos já não conseguiam conter.

Jacob ainda se mantinha apreensivo com as acusações de Edward, mas não pareceu ficar afectado com as minhas.

– Acalma-te, Bella. Não lhe contei nada que não estivesses a pensar dizer.

– Mas ele vem para aqui!

– Sim, a ideia é essa. Afinal, o teu plano não era "deixar que ele tirasse as conclusões erradas"? Acho que lhe proporcionei a manobra de diversão ideal, modéstia à parte.

Afastei os dedos crispados do corpo de Renesmee e recolhi-os atrás das costas, em segurança.

– Explica-te como deve ser, Jacob. Não estou com paciência para isto.

– Não lhe disse nada sobre ti, Bella. A sério. Falei-lhe sobre mim. Bom, mostrei-me, seria o termo mais correcto.

– Ele transformou-se à frente do Charlie – revelou Edward, com a voz sibilante.

A minha voz reduziu-se a um murmúrio.

– Tu o *quê?*

– Ele é corajoso. Tal como tu. Não entrou em parafuso, nem começou a vomitar ou outra coisa do género. Devo dizer-te que fiquei impressionado. De qualquer forma, devias ter visto a cara dele quando comecei a tirar a roupa. Impagável – comentou Jacob, rindo às gargalhadas.

– Grande *imbecil!* Podias ter-lhe provocado um ataque cardíaco!

– O Charlie está bem. Ele é resistente. Se me deres um minuto, irás perceber que te fiz um favor.

– Dou-te metade disso, Jake. – Respondi-lhe com uma voz de aço, inflexível. – Tens trinta segundos para me contar tudo de fio a pavio, antes de eu passar a Renesmee para a Rosalie e arrancar-te essa cabeça miserável. Desta vez, o Seth não será capaz de me deter.

– Caramba, Bells. Não costumavas ser tão melodramática. Isso é coisa de vampiro?

– Vinte e seis segundos.

Jacob revirou os olhos e deixou-se cair sobre a cadeira mais próxima. A pequena alcateia deslocou-se, para o rodear pelos flancos e nada descontraída, ao contrário dele; Leah mantinha os olhos fixos em mim, com os dentes ligeiramente arreganhados.

– Então, esta manhã fui bater à porta da casa do Charlie e convidei-o a vir dar uma volta comigo. Ele estava baralhado, mas assim que lhe disse que o assunto se relacionava contigo e que já tinhas voltado, seguiu-me até à floresta. Contei-lhe que já não estavas doente e que as coisas tinham evoluído bem, embora de uma maneira estranha. Ele já estava a preparar-se para arrancar até cá, mas eu disse-lhe que primeiro tinha de lhe mostrar uma coisa. E então transformei-me – relatou Jacob, encolhendo os ombros.

Parecia sentir um torno a apertar-me os dentes.

– Quero que me contes tudo, monstro.

– Bom, tu disseste que eu só tinha trinta segundos... está bem, está bem. – A minha expressão deve tê-lo convencido que eu não estava com disposição para brincadeiras. – Deixa ver... transformei-me outra vez e vesti-me. Depois de ele começar a respirar, disse-lhe mais ou menos isto: "O Charlie não vive no mundo em que pensava viver. A boa notícia é que nada mudou, à excepção de que agora ficou a saber a verdade. A vida vai continuar igual ao que sempre foi e pode fingir que não sabe que as coisas são assim".

– Ele levou um minuto a recompor-se e a seguir quis saber o que se passava realmente contigo, em relação a essa situação da doença rara. Contei-lhe que tinhas estado doente, mas que já estavas boa... apenas tinhas mudado ligeiramente durante a convalescença. Ele quis saber o que significava "mudar" e eu expliquei-lhe que agora te pareces muito mais com a Esme do que com a Renée.

Edward soltou uma interjeição sibilante e eu fiquei horrorizada; a situação resvalava para um terreno perigoso.

– Minutos depois, ele perguntou muito baixinho, se tu também te transformavas num animal. E eu respondi-lhe: "Ela bem gostava que fosse assim tão fixe!" – contou Jacob, com um riso abafado.

Rosalie deixou escapar um som de repugnância.

– Ia começar a explicar-lhe a história dos lobisomens, mas não consegui passar da primeira palavra. O Charlie interrompeu-me e disse que "preferia não saber os pormenores". Depois perguntou-me se tu tinhas consciência de onde te estavas a meter quando casaste com o Edward e eu confirmei-lhe: "claro, ela sabe disso há anos, desde que chegou a Forks". O Charlie não achou muita graça à história. Deixei-o dizer tudo o que lhe veio à cabeça, para ele desabafar. Depois de se acalmar, pediu-me duas coisas. Queria ver-te, então eu disse-lhe que seria melhor dar-me algum avanço para te vir contar.

Inspirei fundo.

– Qual era a outra coisa que ele queria?

Jacob sorriu.

– Vais gostar de saber. O principal pedido que ele fez foi contarem-lhe o menos possível de toda a história. Se há coisas que não são essenciais, então não as revelem. Mencionem apenas aquilo que ele tem mesmo de saber.

Senti algum alívio pela primeira vez, desde a chegada de Jacob.

– Consigo lidar com a situação.

– Além disso, ele quer agir como se tudo fosse normal. – Jacob sorria exibindo um ar convencido; devia calcular que começaria a sentir leves sinais de gratidão.

– O que é que lhe contaste sobre a Renesmee? – Esforcei-me por manter o tom cortante na minha voz, lutando contra aquele reconhecimento involuntário. Era prematuro, pois a situação continuava a revelar-se difícil. Ainda que a intervenção de Jacob tivesse provocado em Charlie uma reacção melhor que a esperada...

– Ah, sim. Contei-lhe que tu e Edward tinham herdado uma nova boquinha para alimentar. – Jacob olhou de soslaio para o meu marido. – Ela é a tua pupila órfã, tal como o Batman fez com o Robin. – Jacob refilou. – Pensei que não levavas a mal se eu mentisse. Faz tudo parte do jogo, certo? – Edward nem se dignou a responder, pelo que Jacob prosseguiu. – O Charlie já não podia ficar mais surpreendido, no entanto ainda conseguiu perguntar se a tinham adoptado. "Como uma filha? Então eu sou uma espécie de avô?", foram as palavras dele. E eu respondi-lhe que sim. "Parabéns, avozinho", e tudo o mais. Ele até esboçou um sorrisinho.

Os meus olhos começaram a arder de novo, mas não era por medo ou angústia. Charlie tinha encarado a ideia de ser avô com um sorriso? Ele ia conhecer Renesmee?

– Mas ela está a mudar tão depressa...

– Eu expliquei-lhe que era ainda mais especial que nós todos juntos – referiu Jacob, com uma voz suave. Levantou-se e dirigiu-se a mim, fazendo um gesto com a mão, no sentido de afastar Seth e Leah quando estes começaram a segui-lo. Renesmee esticou-se na direcção dele, mas eu apertei-a com mais força junto ao peito. – Depois disse-lhe: "Acredite em mim quando lhe digo que não vai querer saber mais sobre isto. Mas, se não ligar às partes estranhas, irá ficar surpreendido. Ela é a pessoa mais maravilhosa do mundo". E ainda acrescentei que se ele aguentasse, poderiam confraternizar um pouco e que assim ele teria a oportunidade de a conhecer. Mas se isso fosse demasiado, vocês desapareciam da vista dele. O Charlie disse-me que por ele estava bem, desde que não entrassem em pormenores.

Jacob ficou a olhar-me, com um meio sorriso e uma atitude de expectativa.

– Não te vou dizer que estou agradecida – declarei. – Ainda continuas a expor o Charlie a um grande risco.

– Desculpa por te ter magoado, mas não sabia que seria assim. Bella, as coisas mudaram entre nós, mas tu serás sempre a minha melhor amiga e nunca deixarei de te amar. Mas, neste momento, amo-te da forma correcta e os dois atingimos, finalmente, um ponto de equilíbrio. Ambos temos pessoas sem as quais não conseguimos viver.

Depois exibiu-me o seu melhor sorriso jacobiano.

– Continuamos amigos?

Por muito que tentasse, não consegui resistir. Tive de lhe retribuir, somente um sorriso muito ténue.

E ele ergueu a mão, em sinal de paz.

Respirei fundo e transitei o peso de Renesmee apenas para um braço. A seguir, colei a mão esquerda à dele e a minha pele gelada nem o fez estremecer.

– Se não matar o Charlie esta noite, meditarei na hipótese de te perdoar.

– Quando não matares o Charlie esta noite, ficarás a dever-me um grande favor.

Revirei os olhos.

Jacob levantou a outra mão em direcção a Renesmee, desta vez o gesto foi acompanhado de um pedido.

– Posso?

– Na verdade, ela está ao meu colo para eu ter as mãos ocupadas e não dar cabo de ti, Jacob. Talvez mais tarde.

Ele suspirou e não insistiu, revelando alguma sensatez.

Alice passou pela porta de repelão, com as mãos cheias de coisas e uma promessa de violência estampada nos olhos.

– Tu, tu e tu – disse para os três lobisomens, lançando-lhes um olhar de fúria. – Se querem ficar, vão para o canto e vejam se aguentam permanecer ali algum tempo. Eu preciso de ver. Bella, é melhor passares-lhe a bebé também. De qualquer maneira, vais precisar dos braços livres.

Jacob esboçou um largo sorriso de triunfo.

O meu estômago foi atingido pela mais genuína sensação de pânico, ao imaginar a barbaridade que me preparava para cometer. Iria testar o meu autocontrolo, ainda incerto, no meu pai, um ser humano inocente, como se ele fosse uma cobaia. As palavras de Edward abateram-se novamente sobre mim.

Chegaste a pensar na dor física que vais infligir à Bella, mesmo que ela consiga controlar-se? Ou a dor emocional, se não conseguir?

Era-me impossível imaginar o meu sofrimento, se por acaso falhasse. A minha respiração tornou-se mais ofegante.

– Pega nela – murmurei, passando Renesmee para os braços de Jacob.

Ele assentiu com a cabeça e franziu a testa numa expressão apreensiva. Depois fez um gesto aos companheiros e todos se recolheram no canto mais remoto da sala. Ao contrário de Seth e Jake, que se acocoraram no chão no mesmo instante, Leah abanou a cabeça, comprimindo os lábios.

– Posso ir embora? – perguntou, com um ar contrariado. Parecia pouco à vontade no seu corpo humano, vestida com a mesma t-shirt suja e os calções de algodão que trazia no dia em que viera gritar comigo, com o cabelo curto espetado em tufos desordenados. As mãos ainda lhe tremiam.

– Claro que sim – anuiu Jacob.

– Vai mais para Leste, para não te cruzares com o Charlie – acrescentou Alice.

Ela não olhou para Alice, limitando-se a escapar pela porta das traseiras e a lançar-se como um furacão para o meio dos arbustos, a fim de se transformar.

Edward tinha voltado para junto de mim e afagava-me a face.

– Tu consegues fazer isto. Sei que sim. Eu ajudo-te; todos nós ajudamos.

Dirigi o olhar para ele, com o pânico estampado no meu rosto. Ele teria força suficiente para me controlar, caso fizesse algum movimento errado?

– Se não acreditasse que conseguias lidar com a situação, desaparecíamos imediatamente daqui. Neste minuto. Mas tu és capaz. E serás mais feliz se o Charlie voltar a fazer parte da tua vida.

Tentei respirar mais pausadamente.

Alice estendeu-me a palma da mão, onde vi uma pequena caixa branca.

– Vão causar-te alguma irritação nos olhos. Não te irão magoar, apenas embaciar-te a visão. É um pouco incómodo. Também não condizem com a tua cor, mas é melhor que o vermelho-vivo, certo?

Atirou-me uma embalagem com lentes de contacto e eu apanhei-a no ar.

– Quando é que...

– Antes de partires para a lua-de-mel. Preparei-me para diversas eventualidades.

Assenti com a cabeça e abri a pequena caixa. Era a primeira vez que punha lentes de contacto; de qualquer modo, não deveria ser assim tão difícil. Peguei no pequeno círculo castanho e ajustei-o ao olho, com a face côncava para dentro.

Pestanejei e senti uma película transparente a obstruir a visão. Conseguia ver através dela, claro, mas também distinguia a textura daquele ecrã minúsculo. O olho insistia em focar-se nos riscos microscópicos e nas secções curvadas.

– Já percebo aquilo que me dizias – murmurei, colocando de imediato a outra. Desta vez, fiz um esforço para não pestanejar, enquanto o olho tentava instintivamente desalojar aquela obstrução.

– Como é que estou?

Edward sorriu.

– Encantadora. É evidente...

– Sim, sim, ela está sempre encantadora – rematou Alice, impaciente. – É melhor que vermelho, mas não vou mais longe nos elogios. É um castanho turvo. O teu castanho era muito mais bonito. Não te esqueças que elas não durarão para sempre. O veneno dos olhos dissolve-as em poucas horas. Por isso, se o Charlie se deixar ficar mais tempo, arranja uma desculpa para as ires mudar. O que até é uma boa ideia, porque os humanos precisam de fazer intervalos para ir à casa de banho – comentou, abanando a cabeça. – Esme, dá-lhe algumas dicas sobre gestos humanos, enquanto eu abasteço a casa de banho com mais lentes de contacto.

– De quanto tempo disponho?

– O Charlie irá chegar dentro de cinco minutos. Age com naturalidade.

Esme acenou uma vez com a cabeça e pegou-me na mão.

– O principal é não te sentares com muita rigidez ou fazeres movimentos demasiado rápidos – aconselhou-me.

– Se ele se sentar, senta-te também – intrometeu-se Emmett. – Os humanos não gostam de ficar de pé.

– Deixa os olhos vaguear ao acaso, mais ou menos a cada meio minuto – acrescentou Jasper. – Os humanos também não gostam de olhar para algo durante muito tempo.

– Mantém-te de pernas cruzadas durante aproximadamente cinco minutos e, depois, muda de posição, cruzando apenas os tornozelos nos cinco minutos seguintes – sugeriu Rosalie.

Eu acenava com a cabeça a cada conselho. Tinha-os visto executar alguns daqueles gestos no dia anterior e achava que conseguiria imitá-los.

– E pestaneja, pelo menos, três vezes por minuto – acrescentou ainda Emmett. A seguir, franziu o sobrolho e correu na direcção do extremo da mesa, onde estava o controlo remoto da televisão. Acendeu-a e sintonizou um canal que transmitia um jogo de futebol americano, de uma equipa universitária. Assentiu com a cabeça, satisfeito.

– Mexe as mãos também. Passa-as pelo cabelo a afastá-lo para trás, ou finge que arranhas qualquer coisa – lembrou Jasper.

– Eu disse *Esme* – protestou Alice, de volta. – Assim, deixam--na baralhada.

– Não, acho que fixei tudo – afirmei. – Sentar, olhar à volta, pestanejar, não estar quieta.

– Isso mesmo – aplaudiu Esme, estreitando-me os ombros.

Jasper franziu o sobrolho.

– Deves conter a respiração o máximo possível, mas precisas de mexer ligeiramente os ombros, simulando que respiras.

Inspirei uma vez e voltei a acenar com a cabeça.

Edward abraçou-me e segredou-me ao ouvido.

– Vais conseguir – afirmou novamente.

– Dois minutos – informou Alice. Talvez fosse melhor sentares-te no sofá. Afinal de contas, estiveste doente e, assim, ele não te vê a andar, logo no início.

Alice conduziu-me para o sofá e eu movi-me devagar, tentando simular um andar combalido. Ao vê-la revirar os olhos, concluí que não deveria ter sido nada convincente.

– Jacob, preciso da Renesmee – pedi.

Ele franziu a testa, sem se mexer.

Alice também não estava de acordo.

– Bella, isso não me ajuda a ver – contrapôs.

– Mas eu *preciso*. Ela acalma-me. – O pânico na minha voz era mais do que evidente.

– Óptimo – grunhiu Alice. – Então tens de a manter o mais quieta possível e eu tento ver em seu redor. – Suspirou com um ar esgotado, como se lhe pedissem para trabalhar horas extra durante as férias. Jacob também suspirou, mas depositou Renesmee nos meus braços, recuando à pressa de imediato, sob o olhar fulminante de Alice.

Edward sentou-se ao lado e passou os braços em volta de mim e de Renesmee. A seguir, inclinou-se e olhou para a nossa filha com um olhar muito sério.

– Renesmee, há uma pessoa especial que vem cá, para te ver a ti e à tua mãe – explicou-lhe num tom de voz grave, como se esperasse que ela percebesse cada palavra. – Mas ele não é como nós, nem mesmo como o Jacob. Temos de ter muito cuidado com ele e tu não podes contar-lhe coisas, tal como nos contas a nós.

Renesmee tocou na face de Edward.

– Isso mesmo – confirmou ele. – E ele irá fazer com que sintas sede. Mas não deves mordê-lo. Ele não se cura como o Jacob.

– Ela consegue entender-te? – murmurei.

– Claro que sim, ela compreende. Vais ter cuidado, não vais, Renesmee? Podes ajudar-nos?

Renesmee voltou a tocar-lhe.

– Não, eu não me importo que mordas no Jacob. Isso está certo.

Jacob soltou um ligeiro sorriso.

– Talvez fosse melhor ires-te embora, Jacob – afirmou Edward com frieza, lançando-lhe um olhar fulminante. Ainda não lhe tinha perdoado porque, independentemente do que acontecesse, eu iria sempre sofrer. No entanto, estava pronta a aceitar com satisfação o sofrimento do fogo, se fosse esse o pior acontecimento da noite.

– Eu prometi ao Charlie que ia aqui estar – declarou Jacob. – Ele precisa de apoio moral.

– Apoio moral – escarneceu Edward. – Por aquilo que o Charlie já sabe? Tu és o monstro mais repugnante de todos nós.

– Repugnante? – protestou Jake, para de imediato rir baixinho, só para si.

Ouvi o chiar de uns pneus a abandonarem a estrada para pisarem a terra húmida e macia do caminho dos Cullen; e a minha respiração acelerou novamente. Se ainda tivesse um coração humano, ele estaria a bater de forma descontrolada. A falta das reacções adequadas no meu corpo deixava-me ansiosa.

Procurei acalmar-me, concentrando-me no palpitar constante do coração de Renesmee e consegui obter resultados bastante depressa.

– Muito bem, Bella – murmurou Jasper, em tom de aprovação.

Edward apertou mais o braço em volta dos meus ombros.

– Não tens dúvidas? – perguntei-lhe.

– Nenhumas. Tu consegues fazer tudo. – O meu marido sorriu e beijou-me.

O beijo que me deu nos lábios não foi propriamente superficial, pelo que fui apanhada desprevenida pelas minhas reacções selvagens de vampira. Os lábios dele pareciam injectar um aditivo químico no meu sistema nervoso. Senti um desejo instantâneo de não ficar por ali. Precisei de me concentrar ao máximo para me lembrar que tinha a bebé nos braços.

Jasper deu pela alteração no meu estado de espírito.

– Hum, Edward, era melhor não a distraíres neste momento. A Bella tem de se concentrar.

Edward afastou-se.

– Ups – proferiu ele.

Eu ri-me. Aquela era a minha deixa desde o princípio dos princípios, desde o primeiro dos primeiros beijos.

– Mais tarde – disse, com o estômago a contrair-se na expectativa.

– Bella, concentra-te – insistiu Jasper.

– Está bem. – Afastei para o lado aquelas sensações palpitantes. Agora, era Charlie quem mais importava. A segurança de Charlie. E nós íamos ter a noite inteira...

– Bella.

– Desculpa, Jasper.

Emmett deu uma gargalhada.

O som do carro-patrulha de Charlie estava cada vez mais próximo. Aquele momento de leviandade já tinha passado e todos permaneciam imóveis. Cruzei as pernas e treinei algumas piscadelas de olhos.

O carro chegou à frente da casa e deteve-se, com o motor em ponto-morto. Perguntei-me se o meu pai estaria tão nervoso quanto eu. Entretanto, o motor desligou-se e ouvi uma porta a bater. Três passos sobre a relva, seguidos do eco de oito batidas de coração nas escadas de madeira. Mais quatro passos ressoantes a atravessar o pórtico. A seguir, o silêncio. Charlie respirou fundo duas vezes.

Truz, truz, truz.

Inalei por uma última vez. Renesmee aninhou-se mais nos meus braços, escondendo o rosto nos meus cabelos.

Carlisle foi abrir a porta. A sua expressão de ansiedade deu lugar a uma de boas-vindas, como se mudasse o canal de televisão.

– Viva, Charlie – saudou, adoptando o ar de atrapalhação conveniente. Afinal, supunha-se que estivéssemos em Atlanta, no Centro de Controlo e Prevenção de Doenças. Charlie sabia que lhe tinham mentido.

– Carlisle. – Charlie pronunciou o nome com rigidez. – Onde está a Bella?

– Aqui, pai.

Uf! A minha voz tinha saído tão mal! Além disso, usara parte da minha reserva de ar. Inspirei à pressa, para me reabastecer, satisfeita por o odor de Charlie ainda não se ter espalhado pela sala.

A expressão atónita de Charlie confirmou o facto da minha voz estar desajustada. Os seus olhos focaram-se em mim e depois abriram-se desmesuradamente.

Fui lendo as emoções, à medida que lhe cruzavam em silêncio o rosto.

Choque. Desilusão. Dor. Desorientação. Medo. Raiva. Desconfiança. Mais dor.

Mordi o lábio. A sensação era estranha. Os meus novos dentes pareciam mais aguçados contra a minha pele de granito do que os dentes humanos contra os lábios macios da boca anterior.

– És tu, Bella? – perguntou ele, em voz baixa.

– Sim. – Estremeci ao som da minha voz de carrilhão de vento. – Olá, pai!

Ele respirou fundo, dominando-se.

– Viva, Charlie – saudou-o Jacob, do seu canto. – Como vão as coisas?

Charlie lançou um breve olhar a Jacob com uma expressão carrancuda, estremeceu lembrando-se de algo e voltou a fitar--me.

A seguir, atravessou a sala devagar, até ficar a menos de um metro de mim. Envolveu Edward num ar acusatório e os seus olhos vacilantes pousaram de novo em mim. O calor do seu corpo fazia-me vibrar a cada batida do seu coração.

– Bella? – insistiu.

Respondi-lhe em voz baixa, tentando anular o tom fremente da minha voz.

– Sou mesmo eu.

Ele cerrou o queixo.

– Lamento que seja assim, pai – disse-lhe.

– Estás bem? – quis saber.

– Estou óptima, a sério – garanti-lhe. – Sã que nem um pêro.

E, com isto, o meu oxigénio acabou.

– O Jake disse-me que tinha sido... necessário. Que tu estavas a morrer.

Preparei-me mentalmente para o que me esperava, concen-trei-me no corpo quente de Renesmee, inclinei-me para Edward em busca de apoio e inspirei com força.

O odor de Charlie era um punhado de chamas a perfurar-me a garganta de alto a baixo. Mas eu sentia muito mais que a dor. Havia também uma pontada lancinante de desejo. Ele emanava o cheiro mais delicioso que eu podia imaginar. Dado que me atraía como os montanhistas desconhecidos na caçada, Charlie tornava-se duplamente tentador. E a escassos centímetros de distância, espalhando no ar seco um calor e uma humidade de fazer crescer água na boca.

Mas, naquele momento, eu não estava a caçar. E aquele era o meu pai.

Edward estreitou-me os ombros num gesto solidário e Jacob lançou-me um olhar de contrição, do outro lado da sala.

Tentei acalmar-me e ignorar a dor, o desejo e a sede. Charlie aguardava a minha resposta.

– O Jacob disse-te a verdade.

– Afinal há alguém que não mente – grunhiu Charlie.

Tive a esperança de que ele conseguisse ultrapassar as alterações no meu novo rosto, distinguindo os remorsos que eu sentia.

No esconderijo do meu cabelo, Renesmee fungou, ao detectar o odor de Charlie. Baixei os olhos e apertei-a mais firmemente.

Ele reparou no meu olhar ansioso e seguiu-o.

– Ah – proferiu, e a raiva apagou-se do seu rosto, sobrando o espanto. – É a criança. A órfã que o Jacob me contou que tinham adoptado.

– É minha sobrinha – mentiu Edward, com uma voz meliflua. Deveria ter chegado à conclusão que a semelhança entre Renesmee e ele era demasiado evidente para não se detectar. Pelo que seria melhor referir aquele parentesco desde o início.

– Pensei que tinhas perdido a tua família – comentou Charlie, de novo com um tom acusador.

– Perdi os meus pais. O meu irmão mais velho foi adoptado, tal como eu. Mas o tribunal contactou-me, quando ele e a mulher morreram num acidente de carro, visto que havia esta menina, que não tinha mais parentes.

Edward tinha muito jeito para aquilo. Falava com uma voz calma, com a dose de inocência exacta. Tinha de treinar para poder fazer o mesmo.

Renesmee espreitou debaixo do meu cabelo, voltando a aspirar o ar. Deitou uma olhadela tímida a Charlie sob as suas pestanas longas e voltou a esconder-se.

– Ela é... ela é, bom, é muito bonita.

– Sim – concordou Edward.

– Mas é uma grande responsabilidade. Acabaram de iniciar a vossa vida.

– Não nos restava alternativa. – Edward roçou levemente com os dedos pela face de Renesmee e vi-o a tocar-lhe nos lábios apenas um instante, lembrando-a. – Não podíamos recusar-nos ficar com ela, não acha?

– Hum. Bom. – O meu pai abanou a cabeça com um ar absorto. – O Jack disse-me que lhe chamam Nessie?

– Não, não chamamos – respondi logo, com a voz demasiado dura e estridente. – Ela chama-se Renesmee.

Charlie voltou a centrar-se em mim.

– Como te sentes com a situação? Talvez o Carlisle e a Esme pudessem...

– Ela é minha – interrompi-o. – Eu quero-a.

Charlie franziu o sobrolho.

– Estás à espera que eu seja avô assim tão novo?

Edward sorriu.

– O Carlisle também é avô.

Charlie lançou um olhar incrédulo a Carlisle, que se mantivera de pé, junto à porta da frente; ele assemelhava-se ao irmão mais novo e mais atraente de Zeus.

O meu pai resmungou e soltou uma gargalhada.

– Acho que isso já me faz sentir melhor. – O seu olhar desviou-se de novo para Renesmee. – Ela é mesmo digna de se ver. – O seu hálito quente cruzou, levemente, a distância que nos separava.

Renesmee inclinou-se para o cheiro, sacudindo o meu cabelo do rosto e olhando-o de frente pela primeira vez. Charlie ficou sufocado.

Eu vi o que ele via. Os meus olhos – os olhos dele – reproduzidos pormenorizadamente na face dela.

Charlie começou a respirar demasiado depressa. Os lábios tremiam e eu consegui ler os números que ele articulava em silêncio. O meu pai contava para trás, na tentativa de encaixar nove meses num só. Esforçava-se por ajustar as peças, mas não conseguia fazer com que aquela evidência, que se encontrava à sua frente, fizesse algum sentido.

Jacob levantou-se e aproximou-se para dar uma palmada nas costas do meu pai, curvando-se a seguir para lhe segredar algo ao ouvido; apenas Charlie ignorava que todos conseguiríamos ouvir.

– Não precisa de saber, Charlie. Está tudo bem. Garanto-lhe.

O meu pai engoliu em seco e assentiu com a cabeça. Em seguida, os olhos faiscaram, enquanto dava um passo em direcção a Edward de punhos crispados.

– Eu não quero saber tudo, mas estou farto de mentiras.

– Lamento – afirmou Edward, serenamente –, mas o Charlie precisa mais de saber a versão oficial, do que conhecer a verdade. Se vai partilhar este segredo, a versão oficial é o que conta. É algo necessário para proteger a Bella, a Renesmee e todos nós. Aguenta lidar com as mentiras, em atenção a elas?

A sala estava cheia de estátuas. Cruzei os tornozelos.

Charlie exalou o ar com cólera, em seguida, fitou-me com uma expressão carrancuda.

– Devias ter arranjado uma maneira de me avisar, miúda.

– Achavas realmente que seria mais fácil?

Ele franziu o sobrolho e depois ajoelhou-se no chão, mesmo à minha frente. Vi-lhe o sangue a pulsar no pescoço, sob a pele, e senti o calor da sua vibração.

Renesmee também. Ela sorriu e esticou-se, para tocar em Charlie com a palma da mão rosada. Eu sustive-a e ela apoiou a outra mão no meu pescoço, com a sede, a curiosidade e o rosto de Charlie a dominarem-lhe os pensamentos. Havia uma corrente subliminar naquela mensagem que me fez pensar que ela compreendera perfeitamente as palavras de Edward; reconheceu a sensação de sede, ultrapassando-a no mesmo pensamento.

– Ena – proferiu Charlie, estarrecido, a olhar para aqueles dentes perfeitos. – Qual é a idade dela?

– Hum...

– Três meses – disse Edward, acrescentando – ou melhor dizendo, tem mais ou menos o tamanho de uma criança de três meses. É mais nova em determinados aspectos e mais desenvolvida noutros.

Renesmee acenou ao meu pai, com um ar muito determinado.

Charlie pestanejou, em êxtase.

Jacob deu-lhe uma cotovelada.

– Dissera-lhe que ela era especial, certo?

Charlie retraiu-se e afastou-se, ao sentir aquele contacto.

– Ah, vá lá, Charlie! – resmungou Jacob. – Sou a pessoa de sempre. Limite-se a fingir que esta tarde não aconteceu.

A recordação fez com que os lábios de Charlie ficassem lívidos, embora assentisse uma vez com a cabeça.

– Diz-me só qual é o teu papel no meio disto tudo, Jake – pediu-lhe. – O que é que o Billy sabe da história? Porque estás aqui? – Olhou para o rosto de Jacob, que resplandecia ao olhar para Renesmee.

– Bom, eu posso contar-lhe a história toda, e o Billy está a par de tudo, mas uma grande parte está relacionada com os lobis...

– Uf! – protestou Charlie, tapando os ouvidos. – Esquece!

Jacob esboçou um largo sorriso.

– Vai correr tudo bem, Charlie. Só tem de fazer de conta que não acredita em nada do que está a ver.

O meu pai ripostou qualquer coisa imperceptível.

– Vamos a isso! – explodiu Emmett, de repente, com a voz troante. – Vá lá, Gators!

Jacob e Charlie deram um salto. Os restantes ficaram petrificados.

Charlie recompôs-se e, a seguir, olhou para Emmett por cima do ombro.

– Eles estão a ganhar?

– Acabaram de marcar o primeiro *touchdown* – confirmou Emmett. – Lançou-me um olhar rápido, agitando as sobrancelhas tal como um vilão de uma comédia de *vaudeville*. – Já era tempo de alguém marcar alguma coisa por estes lados.

Reprimi uma interjeição sibilante. À frente de Charlie? Aquilo ultrapassava todos os limites.

Mas Charlie não estava com capacidade para identificar alguma indirecta. Voltou a respirar fundo, inalando o ar como se o quisesse fazer chegar à ponta dos pés. Senti inveja dele. Pôs-se de pé, meio cambaleante, rodeou a figura de Jacob e quase caiu desamparado sobre uma cadeira.

– Bom – comentou, com um suspiro –, vamos lá ver se eles conseguem aguentar a vantagem.

Vinte e Seis

BRILHANTE

— Não estou a ver o que posso contar à Renée sobre isto — disse Charlie, hesitante, com um pé fora da porta. A seguir, retesou o corpo e ouvi o seu estômago a gemer.

Assenti com a cabeça.

— Eu sei. Não quero que ela tenha um ataque de nervos. É melhor poupá-la. Este tipo de coisas não é aconselhável a pessoas impressionáveis.

O meu pai retorceu os lábios aos cantos, numa expressão pesarosa.

— Também teria tentado poupar-te, se tivesse sabido como. Mas acho que nunca pertenceste à categoria das pessoas impressionáveis, pois não?

Respondi-lhe com um sorriso, aspirando um hálito fulminante através dos meus dentes.

Charlie deu umas palmadinhas na barriga, com ar ausente.

— Eu vou pensar em qualquer coisa. E teremos tempo de conversar sobre o assunto, não é?

— Sim — prometi-lhe.

O dia tinha sido muito longo em alguns sentidos, e demasiado curto noutros. Charlie já estava atrasado para o seu encontro — ia jantar com Billy, a casa de Sue Clearwater. Esta noite seria ligeiramente complicada para ele, mas pelo menos comia como deve ser; perante a falta de habilidade para cozinhar que tinha, estava satisfeita ao aperceber-me que alguém o impedia de morrer à fome.

A tensão que se instalara durante o dia levou os minutos a passarem muito devagar; Charlie nunca conseguira descontrair-se o suficiente para aliviar a rigidez dos ombros. Todavia não mostrara pressa em partir. Tinha assistido a dois jogos inteiros e, felizmente, estava tão embrenhado nos seus pensamentos que o humor mordaz de Emmett, com apartes cada vez mais brejeiros e menos ligados ao futebol, lhe passaram completamente despercebido. E, ainda assistira aos comentários dos jogos e aos noticiários que se seguiram, sem se mexer, até Seth lhe lembrar as horas.

– Charlie, não vai deixar a minha mãe e o Billy à espera, pois não? Vá lá. A Bella e a Nessie estarão aqui amanhã. Vamos lá à paparoca, sim?

Pela expressão de Charlie, era evidente que ele não acreditava na garantia de Seth, de qualquer modo deixou que o conduzisse até à porta. Enquanto estava ali parado, mantinha-se na dúvida. Lá fora, as nuvens diminuíam de densidade, com a chuva a deixar de cair. Talvez o Sol ainda fosse aparecer, a tempo de dar o seu lugar à noite.

– O Jake contou-me que vocês estavam a pensar partir por minha causa – reclamou ele.

– Eu não o queria fazer, se houvesse qualquer solução melhor. É por isso que ainda aqui estamos.

– Ele disse que vocês podiam ficar algum tempo, mas só se eu conseguisse aguentar-me e manter a boca fechada.

– Sim... mas não posso garantir-te que não o venhamos a fazer um dia, pai. É bastante complicado...

– Não preciso de saber – recordou-me.

– Certo.

– Mas, se tiveres de partir, vens visitar-me?

– Prometo-te que o faço, pai. Agora que já sabes o essencial, acho que tudo irá correr bem. Estarei tão perto de ti quanto desejares.

Charlie mordiscou o lábio por um instante e depois inclinou-se lentamente para mim, estendendo os braços cuidadosamente. Mudei Renesmee – adormecida – para o braço esquerdo, cerrei os dentes, sustive a respiração e passei o braço contrário em volta da cintura quente e macia do meu pai, o mais delicadamente que pude.

– Mantém-te em contacto, Bella – balbuciou ele. – Sempre por perto.

– Amo-te, pai – murmurei, por entre dentes.

Ele estremeceu e afastou-se. Deixei cair o braço.

– Também te amo, miúda. Mesmo que muita coisa possa estar diferente, isso nunca há-de mudar. – A seguir tocou com um dedo na bochecha rosada de Renesmee. – Ela é mesmo parecida contigo.

Mantive uma expressão imperturbável, embora me sentisse tudo menos isso.

– Mais com o Edward, acho eu. – Hesitei e depois acrescentei. – Ela tem o teu cabelo encaracolado.

Charlie ficou surpreendido e entretanto acrescentou:

– Hum. Parece que tem. Hum... avô. – Abanou a cabeça, com um ar descrente. – Posso pegar-lhe ao colo?

Pisquei os olhos, surpreendida, mas recompus-me. Depois de reflectir durante meio segundo e de observar o estado de Renesmee – parecia dormir profundamente – concluí que poderia, podia esticar a minha sorte até ao limite, uma vez que tudo estava a correr tão bem naquele dia...

– Toma – disse, estendendo-lhe a minha filha. Ele fez automaticamente um ninho desajeitado com os braços, onde a depositei. A pele do meu pai não era tão quente quanto a dela, mas o sangue quente a pulsar sob aquela membrana fina deixava-me a garganta a arder. Os pontos onde esta tocava nos meus braços brancos ficavam em pele de galinha. Não sabia se a reacção se devia à diferença da minha temperatura ou se era um fenómeno psicológico.

Charlie rabujou em voz baixa, ao sentir o peso da bebé.

– Ela é... robusta.

Franzi o sobrolho. Eu sentia-a tão leve como uma pena. Talvez a minha capacidade para avaliar pesos também tivesse sido afectada.

– É bom que seja assim robusta – apressou-se Charlie a dizer, apercebendo-se da minha expressão. Depois, resmungou para os seus botões. – Vai precisar de ser resistente, com esta maluquice toda em redor. – Ajustou-a melhor aos braços e embalou-a suavemente. – É a bebé mais bonita que já vi, incluindo tu, miúda. Desculpa, mas é a verdade.

– Eu sei.

– Bebé bonita – voltou o meu pai a dizer, mas desta vez já com um som muito próximo de um arrulho.

Vi a expressão do rosto dele e ela era cada vez mais consistente. Charlie era tão impotente contra a magia dela, como todos nós. Dois segundos nos braços dele e Renesmee já o tinha arrebatado.

– Posso voltar amanhã?

– Claro que sim, pai. Claro. Nós estaremos aqui.

– É melhor que sim – disse ele num tom severo; no entanto, a expressão do seu rosto era terna, mantendo os olhos pousados em Renesmee. – Até amanhã, Nessie.

– Não! Tu também?

– Hã?

– Ela chama-se Renesmee. É a combinação de Renée e Esme. Não há variações. – Lutei por me acalmar, evitando respirar fundo, desta vez. – Sabes qual é o segundo nome dela?

– Diz lá.

– Carlie. Com um C. Carlisle e Charlie juntos.

O sorriso rasgado de Charlie, franzindo-lhe os olhos, apanhou-me de surpresa.

– Obrigada, Bells.

– Eu é que te agradeço, pai. Houve tanta coisa a mudar tão depressa, que a minha cabeça não pára de girar. Se não te tivesse, não sei como conseguia agarrar-me... à realidade. – Estive a pontos de lhe dizer "agarrar-me àquilo que fui". Provavelmente, seria mais do que ele conseguia suportar.

O estômago do meu pai voltou a gemer.

– Vai jantar, pai. Nós vamos estar aqui. – Recordei-me do que tinha sentido da primeira vez em que me deixara submergir pela fantasia, a sensação de que tudo iria desaparecer com a claridade do Sol nascente.

Charlie acenou com a cabeça e devolveu-me Renesmee com alguma relutância. Depois, olhou de relance para a casa atrás de mim; os seus olhos incendiaram-se por um minuto, enquanto percorriam a sala grande e iluminada. Todos continuavam lá, além de Jacob, que ouvia na cozinha a assaltar o frigorífico; Alice estava reclinada no primeiro degrau da escada, com a cabeça de Jasper no colo; Carlisle baixava a cabeça sobre um livro volumoso que tinha no colo; Esme cantarolava para si, rabiscando num bloco de apontamentos; enquanto Rosalie e Emmett, debaixo das escadas, lançavam as bases para um gigantesco castelo de cartas. Edward deambulara até ao piano e tocava uma melodia suave para si. Não havia qualquer sinal de que o dia se aproximava do fim, que poderia ser a altura de comer ou desenvolver outras actividades mais características da noite. Algo intangível modificara a atmosfera daquele lugar. Os Cullen não estavam a esforçar-se tanto como o habitual – a farsa humana estava a ser representada com mais displicência, o que bastou para Charlie se aperceber da diferença.

O meu pai estremeceu, abanou a cabeça e suspirou.

– Até amanhã, Bella. – Entretanto franziu o sobrolho e acrescentou: – Quero dizer, não é que não me pareças... bem. Eu irei habituar-me.

– Obrigada, pai.

Charlie acenou-me de novo e avançou para o carro, com um ar pensativo. Fiquei a vê-lo a afastar-se e só quando ouvi os pneus a atingirem o piso de alcatrão é que concluí ter conseguido. Na verdade, passara o dia sem o ferir. Graças à força do meu autocontrolo. Eu devia ter algum superpoder!

Parecia bom de mais para ser verdade. Seria mesmo possível manter a minha nova família e parte da antiga em simultâneo? E eu a julgar que o dia anterior tinha sido perfeito...

– Uau – exclamei baixinho. Pisquei os olhos e senti o terceiro par de lentes a desintegrar-se.

O som do piano foi interrompido e os braços de Edward rodearam-me pela cintura, enquanto ele descansava o queixo sobre o meu ombro.

– Tiraste-me a palavra da boca.

– Edward, consegui!

– É verdade. Foste incrível. Receaste tanto seres uma recém-nascida e ultrapassas os obstáculos todos. – Edward sorriu baixinho.

– Já não tenho a certeza de que ela é uma vampira, quanto mais uma recém-nascida – comentou Emmett, do local onde se encontrava. – A Bella é demasiado mansa.

Chegaram-me, novamente, ao ouvido os comentários emba-raçosos que ele fizera à frente do meu progenitor, pelo que foi bom ter Renesmee ao colo. Não me consegui dominar totalmente e deixei escapar uma rosnadela.

– Ooooh! Que medo – exclamou Emmett, com uma garga-lhada.

Emiti um som sibilante e Renesmee agitou-se nos meus braços. Pestanejou algumas vezes e olhou em redor, com uma expressão confusa. A seguir inalou o ar e tocou-me na face.

– O Charlie volta amanhã – prometi-lhe.

– Excelente – declarou Emmett. Desta vez, Rosalie juntou o seu riso ao dele.

– Não é lá muito boa ideia, Emmett – proferiu Edward, com um ar sarcástico, estendendo-me as mãos para pegar em Renesmee. Ao ver a minha hesitação, piscou-me o olho, pelo que a passei para os braços dele, ainda confusa.

– Onde é que queres chegar? – perguntou-lhe o irmão.

– É algo estúpido hostilizar a vampira mais forte da casa, não te parece?

Emmett lançou a cabeça para trás e refilou.

– Por favor!

– Bella – murmurou Edward, com Emmett de ouvidos à escuta –, lembras-te de te ter perguntado, há uns meses, se me fazias um favor, assim que fosses imortal?

As palavras dele accionaram uma campainha na minha cabeça, começando a vasculhar nas minhas conversas humanas imprecisas. Passado um momento, encontrei a memória e revelei uma expressão de sobressalto.

– Ah!

Alice soltou uma longa gargalhada chilreante e Jacob veio espreitar, com a boca atafulhada de comida.

– O que foi? – resmungou Emmett.

– Achas que sim? – perguntei a Edward.

– Confia em mim – assegurou-me.

Respirei fundo.

– Emmett, o que te parece fazermos uma pequena aposta?

Ele pôs-se imediatamente de pé.

– Fantástico. Vamos a isso!

Mordi o lábio por um segundo. Ele era mesmo enorme.

– A não ser que tenhas medo... – insinuou ele.

Endireitei os ombros como um autómato.

– Tu. Eu. Braço-de-ferro. Mesa grande. Agora.

O seu rosto abriu-se num largo sorriso irónico.

– Hum, Bella – intrometeu-se Alice de imediato –, acho que a Esme gosta muito dessa mesa. É uma antiguidade.

Obrigada, agradeceu Esme em silêncio, articulando a palavra com os lábios.

– Não há problema – afirmou Emmett, com um sorriso radiante. – Por aqui, Bella.

Segui-o até às traseiras, em direcção à garagem, e ouvi os movimentos dos outros em fila atrás de nós. Ao centro de um amontoado de pedras, junto ao rio, elevava-se um pedregulho de granito bastante grande, que deveria ser o alvo dele. Embora se apresentasse ligeiramente arredondado e irregular, serviria.

Emmett colocou o cotovelo em cima dele e fez-me sinal para avançar.

Ao ver os músculos fortes do seu braço contraído, senti-me novamente nervosa, mas mantive uma expressão de serenidade. Edward garantira-me que, por uns tempos, eu seria mais forte que qualquer um deles. A segurança com que o dissera, levara-me a sentir-me forte. *Mas seria assim tanto?* A pergunta surgia-me, ao olhar para o bíceps de Emmett. Mas ainda nem sequer tinha completado dois dias de existência e isso devia contar para alguma coisa. A não ser que não houvesse nada em mim que fosse normal. Talvez eu não fosse tão forte quanto um recém-nascido. Talvez fosse essa a razão que me levava a controlar-me com tanta facilidade.

Assentei o cotovelo contra a rocha, tentando exibir um ar descontraído.

– Muito bem, Emmett. Se eu ganhar, ficas proibido de dizer mais uma palavra sobre a minha vida sexual, seja a quem for, nem mesmo à Rose. Acabam-se as insinuações, as indirectas, tudo.

Ele semicerrou os olhos.

– Combinado. Se eu ganhar, as coisas ainda vão ficar muito piores.

Ao sentir a minha respiração a deter-se bruscamente, Emmett esboçou um sorriso maldoso. Vi nos seus olhos que não estava a fazer *bluff.*

– Vais-te abaixo assim tão depressa, irmãzinha? – desafiou-me. – Não há aí grande ferocidade, pois não? Aposto em como aquela casa de campo não sofreu nem um arranhão. – Soltou uma gargalhada. – O Edward contou-te quantas casas a Rose e eu deitámos abaixo?

Fiz ranger os dentes e agarrei a grande mão à minha frente com toda a força.

– Um, dois...

– Três – grunhiu ele e investiu contra a minha mão.

Não aconteceu nada.

Ah, eu senti a força que ele fazia! A minha nova mente parecia estar apta a fazer todo o tipo de cálculos e percebi que, sem a minha resistência, a mão de Emmett seria capaz de rachar o pedregulho com toda a facilidade. A pressão aumentou e eu interroguei-me, quase por acaso, se uma betoneira numa descida íngreme, a sessenta quilómetros à hora, teria uma força semelhante. A oitenta? A noventa? Talvez a mais.

Mas não foi o bastante para me fazer mover. E, embora a mão dele se abatesse sobre a minha com uma energia demolidora, a sensação não era desagradável. Sabia-me bem, de um modo invulgar. Desde o meu despertar, fora sempre tão cautelosa, tentando ao máximo não quebrar nada, que agora sentia um alívio estranho ao usar os músculos. Deixei a força fluir, em vez de me esforçar por a conter.

Emmett soltou um grunhido; franziu a testa, retesando o corpo numa linha rígida e única em direcção ao obstáculo que era a minha mão imóvel. Deixei-o suar – em sentido figurado – durante um momento, desfrutando da sensação da força alucinante que me percorria o braço.

Contudo, segundos depois, senti-me ligeiramente farta daquilo. Flecti o meu braço e o de Emmett recuou quase três centímetros.

Dei uma gargalhada e ele rosnou furioso, por entre dentes.

– Limita-te a ficar calado – lembrei-lhe e depois esmaguei-lhe a mão contra a rocha. Um estalo ensurdecedor ecoou entre as árvores. O pedregulho vacilou e um fragmento, correspondente a um oitavo do seu volume, despegou-se de uma linha de fractura invisível e caiu com estrondo. Ao vê-lo atingir o pé de Emmett, ri-me à socapa. Ao mesmo tempo, ouvi as gargalhadas abafadas de Edward e de Jacob.

Emmett deu um pontapé no pedaço de rocha, projectando-o para o outro lado do rio. A pedra dividiu um ácer jovem ao meio, antes de se abater sobre a base de um enorme abeto, que oscilou, acabando por cair sobre a árvore ao lado.

– Desforra. Amanhã.

– Não irei enfraquecer assim tão depressa – retorqui. – Talvez fosse melhor esperares um mês.

Ele rugiu, mostrando-me por uns instantes o brilho dos dentes.

– Está bem, então fazemos aquilo que te deixar feliz, mano.

Ao virar-se, afastando-se em grandes passadas, Emmett assestou um murro no pedregulho, provocando uma saraivada de pequenos fragmentos e pó, que se espalhou por toda a parte. Foi mais ou menos espectacular, embora algo infantil.

Fascinada com a prova inegável de que suplantava o vampiro mais forte que alguma vez tinha conhecido, espalmei a mão contra a rocha, de dedos bem abertos. Depois, comecei a pressioná-los, esmagando-os na pedra, em vez de a escavar. A textura do granito lembrava-me um queijo duro. Ao terminar, tinha a mão cheia de gravilha.

– Fixe – murmurei.

Com um largo sorriso no rosto, rodei sobre mim de repente e apliquei-lhe um golpe de *karaté* com o lado de fora da mão. O pedregulho chiou e gemeu, partindo-se em dois e terminando envolvido por uma pequena nuvem de pó.

Comecei a dar curtos risos.

Depois, enquanto esmurrava e pontapeava o resto da pedra, desfazendo-a em pedaços, não dei grande atenção aos risos que surgiam atrás de mim. Estava a divertir-me imenso, rindo-me baixinho o tempo todo. Apenas quando me chegou aos ouvidos um risinho novo, que soava como o toque estridente de campainhas, é que voltei as costas àquele passatempo idiota.

– Ela riu agora mesmo?

Todos fitavam Renesmee com o mesmo ar estupefacto que eu deveria exibir.

– Sim – confirmou Edward.

– Quem é que não se riu? – resmungou Jacob, revirando os olhos.

– Diz lá que não ficaste todo excitado, da primeira vez que deste uma corrida, cão – observou Edward a gozar, sem uma ponta de hostilidade na voz.

– A situação era diferente – retorquiu Jacob, mostrando-me surpreendida ao vê-lo a dar um soco, a brincar, no ombro de Edward. – A Bella já é uma mulher crescida. Casada, mãe e tudo o resto. Não devia ter mais dignidade?

Renesmee revelou uma expressão apreensiva e tocou no rosto do pai.

– O que é que ela quer? – perguntei.

– Menos dignidade – explicou Edward, com um largo sorriso. – Ela estava a achar tanta piada como eu, vendo-te assim tão divertida.

– Eu tenho piada? – perguntei a Renesmee, correndo para junto dela e estendendo-lhe os braços, ao mesmo tempo que ela me estendia os seus. Tirei-a do colo de Edward e ofereci-lhe o pedaço de rocha que tinha nas mãos. – Queres experimentar?

Ela fez o seu sorriso radioso e pegou na pedra com as duas mãos. Apertou-a, com uma pequena ruga a formar-se entre as sobrancelhas, enquanto se concentrava.

Seguiu-se um suave ruído de algo a triturar e alguma poeira. Renesmee franziu o sobrolho e estendeu-me a pedra.

– Eu faço isso – disse-lhe, esmagando-a e desfazendo-a em pó.

A minha filha bateu palmas e riu-se; aquele som delicioso incitou-nos a fazermos coro com ela.

De repente, o Sol irrompeu por entre as nuvens, lançando longos raios de ouro e rubi sobre os dez seres que ali estavam. Perdi-me de imediato a contemplar a beleza da minha pele à luz do pôr-do-sol. Completamente deslumbrada.

Renesmee afagou as suas faces suaves com brilho de diamantes e, a seguir, estendeu o braço ao lado do meu. A pele dela tinha apenas uma leve luminosidade, subtil e misteriosa. Nada de semelhante ao meu fulgor resplandecente, que a obrigasse a ficar em casa num dia de Sol. Ela tocou no meu rosto, a pensar na diferença e sentindo-se descontente.

– Tu és a mais bonita – garanti-lhe.

– Não sei se estou de acordo com isso – afirmou Edward e, quando me voltei para lhe responder, a luz do sol a bater-lhe no rosto prendeu-me num silêncio maravilhado.

Jacob tinha posto a mão em frente à cara, fingindo proteger os olhos do brilho ofuscante.

– Que Bella tão esotérica – comentou.

– É uma criatura espantosa – murmurou Edward, quase num tom de aprovação, como se a intenção de Jacob fosse fazer-me um elogio. Edward estava tão deslumbrante como deslumbrado.

Era uma sensação estranha – não surpreendente, supunha, porque agora tudo me parecia estranho – sentir-me natural em alguma coisa. Como humana, nunca fora a melhor em coisa alguma. Tinha uma boa relação com Renée, mas provavelmente havia imensa gente que poderia ter uma relação melhor; Phil parecia estar a consegui-lo. Era uma boa estudante, mas nunca atingira o topo da escala. E era óbvio que o desporto não era o meu forte. O mesmo acontecia com a vertente artística ou musical, onde não revelava qualquer talento de que me pudesse vangloriar. Nunca ninguém me atribuíra um prémio por ler muitos livros. Ao fim de dezoito anos de mediocridade, estava mais do que habituada a ser uma criatura mediana. Agora apercebi-me de que pusera de lado, há muito tempo, a aspiração a ser brilhante em algo. Limitara-me a fazer o melhor que podia, com o que tinha e sem nunca me adaptar totalmente ao meu mundo.

Daí que isto fosse realmente diferente. Agora eu era espantosa – para eles e para mim. Sentia-me como se tivesse nascido para ser vampira. Esta ideia deu-me vontade de rir, mas também de cantar. Tinha encontrado o meu verdadeiro lugar no mundo, o lugar onde pertencia: o meu lugar brilhante.

Vinte e Sete

PLANOS DE VIAGEM

Desde que me transformara em vampira tinha passado a dar mais atenção à Mitologia.

Ao recordar os três primeiros meses como imortal, costumava imaginar o fio do meu destino no tear das Moiras – quem poderia negar que elas existiam? Tinha a certeza de que ele já não era da mesma cor; no início, deveria ter um tom bege agradável, algo harmónico e consensual que funcionava bem como pano de fundo. Neste momento, sentia-o num tom de carmesim brilhante ou dourado luminoso.

A tapeçaria de família e amigos que se urdia à minha volta era magnífica e calorosa, cheia de cores brilhantes e complementares.

Alguns dos fios que acabara por incluir na minha vida surpreendiam-me. Os lobisomens, com os seus tons carregados e terrosos, constituíam algo de inesperado: Jacob, claro, e Seth, também. Mas a entrada de Quil e Embry na alcateia de Jacob levara estes velhos amigos a integrarem-se na mesma teia. Até Sam e Emily pareciam mais próximos de mim. A tensão entre as famílias suavizara, em grande parte devido a Renesmee. Era muito fácil amá-la.

Sue e Leah Clearwater também se entrelaçavam na nossa vida – mais dois fios com os quais não contava.

Agora, Sue parecia ter assumido a tarefa de amenizar a transição de Charlie para o mundo do faz-de-conta. Acompanhava-o na maior parte das visitas aos Cullen, embora nunca a visse tão à vontade quanto o filho e a maior parte dos membros da alcateia de Jacob. Não falava muito; limitava-se a ficar próxima do meu pai, com um ar protector. Era sempre a primeira pessoa para quem ele olhava, quando Renesmee fazia algo tão precoce que o perturbava. Isso acontecia frequentemente e a reacção de Sue resumia-se a cravar os olhos em Seth, como se lhe dissesse: "Pois, agora vais ter de me explicar".

Leah estava menos confortável que Sue, sendo o único elemento da nossa família, agora mais alargada, que se revelava totalmente hostil à junção. Contudo, ela e Jacob partilhavam uma nova relação de companheirismo que a aproximava de todos nós. Uma vez, perguntei-lhe como é que isso tinha acontecido, embora um pouco a medo. Não queria intrometer-me, só que a relação era tão diferente da inicial que me deixara curiosa. Ele encolheu os ombros e respondeu-me que eram assuntos da alcateia. Agora, Leah era o seu segundo-em-comando, o seu "Beta", de acordo com uma designação minha, já antiga.

– Atendendo a que levaria as funções de Alfa à letra, achei por bem cumprir todas as formalidades – explicou Jacob.

A nova responsabilidade levava Leah a contactar com o seu chefe, frequentemente, e como este estava sempre próximo de Renesmee...

Embora a nossa proximidade a contrariasse, Leah era apenas uma excepção. Neste momento, a felicidade era a componente principal da minha vida, o padrão dominante da tapeçaria. Até a minha relação com Jasper estava muito mais profunda que alguma vez chegara a supor.

Mas, no início, ele deixara-me exasperada...

– Caramba! – protestei com Edward uma noite, depois de deixarmos Renesmee no seu berço de ferro forjado. – Se ainda não matei o Charlie ou a Sue, o mais certo é que nem aconteça. Era bom que ele deixasse de andar à minha volta o tempo todo!

– Ninguém está a desconfiar de ti, Bella – garantiu Edward –, mas tu conheces o Jasper: ele não consegue resistir a um bom clima repleto de emoções. E tu estás tão feliz, meu amor, que ele acaba por gravitar em teu redor, sem pensar no que faz.

A seguir, Edward abraçara-me com muita força, porque nada o deixava mais feliz que este êxtase irresistível na minha nova vida.

Na verdade, andava eufórica a maior parte do tempo. Os dias não pareciam durar o suficiente para adorar a minha filha tanto quanto desejava; as noites pareciam não ter horas suficientes para saciar o desejo que sentia por Edward.

No entanto, esta alegria tinha um reverso. Virando do avesso o tecido das nossas vidas, imaginava-o cheio de nós de medo e dúvida, num tom de cinzento sombrio.

Renesmee pronunciou a primeira palavra ao completar exactamente uma semana de vida. A palavra foi *mamã* e o acontecimento deveria ter-me posto nas nuvens durante todo o dia. No entanto, aquele avanço foi um choque para mim. Mal consegui obrigar o meu rosto petrificado a responder-lhe com um sorriso. O facto de ela transitar, no mesmo instante, da primeira palavra para a primeira frase, não ajudou.

– Mamã, onde está o avô? – perguntou-me, numa voz cristalina de soprano, dando-se apenas ao trabalho de o dizer em voz alta porque eu me encontrava do outro lado da sala. Já o tinha perguntado a Rosalie, através do meio de comunicação normal (ou extremamente fora do normal, conforme o ponto de vista). Como esta não sabia a resposta, a minha filha socorrera-se de mim.

Ao caminhar pela primeira vez, menos de três semanas a seguir, a cena repetiu-se. Renesmee limitara-se a observar Alice durante um longo momento, seguindo-a com toda a atenção, enquanto a tia distribuía flores pelas várias jarras espalhadas pela sala, dançando para trás e para a frente com os braços cheios de ramos. Renesmee pusera-se de pé e, sem qualquer passo vacilante, atravessara a sala num andar quase tão gracioso quanto o de Alice.

Jacob tinha irrompido em aplausos, porque essa era a reacção que ela aguardava. A forma como ele estava ligado a Renesmee levava-o a colocar em segundo plano as reacções mais instintivas; o primeiro impulso era dar-lhe aquilo que ela desejava. Mas, quando os nossos olhares se encontraram, vi que a expressão dele espelhava o meu pânico. Fiz um esforço por bater palmas também, tentando esconder da minha filha o medo que sentia. Edward, ao meu lado, aplaudiu em silêncio e não foi preciso partilharmos o que pensávamos porque sabíamos que era o mesmo.

Ele e Carlisle embrenharam-se em pesquisas, à procura de respostas, de algo que nos dissesse o que iria acontecer. Encontraram muito pouco e nada que pudesse ser confirmado.

Por norma, o nosso dia começava com um desfile de moda organizado por Alice e Rosalie. Renesmee nunca usava a mesma roupa duas vezes, em parte porque deixava de lhe servir quase de imediato e, também, porque as duas estavam a tentar organizar uma espécie de "Álbum do Bebé", que parecia abranger um período de anos e não de semanas. Os milhares de fotografias que tiravam documentavam uma infância tão acelerada.

Ao completar três meses, Renesmee poderia ser uma criança grande, de um ano, ou uma de dois menos desenvolvida. No entanto, o seu corpo não tinha exactamente as formas de uma criança dessas idades; era mais esguio e gracioso, e com proporções equilibradas, tal como o corpo de um adulto. Os caracóis acobreados batiam-lhe na cintura e eu não conseguiria cortá-los, mesmo que Alice o permitisse. Renesmee falava com uma fluência e articulação perfeitas, embora fosse muito raro dar-se a esse trabalho, ao preferir mostrar simplesmente às pessoas aquilo que queria. Não só andava, como também corria e dançava. E até conseguia ler.

Uma noite, estava a ler-lhe poemas de Tennyson, convicta que a fluência e o ritmo da sua poesia eram repousantes. (Tinha de andar sempre à procura de novos materiais; Renesmee não gostava de ouvir duas vezes a mesma história para adormecer, ao contrário do que acontecia com as outras crianças, e não tinha a mínima paciência para livros de bonecos). Pousou-me a mão na face e eu vi a nossa imagem no seu pensamento, com a diferença de que era ela quem tinha o livro nas mãos. Passei-lho, com um sorriso.

– Há aqui uma música doce – leu ela, sem qualquer hesitação – que cai mais suave que pétalas de rosa sopradas sobre a erva, que o orvalho da noite sobre águas calmas entre muros sombrios de granito, num desfiladeiro de luz...

Voltei a segurar no livro, na sequência de um gesto de autómato.

– Se fores tu a ler, como é que irás adormecer? –, interpelei-a, com a voz quase a tremer.

Pelos cálculos de Carlisle, o crescimento do corpo abrandava devagar, enquanto a mente prosseguia a sua corrida cada vez mais veloz. Mesmo que a taxa de redução se mantivesse estável, dentro de aproximadamente quatro anos, Renesmee seria um adulto.

Quatro anos. E uma mulher idosa aos quinze.

Apenas quinze anos de vida.

No entanto, ela era muito saudável. Enérgica, animada, calorosa e feliz. Aquele bem estar evidente tornava-me mais fácil sentir-me igualmente feliz naquele momento, reservando o futuro para mais tarde.

Pelo contrário, Carlisle e Edward discutiam as opções que se colocavam no futuro sob todos os ângulos, falando em voz baixa, enquanto me esforçava por não os ouvir. Nunca debatiam o assunto quando Jacob estava presente, atendendo a que *havia* um processo seguro para parar o envelhecimento e esse, provavelmente, não o iria deixar nada entusiasmado. E a mim também não. "É demasiado perigoso!", gritavam-me os meus instintos. Jacob e Renesmee eram parecidos em muitos aspectos, na sua qualidade de seres mistos, dotados de duas coisas em simultâneo. E todos os antecedentes da história dos lobisomens indicavam que o veneno de vampiro era uma sentença de morte, jamais o caminho para a imortalidade...

Carlisle e Edward esgotaram todas as pesquisas que podiam desenvolver à distância, pelo que agora se preparavam para investigar as lendas antigas junto da fonte. Iríamos começar a viagem de investigação com um regresso ao Brasil. Os Ticunas tinham lendas de crianças parecidas com Renesmee... se acaso tivessem chegado a existir crianças assim, talvez subsistisse algum conhecimento sobre o ciclo de vida de alguma que fosse semimortal...

A única questão pendente era a data da partida.

E o motivo do atraso era eu. Por um lado, queria ficar próxima de Forks até depois das férias, por causa do Charlie. Mas a razão principal relacionava-se com uma viagem diferente que sabia ter de fazer primeiro – uma prioridade absoluta. E que teria de ser a solo.

Este fora o motivo da única discussão entre mim e Edward desde a minha transformação em vampira. O principal ponto de divergência era a questão de ter de ir sozinha. Só que os factos eram o que eram, e apenas o meu plano fazia sentido à luz da razão. Eu tinha de me encontrar com os Volturi, realizando a viagem completamente só.

Mesmo liberta dos pesadelos do passado, de toda e qualquer espécie de sonhos, era-me impossível esquecer os Volturi. E eles também não se deixavam esquecer.

Até ao dia em que chegou o presente de Aro, ignorava que Alice tivesse enviado uma participação de casamento aos Anciãos do clã. Edward e eu estávamos muito longe, na ilha Esme, quando ela teve uma visão do exército dos Volturi, onde Jane e Alec, os gémeos de poderes devastadores, estavam presentes. Caius planeava enviar um grupo de batedores para apurar se eu ainda era humana, ao contrário do que fora decretado (a partir do momento em que tinha acedido ao mundo secreto dos vampiros, ou me juntava a eles ou era silenciada... para sempre). Essa fora a razão que levara Alice a enviar-lhes a participação, na esperança de que tal os mantivesse entretidos, enquanto decifravam o que estaria oculto. De qualquer modo, eles acabariam por vir. Não tinha qualquer dúvida.

A prenda não era eminentemente aterradora. Extravagante, e, de alguma forma, tornava-se quase assustadora. A ameaça estava contida na primeira linha da mensagem de felicidades de Aro, escrita pelo próprio, a tinta negra, num rectângulo de papel branco, encorpado e simples:

Aguardo com expectativa o prazer de conhecer pessoalmente a nova Sra. Cullen.

A prenda vinha acondicionada numa caixa de madeira antiga, esculpida, incrustada a ouro e madrepérola, e decorada com um arco-íris de pedras preciosas. Na opinião de Alice, a caixa era um tesouro inestimável, capaz de ofuscar qualquer jóia, excluindo a que continha.

– Sempre me perguntei onde teriam ido parar as jóias da coroa, quando o rei João de Inglaterra as empenhou no século XIII – comentou Carlisle. – Não me surpreende que os Volturi tivessem ganho o seu quinhão.

O colar era simples – uma corrente grossa, tecida em ouro e quase escamada, lembrando uma serpente macia que se ajustava perfeitamente ao pescoço. A corrente tinha uma única jóia: um diamante branco, do tamanho de uma bola de golfe.

A alusão directa, expressa no cartão de Aro, interessava-me mais que a jóia. Os Volturi precisavam de confirmar se eu era imortal e se os Cullen tinham respeitado a ordem deles; algo que queriam fazer sem demora. No entanto, não poderia permitir que eles viessem a Forks. Só assim era possível salvaguardar as nossas vidas na nossa terra.

– Tu não vais sozinha – teimara Edward, por entre dentes, de punhos cerrados.

– Eles não me fazem mal – dissera-lhe, com a serenidade que tinha reunido, esforçando-me por falar num tom seguro. – Não têm razões para isso. Agora, sou uma vampira e o caso está encerrado.

– Não. Nem pensar.

– Edward, esta é a única forma de a proteger.

E esse tinha sido o único argumento que ele não conseguira rebater. A minha lógica era irrefutável.

Mesmo que tivesse convivido pouco tempo com Aro, tivera oportunidade para lhe conhecer a faceta de coleccionador – e de perceber que as peças vivas eram as que ele mais valorizava. A beleza, o talento e a originalidade dos seus seguidores imortais eram-lhe mais preciosos que qualquer jóia guardada nos seus cofres. Por um acaso infeliz, ele começara a cobiçar as capacidades de Alice e de Edward e eu não queria dar-lhe mais qualquer tipo de razão para invejar a família de Carlisle. Renesmee era bela, sobredotada e ímpar – era única. Não poderia permitir que Aro a visse, nem sequer nos pensamentos de alguém.

E eu era a única cujos pensamentos lhe estavam vedados. Por isso, eu tinha de ir sozinha, evidentemente.

Alice não pareceu ficar perturbada com a minha viagem, mas a qualidade deficiente das suas visões deixou-a apreensiva. Queixava-se que elas, por vezes, se mostravam esfumadas, ao focarem decisões externas que podiam entrar em conflito entre si e que não estavam devidamente resolvidas. Se Edward já estava hesitante, esta incerteza fez com que ele se opusesse frontalmente ao que eu teria de fazer. Queria acompanhar-me, pelo menos até Londres; mas eu não iria privar Renesmee de ambos os pais. Em vez dele, seria Carlisle quem viria comigo; a sua presença, a escassas horas de distância, fez com que Edward e eu nos sentíssemos mais tranquilos.

Alice prosseguiu as suas incursões ao futuro, mas o que encontrou não tinha qualquer relação com o que procurava. Uma nova tendência na bolsa de valores; uma eventual visita de reconciliação por parte de Irina, embora ainda não tivesse absolutamente decidida; uma tempestade de neve que só chegaria dentro de seis semanas; um telefonema de Renée (na versão que lhe tinha sido fornecida eu ainda estava doente, em convalescença, pelo que andava a treinar uma voz "áspera", que parecia cada vez mais convincente).

Um dia após Renesmee completar três meses de idade, comprámos as passagens aéreas para Itália. Tinha previsto que a viagem seria curta, pelo que não a referira a Charlie. Jacob estava ao corrente e colocara-se do lado de Edward. No entanto, o que nos dividia naquele momento era a viagem ao Brasil. Jacob decidira que também queria ir.

Os três, ele, Renesmee e eu estávamos a caçar juntos. A dieta de sangue animal não era muito do agrado da minha filha, por isso é que Jacob nos acompanhava. Ele tinha organizado um concurso entre os dois, instigando-lhe o desejo de nos acompanhar.

Renesmee tinha a perfeita noção da antítese entre o Bem e o Mal, no que dizia respeito à caça de humanos; para ela, o sangue doado era um compromisso agradável. O sangue humano saciava-a e parecia ser compatível com o seu organismo. No entanto, ela reagia a qualquer variedade de comida sólida com a mesma resistência de mártir com que, em tempos, eu olhava para as favas e para a couve-flor. Pelo menos, o sangue animal era melhor que isso. Havia nela um espírito de competição e o desafio de conseguir ganhar a Jacob estimulava-a a caçar.

– Jacob – disse eu, tentando de novo chamá-lo à razão, enquanto Renesmee saltitava à nossa frente em direcção a uma enorme clareira, atrás de um aroma que a cativara. Tens as tuas obrigações aqui. O Seth e a Leah...

Ele protestou.

– Eu não sou a ama-seca da alcateia. E, de qualquer modo, eles também têm coisas a fazer em La Push.

– Mais ou menos como tu? Estás decidido a deixar os estudos para trás, é isso? Se queres manter-te ao nível da Renesmee, terás de te esforçar mais.

– É apenas uma pausa sabática. Regressarei à escola quando as coisas... acalmarem.

Ao ouvi-lo dizer aquilo, esqueci-me dos meus argumentos e ambos olhámos instintivamente para Renesmee. Ela parecia muito atenta aos flocos de neve que pairavam sobre a sua cabeça e se desfaziam antes de tocarem a erva amarelecida do prado extenso, em forma de flecha, onde nos encontrávamos. O seu vestido, aos folhos em cor de marfim, tinha apenas mais uma gradação que o tom da neve e o cabelo com caracóis castanho-arruivados mantinha um brilho suave, embora as nuvens espessas ocultassem por completo o Sol.

Enquanto a observávamos, Renesmee acocorou-se por um segundo e, a seguir, saltou como uma mola, elevando-se cerca de cinco metros no ar. Arrebatou um floco de neve com as mãos minúsculas e deixou-se cair de pé, suavemente.

Depois, voltou-se para nós com o seu sorriso impressionante – na verdade, aquele era um dos seus traços a que era difícil habituarmo-nos – e abriu a mão, mostrando-nos uma estrela de gelo perfeita, com oito pontas, antes de esta se desfazer.

– Bonita – comentou Jacob, num tom apreciador. – Mas acho que estás a tentar ganhar tempo, Nessie.

A menina deu uma corrida em direcção a Jacob e ele estendeu-lhe os braços no momento exacto em que ela saltava. Aquele movimento entre os dois tinha uma sincronização perfeita e Renesmee executava-o sempre que tinha alguma coisa para lhe dizer. Continuava a preferir não falar em voz alta.

Tocou-lhe no rosto, franzindo o sobrolho numa expressão adorável, no momento em que ouvíamos o som de uma pequena manada de alces a dirigir-se para o centro da floresta.

– É *claaaaro* que não tens sede, Nessie – respondeu Jacob com um ligeiro sarcasmo, mas acima de tudo com indulgência. – Só tens medo que eu apanhe novamente o maior!

Ela saltou rapidamente do seu colo, aterrando com graciosidade e revirando os olhos – parecia-se muito com Edward, quando fazia aquilo. Depois, lançou-se a correr para o meio das árvores.

– Eu vou – antecipou-se Jacob, no instante em que me curvava, preparada para a seguir. Despiu a t-shirt de repente, seguindo para a floresta atrás dela, já preparado para se transformar. – Não vale, se fizeres batota! – gritou-lhe.

Sorri, ao ver as folhas a flutuar à sua passagem, e abanei a cabeça. Às vezes, Jacob era mais infantil que a minha filha.

Fiz uma pausa, concedendo aos caçadores alguns minutos de avanço. Era muito simples seguir-lhes o rasto e Renesmee adoraria fazer-me uma surpresa, mostrando o tamanho da sua presa. Voltei a sorrir.

O prado estreito estava muito tranquilo e vazio. A neve flutuante começava a rarear por cima de mim, quase deixando de cair. Alice tinha previsto que não voltaria a nevar durante algumas semanas.

Era costume Edward e eu virmos juntos a estas caçadas. Mas, naquele dia, ele tinha ficado com Carlisle a preparar a viagem para o Rio, aproveitando a ausência de Jacob... Franzi o sobrolho. Quando voltasse, defenderia a posição do meu amigo. Ele devia vir connosco. O que estava em jogo dizia-lhe tanto respeito, como a qualquer um de nós – tal como a minha, era a vida dele que estava em jogo.

Enquanto me perdia em pensamentos em relação ao futuro imediato, o meu olhar vagueou pela montanha num hábito de rotina, em busca da presa e do perigo. Não era um acto consciente, mas instintivo.

Ou talvez houvesse uma razão para aquele olhar vigilante, algum ligeiro estímulo que os meus sentidos incisivos tivessem captado, antes de dar conta disso conscientemente.

No momento em que os meus olhos percorriam rapidamente a borda de uma escarpa distante, destacando-se contra o verde carregado da floresta na sua forma agreste e cinzento azulada, um clarão prateado – ou seria dourado? – reteve a minha atenção.

Concentrei-me fixamente naquela cor, que parecia desajustada ao local, tão perdida no meio da neblina distante que passaria despercebida a uma águia. Fitei-a.

E ela fitou-me.

Não tive qualquer dúvida de que seria uma vampira. Tinha a pele em branco marmóreo, com uma textura um milhão de vezes mais macia que a da pele humana. Mesmo rodeada de nuvens, brilhava levemente. Se a pele não a tivesse denunciado, seria a sua imobilidade a fazê-lo. Apenas os vampiros e as estátuas atingiam aquele estado de quietude.

Tinha o cabelo claro, de um louro quase platinado. Fora aquele resplendor que o meu olhar captou. O cabelo estava apartado ao meio e caía-lhe num corte direito, com as pontas rombas a dar-lhe pelo queixo.

Era uma desconhecida para mim. Estava certa de que nunca a tinha visto, nem mesmo durante a vida humana. Nenhum dos rostos da minha memória embotada se parecia com este. Todavia, os seus olhos, em dourado-escuro, revelaram-me de imediato quem era.

Afinal, Irina tinha decidira aparecer.

Continuei a observá-la durante mais um momento e ela devolveu-me o olhar. Interroguei-me sobre se ela também teria adivinhado quem eu era. Estava prestes levantar a mão para lhe acenar, quando lhe distingui o lábio a torcer-se um pouco, conferindo-lhe bruscamente uma expressão hostil.

Ouvi o grito de vitória de Renesmee proveniente da floresta, ecoado pelo uivo de Jacob, e vi o rosto de Irina a virar-se automaticamente para o sítio de onde vinha o som, mal o eco a atingiu segundos depois. O seu olhar desviou-se levemente para a direita e eu soube o que ela via. Um enorme lobisomem castanho-avermelhado, talvez o que tinha morto o seu Laurent. Há quanto tempo estaria a observar-nos? Certamente, o suficiente para perceber a relação afectiva que nos unia.

O rosto dela contorceu-se de dor e eu ergui instintivamente as mãos à minha frente, num gesto de pesar. Ela virou-se de novo para mim, arreganhando o lábio superior sobre os dentes. Descerrou o maxilar e soltou um rugido.

Quando o som chegou aos meus ouvidos, mais sumido, Irina tinha dado meia-volta e desaparecido na floresta.

– Bolas – exclamei.

Corri como uma flecha rumo à floresta, nada satisfeita por os ter fora do meu campo de visão. Não sabia que direcção ela teria tomado ou qual o grau de fúria que estaria a sentir. A vingança era uma obsessão comum aos vampiros; das que não era fácil reprimir.

À velocidade a que ia, precisei apenas de dois segundos para os alcançar.

– O meu é maior – ouvi Renesmee a insistir, quando irrompi, entre os espinheiros densos, na pequena clareira onde se encontravam.

Ao dar pela minha expressão, as orelhas de Jacob abateram-se e ele inclinou-se para a frente, de dentes arreganhados – tinha o focinho manchado com o sangue da presa. Os seus olhos varreram a floresta em redor e senti-lhe um uivo a formar-se na garganta.

Renesmee estava tão alerta quanto Jacob. Abandonou o veado morto que tinha aos pés e saltou para os meus braços estendidos, pressionando as mãos curiosas contra o meu rosto.

– A minha reacção é um pouco exagerada – tranquilizei-os de imediato. – Está tudo bem, acho eu. Esperem aí.

Peguei no telemóvel e premi a tecla de marcação rápida. Edward atendeu ao primeiro toque. Jacob e Renesmee escutavam com atenção, enquanto eu o colocava ao corrente do que se tinha passado.

– Vem e traz o Carlisle. – Falava tão depressa, com um timbre de voz esganiçado, que não tive a certeza de que Jacob me acompanhava. – Vi a Irina e ela viu-me, mas depois descobriu o Jacob e ficou furiosa. Fugiu, acho eu. Ainda não apareceu aqui, por enquanto, mas parecia tão transtornada que é bem possível que apareça. Se isso não acontecer, tu e o Carlisle têm de a seguir e falar com ela. Sinto-me tão mal...

Jacob emitiu um barulho com a garganta, semelhante ao ribombar de um trovão.

– Estamos aí em meio minuto – garantiu-me Edward e ainda consegui sentir a força da deslocação do ar quando ele começou a correr.

Regressámos muito depressa ao prado comprido, onde ficá-mos a aguardar em silêncio. Jacob e eu apurávamos o ouvido, tentando detectar algum som desconhecido que pudesse estar a aproximar-se de nós.

Mas, mal ouvimos um som, este era muito familiar. E, no momento seguinte, Edward já estava ao meu lado, seguido de Carlisle, segundos depois. Fiquei surpreendida ao ouvir o som pesado de patas maciças. Mas concluí que o meu espanto era escusado. A hipótese da segurança de Renesmee correr algum risco, por mínimo que fosse, seria o suficiente para Jacob pedir reforços.

– Ela estava ali, naquela cumeeira – expliquei de imediato, apontando para o local. Se Irina estivesse a fugir, naquele momento, já teria algum avanço. Será que deter-se-ia para ouvir Carlisle? A expressão do seu rosto levava-me a concluir que não. – Talvez fosse melhor telefonarem para o Emmett e para o Jasper, pedindo-lhes que fossem convosco. Ela parecia... verdadeiramente irritada. Rugiu-me.

– O quê? – perguntou Edward, furioso.

Carlisle pousou a mão no braço dele.

– A Irina está a sofrer. Eu vou atrás dela.

– E eu vou contigo – insistiu Edward.

Os dois trocaram um longo olhar – Carlisle deveria estar a avaliar o grau de irritação de Edward para com Irina, comparando-o com a sua incapacidade de ler as mentes. Por fim, assentiu com a cabeça e os dois partiram em busca do trilho, dispensando a presença de Jasper ou de Emmett.

Jacob bufou de impaciência e empurrou-me as costas com o focinho. Devia querer que Renesmee se abrigasse em casa, por uma questão de segurança. Concordei com ele nesse aspecto, pelo que nos apressámos em regressar, com Seth e Leah nos nossos flancos.

Renesmee seguia nos meus braços, com um ar complacente e uma mão ainda apoiada na minha face. Como a caçada tinha sido abortada, ela teria de se contentar com o sangue doado. Os seus pensamentos eram ligeiramente presunçosos.

Vinte e Oito

O Futuro

Carlisle e Edward não conseguiram apanhar Irina antes que o rasto dela se diluísse no estreito de mar. Chegaram a nadar até à margem oposta, percorrendo uma linha directa, para ver se o captavam do outro lado, mas não encontraram qualquer vestígio numa distância de quilómetros, nos dois sentidos da costa leste.

A culpa era minha. Tal como Alice previra, ela tinha regressado para fazer as pazes com os Cullen, para depois se limitar a ter um ataque de fúria ao aperceber-se da minha amizade com Jacob. Como desejava tê-la visto antes de ele se transformar! Ou termos ido caçar para outro sítio qualquer!

Mas, agora, não havia muito mais a fazer. Carlisle tinha telefonado a Tanya, colocando-a ao corrente daquela situação desagradável. Ela e Kate já não viam a irmã desde que tinham resolvido vir ao meu casamento e ficaram preocupadas ao saber que Irina estivera tão próximo e não voltara a casa; não era fácil estarem separadas da irmã, mesmo tratando-se de uma ausência temporária. Perguntava-me se isso as fazia reviver a memória da perda da mãe, há tantos séculos.

Alice conseguiu apanhar algumas imagens fugazes do futuro próximo de Irina, mas nada de muito concreto. Pelo que viu, ela não regressaria a Denali. A imagem era muito esbatida. Alice apenas a via bastante transtornada; deambulava por terras bravias, cobertas de neve – para Norte? Para Leste? – com uma expressão destroçada. Em pleno vaguear sem sentido, não lhe foi detectada qualquer ideia de tomar um rumo definido.

Os dias foram passando e, embora fosse evidente que não ia esquecer aquilo, Irina e o seu sofrimento acabaram por recuar para uma zona remota dos meus pensamentos. Agora, havia assuntos mais importantes que me deixavam ocupada. Dentro de poucos dias, partiria para Itália. E depois, quando regressasse, íamos todos para a América do Sul.

Já recapituláramos centenas de vezes a viagem ao pormenor. Íamos começar pelos Ticunas, seguindo o rasto das suas lendas, o mais detalhadamente possível junto da fonte. Agora, que a ida de Jacob era consensual, ele passara a ser um elemento decisivo nos nossos planos – não era provável que as pessoas que acreditavam em vampiros quisessem falar connosco sobre as suas histórias. Se os Ticunas não nos trouxessem nada de novo, na zona mantinham-se muitas tribos que lhes estavam intimamente ligadas e poderiam ser investigadas. Carlisle tinha alguns velhos amigos na Amazónia; se os encontrássemos, talvez também nos pudessem facultar algumas informações. Ou, pelo menos, alguma sugestão sobre os caminhos a seguir na procura de respostas. Era pouco provável que as três vampiras amazonas tivessem alguma relação com as lendas dos vampiros híbridos, dado que todas eram fêmeas. Não havia forma de prever o tempo que a nossa pesquisa iria levar.

Ainda não tinha falado a Charlie sobre esta viagem mais longa e pensava, com alguma ansiedade, no que lhe poderia dizer, enquanto Edward e Carlisle conversavam. Qual seria a melhor maneira de lhe dar uma notícia assim?

Enquanto dava voltas à cabeça, observava Renesmee. Ela estava aninhada no sofá, num sono profundo, com a respiração pausada e os caracóis emaranhados a rodearam-lhe o rosto, numa auréola desordenada. Edward e eu costumávamos levá-la para a casa de campo e deitá-la, mas nessa noite o serão com a família prolongara-se, enquanto ele se embrenhava com o pai na discussão sobre a viagem.

Entretanto, Emmett e Jasper mostravam-se mais entusiasmados com as possibilidades que se lhes seriam abertas ao nível da caça. A selva amazónica fornecia uma alternativa à nossa fonte de abastecimento habitual, com jaguares e panteras, por exemplo. Emmett estava com a fixação de lutar com uma anaconda. Esme e Rosalie conferenciavam sobre o que haveriam de levar na bagagem. Jacob tinha ido encontrar-se com a alcateia de Sam, no sentido de deixar tudo preparado durante o tempo em que estaria ausente.

Alice percorria devagar – ao seu ritmo – em redor da grande sala, arrumando sem necessidade aquele espaço imaculado e a retocar as grinaldas de flores que Esme pendurara na perfeição. Naquele momento, reposicionava as jarras de Esme sobre a consola. As várias metamorfoses que lhe distinguia no rosto – expressões atentas, depois absortas, e de novo atentas – levaram-me a pensar que ela estaria a analisar o futuro. Calculava que tentasse ultrapassar os pontos negros da sua visão, criados por Jacob e Renesmee, na tentativa de descobrir o que nos esperava na América do Sul. Mas, depois, ouvi Jasper a dizer-lhe:

– Alice, deixa estar; não temos de nos preocupar com ela. – Então, uma nuvem de serenidade alastrou pela sala, invisível e silenciosa. Ela estava novamente preocupada com o destino de Irina.

Alice deitou a língua de fora a Jasper, segurando depois uma jarra de cristal cheia de rosas vermelhas e brancas e virou-se em direcção à cozinha. Havia apenas uma mácula levíssima numa das flores, mas Alice parecia decidida a atingir a perfeição mais absoluta, como forma de distracção perante a falta de visão que a assolava naquela noite.

Voltei a observar Renesmee e, por isso, não vi a jarra escorregar das mãos de Alice. Apenas senti o fluxo de ar a assobiar através do vidro, desviando os olhos a tempo de ver a jarra a estilhaçar-se em milhares de cristais brilhantes e aguçados contra o piso em mármore da cozinha.

Permanecemos todos imóveis, com os olhos fixos nas costas de Alice, enquanto os estilhaços voavam e ressaltavam em todas as direcções, num som que nada tinha de musical.

O primeiro pensamento disparatado que me ocorreu era que ela estava a pregar-nos uma partida. Porque era impossível Alice ter deixado cair a jarra *por acidente*. Eu própria me teria lançado para o outro lado da sala, com tempo mais que suficiente para a apanhar, se não pensasse que ela o conseguiria fazer. E, à partida, como é que tinha escorregado? Entre aqueles dedos perfeitamente seguros...

Nunca vira um vampiro deixar cair qualquer coisa, sem querer. Jamais.

Foi então que Alice se virou para nos encarar, num movimento tão rápido que nem chegou a existir.

Os seus olhos estavam, em parte ali e em parte presos ao futuro, arregalados, absortos, dominando de tal forma o seu rosto que pareciam engoli-lo. Vê-los era o mesmo que olhar para o interior de um túmulo; aquele olhar parado deixou-me soterrada pelo terror, desespero e aflição.

Apercebi-me de Edward soltar uma exclamação de sobressalto; o som saiu-lhe quebrado, meio sufocado.

– *O que foi?* – grunhiu Jasper, saltando tão rápido para o lado de Alice que apenas vi uma mancha em movimento. Agarrou-a pelos ombros e sacudiu-a energicamente, com os cacos a esmigalharem-se debaixo dos pés. Ela parecia chocalhar em silêncio, sob as suas mãos. – *O que foi, Alice?*

Vi Emmett surgir na minha visão periférica, de dentes arreganhados e a lançar o olhar para a janela, antecipando algum ataque.

Esme, Carlisle e Rose permaneciam em silêncio, tão petrificados como eu.

Jasper voltou a abanar Alice.

– O que foi?

– Eles vêm buscar-nos. – A frase foi murmurada por ela e por Edward, ao mesmo tempo, os dois em perfeita sincronia. – Todos eles.

Fez-se silêncio.

Ao contrário do que era habitual, fui eu quem compreendeu primeiro – porque havia algo naquelas palavras que desencadeava a minha própria visão. Era apenas a memória distante de um sonho – leve, transparente, indistinto, como se espreitasse por um véu... No espectro do pesadelo humano quase esquecido, a minha mente mostrava-me uma linha de vultos negros a avançar na minha direcção. Não conseguia distinguir o brilho dos olhos em vermelho-sangue, ou o reflexo dos dentes húmidos e afiados, naquela imagem amortalhada; mas sabia de onde vinha o clarão...

Mais forte que a memória da visão, era a memória do que sentira – a necessidade imperativa de proteger algo precioso que tinha atrás de mim.

Queria arrebatar Renesmee nos braços, escondê-la debaixo da pele e do cabelo, torná-la invisível. Mas nem conseguia virar-me para a ver. Parecia que estava transformada, não em pedra mas num bloco de gelo. Pela primeira vez, desde o primeiro momento do meu renascimento como vampira, senti frio.

Mal prestei atenção à confirmação dos meus medos. Não precisava. Já o sabia.

– Os Volturi – anunciou Alice, num tom triste.

– Todos eles – disse Edward ao mesmo tempo, com a voz lúgubre.

– Porquê? – murmurou Alice para si. – Como?

– Quando? – perguntou Edward, baixinho.

– Porquê? – repetiu Esme.

– *Quando?* – repetiu Jasper, num tom que lembrava o gelo a estilhaçar-se.

Os olhos de Alice mantiveram-se imóveis, sem pestanejar uma só vez, embora parecesse estarem cobertos por um véu; não havia sinais de vida. Apenas a expressão da boca dava nota do seu horror.

– Em breve – disseram ela e Edward em uníssono. Depois, falou sozinha. – Há neve na floresta e na cidade. Pouco mais de um mês.

– Porquê? – Desta vez, foi Carlisle a interpelar.

– Eles devem ter um motivo – respondeu Esme. – Talvez ver...

– Isto não tem nada que ver com a Bella – afirmou Alice, numa voz surda. – Eles vêm todos: o Aro, o Caius, o Marcus; todos os membros do exército, até as consortes.

– As mulheres nunca abandonam a torre – contrapôs Jasper, num tom apático. – Nunca. Nem quando houve a rebelião do Sul. Ou quando os Romenos os tentaram destituir. Nem mesmo quando andavam à caça das crianças imortais. Nunca.

– Elas vêm agora – murmurou Edward.

– Mas *porquê?* – insistiu Carlisle. – Não fizemos nada! E mesmo que fizéssemos, o que seria tão grave que provocasse essa reacção?

– Somos muitos – respondeu Edward, num tom vago. – Eles devem querer confirmar que... – e não terminou a frase.

– Isso não responde à pergunta crucial! Porquê?

Senti que sabia a resposta, mas que simultaneamente a ignorava. Renesmee era o motivo, disso tinha a certeza. Desde o início, algo me dizia que eles viriam buscá-la. O meu subconsciente já me tinha avisado, mesmo antes de a ter no ventre. Estranhamente, a expectativa agora não me parecia descabida. Era como se soubesse, desde sempre, que os Volturi iriam chegar e levar a minha felicidade.

No entanto, a pergunta continuava sem resposta.

– Volta para lá, Alice – suplicou Jasper. – Procura o motivo. Tenta encontrá-lo.

Alice abanou a cabeça lentamente, com os ombros a tremer.

– Isto veio de um lugar vazio, Jazz. Eu não estava à procura deles, ou mesmo de nós. Estava apenas a pensar em Irina. Ela não estava no sítio que imaginava... – E a voz esmoreceu, enquanto os olhos começavam de novo a vaguear.

E então, de súbito, ela levantou a cabeça e os seus olhos adquiriram a dureza do sílex. Senti Edward a suster a respiração.

– A Irina resolveu ir ter com eles – declarou. – Ela vai ter com os Volturi. E então eles vão decidir... mas é como se já a esperassem. Como se a decisão já tivesse sido tomada e estivessem apenas à espera que ela...

Fez-se novamente silêncio, enquanto todos digeríamos aquilo. O que diria Irina aos Volturi de modo a provocar aquela visão tão aterradora?

– Não podemos detê-la? – perguntou Jasper.

– Não é possível. Está quase lá.

– O que está a fazer? – perguntava Carlisle; mas eu já deixara de prestar atenção ao que diziam. Naquele momento, todos os meus sentidos se concentravam na imagem que esboçava, minuciosamente, na minha cabeça.

Nela, Irina aparecia no cimo do penhasco, de olhos vigilantes. O que via ela? Uma vampira e um lobisomem que eram os melhores amigos um do outro. Focara-me unicamente nessa imagem, pensando tratar-se da razão óbvia da sua reacção. Mas ela não vira apenas isso.

Irina também tinha visto uma criança. Uma criança de beleza deslumbrante, a exibir-se no meio dos flocos de neve e mostrando claramente ser mais do que humana...

Irina... as irmãs órfãs... Carlisle contara que a perda da mãe, devido à justiça dos Volturi, levara Tanya, Kate e Irina a tornaram-se inflexíveis quanto ao cumprimento das leis.

Apenas há meio minuto, Jasper referira isso mesmo: "Nem quando andavam à caça das crianças imortais...". As crianças imortais – a desgraça inenarrável, o tabu medonho...

Com o seu passado, como olharia ela de maneira diferente para aquilo que vira no prado? Não se aproximara o suficiente para ouvir o coração de Renesmee, para sentir o calor que irradiava do seu corpo. E, para ela, as faces coradas da criança até poderiam ser uma farsa preparada por nós.

Ao fim e ao cabo, os Cullen tinham um acordo com os lobisomens. Isso poderia significar que ultrapassávamos todos os limites, na perspectiva de Irina...

Ela, que metera pés ao caminho, por entre a paisagem nevada e agreste, sem chorar a perda de Laurent, mas consciente do dever de delatar os Cullen, sabendo o que lhes aconteceria se o fizesse. Aparentemente a sua consciência tinha levado a melhor sobre séculos de amizade.

E, por parte dos Volturi, a resposta a este tipo de infracção era tão automática que a decisão já tinha sido tomada.

Voltei-me e debrucei-me sobre a figura adormecida de Renesmee, cobrindo-a com o meu cabelo e escondendo o rosto nos seus caracóis.

– Pensem no que ela viu esta tarde – disse, em voz baixa, interrompendo o que quer que Emmett iria dizer. – Para alguém que perdeu a mãe por causa das crianças imortais, o que é que a Renesmee iria parecer?

Fez-se silêncio, enquanto eles chegavam à mesma conclusão que eu.

– Uma criança imortal – sussurrou Carlisle.

Senti Edward a ajoelhar-se ao meu lado, envolvendo-nos às duas nos braços.

– Mas ela está errada – continuei. – A Renesmee é diferente dessas crianças. Elas estavam paradas no tempo, mas Renesmee cresce de dia para dia. Elas estavam descontroladas, mas a Renesmee nunca magoa o Charlie ou a Sue, nem lhes mostra coisas que não devem ver. Ela consegue controlar-se. Já é mais esperta que muitos adultos. Não há qualquer motivo...

Continuei a balbuciar, à espera que alguém suspirasse de alívio, a aguardar que a tensão glaciar da sala se desfizesse quando eles percebessem que eu tinha razão. Mas a sala parecia gelar cada vez mais. Por fim, o meu fio de voz esgotou-se e calei-me.

Ninguém falou durante muito tempo.

Então, Edward murmurou junto ao meu cabelo.

– Este não é o tipo de crime que os leve a fazer um julgamento, meu amor – disse-me, em voz baixa. – O Aro viu a prova da Irina nos pensamentos dela. Eles vêm para destruir e não para ser chamados à razão.

– Mas estão errados – persisti, obstinada.

– Não vão esperar que o demonstremos.

A voz dele mantinha-se baixa, terna, aveludada... e, no entanto, era impossível não sentir a dor e a angústia que ali havia. A voz de Edward lembrava-me o que acabara de ver nos olhos de Alice – o interior de um túmulo.

– O que podemos fazer? – questionei.

Renesmee estava tão quente e perfeita nos meus braços, a sonhar em paz. Tinha-me afligido tanto com o seu crescimento acelerado – preocupando-me em que ela pudesse ter pouco mais de uma década de vida... como me parecia tão fútil esse terror, agora.

Pouco mais de um mês...

Era esse o limite? Eu tinha sentido uma felicidade maior que a de muita gente. Haveria uma lei natural que exigisse porções iguais de felicidade e de tristeza no mundo? A minha alegria teria ultrapassado esse equilíbrio? Quatro meses era tudo a que tinha direito?

Foi Emmett quem respondeu à minha pergunta retórica.

Vamos lutar – afirmou ele, tranquilamente.

– Não conseguimos vencê-los – rugiu Jasper. Imaginava a expressão dele, a forma como inclinava o corpo sobre Alice, numa atitude protectora.

– Bom, não podemos fugir. Isso é impossível com o Demetri a andar por aí. – Emmett deixou escapar um som de repugnância, pelo que soube instintivamente que não se dirigia ao batedor dos Volturi, mas à ideia de fugirmos. – E não sei se não podemos ganhar – afirmou. – Há algumas opções a considerar. Não temos de lutar sozinhos.

Ao ouvir aquilo, ergui bruscamente a cabeça.

– Mas também não vamos condenar os Quileute à morte, Emmett!

– Calma, Bella. – A expressão dele não era diferente da que mostrara quando equacionava a ideia de lutar com anacondas. Nem uma ameaça de extermínio o faria mudar a perspectiva, a sua capacidade para enfrentar um desafio. – Não me referia à alcateia. Mas pensa com realismo. Achas que o Jacob ou o Sam vão passar ao lado de uma invasão deste género? Mesmo que ela não se relacionasse com a Nessie? Já sem falar que, graças à Irina, agora o Aro está a par da nossa aliança com os lobos. Na verdade, eu estava a pensar em outros amigos.

O murmúrio de Carlisle fez eco das minhas palavras.

– Outros amigos que não podemos condenar à morte.

– Ei, vamos deixar que sejam eles a decidir – argumentou Emmett, num tom apaziguador. – Não estou a dizer que eles têm de lutar connosco. – Enquanto falava, via o plano a refinar-se na sua mente. – Se eles se limitarem a pôr-se ao nosso lado o tempo suficiente para levar os Volturi a hesitar...Afinal, a Bella tem razão. Se conseguirmos detê-los e levá-los a ouvir-nos... Embora, assim, já não haja uma razão para lutar...

Naquele momento, distingui-lhe um leve sorriso na cara. Estava espantada por ninguém ainda lhe ter batido. Era o que eu desejava fazer.

– Sim – concordou Esme, entusiasmada. – Isso faz sentido, Emmett. Tudo o que precisamos é que os Volturi parem por uns instantes; o suficiente para ouvirem.

– Para isso, será preciso um bom desfile de testemunhas – observou Rosalie bruscamente, com uma voz cortante.

Esme assentiu com a cabeça, anuindo, como se não reparasse no seu tom de sarcasmo.

– É um favor que podemos pedir aos nossos amigos. Darem-nos apenas um testemunho.

– Nós faríamos o mesmo por eles – acrescentou Emmett.

– Temos de lhes fazer o pedido da maneira mais conveniente – murmurou Alice. Ao olhá-la, identifiquei de novo a expressão vazia e sombria. – Mostrar-lhes com muito cuidado.

– Mostrar? – repetiu Jasper.

Ela e Edward olharam para Renesmee em simultâneo. A seguir, o olhar de Alice voltou a focar-se no vazio.

– A família da Tanya – continuou ela. – O clã do Siobhan. O do Amun. Alguns dos nómadas; o Garrett e a Mary, sem dúvida. Talvez a Alistair.

– E quanto ao Peter e à Charlotte? – lembrou Jasper, a medo, como se tivesse esperança de ouvir uma resposta negativa, que poupasse o irmão mais velho à carnificina eminente.

– Talvez.

– As amazonas? – perguntou Carlisle. – A Kachiri, a Zafrina e a Senna?

Antes de responder, Alice pareceu concentrar-se mais a fundo na sua visão. Depois estremeceu e o seu olhar vacilou, regressando ao presente. Fitou Carlisle por uma fracção de segundo e voltou a baixar o olhar.

– Não consigo ver.

– O que aconteceu? – perguntou Edward, com uma voz baixa, adquirindo um tom imperativo. – Em relação às da selva? Vamos à procura delas?

– Não consigo ver – repetiu Alice, sem o encarar, levando Edward a mostrar-se perplexo. – Temos de nos dividir e andar depressa... antes que o chão fique atolado de neve. Temos de juntar todos os que pudermos e trazê-los para aqui, para lhes mostramos. – Concentrou-se de novo. – Pede ao Eleazar. Há mais em jogo do que apenas uma criança imortal.

O silêncio dominou-nos mais uma vez, por outro longo momento, enquanto Alice estava em transe. Quando despertou, pestanejou devagar, com um olhar demasiado opaco, apesar de se encontrar nitidamente no presente.

– Há muita coisa. Temos de nos despachar – murmurou.

– Alice? – proferiu Edward. – Isso foi demasiado rápido... eu não percebi. O que foi...

– Não consigo ver! – explodiu ela, virando-se contra ele. – O Jacob está muito próximo!

Rosalie deu um passo em direcção à porta.

– Eu resolvo já...

– Não, deixa-o entrar – pediu Alice rapidamente, com a voz cada vez mais tensa, à medida que falava. A seguir, agarrou convulsivamente na mão de Jasper e começou a puxá-lo em direcção à porta das traseiras. – E longe da Nessie também consigo ver melhor. Preciso de ir. Preciso de me concentrar como deve ser. Preciso de ver tudo o que conseguir. Tenho de ir. Vem, Jasper, não há tempo a perder!

Ouvimos Jacob a subir as escadas, enquanto Alice sacudia a mão de Jasper com impaciência. Ele seguiu-a à pressa, com uma expressão de perplexidade, tal como a de Edward. Os dois lançaram-se pela porta, em direcção à noite de prata.

– Despachem-se! – gritou-nos ainda Alice. – Têm de os encontrar a todos!

– Encontrar quem? – perguntou Jacob, fechando a porta da frente nas suas costas. – Onde é que a Alice vai?

Ninguém lhe respondeu; apenas nos limitámos a olhá-lo.

Jacob sacudiu o cabelo molhado e enfiou os braços pelas mangas da t-shirt, com os olhos pousados em Renesmee.

– Viva, Bells! Pensava que já estavam em casa, a estas horas...

Então, ao levantar os olhos para mim, pestanejou e revelou uma expressão de surpresa, e eu fiquei a vê-lo a absorver o ambiente da sala. Vi-o a fitar brevemente o chão, de olhos muito abertos, descobrindo a mancha de água, as rosas espalhadas, os fragmentos de cristal. Os seus dedos tremiam.

– O que foi? – perguntou ele, num tom apático. – O que aconteceu?

Não sabia por onde começar. E, aparentemente, os outros também não.

Jacob atravessou a sala em três grandes passadas, caindo de joelhos junto de mim e de Renesmee. Senti o calor a irradiar do seu corpo, enquanto os braços lhe vibravam em tremores que desciam até às mãos.

– Ela está bem? – questionou, tocando-lhe na testa e inclinando a cabeça para lhe ouvir o coração. – Não brinques comigo, Bella, por favor!

– A Renesmee não tem qualquer problema – consegui dizer, com a voz sufocada e a articular as palavras com as sílabas erradas.

– Então quem é que tem?

– Todos, Jacob – murmurei. E, na minha voz, havia também o som do interior de um túmulo. – Acabou. Fomos todos condenados à morte.

Vinte e Nove

DESERÇÃO

Ficámos ali, a noite inteira, transformados em estátuas de sofrimento e de horror, infrutiferamente à espera que Alice regressasse.

Todos tínhamos atingido o limite, partilhando um sentimento de delírio na mais absoluta imobilidade. Carlisle mal conseguira mover os lábios para pôr Jacob ao corrente da situação. Voltar a contar o que se passava parecia tornar a situação pior; até Emmett se mantinha em silêncio, tão quieto como todos nós.

Apenas quando o Sol nasceu e pensei que, em breve, Renesmee começaria a agitar-se sob as minhas mãos, me interroguei pela primeira vez porque estaria Alice a demorar-se tanto. Esperava saber algo mais antes de enfrentar a curiosidade da minha filha. Ter algumas respostas. Uma fracção de esperança, por mais diminuta que fosse, que me permitisse sorrir e ocultar a verdade, defendendo-a do terror que sentíamos.

Parecia que o meu rosto não conseguia libertar-se da máscara hirta que conservara a noite inteira. Não sabia se teria capacidade para sorrir.

Jacob ressonava a um canto, num sono agitado que semeava uma montanha de pêlo em seu redor. Sam estava ao corrente de tudo e os lobos começavam a preparar-se para o que vinha a caminho. Se bem que essa preparação não servisse para algo que não fosse conduzi-los à morte, juntamente com a minha família.

A luz do Sol atravessou as janelas das traseiras, cintilando na pele de Edward. Desde a partida de Alice, os meus olhos não se desviaram dos dele. Fitávamo-nos mutuamente, olhando para o que nenhum de nós aguentaria perder em vida: o outro. Ao sentir a luz do Sol a reflectir-se na pele, vi o meu brilho a atingir-lhe os olhos agonizantes.

Ele moveu ligeiramente as sobrancelhas e, a seguir, os lábios.

– Alice – proferiu.

O som da sua voz parecia gelo a partir-se, quando começa a derreter. Todos nos soltámos um pouco, perdendo alguma da rigidez. E movemo-nos de novo.

– Ela já saiu há muito – murmurou Rosalie, surpreendida.

– Para onde terá ido? – interrogou-se Emmett, dando um passo em direcção à porta.

Esme pousou-lhe a mão no braço.

– Não vamos incomodá-los...

– Ela nunca esteve tanto tempo ausente – observou Edward. Uma ansiedade nova estilhaçou a máscara que o revestia. O seu rosto voltou a viver, com os olhos a abrirem-se desmesu-radamente, face ao medo e ao pânico que sentia. – Carlisle, achas... terá sido alguma medida de prevenção? Se eles tivessem vindo buscá-la, a Alice teria tido tempo de o prever?

O rosto de Aro, com a sua pele translúcida, invadiu a minha mente. Aro, que tinha esquadrinhado a mente de Alice, que sabia tudo do que ela era capaz...

Emmett praguejou tão alto que Jacob saltou bruscamente, erguendo-se com um uivo. Lá fora, o som repercutiu-se nos uivos da sua alcateia. A minha família começou a agir, numa mancha indistinta de movimentos.

– Fica com a Renesmee! – pedi a Jacob, com a voz a sair-me quase num grito, enquanto me lançava rumo à porta.

Continuava a ter mais força que todos, pelo que a usei para me projectar para a frente. Ultrapassei Esme em dois ou três saltos e Rosalie, logo de seguida, com algumas passadas. Disparei como uma flecha através da floresta cerrada, até me colocar atrás de Edward e de Carlisle.

– Será que eles a conseguiram surpreender? – sugeriu Carlisle, com a voz tão serena, como se continuasse parado, em vez de correr a toda a velocidade.

– Não vejo como – respondeu Edward. – Mas o Aro conhece-a melhor que ninguém. Melhor que eu.

– Será uma emboscada? – gritou Emmett, atrás de nós.

– Talvez – admitiu Edward. – Só sinto o cheiro da Alice e do Jasper. Para onde terão ido?

O trilho dos dois descrevia uma volta ampla; começava por se estender para Leste da casa; no entanto, ao passar para o outro lado do rio, curvava-se em direcção a Norte, inflectindo para Oeste alguns quilómetros depois. Voltámos a atravessar o rio, em que cada um dos seis saltava com uma diferença de um segundo do outro. Edward liderava a corrida, mantendo concentração absoluta.

– Apanhaste aquele cheiro? – perguntou Esme mais à frente, alguns instantes depois de termos saltado o rio pela segunda vez. Ela ocupava a última posição da nossa equipa de batedores, desviando-se mais em direcção ao extremo esquerdo. Naquele momento, apontava em direcção a Sudeste.

– Mantenham-se no trilho principal – estamos quase a atingir a fronteira dos Quileute – ordenou Edward, num tom inflexível. – Permaneçam juntos! Tentem descobrir se eles viraram para Norte ou para Sul.

Eu não conhecia tão bem como os outros os limites estabelecidos pelo acordo; de qualquer forma sentia um ligeiro vestígio dos lobos, na brisa que soprava de Leste. Edward e Carlisle abrandaram automaticamente a marcha e vi-os a girarem de imediato a cabeça de um lado para o outro, à espera do rasto.

Entretanto, o odor a lobo aumentou de densidade e Edward ergueu bruscamente a cabeça. Parou de repente, levando os restantes também a estacar.

– Sam? – chamou ele, numa voz inexpressiva. – O que é que se passa?

Sam surgiu entre as árvores na forma humana, a algumas centenas de metros de distância, e começou a dirigir-se para nós velozmente, com dois lobos enormes nos flancos – Paul e Jared. Levou algum tempo até chegar e o andamento daqueles passos humanos fez-me sentir impaciente. Não queria ter tempo para pensar no que estava a acontecer. Queria mexer-me, fazer alguma coisa. Queria envolver Alice nos meus braços e ter todas as garantias de que ela estava a salvo.

Reparei no rosto de Edward, completamente branco, enquanto ele lia o pensamento de Sam. Este ignorou-o, olhando directamente para Carlisle, ao parar e começar a falar.

– Logo a seguir à meia-noite, a Alice e o Jasper apareceram aqui a pedir-nos autorização para atravessar o nosso território, em direcção ao oceano. Acedi ao pedido dela e fiz questão de os escoltar até à costa. Depois, eles entraram na água e não regressaram. Enquanto caminhávamos, a Alice disse-me que era de crucial importância que não contasse ao Jacob que a tinha visto, até falar consigo. Ela pediu-me para ficar aqui à espera que a viesse procurar e que lhe entregasse esta mensagem. Disse-me ainda que deveria fazer exactamente o que me pedia, como se a vida de todos nós dependesse disso.

O rosto de Sam apresentava uma expressão sombria quando estendeu uma folha de papel dobrada, inteiramente coberta de um texto impresso em letra miúda. Era a folha de um livro; a minha visão penetrante decifrou as palavras impressas, logo que Carlisle abriu a folha para ver o que estava escrito do outro lado. Era página de direitos de autor de "O Mercador de Veneza". Na altura em que sacudiu o papel, para o esticar melhor, senti um leve indício do meu cheiro a fluir, percebendo que a folha tinha sido arrancada de um dos meus livros. Trouxera algumas coisas da casa de Charlie e tinha-as na casa de campo: um monte de roupa normal, todas as cartas da minha mãe e os meus livros preferidos. A minha colecção muito manuseada das obras de Shakespeare, uma série de livros de bolso, que estava na estante da pequena sala de estar na manhã do dia anterior...

– A Alice decidiu deixar-nos – anunciou Carlisle em voz baixa.

– O quê? – gritou Rosalie.

Ele virou a folha, para todos lermos o que estava escrito.

Não venham à nossa procura. Não há tempo a perder.
Lembrem-se: a Tanya, o Siobhan, o Amun, o Alistair,
todos os nómadas que conseguirem descobrir. No
caminho, nós contactamos com o Peter e a Charlotte.
Lamentamos muito ter de os deixar assim, sem despedidas
ou explicações, mas não havia alternativa.
Com todo o nosso amor.

Voltámos a ficar petrificados, envolvidos num silêncio absoluto, apenas quebrado pela respiração e pelas batidas cardíacas dos lobos. Seria bom que também ouvíssemos os seus pensamentos. Edward foi o primeiro a mexer-se, respondendo ao que ouvia na mente de Sam.

– Sim, a situação é extremamente delicada.

– O suficiente para abandonarem a vossa família? – perguntou Sam em voz alta, num tom de censura. Era evidente que não tinha lido a mensagem antes de a entregar a Carlisle. Parecia contrariado, como se lamentasse ter dado ouvidos a Alice.

Edward revelou uma expressão tensa – Sam poderia interpretá-la como uma manifestação de arrogância ou de cólera, mas eu distinguia a dor que moldava as formas rígidas daquele rosto.

– Nós desconhecemos aquilo que ela previu – afirmou. – A Alice não é insensível ou cobarde. Dispõe apenas de mais informações que todos nós.

– Nós nunca iríamos... – começou Sam.

– A ligação entre vocês é diferente da nossa – retorquiu Edward, com mau modo. – Cada um de nós continua a ter vontade própria.

O outro ergueu o queixo bruscamente, com os olhos a colorirem-se, de súbito, de um preto sombrio.

– Mas deviam prestar atenção ao aviso – prosseguiu Edward. – Não se trata de algo com que devam envolver-se. Ainda estão a tempo de evitar aquilo que a Alice adivinhou.

Sam esboçou um sorriso ameaçador.

– Nós não fugimos. – Paul deu uma rosnadela, por trás dele.

– Não deixes que a tua família seja chacinada por uma questão de orgulho – interveio Carlisle, com uma voz serena.

O líder da alcateia olhou para o chefe dos Cullen com um ar mais pacífico.

– Tal como o Edward sublinhou, nós não temos o mesmo tipo de liberdade que vocês. Neste momento a Renesmee é uma parte integrante da nossa família, tal como o é da vossa. O Jacob não a pode abandonar, assim como nós não o podemos abandonar a ele. – O seu olhar oscilou, detendo-se na mensagem de Alice, enquanto os lábios se comprimiam numa linha fina.

– Tu não a conheces – declarou Edward.

– E tu? Conheces? – retorquiu Sam, sem rodeios.

Carlisle pousou a mão no ombro de Edward.

– Filho, temos muita coisa a fazer. Seja o que for que a Alice decidir, seria uma loucura não acatarmos a recomendação dela. Vamos regressar a casa para começar a trabalhar.

Edward concordou, acenando-lhe com a cabeça, e o rosto rígido de dor. Esme chorava atrás de mim, em soluços contidos e sem lágrimas.

Eu não sabia fazer o mesmo com este corpo; tudo o que conseguia era manter um olhar fixo. Não era capaz de exprimir quaisquer sentimentos. Tudo me parecia irreal, como se voltasse a sonhar ao fim de todos estes meses. Como se vivesse um pesadelo.

– Obrigado, Sam – agradeceu Carlisle.

– Lamento o que aconteceu – acrescentou Sam. – Não a devíamos ter deixado passar.

– Fizeram aquilo que era certo – insistiu Carlisle. – A Alice é livre de fazer o que quer e não seria eu a negar-lhe tal direito.

Sempre olhara para os Cullen como um todo, uma unidade indivisível. De repente, lembrei-me que nem sempre fora assim. Carlisle tinha criado Edward, Esme, Rosalie e Emmett; entretanto Edward criara-me a mim. Eram o sangue e o veneno que nos ligavam numa perspectiva física. Nunca tinha pensado em Alice e Jasper como seres à parte, adoptados pela família. Na verdade, até tinha sido Alice quem adoptara a família. Ela aparecera na vida deles, com um passado diferente, e trouxera Jasper, que também tinha o seu passado. Antes de integrarem uma família formada, ambos passaram por uma vida diferente, fora daquele seio. Será que Alice tinha optado por aceder a uma nova vida, ao ver que a sua existência entre os Cullen chegara ao fim?

Nesse caso, estávamos condenados, não era? Já não existia qualquer esperança, nenhuma centelha, por mais pequena que fosse, capaz de convencer Alice de que dispunha de uma oportunidade ao nosso lado.

Subitamente, o ar daquela manhã luminosa pareceu-me mais denso e sombrio, como se uma reacção física ao meu desespero o fizesse escurecer.

– Eu não vou desistir sem lutar primeiro – resmungou Emmett por entre dentes. – A Alice disse o que tínhamos de fazer. Vamos a isso!

Os outros assentiram com a cabeça, com uma expressão determinada, de imediato percebi que todos confiavam na hipótese que Alice nos deixava, fosse qual fosse. Não iriam deixar-se afundar no desespero, à espera da morte.

Sim, todos iríamos lutar. Que outra alternativa nos restava? E tudo indicava que outros se iam juntar a nós, porque tinha sido a recomendação que Alice fizera, antes de partir. Como poderíamos deixar de atender ao seu último conselho? E os lobos também lutariam connosco em defesa de Renesmee.

Nós íamos lutar, eles também, e todos acabaríamos por morrer.

Eu não sentia a convicção que via à minha volta. Alice estava a par das probabilidades. Oferecia-nos a única oportunidade que conhecia, mas considerava-a demasiado frágil para apostar nela.

Ao voltar as costas ao rosto grave de Sam e seguindo Carlisle em direcção a casa, sentia-me derrotada.

Agora, todos corríamos automaticamente, sem a pressa desesperada que nos fizera avançar à ida. Ao chegarmos junto do rio, Esme levantou a cabeça.

– Lembram-se do outro trilho? Era recente.

Apontou com a cabeça para a frente, na direcção do ponto que indicara a Edward, quando tínhamos passado por lá, enquanto corríamos contra o tempo, para salvar Alice...

– Devia ter sido feito antes, durante o dia. Era só da Alice, não havia quaisquer vestígios do Jasper – disse Edward, num tom apático.

Esme franziu o rosto e depois acenou-lhe com a cabeça, anuindo.

Afastei-me para a direita e deixei-me ficar um pouco para trás. Talvez Edward tivesse razão, mas, ao mesmo tempo... Afinal, porque é que a mensagem de Alice tinha sido escrita numa folha de um livro meu?

– Bella? – interpelou-me Edward, num tom impassível, ao ver-me a hesitar.

– Queria seguir este rasto – expliquei, ao mesmo tempo que inalava o odor de Alice e via que este se desviara do caminho que ela seguira ao fugir. A minha experiência nisto era recente, mas o cheiro parecia ter contornos semelhantes, exceptuando a ausência do odor de Jasper.

Os olhos dourados de Edward fitaram-me sem qualquer expressão.

– O mais certo é terminar em casa.

– Então, encontramo-nos lá.

Comecei por pensar que ele me deixaria ir sozinha; mas, quando já me começava a afastar, vi uma luz a regressar aos seus olhos vazios.

– Eu vou contigo – disse, calmamente. – Vemo-nos mais tarde, Carlisle.

Este acenou-lhe e partiu com os outros. Fiquei à espera que todos desaparecessem e, em seguida, dirigi um olhar interrogativo a Edward.

– Não conseguia deixar-te ir sem mim – explicou ele, numa voz baixa. – Sofria só de o imaginar.

Compreendi-o, sem precisar de outras explicações. Nesse momento, ao colocar a hipótese de me afastar dele, percebi que sentiria a mesma dor, por muito breve que fosse a separação.

O tempo que restava para estarmos juntos era demasiado curto.

Estendi-lhe a mão e ele apertou-ma na sua.

– Vamos despachar-nos – pediu. – A Renesmee já deve ter acordado.

Assenti com a cabeça e começámos de novo a correr.

Talvez fosse um disparate desperdiçar tempo que podíamos estar junto da nossa filha, apenas por uma questão de curiosidade. Mas o papel da mensagem continuava a fazer-me reflectir. Se não tivesse material para escrever, Alice podia ter gravado a mensagem numa pedra ou no tronco de uma árvore. Até teria roubado um bloco de notas de qualquer casa, junto à estrada. Porquê o meu livro? Quando é que ela o tinha obtido?

E é claro que o trilho nos conduziu de regresso à casa de campo, seguindo por um percurso sinuoso, bastante afastado da casa dos Cullen e dos lobos, nos bosques mais próximos. Edward arqueou o sobrolho, numa expressão de surpresa, assim que se tornou óbvio onde a pista nos conduzia.

Depois, especulou sobre o facto.

– Ela deixou o Jasper à espera, enquanto vinha aqui?

Ao aproximarmo-nos mais da casa de campo, comecei a ficar nervosa. Embora me soubesse bem sentir a mão de Edward na minha, por outro lado achava que deveria estar ali sozinha. Arrancar aquela folha e voltar com ela para junto de Jasper era uma atitude estranha da parte de Alice. Sentia que aquela acção encerrava algum sinal; todavia não conseguia decifrá-lo. No entanto, se se tratava do meu livro, o sinal deveria destinar-se a mim. Se ela quisesse dirigi-lo a Edward, não iria arrancar uma folha de um livro dele?...

– Dá-me só um minuto – pedi-lhe, ao chegarmos junto à porta, libertando a minha mão.

Ele franziu a testa.

– Bella?

– Por favor. Trinta segundos.

Não quis aguardar pela resposta e passei pela porta a correr, fechando-a atrás de mim. Depois, fui direita à estante. O cheiro de Alice era fresco – tinha menos de um dia. Na lareira, ardia uma fogueira que eu não tinha ateado, com labaredas baixas, mas quentes. Tirei rapidamente "O Mercador de Veneza" da prateleira e abri-o na primeira página.

Ali, a seguir ao bordo deixado pela folha arrancada, debaixo do título e do nome do autor, "O Mercador de Veneza" de William Shakespeare, havia uma nota.

Destrói isto.

E, por baixo, havia um nome e uma morada de Seattle.

Quando Edward passou pela porta, apenas treze e não trinta segundos depois, eu olhava para o livro que ardia na lareira.

– O que é que se passa, Bella?

– Ela esteve aqui. Arrancou uma folha do meu livro para escrever a mensagem.

– Porquê?

– Não faço ideia.

– Porque é que estás a queimá-lo?

– Eu... eu... – franzi o sobrolho, deixando transparecer no rosto toda a dor e perturbação que sentia. Não percebia o que Alice estava a tentar dizer-me, mas via que ela tinha feito um esforço considerável para o transmitir apenas a mim, escondendo-o dos outros. À única pessoa cuja mente Edward não podia ler. Por isso, não devia querer que ele soubesse e, provavelmente, tinha uma boa razão para isso. – Pareceu-me que o devia fazer.

– Não sabemos quais são as intenções da Alice – observou, em voz baixa.

Olhei para as chamas, absorta. Eu era a única pessoa do mundo que podia mentir a Edward. Era isso que ela pretendia de mim? Seria esse o seu último pedido?

– Quando íamos no avião para Itália – murmurei, e isto não era uma mentira, exceptuando talvez as próprias circunstâncias –, na viagem em que fomos resgatar-te... ela mentiu ao Jasper, para ele não vir atrás de nós. A Alice sabia que ele morreria, se enfrentasse os Volturi. Para ela, a segurança do Jasper era mais importante que a própria vida. Ou que a minha vida. Ou que a tua.

Edward não respondeu.

– Ela tem as suas prioridades – sublinhei. O facto de não considerar aquela explicação uma mentira, levava o meu coração paralisado a latejar.

– Não acredito nisso – afirmou Edward. Dizia-o, não como se argumentasse comigo, mas para si. – Talvez fosse apenas o Jasper que estivesse em perigo. O plano da Alice poderia funcionar em relação a todos, menos a ele. O Jasper seria aniquilado se ficasse. Talvez...

– Ela ter-nos-ia dito. E pediria ao Jasper para partir.

– E achas que ele ia? Talvez a Alice esteja outra vez a mentir-lhe.

– Talvez – disse, fingindo concordar com ele. – Devíamos voltar para casa. Não podemos ficar aqui mais tempo.

Edward pegou-me na mão e iniciámos uma nova corrida.

A mensagem de Alice não me incutia novas esperanças. Se tivesse havido uma maneira de deter a carnificina que se aproximava, ela teria ficado. Não conseguia ver uma outra possibilidade. Por isso, ela não me estava a dar uma solução de fuga, mas algo diferente. E que outra coisa poderia eu querer? Talvez a forma de salvar algo? Haveria ainda algo que podia salvar?

Carlisle e os outros não tinham ficado parados durante a nossa ausência. Estivemos afastados deles durante cinco minutos e agora via-os preparados para partir. Jacob estava ao canto, de novo na vertente humana, com Renesmee ao colo. Ambos nos fitaram com os olhos muito abertos.

Rosalie tinha substituído o vestido de seda traçado por um par de calças de ganga de aspecto robusto, sapatilhas e uma camisa tecida na malha encorpada, que os montanhistas usam em deslocações prolongadas. O mesmo acontecia com Esme. Na mesa, ao centro, estava um globo terrestre; todos tinham já estudado os seus percursos, aguardando apenas a nossa chegada.

Nesse momento, senti o ambiente mais positivo; era bom vê-los em acção. As esperanças de todos concentravam-se nas instruções deixadas por Alice.

Olhei para o globo, perguntando-me por onde iríamos começar; depois ouvi Edward a falar com Carlisle.

– Nós temos de ficar aqui? – perguntava ele. O facto não parecia deixá-lo muito satisfeito.

– A Alice aconselhou-nos a mostrar a Renesmee às pessoas e a fazê-lo com todo o cuidado – respondeu este. – Iremos pedir a todos os que encontrarmos para virem ter contigo e...Edward, tu és o Cullen melhor habilitado a gerir esta questão tão delicada.

Edward fez um aceno brusco com a cabeça, aceitando a tarefa, embora não parecendo muito de acordo.

– Existe uma área enorme a percorrer.

– Nós vamos dividir-nos – informou Emmett. – A Rose e eu iremos atrás dos nómadas.

– Vais ter muito que fazer aqui – prosseguiu Carlisle. – A família da Tanya chega de manhã, sem fazer a mínima ideia do que a espera. Tens de começar por os convencer a não reagirem como a Irina. A seguir, terás de apurar o que a Alice queria dizer, ao referir-se ao Eleazar. E, depois disso, ainda será necessário convenceres todos a ficarem, para nos darem o seu testemunho. E esta tarefa repete-se, à medida que os outros forem chegando;

partindo do princípio, que os conseguimos convencer a vir, é claro. – Carlisle suspirou. – O teu trabalho é o mais difícil de todos, com toda a certeza. Nós voltamos para ajudar, logo que seja possível.

Carlisle pousou a mão no ombro de Edward por um segundo e, a seguir, beijou-me na testa. Esme abraçou-nos, enquanto Emmett nos dava um soco no braço, brincando. Rosalie conseguiu esboçar um sorriso forçado a Edward e a mim, atirou um beijo a Renesmee e depois dirigiu um trejeito de despedida a Jacob.

– Boa sorte! – desejou Edward.

– Para ti também – retribuiu Carlisle. – Todos precisamos.

Fiquei a vê-los partir, desejando ter a mesma esperança que os animava, qualquer que ela fosse, e desejando igualmente utilizar o computador sozinha, por uns segundos. Tinha de descobrir quem estava por trás do nome J. Jenks e porque teria Alice feito aquele esforço para o transmitir apenas a mim.

Renesmee torceu-se nos braços de Jacob, para lhe tocar no rosto.

– Não sei se os amigos do Carlisle vêm. Espero que sim. Agora, parece que estamos aqui muito poucos – murmurou ele para a menina.

Então ela já sabia. Renesmee compreendia o que estava a acontecer; até bem de mais. Aquele fenómeno do lobisomem-marcado-dá-ao-alvo-da-marcação-tudo-o-que-ela-quer estava a criar raízes muito rapidamente. Não seria mais importante protegê-la, do que responder-lhe a todas as perguntas?

Observei o rosto da minha filha com toda a atenção. Não me pareceu vê-la assustada, apenas ansiosa e muito séria, enquanto conversava com Jacob à sua maneira silenciosa.

– Não, nós não podemos ajudar, temos de ficar aqui – continuava ele. – As pessoas vêm cá para te ver a ti, e não a paisagem.

Renesmee franziu-lhe o sobrolho.

– Não, eu não tenho de ir para lugar nenhum – respondeu-lhe Jacob. Depois, olhou para Edward com uma expressão desorientada, sentindo que poderia estar errado. – Ou tenho?

Edward mostrou-se hesitante.

– Diz o que estás a pensar – ordenou Jacob, com uma tensão latente na voz. Ele estava prestes a atingir o ponto de ruptura, tal como todos nós.

– Os vampiros que nos vêm ajudar são diferentes de nós – explicou Edward. – A família da Tanya é a única que respeita a vida humana, tal como os Cullen, e eles nem ligam muito a lobisomens. Acho que vai ser mais seguro...

– Eu sei tomar conta de mim – interrompeu Jacob.

– Mais seguro para a Renesmee – continuou Edward –, se a opção de acreditarem na nossa história não for prejudicada por uma ligação aos lobisomens.

– Grandes amigos! Viram-vos as costas por causa das vossas companhias?

– Em circunstâncias normais, julgo que até iam ser tolerantes. Mas tens de compreender que aceitar a Nessie não será fácil para nenhum deles. Não há qualquer razão para complicarmos aquilo que já é difícil.

Na noite anterior, Carlisle tinha posto Jacob ao corrente das leis contra as crianças imortais.

– Elas eram assim tão más? – perguntara ele.

– Não consegues imaginar quão são profundas as marcas que elas deixaram na psique dos vampiros.

– Edward... – continuava a ser estranho ouvir Jacob a pronunciar o nome dele sem acrimónia.

– Eu sei, Jake. Sei como será difícil afastares-te dela. Vamos agir de acordo com o que acontecer e ver a reacção deles. De qualquer modo, durante as próximas semanas a Nessie terá de permanecer anónima durante alguns períodos de tempo. Teremos de a manter na casa de campo, à espera do momento mais indicado para a apresentar. Desde que permaneças a uma distância segura aqui de casa...

– Posso fazer isso. Amanhã, temos companhia, é isso?

– Sim. São os nossos amigos mais chegados. Neste caso em particular, talvez seja melhor abrir o jogo o mais depressa possível; por isso podes ficar aqui. A Tanya já sabe da tua existência e chegou mesmo a conhecer o Seth.

– De acordo.

– Devias pôr o Sam a par dos planos. Em breve, teremos desconhecidos a circular pela floresta.

– Tens razão. Embora o Sam merecesse que me fechasse em copas, tendo em consideração o que fez ontem à noite.

– Dar ouvidos à Alice costuma ser sempre a melhor opção.

Jacob fez ranger os dentes, pelo que concluí que ele partilhava a opinião de Sam em relação ao que Alice e Jasper tinham feito.

Enquanto eles falavam, deambulei em direcção às janelas das traseiras, tentando parecer distraída e preocupada, o que nem era uma tarefa difícil. Encostei a cabeça à parede da sala de estar, que descrevia uma curva em direcção à sala de jantar, ao lado das secretárias dos computadores. Passei os dedos pelo teclado, ao mesmo tempo que observava a floresta, tentando parecer que o fazia sem dar por isso. Os vampiros teriam atitudes destas? Achei que ninguém me estava a dar atenção em especial; de qualquer modo não me voltei para o confirmar. O ecrã iluminou-se, regressando à vida, e voltei a passar os dedos pelas teclas. A seguir, tamborilei, levemente, no tampo de madeira, dando a impressão que o fazia ao acaso. Mais uma passagem pelo teclado.

Analisei o ecrã pelo canto do olho.

Não havia um J. Jenks, mas um Jason Jenks. Um advogado. Rocei com a mão nas teclas, tentando imprimir alguma cadência ao movimento, tal como o afagar inquieto de um gato que quase esquecemos que temos ao colo. O escritório de Jason Jenks tinha um sítio bem elaborado na Internet, mas a morada na página de acolhimento estava errada. Era em Seattle, no entanto tinha um código postal diferente. Anotei o número de telefone e voltei a percorrer as teclas, mantendo a mesma cadência. Desta vez, procurava a morada, mas nada surgiu, como se não existisse.

Procurava ver um mapa, concluindo que estava a abusar da sorte. Mais um toque, para apagar o histórico...

Continuei a fitar a janela, passando suavemente a mão pelo tampo, por diversas vezes. Senti uns passos leves a cruzar a sala na minha direcção e voltei-me, com o que fosse, esperava, a mesma expressão de antes.

Era Renesmee que vinha ter comigo e eu abri-lhe os braços. Ela lançou-se, com um cheiro intenso a lobisomem, aninhando a cabeça no meu pescoço.

Não sabia se conseguiria aguentá-lo. Por muito que temesse pela minha vida, pela de Edward e pela do resto da minha família, nada se assemelhava à sensação de terror opressivo que sentia em relação à minha filha. Tinha de haver uma maneira de a salvar, mesmo que fosse a única coisa que pudesse fazer.

De repente, soube que era isso que queria acima de tudo. Conseguiria suportar o resto, se tal fosse inevitável, mas nunca abdicar da vida dela. Isso nunca.

Ela era a única coisa que, simplesmente, teria de salvar.

Alice saberia aquilo que eu ia sentir?

A mão da menina tocou-me na face, suavemente.

Ela mostrava-me o meu rosto, seguindo-se os de Edward, Jacob, Rosalie, Esme, Carlisle, Alice, Jasper, Emmett, projectando todas as imagens da nossa família, cada vez mais depressa. Seth e Leah. Charlie, Sue e Billy. Uma e outra vez. Tão preocupada como todos nós. Mas apenas preocupada, o que me fez supor que Jake a tinha poupado ao pior. Ou seja, da parte em que a esperança nos faltara, ao saber que um mês nos separava da morte.

Renesmee fixou-se no rosto de Alice, com sentimentos de saudade e de confusão. Onde estava ela?

– Não sei – murmurei. – Mas trata-se da Alice e ela está a fazer o que é certo, como sempre.

À maneira da Alice, de qualquer forma. Detestava pensar assim em relação a ela, mas de que outra maneira poderia compreender aquela situação?

Renesmee suspirou e as saudades aumentaram.

– Eu também sinto a falta dela.

Percebi o esforço que o meu rosto fazia em busca da expressão condizente com o sofrimento interior. Senti os olhos estranhos e secos, pestanejando contra a sensação de desconforto. Mordi o lábio. Ao inspirar, o ar fez-me arder a garganta, como se me sufocasse.

Renesmee afastou-se, para me olhar, e vi o meu rosto reflectido nos seus pensamentos e no seu olhar. A minha cara parecia a de Esme, naquela manhã.

Então era isto que se sentia quando chorávamos.

Enquanto Renesmee me observava, vi-lhe um brilho húmido nos olhos. Ela afagou-me o rosto, sem me mostrar nada, apenas a consolar-me.

Nunca tinha imaginado que iria ver o laço mãe-filha a inverter-se entre nós, da forma como sempre acontecera entre Renée e eu. Mas também nunca tivera uma percepção muito nítida do futuro.

Uma lágrima surgiu na orla do olho de Renesmee e eu enxuguei-a com um beijo. Ela tocou no olho com uma expressão de espanto e ficou a observar a ponta húmida do dedo.

– Não chores – disse-lhe. – Tudo vai passar. E tu ficarás bem. Não vou deixar que nada te aconteça.

Se não houvesse nada mais a fazer, iria salvar a minha Renesmee. Estava mais convencida do que nunca que era isso que Alice me queria dar. Ela sabia. E deixara-me uma forma de o fazer.

Trinta

IRRESISTÍVEL

Havia tanta coisa em que tinha de pensar.

Como iria arranjar tempo para ficar sozinha e tentar encontrar J. Jenks? Por que razão queria Alice que eu o contactasse?

E, se aquela pista não tivesse nada que ver com Renesmee, como poderia salvar a minha filha?

Como é que Edward e eu explicaríamos a situação à família de Tanya na manhã seguinte? E se eles tivessem uma reacção semelhante à de Irina? E se dali resultasse uma luta?

Eu não sabia lutar. Como iria aprendê-lo em apenas um mês? Haveria alguma possibilidade de eu aprender tão depressa que me tornasse um perigo para qualquer um dos membros dos Volturi? Ou será que estava predestinada a ser completamente inútil? Não passando de um outro recém-nascido facilmente descartável?!

Tantas respostas de que precisava, sem ter a oportunidade de colocar as questões...

Para proporcionar a Renesmee um ambiente mais normal, tinha insistido em levá-la para a nossa casa de campo à hora de deitar. Nessa altura, Jacob estava de novo mais confortável na sua pele de lobo; ele lidava melhor com a tensão quando se preparava para lutar. Ao vê-lo partir em direcção à floresta, em estado de alerta, desejei poder fazer o mesmo: sentir-me preparada.

Depois de a minha filha dormir profundamente, levei-a para a cama; a seguir, regressei à sala de estar, com a intenção de colocar as minhas questões a Edward. Ou melhor, colocar apenas as que podia; uma das que me levantava mais dificuldades era como tentar esconder-lhe alguma coisa, mesmo dispondo da vantagem de possuir uma mente silenciosa.

Ele estava de pé, em frente à lareira, de costas voltadas para mim.

– Edward, eu...

Ele virou-se sobre si e atravessou a sala num espaço de tempo que pareceu não existir, nem chegou a uma pequena fracção de segundo. Apenas consegui ver-lhe a expressão selvagem do rosto, antes de ele esmagar os lábios contra os meus e de me apertar nos braços, como se fossem vigas de aço.

Durante o resto da noite, não voltei a pensar nas minhas perguntas. Foi preciso muito pouco tempo para apreender os motivos do seu comportamento e ainda menos para sentir exactamente o mesmo.

Tinha previsto que precisaria de alguns anos para conseguir uma certa organização perante a intensa atracção física que sentia por ele. E, a seguir, teria à minha frente séculos para desfrutar dela. Se apenas nos restava um mês juntos... bom, não via como me seria possível aguentar esse desfecho. Para já, não conseguia deixar de ser egoísta. Tudo o que queria era amá-lo o mais que podia, no tempo limitado que me era oferecido.

Quando o Sol nasceu, foi difícil afastar-me de Edward. No entanto, ambos tínhamos um trabalho a desenvolver e este poderia tornar-se ainda mais difícil que a globalidade das pesquisas a que a nossa família se dedicava no momento. Assim que me permiti pensar no que nos esperava, a tensão dominou-me por completo; parecia que uma roda de tortura me esticava os nervos, tornando-os mais finos, cada vez mais finos...

– Gostava de conseguir uma forma de obter do Eleazar a informação que precisamos, antes de lhes falarmos sobre a Nessie – protestou Edward, enquanto nos arranjávamos, à pressa, no grande quarto de dormir, que me fazia recordar Alice mais do que desejava. –, para estarmos prevenidos.

– Só que ele não iria perceber a pergunta, de modo a estar habilitado a dar-nos a resposta – concordei, entendendo a dificuldade que ele sentia. – Achas que eles nos vão deixar explicar?

– Não sei.

Levantei Renesmee da cama, ainda adormecida, e aninhei-a no colo, com um abraço tão estreito, que os seus caracóis se comprimiram contra o meu rosto; aquele cheiro, tão próximo e doce, dominou qualquer outro aroma.

Naquele dia, não havia um segundo a perder. Precisava de respostas e não sabia de quanto tempo Edward e eu dispúnhamos para estar sozinhos. Se tudo corresse bem com a família de Tanya, era provável que eles acabassem por ficar connosco durante um bom período.

– Edward, ensinas-me a lutar? – perguntei, enquanto ele segurava a porta para eu passar, atenta à sua reacção.

E reagiu da forma que eu esperava. Começou por ficar paralisado e depois fitou-me com uma expressão intensa, como se me visse pela primeira vez ou pela última. Por fim, o olhar suspendeu-se sobre a nossa filha, ainda a dormir nos meus braços.

– Se existir uma luta, não haverá muito que tu e eu possamos fazer – respondeu, num tom vago.

Mantive a voz firme.

– Eras capaz de me deixar continuar assim, sem conseguir defender-me?

Edward engoliu em seco, num movimento convulsivo, e crispou a mão, com a porta a estremecer e os ferrolhos a protestar. Depois, acabou por ceder.

– Se pões as coisas nesses termos... acho que é melhor começarmos enquanto é tempo.

Concordei, acenando com a cabeça, e partimos em direcção à casa grande. Desta vez, fomos sem pressas.

Interroguei-me sobre o que seria possível fazer que pudesse marcar a diferença. Eu era ligeiramente especial, à minha maneira – se o facto de ter um crânio sobrenaturalmente resistente pudesse realmente considerar-se especial. Haveria alguma vantagem a retirar?

– Quais são principais trunfos deles? – perguntei. – E os pontos fracos, se acaso têm?

Edward não precisou de confirmar se eu me referia aos Volturi.

– O Alec e a Jane são os principais atacantes – esclareceu, sem qualquer ponta de emoção na voz, como se falássemos de uma equipa de basquetebol. – Os defesas raramente entram em campo.

– Isto porque a Jane pode fazer-te arder, onde quer que estejas, só com o poder da mente. E em relação ao Alec? Acho que, uma vez, te ouvi dizer que ele chegava a ser mais perigoso que ela.

– Exacto. De certa forma, ele é a sua antítese. A Jane faz-te sentir a pior dor que podes imaginar. Entretanto, o Alec tira-te todas as sensações. Tudo. Por vezes, quando têm algum resquício de bondade, os Volturi pedem ao Alec que anestesie um condenado, antes de o executarem. No caso de este se ter rendido ou feito algo que lhes tenha agradado.

– O Alec tem capacidades anestesiantes? Mas, como é que isso o torna mais perigoso que a Jane?

– Ele extirpa totalmente os nossos sentidos. Não só deixamos de sentir a dor, como também de ver, ouvir ou cheirar. É uma depravação sensorial completa, que nos deixa isolados na escuridão. Nem chegamos a sentir que estamos a arder.

Estremeci. Aquilo era o melhor que nos esperava? Não irei ver ou sentir a morte quando ela chegar?

– Isso levar-nos-ia a pensar que ele era tão perigoso como a Jane – prosseguiu Edward, com o mesmo tom de voz objectivo –, no sentido em que ambos conseguem incapacitar-te, transformando-te num alvo indefeso. Mas existe uma diferença entre os dois, semelhante à que distingue o Aro de mim. O Aro só consegue ouvir a mente de uma pessoa de cada vez. E o foco da Jane também não lhe permite aniquilar vários objectos em simultâneo, exclusivamente um. Eu não tenho essa limitação, na medida em que consigo ouvir todas as mentes em simultâneo.

Senti o frio a instalar-se dentro de mim, ao perceber onde ele ia chegar.

– E o Alec também tem a capacidade de nos anular a todos, em simultâneo? – perguntei, em voz baixa.

– Sim – confirmou ele. – Se ele usar esse dom contra nós, ficamos cegos e surdos até os Volturi chegarem para nos matar. Talvez se limitem a fazer-nos arder, sem se darem ao trabalho de nos dilacerar primeiro. Ah, nós podemos tentar resistir, mas o mais provável seria ferirmo-nos uns aos outros, antes de atingir algum deles.

Continuámos a avançar em silêncio, durante uns segundos.

Na minha mente, começava a formar-se uma ideia. Podia não ser muito promissora, mas era melhor que nada.

– Achas que o Alec é um lutador imbatível? – perguntei-lhe. – Quero dizer, se nos abstrairmos do dom que possui. Imagina que teria de lutar sem ele. Pergunto-me se alguma vez o terá sequer tentado...

Edward lançou-me um olhar penetrante.

– Em que é que estás a pensar?

Continuei a olhar em frente.

– Bom, se calhar ele não consegue fazer isso comigo, não achas? Se o dom dele actua da mesma maneira que o teu, o do Aro e o da Jane, e..., se realmente, ele nunca teve necessidade de se defender a si próprio, talvez... se eu aprender alguns truques...

– Ele está com os Volturi há séculos – interrompeu-me Edward com uma nota de pânico na voz. Era provável que estivesse a imaginar o mesmo que eu: os Cullen parados, sem qualquer defesa, transformados em pilares insensíveis em pleno campo de batalha. Todos, exceptuando eu. Seria a única capaz de lutar. – Sim, deves ser imune ao poder dele, com toda a certeza. No entanto ainda és uma recém-nascida, Bella. Não consigo transformar-te numa lutadora invencível no espaço de poucas semanas. E o Alec deve andar a treinar com toda a certeza.

– Talvez sim, ou talvez não. Trata-se da única coisa que eu posso fazer, ao contrário dos outros. Mesmo que conseguisse apenas distraí-lo durante algum tempo... – Será que resistia o suficiente para os outros terem alguma hipótese?

– Por favor, Bella – pediu Edward, por entre dentes. – Vamos parar de falar sobre isso.

– Sê razoável!

– Vou tentar ensinar-te aquilo que puder. Mas, por favor, não me tentes convencer a sacrificar-te enquanto manobra de diversão... – e a voz sufocou-lhe na garganta, pelo que ele não conseguiu terminar a frase.

Assenti com a cabeça. Nesse caso, guardaria o plano só para mim. Primeiro, Alec, e depois, se uma sorte miraculosa me permitisse ganhar, encarregar-me-ia de Jane. Se ao menos conseguisse tornar as coisas mais equilibradas, anulando a vantagem ofensiva esmagadora dos Volturi, talvez houvesse alguma hipótese... A minha mente acelerou mais. E se eu conseguisse distraí-los, ou mesmo afastá-los da corrida? Na verdade, para que teriam Jane ou Alec precisado alguma vez de aprender técnicas de luta? Não conseguia imaginar aquela Jane, pequenina e de ar petulante, a colocar o seu trunfo de lado, só para aprender alguma coisa.

Se conseguisse aniquilá-los, a diferença que isso faria!

– Tenho de aprender tudo. O quanto conseguires enfiar na minha cabeça durante este mês – murmurei.

Edward fez de conta que eu não tinha dito nada.

Então, quem se seguia? Era bom ir avançando no meu plano, para não haver hesitações na minha luta, caso sobrevivesse ao ataque a Alec. Tentei pensar noutras situações onde a minha cabeça dura me colocasse em vantagem. Não conhecia o suficiente sobre as capacidades dos outros. É claro que não teria qualquer hipótese contra um combatente como o descomunal Felix. Nesse caso, restava-me permitir que Emmett tivesse um combate justo. Não possuía grandes elementos sobre os outros membros do exército Volturi, à excepção de Demetri...

Pensei nele, mantendo uma expressão perfeitamente impassível. Demetri era um verdadeiro combatente, sem margem de dúvida. Só assim é que ele conseguira sobreviver, actuando como ponta-de-lança em todas as ofensivas. E surgia sempre à frente, enquanto batedor deles – claramente, o melhor batedor do mundo. Se existisse um outro melhor, os Volturi já o teriam substituído. Aro não se fazia rodear de segundas escolhas.

Se Demetri não existisse, então poderíamos fugir. Quem quer que entre nós estivesse vivo... A minha filha, tão quente nos meus braços... podia fugir com ela. Jacob, Rosalie, ou qualquer outro que sobrevivesse.

E... se Demetri não existisse, Alice e Jasper ficavam livres de perigo para sempre. Fora isso que ela tinha visto? Essa parte da nossa família continuaria a viver? Os dois, pelo menos.

Isso seria razão para eu a invejar?

– O Demetri... – comecei a dizer.

– O Demetri fica por minha conta – interrompeu Edward, com uma voz dura e inflexível. Olhei-o de imediato, distinguindo-lhe uma expressão violenta.

– Porquê? – murmurei.

Ele começou por não me responder. Estávamos perto do rio, quando acabou por dizer em voz baixa:

– Por causa da Alice. Neste momento, é a única coisa que posso fazer para lhe agradecer os últimos quinze anos.

Então, ele seguia a mesma linha de pensamentos que eu.

Ouvi as patas pesadas de Jacob a martelar a terra gelada. Passados uns segundos, ele caminhava ao meu lado, com os olhos escuros fixos em Renesmee.

Acenei-lhe uma vez com a cabeça e regressei logo às minhas questões. O nosso tempo era muito escasso.

– Edward, porque é que a Alice nos disse para questionarmos o Eleazar em relação aos Volturi? Ele esteve há pouco tempo em Itália, ou algo do género? O que é que ele pode saber?

– O Eleazar está muito bem informado relativamente a tudo o que se relaciona com os Volturi. Ah, estava a esquecer-me que não sabias. Ele chegou a ser um deles.

Deixei escapar um assobio involuntário e Jacob rosnou junto de mim.

– O quê?! – proferi, surpreendida, evocando a imagem daquele homem belo e moreno, no nosso casamento, envolto numa capa comprida, cor de cinza.

A expressão de Edward era mais suave, pelo que esboçou um pequeno sorriso.

– O Eleazar é muito gentil. Não se sentia verdadeiramente feliz com os Volturi, mas respeitava a lei e a necessidade de a fazer cumprir. Considerava que, dessa forma, trabalhava para o bem supremo. Mas, quando conheceu a Carmen, encontrou o seu lugar no mundo. Os dois são semelhantes e têm uma mente muito tolerante no que respeita à essência dos vampiros. – E voltou a sorrir. – Quando encontraram a Tanya e as irmãs, nem sequer olharam para trás, adaptando-se àquele estilo de vida. Se nunca tivessem chegado a encontrá-las, acho que acabariam por descobrir sozinhos uma forma de viver sem sangue humano.

As imagens que tinha na minha cabeça colidiam entre si, sem conseguir harmonizá-las. Um soldado Volturi com sentimentos benignos?

O meu marido olhou de relance para Jacob e respondeu a uma pergunta que os meus ouvidos não captaram.

– Não, na realidade, ele não era um dos combatentes. Tinha apenas um dom que era vantajoso para os Volturi.

Jacob deve ter feito a pergunta óbvia que se impunha.

– Ele tem um instinto que lhe permite reconhecer os dons dos outros; as tais capacidades complementares que alguns vampiros possuem – explicou Edward. – Conseguia transmitir ao Aro uma perspectiva geral do que determinado vampiro conseguia fazer, bastando-lhe estar próximo dele ou dela. Quando os Volturi disputavam um combate, o Eleazar avisava-os sobre alguma aptidão problemática dos elementos do clã adversário, o que era uma boa ajuda. Mas tal acontecia muito raramente. É preciso que a habilidade seja muito especial para constituir uma contrariedade para os Volturi. Na maior parte dos casos, os avisos de Eleazar serviam para o Aro poupar alguém que lhe fosse útil. De certo modo, o dom dele também funciona com os humanos. Neste caso, ele precisa de estar particularmente concentrado, já que as capacidades latentes dos humanos são muito nebulosas. O Aro também lhe pedia que testasse todos os que queriam juntar-se aos Volturi, a fim de confirmar se teriam algum potencial. Quando o Eleazar os deixou, o Aro teve muita pena.

– Eles deixaram-no sair? – interpelei. – Assim, sem mais nem menos?

O sorriso de Edward tornara-se mais sombrio, quase retorcido.

– Não é suposto que os Volturi sejam uns vilãos, tal como tu os encaras. Eles são os fundadores da nossa paz e civilização. E, cada membro da guarda alista-se voluntariamente. É um cargo prestigioso e todos os combatentes têm orgulho nele, ocupando-o sem qualquer sentimento de obrigação.

Franzi o sobrolho, com os olhos pregados no chão.

– Apenas se considera que eles são perversos e hediondos quando lidam com criminosos, Bella.

– O que não é o nosso caso.

Jacob bufou, dando-me a sua concordância.

– Eles não sabem isso.

– Achas que será possível detê-los e obrigá-los a ouvir-nos?

Edward hesitou um milésimo de segundo e encolheu os ombros.

– Se descobrirmos amigos suficientes que fiquem do nosso lado. Talvez.

"Se." De repente, apercebi-me da urgência em concretizar a tarefa que nos aguardava naquele dia. Edward e eu acelerámos a marcha, encetando uma corrida; rapidamente, Jacob seguia ao nosso lado.

– A Tanya não deve demorar – informou Edward. – Temos de nos preparar.

Mas, como podíamos estar preparados? Organizámo-nos e reorganizámo-nos, pensámos e voltámos a pensar. Deixar Renesmee à vista? Ou mantê-la escondida, no início? Jacob deveria ficar na sala? Ou lá fora? Ele dissera à alcateia para se manter nas imediações; mas invisível. Deveria ele fazer o mesmo?

Finalmente, Renesmee, Jacob – de novo na forma humana – e eu ficámos a aguardar na sala de jantar, sentados à grande mesa polida e ocultos pela esquina, ao lado da porta principal. Jacob permitiu que fosse eu segurar em Renesmee; ele pretendia dispor de espaço suficiente, caso fosse necessário transformar-se de repente.

Embora me soubesse bem ter a minha filha nos braços, sentia-me impotente ao mesmo tempo. Isso fez-me pensar que não passava de um alvo fácil numa luta com vampiros adultos; ter as mãos livres não me iria ajudar.

Tentei recordar as imagens de Tanya, Kate, Carmen e Eleazar no casamento. Os rostos apareciam opacos nas minhas memórias tão indistintas. Apenas sabia que todos eram belos: duas louras e um casal de morenos. Não me recordava se haveria alguma benevolência na sua expressão.

Edward estava encostado à parede de vidro que dava para as traseiras, sem se mexer, com o olhar fixo na porta de entrada. Não me parecia que visse alguma coisa na sala, à sua frente.

Ouvíamos os carros a zumbir, transitando na estrada ao longe, sem que nenhum abrandasse.

Renesmee tinha aninhado a cabeça no meu pescoço, encostando a mão à minha face, sem me transmitir qualquer pensamento. Não dispunha de imagens para o que estava a sentir.

– E se eles não gostarem de mim? – murmurou; e todos os olhares convergiram imediatamente para ela.

– É claro que vão... – começou Jacob por dizer; mas eu silenciei-o com o olhar.

– Renesmee, eles não te compreendem porque nunca encontraram um ser como tu – disse, sem desejar mentir-lhe com promessas que podiam não se concretizar. – O nosso problema é fazê-los compreender.

Ela suspirou e, de repente, a minha cabeça ficou povoada com as imagens de todos. Vampiros, humanos, lobisomens. Ela não se encaixava em qualquer grupo.

– Tu és especial e isso não é uma coisa má.

Renesmee abanou a cabeça, discordando. Pensou nos nossos rostos angustiados e disse:

– A culpa é minha.

– Não – replicámos os três, em simultâneo; no entanto, antes de avançarmos com outros argumentos, escutámos o som que aguardávamos: um motor a abrandar na estrada e uns pneus a saírem do alcatrão, entrando na terra macia.

Edward contornou a esquina a correr, esperando junto à porta. Renesmee escondeu a cara no meu cabelo. Jacob e eu entreolhámo-nos, de cada lado da mesa, com o desespero estampado no rosto.

O carro avançou rapidamente entre o arvoredo, a uma velocidade superior à que Charlie ou Sue costumavam recorrer. Ouvimo-lo a chegar ao relvado e a parar em frente à casa. Depois, quatro portas a abrir e a fechar. Ninguém falou, enquanto se aproximavam da porta. Edward abriu-a, antes de eles baterem.

– Edward – exclamou uma voz feminina, num tom entusiástico.

– Olá, Tanya. Kate, Eleazar, Carmen. Sejam bem-vindos.

Os outros três saudaram-no em voz baixa.

– O Carlisle disse que precisava de falar connosco urgentemente – referiu a primeira voz, Tanya. Percebi que todos tinham permanecido do lado de fora e imaginei Edward à entrada, bloqueando a passagem. – Qual é o problema? Aconteceu alguma coisa com os lobisomens?

Jacob revirou os olhos.

– Não – respondeu o meu marido. – A nossa aliança com eles está mais forte que nunca.

Uma mulher soltou uma pequena gargalhada.

– Não nos convidas a entrar? – perguntou Tanya. E continuou, sem aguardar pela resposta. – Onde é que está o Carlisle?

– Teve de sair.

Seguiu-se um breve silêncio.

– O que é que se passa, Edward? – inquiriu ela.

– Se me concederem o vosso benefício da dúvida por uns minutos – respondeu ele –, tenho uma coisa complicada para vos explicar. Pedia-lhes que reagissem com uma mente aberta até compreenderem.

– O Carlisle está bem? – inquiriu uma voz masculina, com ansiedade. Eleazar.

– Nenhum de nós está bem, Eleazar – afirmou Edward, e ouvi--o a bater ao de leve em qualquer coisa, talvez no ombro dele. – No entanto o Carlisle está bem, do ponto de vista físico.

– Físico? – perguntou Tanya, imediatamente. – O que queres dizer com isso?

– Quero dizer que toda a minha família corre um perigo grave. Mas antes de vos explicar, quero que me prometam que ouvem tudo o que eu disser, antes de reagirem. Peço-lhes apenas que me deixem falar primeiro.

O pedido de Edward foi recebido com um profundo silêncio. Ao longo daquele momento de tensão, Jacob e eu fitávamo-nos também em silêncio. Os lábios vermelho-escuros do meu amigo estavam a ficar lívidos.

– Podes falar – disse Tanya, por fim. – Nós ouviremos até ao fim, antes de fazermos o nosso juízo.

– Obrigada, Tanya – agradeceu Edward, com fervor. – Não os teríamos envolvido nisto, se tivéssemos uma outra alternativa.

Senti-o a mover-se. Depois, chegou-me o som de quatro passadas diferentes a cruzarem a ombreira da porta.

Alguém aspirou o ar.

– Eu sabia que aqueles lobisomens estavam metidos nisto – resmungou Tanya.

– Sim, e eles estão do nosso lado. Mais uma vez.

A chamada de atenção fê-la permanecer em silêncio.

– Onde está a tua Bella? – perguntou uma das vozes femininas. – Como tem passado?

– A Bella já vem ter connosco. Ela está bem. Acedeu à imortalidade como uma subtileza espantosa.

– Explica-nos que perigo é esse, Edward – pediu Tanya, com serenidade. – Nós iremos escutar-te e ficar do teu lado. Essa é a nossa obrigação.

Edward respirou fundo.

– Queria que testemunhassem com os vossos olhos. Escutem... na sala ao lado. O que é que estão a ouvir?

Fez-se silêncio e, a seguir, houve um movimento.

– Comecem por escutar, por favor – pediu Edward.

– É um lobisomem, parece-me. Consigo ouvir-lhe o coração – disse Tanya.

E que mais? insistiu ele.

Seguiu-se uma pausa.

– O que é aquele pulsar? – perguntou Kate, ou Carmen. – É... alguma espécie de pássaro?

– Não, mas lembrem-se que o ouviram. Agora, que cheiros detectam? Além do lobisomem?

– Está ali um humano? – murmurou Eleazar.

– Não – discordou Tanya. – Não é humano... mas... aproxima-se mais do odor humano que o resto dos cheiros que detecto aqui. O que é aquilo, Edward? Acho que nunca senti esta fragrância.

– Com toda a certeza que não, Tanya. Por favor, por favor, lembra-te que isto é algo inteiramente novo para ti. Põe todos os preconceitos de lado.

– Edward, eu prometi que te íamos ouvir.

– Então, muito bem. Bella? Traz a nossa Renesmee, por favor.

As minhas pernas pareciam ter sido atingidas por uma dormência estranha, mas eu sabia que o mesmo se passava com a minha cabeça. Forcei-me a não hesitar, a mover-me com energia, enquanto me levantava e percorria a pequena distância que me separava da esquina. O calor de Jacob inflamava-se perto de mim, enquanto me seguia como uma sombra.

Dei o primeiro passo na grande sala e entretanto parei, petrificada, sem conseguir obrigar-me a avançar. Renesmee respirou fundo e, a seguir, espreitou sob o meu cabelo, com os pequenos ombros hirtos, à espera de uma má recepção.

Julgava-me preparada para isso. Para as acusações, os gritos, a paralisia causada por uma tensão extrema.

Tanya deslizou quatro passos para trás, com os caracóis louros arruivados a agitarem-se, como um humano que se depara com uma cobra venenosa. Kate deu um salto para trás, que a colocou junto à porta de entrada, espalmando-se contra a parede ao lado. Um silvo de terror escapou-se entre os dentes cerrados. Eleazar lançou-se para a frente de Carmen, curvando-se numa posição protectora.

– Ah, por favor! – ouvi Jacob a protestar, por entre dentes.

Edward passou o braço por mim e pela nossa filha.

– Prometeram que me iriam ouvir – recordou-lhes.

– Há coisas que não se podem ouvir – exclamou Tanya. – Edward, como foste capaz? Não sabes o que isso significa?

– Temos de sair daqui – afirmou Kate, ansiosa, já com a mão na maçaneta da porta.

– Edward... – Eleazar parecia não conseguir articular qualquer palavra.

– Esperem – disse Edward, com a voz mais dura. – Lembrem-se do que ouviram e do que cheiraram. A Renesmee não é o que estão a pensar.

– Não há excepções a esta regra, Edward – ripostou Tanya, num tom duro.

– Tanya, tu consegues ouvir a batida do coração dela! – insistiu Edward, com rispidez. – Pára e pensa no que isso significa.

– Batida do coração? – murmurou Carmen, espreitando por cima do ombro de Eleazar.

– Ela não é uma criança vampira – respondeu Edward, direccionando a atenção para a expressão menos hostil de Carmen. – Ela é semi-humana.

Os quatro vampiros olhavam-no atónitos, como se ele falasse numa língua que desconheciam.

– Escutem-me. – A voz de Edward modulou-se num tom persuasivo, suave como o veludo. – A Renesmee é a única da sua espécie. Eu sou o pai dela. Não o seu criador, mas o pai biológico.

A cabeça de Tanya estremecia, num movimento muito subtil. Ela parecia nem se dar conta disso.

– Edward, não podes esperar que nós... – começou Eleazar.

– Então, dá-me uma outra explicação que se enquadre nesta situação, Eleazar. Consegues sentir no ar o calor do corpo dela. E há sangue a correr-lhe nas veias. Podes cheirá-lo.

– Como? – interpelou Kate, perplexa.

– A Bella é a mãe biológica – disse Edward. – Foi ela quem a concebeu, quem a teve no ventre e deu à luz, enquanto ainda era humana. O parto quase a matou e eu vi-me pressionado a injectar-lhe veneno no coração, em grande quantidade, para a salvar.

– Nunca ouvi tal coisa – observou Eleazar. Mantinha os ombros hirtos e uma expressão gélida.

– As relações físicas entre vampiros e humanos não são comuns – comentou Edward, com uma pequena nota de humor negro na voz. – E os sobreviventes humanos desses *rendez-vous* ainda menos. Não é verdade, primas?

Kate e Tanya olharam-no com uma expressão pouco amistosa.

– Vá lá, Eleazar. Certamente que consegues identificar a semelhança.

Foi Carmen quem respondeu. Passou em redor de Eleazar, ignorando o aviso que este lhe lançou por entre dentes, e avançou cautelosamente, colocando-se à nossa frente. Depois, inclinou--se um pouco para observar o rosto de Renesmee atentamente.

– Parece que tens os olhos da tua mãe – comentou, numa voz baixa e serena –, mas o rosto é o do teu pai. – E, depois, como se não conseguisse conter-se, sorriu para a menina.

O sorriso de resposta de Renesmee foi deslumbrante. Pôs a mão na minha face, sem desviar os olhos de Carmen, e imaginou que lhe tocava no rosto, interrogando-se sobre se o podia fazer.

– Importas-te que a Renesmee te conte a sua própria história? – perguntei a Carmen. Continuava demasiado nervosa para elevar a voz mais que um murmúrio. – Ela tem um dom para explicar as coisas.

Carmen continuava a sorrir para Renesmee.

– Tu falas, pequenina?

– Sim – respondeu ela, na sua voz cristalina de soprano. Todos os membros da família de Tanya estremeceram ao ouvi--la, à excepção de Carmen. – Mas eu posso-te mostrar mais do que te posso dizer.

Renesmee pousou a sua mão pequenina e cheia de covinhas na face de Carmen.

Esta endireitou-se, como se fosse percorrida por um choque eléctrico. No mesmo instante, Eleazar estava ao seu lado, agarrando-a pelos ombros e preparando-se para a puxar para trás.

– Espera! – pediu Carmen, contendo a respiração, com os olhos fixos nos de Renesmee.

A minha filha levou muito tempo a "mostrar" a Carmen a sua explicação. Edward revelava uma expressão atenta, seguindo--a ao mesmo tempo que Carmen e levando-me a desejar ardentemente ouvir o mesmo. Jacob balançou o corpo com impaciência, atrás de mim, dando-me a entender que partilhava o meu desejo.

– O que é que a Nessie lhe está a mostrar? – resmungou, por entre dentes.

– Tudo – murmurou Edward.

Passou mais um minuto e Renesmee retirou a mão do rosto de Carmen, dirigindo um sorriso triunfante àquela vampira estupefacta.

– Ela é mesmo tua filha, não é? – perguntou Carmen por entre dentes, virando os seus grandes olhos cor de topázio para Edward. – Que dom tão brilhante! Só poderia ter vindo de um pai tão dotado!

– Acreditas no que ela te mostrou? – perguntou Edward, com uma expressão veemente.

– Sem dúvida – limitou-se Carmen a responder.

O rosto de Eleazar ficou rígido de consternação.

– Carmen!

A companheira agarrou-lhe nas mãos e apertou-as entre as suas.

– Por impossível que pareça, o Edward limitou-se a dizer-te a verdade. Deixa a criança mostrar-te.

A seguir, empurrou-o delicadamente, aproximando-o mais de mim, e acenou com a cabeça para Renesmee.

– Mostra-lhe, *mi querida.*

Ela esboçou um largo sorriso, claramente deliciada perante a aceitação de Carmen, e tocou levemente na testa de Eleazar.

– *Ay caray!* – exclamou ele, dando um pulo para trás.

– O que é que ela te fez? – proferiu Tanya, aproximando-se, com uma expressão cautelosa, enquanto Kate dava alguns passos em frente.

– Ela está apenas a tentar mostrar-te o seu lado da história – afirmou Carmen para Eleazar, com uma voz meiga.

Renesmee franziu o sobrolho, com impaciência.

– Vê, por favor – ordenou-lhe. Depois, estendeu a mão para Eleazar, detendo-a a poucos centímetros de distância do seu rosto.

Ele exibiu uma expressão desconfiada e lançou uma olhadela a Carmen, procurando algum apoio. Esta acenou-lhe com a cabeça, encorajando-o. Eleazar respirou fundo e inclinou-se um pouco mais, até tocar com a testa na mão da menina.

Estremeceu, quando tudo recomeçou, mas manteve-se firme, fechando os olhos para se concentrar.

– Ahhh – suspirou, ao voltar a abrir os olhos, minutos depois. – Estou a ver.

Renesmee sorriu-lhe. Ele hesitou, acabando por lhe responder com um sorriso algo contrafeito.

– Eleazar? – proferiu Tanya.

– É tudo verdade, Tanya. Não temos aqui uma criança imortal. Ela é semi-humana. Vem e vê por ti.

Tanya tomou a sua vez em silêncio, colocando-se à minha frente, com uma expressão circunspecta, seguindo-se Kate. Ambas começaram por reagir com tensão à primeira imagem desencadeada pelo toque de Renesmee; no entanto pareceram ficar totalmente perdidas quando tudo terminou, tal como acontecera a Carmen e Eleazar.

Lancei um olhar rápido ao rosto sereno de Edward, interrogando-me se seria assim tudo tão fácil. Vi-lhe os olhos dourados luminosos e sem sombras. Então, não havia qualquer dúvida.

– Obrigada por terem ouvido – agradeceu ele, em voz baixa.

– Mas ainda falta o perigo grave de que nos falaste – sublinhou Tanya. – Já percebi que não é causado directamente por esta criança, por isso deve estar relacionado com os Volturi, certamente. Como é que eles souberam da sua existência? E quando é que vêm para cá?

Não fiquei surpreendida ao vê-la tirar aquela conclusão de imediato. Afinal, o que poderia constituir uma ameaça para uma família tão forte como a minha? Apenas os Volturi.

– No dia em que viu a Irina nas montanhas – explicou Edward –, a Bella tinha a Renesmee consigo.

Kate deixou escapar um silvo, com os olhos tão franzidos que se assemelhavam a pequenos frisos.

– A *Irina* fez isso? A ti? Ao Carlisle? *A Irina*?

– Não – murmurou Tanya. – Outra pessoa...

– A Alice viu-a ir ter com eles – afirmou Edward.

Perguntei-me se os outros percebiam o ligeiro estremecimento do seu corpo, quando ele pronunciou o nome de Alice.

– Como poderia ela fazer uma coisa dessas? – inquiriu Eleazar, sem se dirigir a ninguém.

– Imagina que a tinhas visto ao longe e que não ficavas à espera que te explicássemos.

Tanya semicerrou os olhos.

– Não interessa o que ela pode ter pensado... vocês são da nossa família.

– Agora, não podemos fazer nada em relação à decisão que ela tomou. É demasiado tarde. A Alice deu-nos um mês.

Tanya e Eleazar inclinaram a cabeça, enquanto Kate franzia o sobrolho.

– Tanto tempo? – admirou-se Eleazar.

– Eles vêm todos, o que lhes deve exigir alguma preparação.

Eleazar susteve a respiração.

– A guarda completa?

– E não só – sublinhou Edward, de queixo cerrado – o Aro, o Caius e o Marcus. Com as respectivas mulheres.

Uma expressão de pavor atravessou o olhar dos quatro.

– Impossível – retorquiu Eleazar, completamente aturdido.

– É o que eu teria dito há dois dias – afirmou Edward.

Eleazar franziu o sobrolho e, ao voltar a falar, a sua voz parecia um rugido.

– Mas isso não faz qualquer sentido! Porque iriam eles e as mulheres correr esse risco?

– Nessa perspectiva, não tem lógica. A Alice disse-nos que havia aqui algo mais que um simples castigo relativo ao que pensam que fizemos. Ela achava que tu nos podias ajudar nesse sentido.

– Mais que um castigo? Mas o que pode haver mais? – Eleazar começou a caminhar imponente, como se estivesse sozinho; dirigiu-se até à porta e regressou, de sobrolho franzido e olhos no chão.

– Edward, onde estão os outros? O Carlisle, a Alice e o resto da família? – perguntou Tanya.

A hesitação de Edward foi quase imperceptível, enquanto respondia a uma parte da questão.

– Foram à procura de amigos que nos possam ajudar.

Tanya inclinou-se para ele, de mãos erguidas.

– Edward, por muitos amigos que consigam reunir, nós não seremos capazes de ajudá-los a vencer. Poderemos apenas oferecer o sacrifício da nossa vida, e tu sabes que é assim. É claro que isso talvez seja justo, com a atitude de Irina a somar-se ao que fizemos no passado; na altura, também por causa dela.

Edward abanou a cabeça bruscamente.

– Tanya, não vos estamos a pedir que lutem e morram connosco. Tu sabes que o Carlisle nunca te pediria isso.

– Então, o que é que podemos fazer?

– Apenas precisamos de testemunhos que nos permitam detê-los, nem que seja por um momento. Se eles nos deixarem explicar... – E tocou na face de Renesmee. A menina segurou--lhe na mão, encostando-a à sua pele. – É difícil não acreditar na nossa história, quando a vemos com os próprios olhos.

Tanya assentiu devagar com a cabeça.

– Achas que eles se vão importar assim tanto com o passado dela?

– Apenas enquanto pressagiar o futuro dela. O objectivo da restrição era proteger-nos de consequências desastrosas, dos excessos das crianças que não podiam ser controladas.

– Eu não sou perigosa – interveio Renesmee. Escutei aquela voz sonora e cristalina com ouvidos diferentes, imaginando como os outros a ouviam. – Nunca magoei o avô, a Sue ou o Billy. Eu gosto dos humanos. E dos lobos, como o meu Jacob. – Soltou a mão de Edward e esticou-se para trás, para dar uma pequena palmada no braço deste.

Tanya e Kate entreolharam-se de imediato.

– Se a Irina não tivesse vindo tão depressa – reflectiu Edward –, talvez fosse possível evitar tudo isto. A Renesmee tem um índice de desenvolvimento sem precedentes. Até este mês terminar, irá crescer tanto como se vivesse mais meio ano.

– Bom, aí está um facto que nós realmente podemos teste-munhar – comentou Carmen, num tom decidido. – Teremos a oportunidade de jurar que a vimos desenvolver-se, com os nossos próprios olhos. Como podem os Volturi ignorar esse testemunho?

– Sim, como podem fazê-lo? – ripostou Eleazar por entre dentes, sem erguer os olhos e prosseguindo a sua marcha de um lado para o outro, como se não nos desse qualquer atenção.

– Sim, nós seremos as vossas testemunhas – garantiu Tanya. – Sobre isso não há qualquer dúvida. E veremos o que mais podemos fazer.

– Tanya – protestou Edward, ouvindo em pensamento algo que ela não expressara em palavras –, nós não fizemos isto à espera que lutem connosco.

– Se os Volturi não quiserem parar e escutar o que temos a dizer-lhes, não nos iremos limitar a ficar de braços cruzados – insistiu ela. – Mas, é evidente que só posso falar por mim.

Kate refilou.

– Realmente duvidas assim tanto de mim, maninha?

Tanya dirigiu-lhe um largo sorriso.

– Afinal de contas, trata-se de uma missão suicida.

A irmã sorriu-lhe, instantaneamente, em resposta e depois encolheu os ombros com um ar displicente.

– Contem comigo.

– E comigo também, porque farei tudo o que me for possível para proteger a criança – declarou Carmen. A seguir, como se não conseguisse controlar-se, estendeu os braços para Renesmee. – Posso pegar-te ao colo, *bebé linda?*

Encantada com a nova amiga, a menina esticou-se na sua direcção, com todo o entusiasmo. Carmen apertou-a contra si, murmurando-lhe palavras em Espanhol.

Repetia-se o que sucedera com Charlie e, antes, com todos os Cullen. Renesmee era irresistível. O que haveria nela que os atraía assim, levando-os a arriscarem a vida em sua defesa?

Durante um momento, pensei que o nosso plano poderia resultar. Talvez a minha filha conseguisse fazer o impossível, convertendo os nossos inimigos, assim como fizera com os nossos amigos.

Depois, ao recordar que Alice nos tinha deixado, a minha esperança desvaneceu-se tão rapidamente quanto surgira.

Trinta e Um

Talentos

– Qual é papel dos lobisomens no meio disto tudo? – perguntou Tanya, a olhar para Jacob.

Este respondeu, antecipando-se a Edward.

– Se os Volturi não pararem para ouvir a história da Nessie, quero dizer, da Renesmee – corrigiu-se, ao lembrar-se que ela não faria qualquer associação com aquela alcunha idiota –, então somos nós a detê-los.

– Isso é muito corajoso, rapazinho, mas trata-se de uma façanha impossível até para lutadores mais experientes que tu.

Tu não sabes do que somos capazes.

Tanya encolheu os ombros.

– Realmente, a vida é tua e fazes dela o que quiseres.

Os olhos de Jacob desviaram-se para Renesmee – ainda nos braços de Carmen, com Kate à volta das duas – e era fácil ler a adoração patente neles.

– Esta pequenina é especial – comentou Tanya, com um ar pensativo. – Torna-se difícil resistir-lhe.

– É uma família cheia de talentos – murmurou Eleazar, ainda em movimento. O ritmo com que o fazia aumentava; naquele momento, percorria a distância entre a porta e Carmen, para a frente e para trás, em apenas um segundo. – O pai lê as mentes, a mãe é um escudo, e depois, temos esta criança extraordinária, com uma magia que nos enfeitiça sem sabermos como. Pergunto--me se existe alguma designação especial para o que faz ou se será normal num vampiro híbrido. Como se uma coisa dessas fosse alguma vez normal! Um vampiro híbrido, vejam só!

– Espera aí – proferiu Edward, chocado. Aproximou-se de Eleazar e agarrou-o pelo ombro, quando este se preparava para dar meia-volta e disparar novamente rumo à porta. – O que é que chamaste à minha mulher?

O outro fitou-o, admirado, abrandando por momentos o seu andamento frenético.

– Um escudo, acho eu. Mas, agora, ela está a bloquear-me, pelo que já não sei ao certo.

Atónita, fitei Eleazar, de sobrolho franzido. Escudo? O que queria ele dizer com aquilo de eu o bloquear? Eu estava apenas ao seu lado, sem qualquer atitude defensiva.

– Um escudo? – repetiu Edward, estupefacto.

– Vá lá, Edward! Eu não consigo ler os pensamentos dela e duvido que tu o consigas. Consegues saber o que a Bella está a pensar neste momento? – interpelou-o Eleazar.

– Não – murmurou Edward. – Mas nunca fui capaz de o fazer. Nem quando ela era humana.

– Nunca? – Eleazar piscou os olhos. – Interessante. Isso aponta para um talento latente bastante poderoso, caso se tenha manifestado de forma tão evidente antes da transformação. Nem consigo abrir caminho através do escudo, para perceber melhor do que se trata. No entanto, ela ainda não o deve ter desenvolvido, porque apenas viveu alguns meses. – A forma como ele olhava para Edward revelava alguma irritação. – E parece que a Bella está inconsciente dessa sua capacidade. Inconsciente por completo. Isso é irónico. O Aro a enviar-me para todas partes do mundo à procura de anomalias como esta, e tu limitas-te a tropeçar nela por acaso e nem sequer percebes o que tens à frente. – Abanou a cabeça, com um ar incrédulo.

Lancei-lhe um ar carrancudo.

– De que é que estás a falar? Como é que eu posso ser um *escudo*? O que significa isso, afinal? – A única imagem que me vinha à cabeça era a de uma ridícula armadura medieval.

Eleazar inclinou a cabeça para o lado, examinando-me.

– Talvez fôssemos demasiado rígidos em relação a isso, na guarda. Na verdade, classificar talentos é uma tarefa subjectiva e aleatória; cada um é único e nunca se repete exactamente da mesma maneira. Mas tu, Bella, és muito fácil de classificar. Os talentos puramente defensivos, que protegem alguma característica do seu portador, designam-se sempre por escudos. Já testaste as tuas capacidades, alguma vez? Bloqueaste alguém, além de mim ou do teu marido?

Apesar do raciocínio veloz do meu novo cérebro, precisei de alguns segundos para organizar a resposta.

– Isto só funciona em determinados casos – expliquei-lhe. – A minha mente é uma espécie de... zona privada. De qualquer modo, não impede o Jasper de me baralhar o sistema nervoso e da Alice ver o meu futuro.

– Puramente uma defesa mental. – Eleazar assentiu com a cabeça para si. – Limitada, mas forte.

– O Aro não a conseguiu ouvir – revelou Edward. – Embora a Bella fosse humana, quando os dois se encontraram.

Eleazar ficou de olhos arregalados.

– A Jane tentou atingir-me e não conseguiu – acrescentei. – O Edward pensa que o Demetri não me consegue localizar e que também não serei afectada pelo Alec. Isso é bom?

Eleazar acenou-me com a cabeça, ainda estupefacto.

– Bastante.

– Um escudo – exclamou Edward, com um tom de plena satisfação. – Nunca encarara isso nessa perspectiva. Até agora, o único que conheci foi a Renata e aquilo que ela fazia era bastante diferente.

Eleazar conseguira recuperar ligeiramente.

– Sim, nenhum talento se manifesta precisamente da mesma forma, pela mesma razão que ninguém *pensa* de maneira igual.

– Quem é a Renata? O que é que ela faz? – perguntei. Renesmee também estava curiosa, inclinando-se no colo de Carmen, para espreitar à volta de Kate.

– É uma guarda-costas pessoal do Aro – informou Eleazar. – Dispõe de um tipo de escudo bastante prático e muito forte.

Recordei vagamente uma pequena multidão de vampiros em volta de Aro, na sua torre macabra, alguns machos e outros fêmeas. Entre aquelas memórias penosas e aterradoras, não me conseguia lembrar dos rostos das vampiras. Uma deveria ser Renata.

– Pergunto-me... – observou Eleazar. – Reparem, a Renata é um escudo poderoso face a um ataque físico. Quando os adversários se aproximam dela ou do Aro, porque ela está sempre junto dele em situações de conflito, eles são... desviados. Em seu redor há uma força que repele, embora pouco perceptível, e que nos desvia para uma direcção diferente da inicialmente prevista, deixando a nossa memória confusa e a questionar-se porque optámos pelo primeiro caminho. O escudo de protecção da Renata pode abranger vários metros em seu redor. Ela também apoia o Caius e o Marcus, sempre que eles precisam; mas o Aro é a sua prioridade.

– No entanto, aquilo que faz não se exerce de forma física. Tal como acontece à maioria dos nossos dons, tudo se passa no interior da mente. Se ela tentasse fazer-te recuar, pergunto-me quem iria ganhar. – Eleazar abanou a cabeça. – É a primeira vez que ouço dizer que os poderes do Alec ou da Jane foram anulados.

– Mamã, tu és especial – disse Renesmee, sem qualquer surpresa; como se apenas comentasse a cor da minha roupa.

Sentia-me confusa. Eu não conhecia o meu dom? Não era aquele controlo excepcional que me permitira ultrapassar, da melhor maneira, o ano horrível de recém-nascida? E os vampiros só tinham uma habilidade extra, certo?

Ou será que era Edward que tinha razão desde o início? Antes de Carlisle ter sugerido que o meu autocontrolo podia ser considerado algo fora do normal, ele dizia que a minha contenção resultava apenas de uma boa preparação – "concentração e segurança", tinham sido as suas palavras.

Qual dos dois estaria certo? Seria capaz de fazer mais alguma coisa? Haveria algum nome ou categoria que me definissem?

– Consegues projectar? – interpelou-me Kate, com um ar interessado.

– Projectar? – repeti.

– Extraí-lo para fora de ti? – explicou ela. – Proteger outro ser, além de ti.

– Não sei. Nunca tentei e nem sabia que havia essa possibilidade.

– Hum, até pode ser que não sejas capaz – afirmou Kate, de imediato. – Sei como me esforço para fazer isso há séculos e o melhor que consigo é passar uma corrente em meu redor.

Fiquei a observá-la, sem compreender.

– A Kate tem um talento ofensivo – explicou-me Edward –, algo semelhante à Jane.

Encolhi-me e afastei-me instintivamente, fazendo com que ela se risse.

– Eu não recorro a isto de uma maneira sádica – garantiu-me ela. – Trata-se apenas de uma ferramenta que se torna útil durante um combate.

As palavras de Kate penetravam em mim, gerando ligações na minha mente. "Proteger outro ser, além de ti", dissera ela. Como se existisse uma maneira de incluir outra pessoa no interior da minha mente estranha e singular.

Recordei Edward a estremecer perante as pedras antigas da torre do castelo dos Volturi. Embora aquela fosse uma memória humana, era mais viva e dolorosa que a maioria das outras – como se permanecesse entretecida nos tecidos do cérebro.

E se eu conseguisse impedir que isso voltasse a acontecer? E se tivesse alguma hipótese de o proteger? E de proteger Renesmee? E se houvesse uma possibilidade, por muito diminuta que fosse, de estender o meu escudo até eles?

– Tens de me ensinar! – pedi com veemência, agarrando instintivamente no braço de Kate. – Tens de me mostrar como se faz!

Kate estremeceu perante a força da minha mão.

– Talvez... se deixares de me esmagar o braço.

– Ups! Desculpa!

– Olha que o teu escudo funciona na perfeição – observou ela. – Podias ter ficado sem braço, com o choque que o meu gesto provocou. Sentiste alguma coisa, agora mesmo?

– Na realidade, isso não era necessário, Kate. A Bella não o fez por mal – resmungou Edward por entre dentes. Nenhuma de nós lhe prestou qualquer atenção.

– Não, não senti nada. Accionaste a tua corrente eléctrica?

– Sim. Hum... nunca encontrei alguém que não a sentisse, quer fosse imortal, quer não.

– Tu disseste que a projectavas. Sobre a tua pele?

Kate assentiu com a cabeça.

– Comecei por senti-la apenas nas palmas das mãos. Mais ou menos como o Aro.

– Ou a Renesmee – acrescentou Edward.

– Mas, após um treino exaustivo, neste momento consigo espalhar a corrente pelo corpo todo. É uma excelente defesa. Quem me tentar atacar, cai como se fosse um humano electro-cutado. O efeito passa rapidamente; mas é o suficiente.

Eu não estava realmente atenta, já que os meus pensamentos corriam desenfreados, imaginando que talvez conseguisse proteger a minha pequena família, se conseguisse aprender suficientemente depressa. Desejei ardentemente ter capacidades tão boas para este fenómeno de projecção como as que tivera inexplicavelmente em outros aspectos da minha existência enquanto vampira. A minha existência humana não me preparara para as coisas acontecerem de um modo natural e não podia convencer-me de que esta aptidão seria eterna.

Senti que nunca tinha desejado tanto algo, como agora: conseguir proteger quem amava.

A minha ansiedade fez-me ignorar a comunicação silenciosa estabelecida entre Edward e Eleazar, até esta passar a desenvolver--se em voz alta.

– Mas, tu não podes pensar ao menos numa excepção? – perguntava Edward.

Ao erguer a cabeça para tentar perceber do que falavam, vi os outros atentos à conversa. Os dois inclinavam-se um para o outro, revelando uma expressão intensa: Edward com um ar desconfiado e Eleazar pesaroso e renitente.

– Não quero pensar neles dessa forma – disse Eleazar, por entre dentes.

Fiquei admirada com a mudança súbita que se verificara no ambiente.

– Se tiveres razão... – acrescentei ainda.

– O pensamento foi teu e não meu – interrompeu Edward.

– Se *eu* tiver razão... não consigo sequer imaginar o que tal implicaria. Mudaria tudo no mundo que criámos. Alterava o significado da minha vida e aquilo de que fiz parte.

– Tu tiveste sempre as melhores intenções, Eleazar.

– E isso interessa para alguma coisa? O que é que eu fiz? Quantas vidas...

Tanya pousou a mão no ombro de Eleazar, num gesto apaziguador.

– O que é que nos está a escapar, meu amigo? Quero saber, para poder contrapor algo a esses pensamentos. Nunca fizeste nada que te leve a martirizares-te dessa forma.

– Ah, não? – ripostou Eleazar. A seguir, sacudiu o ombro para se libertar de Tanya, e retomou a sua caminhada a uma velocidade ainda maior.

Tanya observou-o por um instante e, a seguir, virou-se para Edward.

– Explica.

Este assentiu com a cabeça, com um olhar ansioso, seguindo o outro, enquanto falava.

– O Eleazar estava a tentar compreender a razão que leva um grupo tão grande de Volturi a vir punir-nos, já que não é assim que eles costumam proceder. É certo que somos o clã adulto de maior dimensão que eles enfrentaram até hoje. De qualquer modo, houve clãs que se associaram no passado com objectivos de protecção e nunca originaram uma investida assim, apesar do seu número. Nós dispomos de uma união mais forte, o que é um factor a considerar; mas não o principal.

– Quando o Eleazar se lembrou de ocasiões em que outros clãs foram punidos, por um motivo ou por outro, houve um padrão que lhe veio à ideia. O resto da guarda nunca teria reparado nessa coincidência, pois era apenas ele quem transmitia ao Aro as informações secretas pertinentes. Tratava-se de um padrão que ocorria, mais ou menos, a cada século.

– E qual era? – perguntou Carmen, observando o companheiro, à semelhança de Edward.

– Era raro que o Aro participasse numa expedição punitiva – explicou Edward. – Mas, no passado, quando ele tinha um objectivo em mente, não era preciso muito para este ou aquele clã ser acusado de cometer um crime imperdoável. Nessa altura, os Anciãos optavam por acompanhar a guarda, assistindo ao cumprimento da lei. Depois, a partir do momento em que o clã estava praticamente destroçado, o Aro concedia o seu perdão a um dos membros cujos pensamentos, assim o explicava, revelavam um arrependimento profundo. Na realidade, o que acontecia é que o vampiro arrependido tinha um dom que o Aro cobiçava, acabando por ser convidado a ingressar na guarda. A gratidão desse vampiro sobredotado, por tal deferência, fazia com que ele se integrasse com toda a facilidade. Nunca sucedeu o contrário.

– Deve ser algo inebriante ser-se escolhido para essa função – lembrou Kate.

– Ah! – rosnou Eleazar, continuando a circular.

– Há um elemento na guarda, uma vampira chamada Chelsea – referiu Edward, na tentativa de nos explicar a reacção de Eleazar – que influencia os laços emotivos entre as pessoas. A sua acção destina-se a eliminar ou a criar esses laços. A Chelsea pode levar alguém a ligar-se aos Volturi, a desejar pertencer-lhes, a querer *agradar-lhes*...

Eleazar parou de repente.

– Todos compreendíamos a importância dela. O facto de, numa luta, conseguirmos extinguir os laços entre uma coligação de clãs garantia-nos sempre uma vitória muito mais fácil. Da mesma maneira, quando separávamos emocionalmente os membros inocentes dos membros culpados de um clã conseguíamos fazer justiça sem qualquer violência desnecessária; os culpados eram punidos isoladamente e os inocentes poupados. De outra maneira, seria impossível impedir que o clã lutasse de um modo coeso, sendo por isso que a Chelsea quebrava os laços que os uniam. Para mim, essa acção era muito meritória e funcionava como um sinal de rectidão por parte do Aro. Embora desconfiasse que o dom também seria usado para manter o nosso grupo mais unido; o que até era bom. Tornava-nos mais eficazes e ajudava--nos a conviver melhor.

Aquilo que ele contava lançou alguma luz sobre memórias antigas. Na altura, achara estranho ver a guarda a obedecer aos seus senhores com tanto prazer, quase com paixão.

– O dom dela é muito potente? – perguntou Tanya, com a voz ligeiramente alterada, passando rapidamente o olhar por cada membro da família.

Eleazar encolheu os ombros.

– Eu consegui partir com a Carmen. – A seguir, abanou a cabeça. – Mas um laço mais fraco que aquele que une um casal está sujeito a sucumbir. Pelo menos no clã normal, cujas ligações são mais fracas que as entre a nossa família. A abstinência de sangue humano fez de nós seres mais civilizados; permitiu--nos formar verdadeiros laços de afecto. Duvido que a Chelsea conseguisse destruir as nossas alianças, Tanya.

Ela assentiu com a cabeça, parecendo aliviada, enquanto Eleazar prosseguia a sua análise.

– A única razão que encontro para o Aro decidir vir pessoal-mente e trazer essa grande comitiva prende-se com objectivos de engrandecimento e não de punição – indicou ele. – O Aro precisa de vir para controlar a situação e considera que, apenas a guarda completa, o pode proteger de um clã tão grande e sobredotado. Por outro lado, isso levava a que os outros Anciãos ficassem em Volterra sem qualquer protecção. Era demasiado arriscado, na medida em que alguém podia tentar aproveitar-se da situação. É por isso que vêm todos. De que outra maneira poderia ele assegurar os dons que deseja? A sua ambição deve ser desmedida – comentou Eleazar, ao terminar.

Edward falou tão baixo, que a sua voz mal passava de um sopro.

– Por aquilo que vi no pensamento dele, na Primavera passada, o Aro nunca desejou tanto algo como deseja a Alice.

Senti a boca a abrir-se, relembrando a imagem aterradora que imaginara há muito: Edward e Alice, de olhos vermelhos de sangue, envoltos em mantos negros, de rostos frios e distantes, encostados um ao outro como duas sombras, e as mãos de Aro pousadas nas deles... Teria Alice visto aquela imagem há pouco tempo? Assistira a Chelsea a tentar extirpar o amor que ela sentia por nós, com o intuito de a unir a Aro, Caius e Marcus?

– Foi por isso que a Alice partiu? – perguntei, com a voz a vacilar ao pronunciar o seu nome.

Edward pousou-me a mão na face.

– Acho que sim. Para impedir o Aro de obter aquilo que mais deseja e mantendo o seu poder afastado das mãos dele.

Ao ouvir as falas baixas e perturbadas de Tanya e de Kate, apercebi-me que eles ignoravam o que sucedera a Alice.

– Ele também te quer a ti – murmurei.

Edward encolheu os ombros, exibindo uma expressão demasiado fleumática.

– Não tanto como a ela. A verdade é que eu não lhe posso oferecer mais que ele não tenha já. E é claro que isso também depende de o Aro descobrir uma forma de me obrigar a fazer-lhe a vontade. Ele conhece-me e sabe como isso é muito improvável. – E ergueu uma sobrancelha, com um ar sarcástico.

Eleazar franziu o sobrolho àquela atitude displicente.

– Ele também conhece o teu ponto fraco – sublinhou, olhando para mim.

– Não precisamos de falar sobre isso agora – retorquiu Edward de imediato.

Eleazar ignorou o seu aviso e prosseguiu.

– É provável que ele também queira a tua companheira. O Aro deve ter ficado intrigado com um talento que ousou desafiá-lo sob a forma humana.

Esta questão deixava Edward pouco à vontade e o mesmo acontecia comigo. Se Aro queria que eu fizesse alguma coisa – fosse o que fosse – bastava que ameaçasse Edward para que eu cedesse. E vice-versa.

A morte seria, neste momento, uma preocupação menor? Aquilo que devia temer realmente era uma captura?

Edward mudou de assunto.

– Penso que os Volturi estavam à espera disto... de algum pretexto. Não sabiam era a justificação que iriam invocar, embora os planos já estivessem traçados para quando surgisse a oportunidade. Foi por isso que a Alice viu a decisão deles, antes mesmo de a Irina a provocar. Os Volturi já tinham decidido e esperavam apenas pela desculpa mais apropriada.

– Se eles estão a abusar da confiança que os imortais lhes colocaram nas... – murmurou Carmen.

– Isso importa? – interpôs-se Eleazar. – Quem é que iria acreditar? E mesmo que houvesse quem pensasse que os Volturi estão a abusar do poder, como é que as coisas iriam mudar? Não há uma força maior que a deles.

– Embora alguns de nós pareçam suficientemente loucos para o tentar – murmurou Kate.

Edward abanou a cabeça.

– Kate, vocês só estão aqui para testemunhar. Seja qual for o objectivo do Aro, não me parece que ele queira manchar a reputação dos Volturi por causa disso. Se conseguirmos desmontar os argumentos que invoca contra nós, o Aro terá de nos deixar em paz.

– Claro que sim – murmurou Tanya.

Ninguém pareceu ficar convencido. Durante muito tempo, todos permaneceram em silêncio.

Foi então que ouvi o ruído de uns pneus a desviarem-se da estrada e a aceder ao caminho de entrada dos Cullen.

– Oh, diabo, é o Charlie – resmunguei. – Talvez os Denali possam ficar lá em cima algum tempo até...

– Não – disse Edward, com uma voz distante. O olhar dele estava absorto, suspenso sobre a porta. – Não é o teu pai. – A seguir, virou-se para mim. – Afinal, a Alice sempre conseguiu enviar o Peter e a Charlotte. Está na altura de nos prepararmos para um segundo assalto.

Trinta e Dois

COMPANHIA

A enorme casa dos Cullen estava tão cheia de convidados, que ninguém acreditaria ser possível viver ali com algum conforto. Tudo funcionava apenas porque nenhuma das visitas dormia. No entanto, as refeições já se tornavam mais problemáticas. As nossas visitas faziam o quanto lhes era possível para cooperar, estabelecendo uma enorme fronteira intransponível em redor de Forks e de La Push, e caçando apenas no exterior do Estado. Edward era um anfitrião gentil, emprestando os nossos carros sempre que era necessário e sem sequer pestanejar. Aquela situação de compromisso fazia-me sentir muito desconfortável, embora me esforçasse por pensar que se eles não caçassem ali fariam-no à mesma em outra parte do mundo.

Jacob estava mais incomodado. O objectivo da existência dos lobisomens era impedir a perda de vidas humanas e estavam ali aqueles assassinos desvairados a agir impunemente, a tão curta distância dos limites da alcateia. Mas, tendo em conta as circunstâncias e o perigo pendente sobre Renesmee, ele mantinha-se em silêncio, lançando olhares fulminantes para o chão e não para os vampiros.

Fiquei surpreendida com a facilidade com que ele fora aceite pelos nossos convidados; os problemas que Edward tinha previsto nunca chegaram a suceder. Para eles Jacob parecia ser mais ou menos invisível e, embora não o chegassem a considerar uma pessoa, também não o olhavam como algo comestível. Tratavam-no da mesma forma que as pessoas pouco interessadas em animais lidam com os bichos de estimação dos amigos.

Até ao momento, Leah, Seth, Quil e Embry tinham sido destacados para colaborar com Sam, e nada tornaria Jacob mais feliz que juntar-se a eles. Todavia, ele não conseguia afastar-se de Renesmee e esta andava muito atarefada na conquista da excêntrica colecção de amigos de Carlisle.

Voltámos a representar a cena de apresentação da nossa filha aos Denali uma meia dúzia de vezes. Primeiro, para Peter e Charlotte, a quem Alice e Jasper tinham pedido para virem ter connosco, sem qualquer explicação; apesar da ausência de informações, eles confiaram nas palavras dela, tal como acontecia com a maioria dos conhecidos de Alice. Do mesmo modo, ela não lhes revelava qual o caminho que seguiria com Jasper, nem fizera qualquer promessa de os rever no futuro.

Peter e Charlotte nunca tinham visto uma criança imortal. Embora conhecessem a lei respeitante a este assunto, a sua reacção negativa não foi tão forte como a que os Denali exteriorizaram ao princípio. Um sentimento de curiosidade levou-os a consentir a "explicação" de Renesmee. E não foi preciso mais nada. Neste momento, estavam tão empenhados em dar o seu testemunho quanto a família de Tanya.

Carlisle também enviara os seus amigos da Irlanda e do Egipto.

O primeiro clã a chegar foi o irlandês e os seus elementos foram persuadidos com uma facilidade surpreendente. Siobhan – uma vampira de aspecto impressionante, com um corpo enorme, belo e hipnótico em simultâneo, deslocando-se em ondulações suaves – era a líder. Mas tanto ela como Liam, o seu companheiro de rosto duro, já se tinham habituado há muito a confiar no juízo do elemento mais jovem do clã. A pequena Maggie, com os seus caracóis ruivos sempre em movimento, não tinha uma presença física tão imponente, mas estava dotada de uma aptidão especial para detectar mentiras, pelo que os seus veredictos nunca eram contestados. Maggie declarou que Edward dizia a verdade, levando Siobhan e Liam a aceitarem a nossa história sem qualquer hesitação, mesmo antes de tocarem em Renesmee.

Com Amun e os outros vampiros do Egipto a história era diferente. Mesmo depois da explicação de Renesmee conquistar Benjamin e Tia, os membros mais jovens do clã, Amun recusou--se a tocar-lhe, dando ao seu clã ordem de partida. Benjamim – um vampiro de ar estranhamente jovial, pouco mais velho parecia que um rapaz, e que manifestava uma segurança extrema, por um lado assim como uma negligência igualmente extrema, por outro – convenceu Amun a ficar, na sequência de algumas ameaças indirectas em dissolver a aliança que os unia. Amun acabou por anuir, mas manteve-se firme na decisão de não tocar na menina, nem de permitir à sua companheira, Kebi, que o fizesse. Aquele grupo apresentava um ar pouco coerente, embora todos esses egípcios se parecessem entre si, com o cabelo muito negro e uma palidez azeitonada, o que facilmente levaria a supor serem aparentados. Amun era o mais velho e o líder incontestado. Kebi nunca se afastava dele, mais do que a própria sombra, e nunca a ouvi emitir uma só palavra. Tia, a companheira de Benjamin, também era uma mulher discreta, embora revelasse uma grande profundidade e clarividência, quando resolvia dizer algo. No entanto, era em redor de Benjamin que todos pareciam gravitar, como se ele fosse dotado de algum magnetismo invisível, essencial ao equilíbrio. Ao ver Eleazar de olhos arregalados a observar aquele rapaz, calculei que Benjamin tivesse algum talento que funcionava como uma força atractiva para os outros.

– Não é isso – esclareceu Edward, nessa noite, quando ficámos sozinhos. – O dom dele é tão invulgar que o Amun tem um verdadeiro pavor de o perder. Assim como nós queríamos que o Aro desconhecesse a existência de Renesmee – salientou, com um suspiro – ele tem procurado esconder-lhe a existência deste membro do clã. Quando o Amun criou o Benjamin, já sabia que ele seria especial.

– O que é que ele consegue fazer?

– Algo que o Eleazar nunca tinha visto e de que eu nunca ouvi falar. Trata-se de um dom que até podia levar o teu escudo a falhar. – Edward lançou-me um sorriso enigmático. – O dom do Benjamin permite-lhe afectar os elementos: a terra, o vento, a água e o fogo. Trata-se de uma manipulação física, sem qualquer ilusão por parte da mente. Ainda anda a experimentá--lo e o Amun pretende usá-lo como arma. Contudo, já viste como o Benjamin é independente, pelo que não se vai deixar usar.

– Tu gostas dele – deduzi, a partir do tom de voz usado.

– Ele tem uma noção muito clara sobre o que é certo e errado: aprecio-o por isso.

A atitude de Amun era diferente e, tanto ele como Kebi mantinham-se isolados, ao contrário de Benjamin e de Tia que travavam de imediato relações de amizade, tanto com os Denali como com o clã irlandês. Tínhamos esperança que o regresso de Carlisle contribuísse para aliviar este foco de tensão.

Emmett e Rose mandaram vir ter connosco elementos que viviam isolados, seleccionados entre todos os amigos nómadas de Carlisle que conseguiram localizar.

O primeiro a aparecer foi Garrett – um vampiro alto e esgalgado, de cabelo comprido cor de areia, preso num rabo--de-cavalo com uma fita de couro –, percebendo de imediato que deveria ser um aventureiro. Imaginei que ele aceitaria qualquer desafio que lhe fosse proposto, apenas para se testar a si mesmo. Tornou-se imediatamente amigo das irmãs Denali, fazendo-lhes perguntas sem cessar sobre o seu modo de vida invulgar e levando-me a interrogar sobre se ele iria eleger o vegetarianismo como um dos próximos desafios, a fim de testar de novo as suas capacidades.

Recebemos também a visita de Mary e Randall – que já se conheciam, embora não tivessem viajado juntos. Ouviram a história de Renesmee e deixaram-se ficar, tal como todos os outros, para dar o seu testemunho. À semelhança dos Denali, também eles reflectiam no que iriam fazer se os Volturi não quisessem ouvir a nossa explicação. Os três nómadas consideravam a hipótese de alinhar ao nosso lado.

É claro que este corrupio de visitas deixava Jacob cada vez mais taciturno. Mantinha-se à distância o máximo possível e, quando tal não era possível, resmungava para Renesmee que alguém tinha de lhe fornecer uma lista, se era de esperar que soubesse os nomes de todos aqueles sugadores de sangue.

Carlisle e Esme regressaram uma semana após a partida, seguidos de Emmett e Rose, poucos dias mais tarde, e a presença deles fez-nos sentir melhor. Carlisle apareceu acompanhado de mais um amigo, embora *amigo* talvez fosse uma palavra pouco apropriada. Alistair era um vampiro inglês misantrópico, que elegera Carlisle como a sua relação mais próxima; se bem que dificilmente conseguisse aguentar fazer mais de uma visita por século. Alistair preferia deambular sozinho e Carlisle tivera de invocar uma série de favores antigos para o levar até ali. Fugia de qualquer companhia e era evidente que não contava com admiradores entre os clãs ali presentes.

Este vampiro perturbante, de cabelo escuro, confiou na palavra de Carlisle relativamente às origens de Renesmee, recusando-se, tal como Amun, a tocar-lhe. Edward contou, a Carlisle, a Esme e a mim que Alistair receava estar ali, temendo mais desconhecer o que iria acontecer. Era profundamente adverso a todo o tipo de autoridade, facto que o levava a nutrir uma desconfiança instintiva em relação aos Volturi. Aquilo que acontecia, nesse momento, parecia confirmar os seus receios.

– É óbvio que agora vão saber que estive aqui – ouvimo-lo resmungar sozinho no sótão, o seu local favorito sempre que estava amuado. – Agora, é impensável que o Aro não venha a saber, o que só terá uma única consequência: passar séculos a fugir. Devem ter inserido numa lista negra todos aqueles com quem o Carlisle falara ao longo da última década. Que bela maneira de tratar os amigos!

No entanto, se ele tinha razão sobre a necessidade de fugir dos Volturi, pelo menos, teria mais esperanças de o conseguir que os restantes. Alistair era um batedor, embora ficasse muito aquém da precisão e da eficácia de Demetri. O vampiro inglês limitava-se a sentir um impulso intangível, que o atraía para o que procurava; e esse impulso seria o suficiente para lhe indicar a rota de fuga – a direcção oposta à de Demetri.

Entretanto, chegaram inesperadamente mais duas amigas – não contávamos com elas, já que nem Carlisle nem Rosalie tinham sido capazes de contactar as amazonas.

– Viva, Carlisle – saudou-o à chegada, a maior das duas vampiras altas e de ar feroz. O corpo de ambas parecia ter sido esticado – braços e pernas compridos, dedos longos, tranças enormes, e rostos alargados, com narizes igualmente compridos. Usavam apenas peles de animais – coletes e calças coladas ao corpo, apertados dos lados com fitas em couro. Não eram só aquelas roupas bizarras que contribuíam para lhes atribuir um ar selvagem; de facto, tudo as caracterizava, desde os olhos vermelhos e inquietos aos movimentos bruscos e rápidos. Nunca tinha visto vampiros com um aspecto menos civilizado.

Mas Alice estivera com elas, o que se tratava de uma novidade interessante, exteriorizando-o da melhor forma. O que fora ela fazer à América do Sul? Teria ido lá apenas por saber que mais ninguém conseguia contactar com as amazonas?

– Zafrina e Senna! – saudou Carlisle, perguntando de imediato: – Mas, onde está a Kachiri? É a primeira vez que as vejo separadas.

– A Alice aconselhou-nos a não viajarmos juntas – respondeu Zafrina, numa voz áspera e grave, condizente com o seu aspecto feroz. – Não é muito agradável separarmo-nos, mas a Alice garantiu que seria necessário virmos e que precisava, ao mesmo tempo, da Kachiri num local diferente. Só nos revelou isso, acrescentando que o caso era muito urgente?... – A fala interrompida de Zafrina evoluíra para uma pergunta e, com um tremor nervoso, que nunca desaparecia, por mais que apresentasse Renesmee, fui ter com elas.

Apesar da sua aparência feroz, as duas escutaram a nossa história com serenidade, autorizando que Renesmee lhes provasse o que dizíamos. Ficaram entusiasmadas com a menina tanto quanto todos os outros vampiros, mas não pude deixar de sentir algum receio, ao deparar-me com aqueles movimentos bruscos e rápidos tão próximos da criança. Senna estava sempre junto de Zafrina, sem nunca falar, mas a relação das duas diferia da de Amun e Kebi. Esta última assumia uma atitude de obediência; Senna e Zafrina assemelhavam-se a dois membros do mesmo organismo, do qual Zafrina era a porta-voz.

As notícias sobre Alice eram estranhamente reconfortantes. Era evidente que ela se movia numa missão desconhecida e por conta própria, evitando simultaneamente o que Aro pensava fazer em relação a ela.

A presença das amazonas junto de nós deixava Edward entusiasmado, já que Zafrina possuía um talento muito forte, que podia tornar-se numa arma ofensiva extremamente perigosa. Não era sua intenção pedir-lhe que se aliasse ao nosso combate, mas se os Volturi não parassem perante os nossos testemunhos, talvez uma outra espécie de cenário os fizesse deter.

– É uma ilusão muito impressionante – explicou Edward, ao verificar-se que eu não consegui ver nada, ao contrário do que era costume. Zafrina mostrava-se intrigada e divertida face à minha imunidade – algo que nunca vira antes – e girava sem descanso à nossa volta, enquanto Edward me contava o que não conseguira apanhar. – A Zafrina pode levar a maior parte das pessoas a ver o que ela quer e essa ilusão apaga qualquer outra imagem que exista na nossa mente. – Ele exibia uma expressão ligeiramente absorta, ao prosseguir com a explicação. – Por exemplo, neste momento, vejo-me sozinho, no meio de uma floresta fustigada pela chuva. A imagem é tão real que só não acredito que está a acontecer, porque te sinto nos meus braços.

Os lábios de Zafrina retorceram-se numa versão rígida de um sorriso. Segundos depois, Edward voltou a focar o olhar e retribuiu-lhe com um grande sorriso.

– Incrível – observou ele.

Renesmee, que seguia a conversa com um ar fascinado, esticou-se para Zafrina, sem mostrar qualquer receio.

– Posso ver? – pediu-lhe.

– O que gostavas de ver? – perguntou a amazona.

– O que mostraste ao papá.

A amazona sorriu e eu fiquei a observá-la ansiosa, enquanto Renesmee se concentrava. Um segundo depois, o rosto da minha filha iluminou-se com o seu sorriso deslumbrante.

– Mais! – exigiu ela.

A partir daí, tornou-se difícil afastar Renesmee de Zafrina e dos seus *"desenhos bonitos".* O facto preocupava-me, porque estava convencida que esta conseguia criar imagens que não tinham nada de bonito. Mas, através dos pensamentos de Renesmee, conseguia ter aquelas visões – tão nítidas como as memórias da minha filha, que pareciam reais –, avaliando se elas eram ou não adequadas.

Embora não me separasse facilmente da minha filha, tinha de confessar que era bom contar com a presença de Zafrina para a entreter. Estava a precisar das minhas mãos. Tinha muito para aprender, tanto física como mentalmente, e não dispunha de muito tempo.

A minha primeira tentativa para aprender a lutar não correu bem.

Edward imobilizou-me em apenas dois segundos. A seguir, em vez de me deixar lutar, na tentativa de me libertar – o que teria conseguido fazer, sem dúvida alguma –, pôs-se de pé num salto e afastou-se de mim. Percebi, de imediato, que alguma coisa não estava bem, ao vê-lo a olhar fixamente para o prado onde estávamos a treinar, imóvel como uma pedra.

– Desculpa, Bella – disse ele.

– Não, eu estou bem – retorqui. – Vamos experimentar outra vez.

– Não consigo.

– O que queres dizer com isso? Acabámos de começar.

Ele não respondeu.

– Olha, sei que não sou boa nisto, mas nunca irei melhorar se não me ajudares.

Ao vê-lo manter-se em silêncio, saltei para cima dele na brincadeira. Edward não esboçou qualquer movimento de defesa e ambos caímos. Entretanto permaneceu imóvel, enquanto eu lhe pressionava os lábios contra a veia jugular do pescoço.

– Ganhei – anunciei.

Ele semicerrou os olhos e não disse nada.

– Edward? O que é que se passa? Porque é que não me ensinas?

Decorreu um minuto, até ele voltar a falar.

– Não consigo... aguentar isto. O Emmett e a Rosalie sabem tanto como eu, e a Tanya e o Eleazar devem ser mais experientes. Pede a um deles.

– Isso não é justo! Tu és bom nisto. Ajudaste o Jasper, lutaste com ele e com todos os outros. Porque é que eu sou diferente? Em que é que errei?

Ele suspirou, impaciente, e vi que os olhos estavam negros, mal se vislumbrando qualquer tom de dourado a iluminar.

– Olhar para ti dessa maneira, lidar contigo como se fosses um alvo, procurar a melhor forma de te matar... – e estremeceu. – É demasiado intenso para mim. Com o pouco tempo de que dispomos, não é tão importante decidir quem é que te vai ensinar. Para adquirires umas noções básicas, qualquer um serve.

Franzi o sobrolho.

Edward pôs-me um dedo na boca amuada e sorriu.

– Além disso, este treino é desnecessário. Os Volturi vão acabar por compreender e suspender a investida.

– Mas... e se eles não pararem?! Eu preciso de aprender.

– Arranja outro professor.

Esta não foi a última conversa que tivemos sobre o assunto, sem que eu conseguisse desviá-lo um milímetro da sua decisão.

Emmett mostrou toda a boa vontade em ajudar-me, embora as suas lições me parecessem como que uma desforra de todos os braços-de-ferro perdidos. Se o meu corpo ainda ficasse marcado, teria nódoas negras da cabeça aos pés. Rose, Tanya e Eleazar mostraram-se pacientes e compreensivos, pelo que as suas lições recordavam as instruções de luta transmitidas por Jasper aos outros, no anterior mês de Junho, embora essas memórias fossem vagas e confusas. Alguns dos nossos visitantes consideraram a minha educação como algo recreativo e ofereceram-se para ajudar. O nómada Garrett encarregou-se de algumas sessões e, para minha surpresa, revelou-se um bom professor; regra geral, a interacção com ele era muito fácil, o que levou a interrogar-me porque nunca teria aderido a um clã. Cheguei a lutar com Zafrina, enquanto Renesmee assistia nos braços de Jacob. Ensinou-me vários truques, mas acabei por não voltar a pedir-lhe ajuda. Na verdade, embora gostasse muito dela e soubesse que não me iria ferir a sério, aquela mulher selvagem causava-me um medo de morte.

Aprendi muito com os meus professores, mas tinha a sensação de que os meus conhecimentos mantinham-se excessivamente básicos. Não fazia ideia de quantos segundos levariam Alec ou Jane a acabar comigo. Só desejava ardentemente que fossem os suficientes para eu revelar alguma utilidade.

Quando não estava com Renesmee ou a aprender a lutar, dedicava todo o tempo disponível a trabalhar com Kate, no jardim das traseiras, tentando projectar o meu escudo interno para o exterior do cérebro, na tentativa que ele protegesse mais alguém. Edward incentivava este treino de corpo e alma. Sabia que ele tinha esperança que eu arranjasse uma forma de colaboração satisfatória e que isso, paralelamente, me afastasse da linha de fogo.

Era uma tarefa titânica. Não havia nada a que me agarrasse, algo sólido que pudesse trabalhar. Dispunha apenas do desejo ardente de revelar alguma utilidade, de manter Edward, Renesmee e tantos quantos pudesse da minha família a salvo, comigo. Tentava projectar aquele escudo nebuloso para fora de mim, vezes sem conta, obtendo simplesmente resultados ténues e esporádicos. Os meus esforços proporcionavam a sensação de esticar um elástico invisível, que a qualquer momento deixava de ser concreto e palpável, para se transformar num fumo intangível.

Edward foi o único a disponibilizar-se para ser a nossa cobaia, recebendo choques e mais choques de Kate, ao mesmo tempo que me debatia sem qualquer eficácia com o que havia no interior da minha cabeça. Cada sessão durava horas a fio, deixando-me exausta e dando-me a sensação de que estava alagada em suor; embora fosse evidente que o meu corpo perfeito não me atraiçoava dessa forma. A minha debilidade era unicamente mental.

Sentia-me desesperada por ser Edward a sofrer, enquanto o envolvia nos meus braços num esforço infrutífero, vendo-o a estremecer, vezes sem conta, sob o efeito das descargas de "baixa tensão" aplicadas por Kate. Esforçava-me ao máximo para conseguir abranger os dois sob o meu escudo; de vez em quando conseguia-o; mas ele voltava novamente a escapar-se.

Odiava treinar daquela maneira, desejando que fosse Zafrina a ajudar em vez de Kate. Se assim fosse, tudo o que Edward teria de fazer era olhar para as ilusões que ela criava, até conseguir impedi-lo de as ver. Mas Kate teimava que eu precisava de uma motivação e que essa residia na minha aversão ao espectáculo do sofrimento de Edward. Começava a duvidar do que ela revelara no primeiro dia – que não usava o seu dom com intuitos sádicos. Para mim, aquilo parecia diverti-la.

– Ei! – exclamou Edward, todo animado, tentando esconder qualquer vestígio de dor na voz. Tudo o que fosse preciso, para me afastar do treino da luta. – Esta mal me atingiu. Bom trabalho, Bella!

Respirei fundo, tentando descobrir aquilo que tinha feito realmente bem. Testei o elástico, esforçando-me por mantê-lo sólido, à medida que o projectava a partir de mim.

– Mais uma vez, Kate – grunhi, cerrando os dentes.

A vampira pousou a mão no ombro de Edward.

– Não senti nada desta vez – informou ele, com um suspiro de alívio.

Kate ergueu uma sobrancelha.

– E não foi uma descarga baixa.

– Óptimo – desabafei, expirando com força.

– Prepara-te – avisou-me ela, esticando-se novamente para Edward.

Desta vez vi-o estremecer, deixando escapar um silvo ofegante por entre os dentes.

– Desculpa! Desculpa! Desculpa! – entoei, mordendo o lábio. Porque é que não conseguia fazer aquilo como devia ser?

– Bella, estás a fazer um trabalho espantoso – consolou-me Edward, abraçando-me com força. – Só praticas há poucos dias e já consegues projectar o escudo, de vez em quando. Kate, não é verdade que ela se está a portar muito bem?

Kate contraiu os lábios.

– Não sei. É evidente que a Bella tem uma capacidade impressionante e que já começámos a trazê-la à superfície. Tenho a certeza de que é capaz de fazer melhor. Falta-lhe apenas um incentivo.

Fiquei a olhá-la, atónita, e os meus lábios arreganharam-se instintivamente. Como podia ela afirmar que eu tinha falta de motivação, vendo-a a electrocutar Edward?

Chegaram-me alguns murmúrios da assistência, que engrossava à medida que os meus treinos avançavam – no início, apenas Eleazar, Carmen e Tanya estavam presentes –, mas Garrett entretanto também tinha aparecido, seguindo-se Benjamin e Tia, Siobhan e Maggie, e naquele momento até Alistair espreitava para o jardim, através de uma janela no terceiro piso. Os espectadores manifestaram o seu acordo com Edward; todos achavam que estava a portar-me bem.

– Kate... – começou Edward a avisar, como se ela estivesse a pensar em alguma inovação. Mas Kate já se tinha afastado em direcção à curva do rio, onde Zafrina, Senna e Renesmee andavam a passear. A minha filha de mão dada com a amazona; e as duas a permutarem imagens entre si. Jacob seguia-as uns passos atrás, como uma sombra.

– Nessie! – chamou Kate. As nossas visitas habituaram-se rapidamente àquela alcunha insuportável... – Queres vir ajudar a tua mãe?

– Não – atalhei, quase como se lhe rosnasse.

Edward abraçou-me, na tentativa de me acalmar, mas eu sacudi-o no momento em que Renesmee veio ao meu encontro, atravessando o jardim a correr, com Kate, Zafrina e Senna atrás.

– Nem penses nisso, Kate – exclamei, num tom sibilante.

Renesmee saltou para mim e eu abri-lhe os braços de imediato. Ela aninhou-se ao meu colo, ajustando a cabeça à cavidade abaixo do meu ombro.

– Mas, mamã, eu quero ajudar-te – insistiu ela, com uma voz determinada. Para imprimir mais força ao seu desejo, encostou a mão ao meu pescoço, mostrando-me imagens das duas juntas, como se fôssemos uma equipa.

– Não – voltei a dizer, recuando. Kate dera um passo intencional na minha direcção, com a mão estendida para as duas.

– Afasta-te de nós, Kate – avisei-a.

– Não. – E ela aproximou-se mais, numa atitude intimidatória, sorrindo como um caçador que vê a sua presa encurralada.

Mudei a posição de Renesmee, passando-a para as minhas costas, enquanto recuava ao ritmo da investida de Kate. Agora já tinha as mãos livres e, se ela queria manter as suas ligadas aos pulsos, era melhor ficar por ali.

O mais certo seria Kate ignorá-lo, já que a falta de experiência própria a fazia desconhecer a paixão que une as mães aos filhos. Não deve ter-se apercebido de como já fora longe, demasiado longe. Sentia-me tão enfurecida, que a minha visão se coloriu de uma tonalidade avermelhada e estranha, enquanto um sabor a metal incandescente me trespassava a língua. A força a que costumava recorrer para me controlar fluía-me nos músculos e soube que a esmagaria, até a reduzir a um fragmento com a dureza de um diamante, caso ela me conduzisse a tal.

A cólera fez realçar cada um dos meus sentidos de uma forma impressionante. Naquele momento com mais exactidão a elasticidade do meu escudo – percebendo que não se tratava de uma faixa, mas uma capa, uma película fina que me cobria da cabeça aos pés. A raiva que agitava o meu corpo, permitia-me senti-la melhor e dominá-la com segurança. A película ampliou-se em meu redor, abarcando Renesmee no seu interior, já a prevenir a hipótese de Kate invadir os meus domínios.

Ao vê-la a dar um outro passo calculado em frente, uma rosnadela violenta projectou-se da minha garganta, através dos dentes cerrados.

– Tem cuidado, Kate – recomendou Edward.

Kate deu mais um passo e depois cometeu um erro, reconhecível mesmo por alguém tão inexperiente quanto eu. Olhou para o lado, com uma distância mínima a separar-nos, desviando a atenção de mim para Edward.

Senti Renesmee em segurança nas minhas costas e curvei-me para dar o salto.

– Consegues ouvir alguma coisa da Nessie? – perguntou Kate a Edward, numa voz serena e descontraída.

Ele intrometeu-se no espaço entre as duas, bloqueando a minha ofensiva.

– Não, absolutamente nada – respondeu. – Agora, dá algum tempo à Bella para ela se acalmar, Kate. Não devias provocá-la desta maneira. Sei que ela não aparenta a idade que tem, mas completou apenas alguns meses.

– Edward, não dispomos de tempo para fazer isto com calma. Vamos ter de a pressionar. Faltam poucas semanas e ela tem capacidade para...

– Recua por um minuto, Kate.

Ela franziu o sobrolho, levando o aviso de Edward mais a sério que o meu.

A mão de Renesmee estava no meu pescoço: a minha filha recordava o ataque de Kate, mostrando-me que ela não o fizera por mal e que o papá tinha intervindo...

No entanto não me sentia mais tranquila. O espectro de luz que vira parecia estar ainda colorido de vermelho. De qualquer modo, conseguia dominar-me melhor e apreender a sabedoria das palavras de Kate. A cólera ajudava-me e eu aprendia melhor sob pressão.

O que não queria dizer que isso me agradasse.

– Kate – rugi, apoiando a mão sobre a parte inferior das costas de Edward. Continuava a sentir o escudo como uma capa resistente e flexível que me rodeava a mim e a Renesmee. Estiquei-o ainda mais, obrigando-o a projectar-se em redor dele. Não houve qualquer sinal de ruptura no tecido elástico, nem qualquer ameaça de que estivesse prestes a rasgar-se. O esforço fez-me arquejar e falei num tom esbaforido, em vez de furioso.

– Mais uma vez – pedi a Kate. – Só o Edward.

Ela revirou os olhos, mas lançou-se delicadamente para a frente, pousando a mão no ombro dele.

– Nada – disse este, distinguindo-lhe um sorriso na voz.

– E agora? – perguntou Kate.

– Continuo a não sentir nada.

– E agora? – Desta vez, a sua voz denunciou o esforço que ela fazia.

– Nada mesmo.

Ela soltou um grunhido e recuou.

– Conseguem ver isto? – perguntou Zafrina numa voz grave e feroz, a olhar atentamente para os três. Falava com um sotaque bastante acentuado, articulando as palavras nas sílabas mais estranhas.

– Não estou a ver nada que não devia – informou Edward.

– E tu, Renesmee? – perguntou Zafrina.

A menina sorriu-lhe, abanando a cabeça.

A minha fúria quase se dissipara, pelo que cerrei os dentes, respirando convulsivamente, à medida que me impulsionava contra o escudo elástico e este me parecia cada vez mais pesado. Finalmente, ele acabou por recuar e encolheu-se no meu interior.

– Mantenham-se calmos – recomendou Zafrina ao pequeno grupo que me observava. – Quero ver até onde ela o consegue estender.

Um murmúrio de sobressalto percorreu a nossa assistência – Eleazar, Carmen, Tanya, Garrett, Benjamin, Tia, Siobhan, Maggie –, todos exibiam um olhar confuso e expressões ansiosas, à excepção de Senna, que parecia preparada para o que quer que Zafrina fizesse.

– Ergam a mão, quando recuperarem a visão – indicou Zafrina. – Vamos, Bella! Vejamos quantos consegues proteger.

Exalei intempestivamente o ar que tinha dentro de mim. À parte Edward e Renesmee, Kate era a mais próxima, mas mantinha-se a cerca de três metros de distância. Cerrei o queixo e impulsionei-me com força, tentando projectar aquele escudo resistente e rebelde o mais longe possível. Impeli-o em direcção a Kate, centímetro a centímetro, lutando contra a resistência que ele opunha a cada avanço. Enquanto me aplicava naquele esforço, mantinha o olhar fixo na expressão ansiosa de Kate e soltei um grunhido de alívio ao vê-la pestanejar, com o olhar já focado. Entretanto, ela ergueu a mão.

– Fascinante! – murmurou Edward, por entre dentes. – É como se um vidro unidireccional me separasse deles. Consigo ler tudo o que pensam, mas eles não me conseguem atingir deste lado. Consigo igualmente ouvir a Renesmee, ao contrário do que acontecia quando estava do lado de fora. Aposto em como agora a Kate me conseguia atingir com uma descarga, na medida em que está sob o mesmo abrigo. Mas ainda não te consigo ouvir... hummm. Como é que funciona? Pergunto-me se...

Continuou a resmungar para si, mas eu não conseguia ouvir-lhe as palavras. Fiz ranger os dentes, lutando para alargar o escudo a Garrett, que era o vampiro mais próximo de Kate. Ele também ergueu a mão.

– Muito bem – elogiou Zafrina. – Agora...

Todavia ela falou antes do tempo. De repente, sobressaltei-
-me, ao sentir o meu escudo a encolher-se como um elástico
que tivesse sido esticado excessivamente, retesando-se de súbito
para a forma inicial. Renesmee, ao sentir a falta de visão que
Zafrina invocara para os outros, estremeceu nas minhas costas.
Debati-me contra a força elástica, já sem forças, na tentativa de
obrigar o escudo a protegê-la de novo.

– Posso descansar um minuto? – pedi, ofegante. Desde a
transformação em vampira, nunca sentira a necessidade de
descansar uma só vez até aquele momento. Era exasperante
sentir-me tão esgotada e, em simultâneo, tão intensa.

– Claro que sim – concordou Zafrina, e os espectadores
descontraíram-se, logo que ela permitiu que voltassem a ver.

– Kate – disse Garrett, enquanto os outros murmuravam e
se espalhavam ligeiramente, perturbados com aquele instante
de cegueira; os vampiros não estavam habituados a sentir-
-se vulneráveis. Aquele vampiro alto, de cabelo cor de areia,
era o único imortal que não possuía um dom e que parecia
fascinado com os meus treinos. Perguntei-me o que haveria de
suficientemente atractivo para aquele aventureiro.

– Garrett, eu não faria isso – avisou Edward.

Mas ele não deu qualquer relevância, continuando a avançar
em direcção a Kate, com os lábios franzidos e uma expressão
pensativa.

– Ouvi dizer que consegues estender um vampiro ao
comprido.

– Sim – confirmou ela. Depois, agitou os dedos à frente dele,
em ar de brincadeira. – Estás curioso?

Ele encolheu os ombros.

– É algo que nunca vi. O que me parece é que existe algum
exagero...

– Talvez – anuiu Kate, apresentando subitamente uma
expressão séria. – Se calhar isto só funciona com os menos
resistentes ou os mais novos. Não tenho a certeza. Tu pareces-
-me forte. Até pode ser que consigas aguentar o meu dom. – E

estendeu-lhe a mão num convite inequívoco, virando a palma para cima. Ao vê-la contrair os lábios, tive a certeza que aquela expressão grave era uma tentativa de o pressionar a decidir.

Garrett esboçou um sorriso perante o desafio. A seguir, cheio de confiança, tocou com o dedo indicador na palma da mão de Kate.

E então, com um grito estridente e sufocado, vacilou sobre os joelhos, caindo para trás desamparado. A cabeça atingiu um bloco de granito, emitindo um ruído agudo e fracturante. Assisti à cena com um sentimento de consternação. Ver um imortal a ser anulado daquela forma revoltava-me instintivamente; era profundamente errado.

– Eu avisei-te – resmungou Edward.

Garrett agitou as pálpebras por uns segundos e, em seguida, arregalou os olhos. Erguendo-os na direcção da expressão afectada de Kate, o seu rosto abriu-se num sorriso de espanto.

– Uau – exclamou ele.

– Gostaste? – perguntou ela, num tom descrente.

– Eu não sou maluco – retorquiu Garrett, soltando uma gargalhada e abanando a cabeça, enquanto se colocava de joelhos lentamente –, mas foi incrível!

– Eu bem o ouvi.

Edward revirou os olhos.

Foi então que nos chegou o ruído de um burburinho, vindo do jardim da frente. A voz de Carlisle sobrepunha-se a uma algazarra de vozes surpreendidas.

– Foi a Alice quem vos enviou? – perguntava Carlisle a alguém, num tom de voz inseguro e ligeiramente incomodado.

Outro hóspede inesperado?

Edward precipitou-se rumo à casa, seguido pela maior parte dos presentes. Eu fui mais devagar, com Renesmee pendurada nas minhas costas. Daria alguns momentos a Carlisle, a fim de o deixar colocar as visitas à vontade, preparando todos para o que vinha a caminho.

Passei Renesmee para os braços e rodeei a casa cautelosamente, entrando pela porta da cozinha, com os ouvidos à escuta, atentos ao que não se poderia ver.

– Ninguém nos pediu que viéssemos – respondia uma voz grave e sussurrada à pergunta de Carlisle. O som fez-me invocar de imediato as vozes ancestrais de Aro e Caius, levando-me a petrificar no interior da cozinha.

Sabia que a sala da frente estava apinhada – quase todos tinham ido ao encontro dos recém-chegados – mas, mal se ouvia um som. Somente respirações ligeiras.

Ao voltar a falar, Carlisle fê-lo num tom circunspecto.

– Então o que vos trouxe cá?

– As palavras passam de boca em boca – observou uma voz diferente, tão branda quanto a primeira. – Ouvimos uns rumores de que os Volturi vinham defrontá-los. E também ouvimos dizer que vocês não estariam sozinhos. Parece que esses rumores estavam correctos, na medida em que está aqui reunida uma verdadeira assembleia.

– Nós não estamos a desafiar os Volturi – respondeu Carlisle, com a voz tensa. – Houve simplesmente um mal-entendido; é apenas isso. Um equívoco bastante grave, de facto, mas que esperamos vir a esclarecer. Todos os que aqui estão são nossas testemunhas. Apenas precisamos que os Volturi nos escutem. Nós não...

– Não nos interessa aquilo de que vos acusam – interrompeu a primeira voz. – Assim como não nos importa se transgrediram alguma lei.

– Por muito flagrante que o caso possa ser – acrescentou o segundo.

– Há um milénio e meio que aguardamos o momento em que a escória dos Volturi seja desafiada – prosseguiu o primeiro. – Se existir uma hipótese de eles serem destroçados, queremos estar aqui para assistir.

– Ou mesmo ajudar a derrotá-los – frisou o segundo elemento.

As falas dos dois pareciam encadear-se umas nas outras, e as vozes eram tão semelhantes que uns ouvidos menos sensíveis chegariam a pensar que apenas havia um interlocutor. – Se considerarmos que vocês têm hipóteses de vencer.

– Bella? – chamou Edward com uma voz dura. – Traz a Renesmee aqui, por favor. Talvez seja melhor testar as intenções dos nossos visitantes romenos.

Sentia-me mais à vontade por saber que, provavelmente, metade dos vampiros presentes naquela sala acorreria em defesa de Renesmee, caso aqueles romenos a recebessem mal. Não gostava do som das suas vozes, ou da ameaça velada nas palavras. Ao avançar em direcção à sala, pude verificar que outros partilhavam o meu sentimento. A maior parte dos vampiros estava imóvel e fulminava-os com olhares hostis, enquanto alguns – Carmen, Tanya, Zafrina e Senna – se reposicionavam discretamente, em locais defensivos, entre os novos visitantes e Renesmee.

Os dois vampiros que estavam à entrada eram magros e baixos. Um tinha o cabelo preto, enquanto o cabelo louro do outro era tão descorado que parecia cinzento-claro. A pele de ambos tinha o mesmo aspecto empoado dos Volturi; embora me parecesse menos pronunciado. Não o podia garantir, atendendo a que vira os Volturi com olhos humanos, facto que me impedia de estabelecer uma comparação justa. Os olhos vivos e estreitos dos romenos exibiam um tom *bordeaux* escuro, sem qualquer película leitosa. Usavam roupas pretas e muito simples, que poderiam parecer modernas se não fossem moldadas por padrões antiquados.

Ao ver-me, o moreno esboçou um sorriso sarcástico

– Bom, bom, Carlisle. Tens sido um grande maroto, não tens?

– Ela não é aquilo que tu julgas, Stefan.

– E isso também não nos importa – replicou o louro. – Tal como já dissemos.

– Vladimir, se querem ficar a assistir, sejam bem-vindos. Mas a hipótese de desafiarmos os Volturi está definitivamente afastada, como já foi referido.

– Então vamos limitar-nos a fazer figas – começou Stefan.

– E aguardar que tenham sorte – concluiu Vladimir.

No final, conseguimos reunir dezassete testemunhas – os irlandeses, Siobhan, Liam e Maggie; os egípcios, Amun, Kebi, Benjamin e Tia; as amazonas, Zafrina e Senna; os romenos, Vladimir e Stefan; e os nómadas, Charlotte e Peter, Garrett, Alistair, Mary e Randall – em complemento à nossa família de onze elementos. Tanya, Kate, Eleazar e Carmen insistiram em ser contados como parte integrante da família dos Cullen.

Pondo de parte os Volturi, aquela seria talvez a maior confraternização de vampiros adultos na História dos imortais.

Todos começávamos a sentir uma pequena réstia de esperança, mesmo eu não consegui evitá-lo. Renesmee cativara muita gente, em tão pouco tempo, e os Volturi só precisariam de a ouvir durante uma breve fracção de segundo...

Os últimos dois romenos sobreviventes – centrados num ressentimento amargo contra aqueles que tinham derrubado o seu império há mil e quinhentos anos – eram tolerantes em relação a tudo o que viam. Não quiseram tocar em Renesmee, mas não revelaram qualquer aversão. A nossa aliança com os lobisomens pareceu deixá-los estranhamente encantados. Viam-me a praticar a projecção do escudo com Zafrina e Kate, Edward a responder a perguntas que não se ouviam, Benjamin a extrair géiseres da água do rio ou fortes rajadas de vento do ar parado, recorrendo apenas ao poder da mente, e os olhos deles reluziam face à esperança firme de que os Volturi tinham, finalmente, encontrado uma força à sua altura.

Nós não alimentávamos esperanças comuns, mas todos alimentávamos esperanças.

Trinta e Três

FALSIFICAÇÃO

– Charlie, ainda se mantém esta situação dos convidados de que tu não queres saber. Embora não vejas a Renesmee há mais de uma semana, agora é capaz de não ser muito boa ideia vires até cá. E que tal se eu levasse a tua neta aí a casa?

O meu pai permaneceu calado durante tanto tempo, que me perguntei se teria sentido a tensão escondida pela minha fachada.

A seguir, ouvi-o a resmonear:

– Não preciso de saber, *uf* – apercebendo-me que a demora na resposta era apenas uma forma cautelosa de reagir ao sobrenatural. – Está bem, miúda – acabou por dizer. – Pode ser esta manhã? A Sue vai fazer-me o almoço. Os meus cozinhados deixam-na tão horrorizada quanto a ti, quando vieste viver comigo.

O meu pai rematou o comentário com uma gargalhada e, depois, suspirou pelos velhos tempos.

– Esta manhã até calha bem – concordei. Quanto mais depressa, melhor. Já adiara a situação tempo de mais.

– O Jake vem convosco?

Embora Charlie ignorasse, em absoluto, a questão da marcação, o vínculo profundo entre Jacob e Renesmee não passava despercebido a ninguém.

– Talvez. – Era bastante improvável que o meu amigo desperdiçasse a oportunidade de estar com Renesmee, sabendo que os sugadores de sangue não estariam por perto.

– Se calhar, também podia convidar o Billy – ponderou o meu pai. – Mas... humm. Fica para outro dia.

Eu estava um pouco distraída, não o suficiente para que me passasse despercebida a estranha relutância na sua voz ao referir--se a Billy; embora isso não me tenha levado a ficar a pensar no que teria acontecido. Charlie e Billy já eram crescidos; se havia algum mal-entendido entre os dois, iriam resolvê-lo sozinhos. Eu já tinha muita coisa a preencher-me a cabeça.

– Então, até já – despedi-me, terminando a chamada.

O único objectivo da visita não era proteger o meu pai daquela associação tão heterogénea de vinte e sete vampiros – que se tinham comprometido, na totalidade, a não matar ninguém num raio de cerca de quinhentos quilómetros, embora... nenhum humano desejasse estar perto de um grupo assim, com toda a certeza. Esta era a desculpa que dera a Edward: levar a Renesmee a casa do meu pai, evitando que ele decidisse vir a nossa casa. Mas, embora fosse a razão de peso para eu sair de casa, estava muito longe de ser a verdadeira.

– Porque é que não vamos no teu *Ferrari*? – protestou Jacob, quando veio ter comigo à garagem. Já estava dentro do *Volvo* de Edward, com Renesmee.

Edward esquivara-se a mostrar-me o meu carro "para depois" durante algum tempo; tal como ele tinha previsto, eu não conseguia manifestar um entusiasmo convincente. É claro que o carro era bonito e rápido, mas preferia correr com os próprios pés.

– Dá muito nas vistas – justifiquei-me. – Até podíamos ir a pé, mas o Charlie ia passar-se.

Jacob resmungou para si, ao sentar-se no banco da frente e Renesmee saltou do meu colo para o dele.

– Como te sentes? – perguntei-lhe, enquanto saíamos da garagem.

– O que é que achas? – replicou ele, com azedume. – Estou farto destes sugadores de sangue pestilentos. – Entretanto viu a minha expressão, antes de lhe responder. – Sim, eu sei, eu sei.

São os bons da fita, estão aqui para ajudar, vão salvar-nos, blá-
-blá-blá. Digas o que disseres, continuo a achar que o Drácula
Um e o Drácula Dois são sinistróides.

Tive de me rir. Os romenos também não eram os meus
convidados preferidos.

– Aí, até concordo contigo.

A minha filha abanou a cabeça, mas não disse nada; ao
contrário de todos os outros, ela olhava para aqueles romenos
com um fascínio especial, chegando até a falar-lhes em voz alta,
já que eles não a autorizavam a tocar-lhes. Uma vez, pergun-
tara-lhes porque tinham uma pele tão diferente e, embora
cu receasse que isso os ofendesse, até ficara satisfeita com a
questão. Também tinha curiosidade em saber.

Nenhum se ressentira com a pergunta. Pareceu-me vê-los
apenas um pouco melancólicos.

– Deixámo-nos ficar sentados e imóveis por muito tempo,
menina – respondera Vladimir, com Stefan, ao seu lado, a
assentir com a cabeça, mas sem lhe completar as falas conforme
era habitual –, a contemplar a nossa própria divindade. Tudo
vinha ao nosso encontro, como prova do poder que possuíamos.
Vítimas, diplomatas, os que invocavam os nossos favores. Ali,
nos nossos tronos, reflectíamos sobre o nosso papel de deuses,
sem nos darmos conta, durante muito tempo, que estávamos a
mudar e prestes a ficar petrificados. Julgo que os Volturi até nos
fizeram um favor, ao deitarem fogo aos nossos castelos. Pelo
menos, o Stefan e eu deixámos de nos transformar em estátuas.
Agora, os olhos dos Volturi estão velados por uma espuma
pardacenta, enquanto os nossos se conservam brilhantes.
Podemos contar com essa vantagem, mal lhos arrancarmos das
órbitas.

Depois disso, tentei manter Renesmee afastada deles.

– Quanto tempo vamos passar em casa do Charlie? – perguntou
Jacob, pondo fim aos meus pensamentos. Era evidente que
começava a descontrair-se, à medida que nos afastávamos da
casa e de todos os novos convivas. Fiquei contente por Jacob

não me incluir entre os vampiros. Para ele, eu continuava a ser apenas a sua amiga Bella.

– Na verdade, até estou a prever que nos vamos demorar.

O tom da minha voz fê-lo ficar atento.

– Há mais alguma coisa, além de ires visitar o teu pai?

– Jake, já reparaste que te esforças bastante por controlar aquilo que pensas junto do Edward?

Ele ergueu uma sobrancelha negras e espessa.

– E então?

Limitei-me a acenar-lhe com a cabeça, dirigindo rapidamente o olhar para Renesmee. Ela estava atenta ao que se passava no exterior da janela e não pude avaliar se estava interessada na nossa conversa; optei por ficar por ali.

Jacob ainda ficou à espera que eu acrescentasse alguma coisa, mas depois esticou o lábio inferior, reflectindo sobre as minhas palavras evasivas.

Enquanto prosseguíamos a viagem em silêncio, espreitei através das horríveis lentes de contacto para a chuva fria; ainda não tão fria que fizesse prever queda de neve. Os meus olhos pareciam menos mórbidos que inicialmente – agora, tinham um tom mais próximo do laranja avermelhado fosco que do vermelho-vivo. Em breve, teriam a tonalidade âmbar, suficiente para deixar de usar as lentes. Só esperava que a mudança não fosse demasiado perturbadora para Charlie.

Ao chegarmos a casa do meu pai, Jacob ainda matutava na nossa conversa interrompida. Não trocámos uma palavra, enquanto caminhávamos à pressa sob a chuva, mantendo um ritmo humano. Charlie viu-nos chegar e abriu a porta antes de batermos.

– Olá miúdos! Parece que passaram anos! Olha para a Nessie! Vem cá, ao avô! Ia jurar que cresceste mais uns quinze centímetros. E também me pareces magricela, Ness. – O meu pai lançou-me um olhar fulminante. – Eles não te dão de comer lá em casa?

– É por ter crescido tanto – balbuciei. – Olá Sue! – saudei em voz alta, por cima do ombro dele. Da cozinha emanava um odor a frango, tomate, salsa e queijo; era provável que cheirasse bem a toda a gente. Assim como me chegava um aroma a pinheiro acabado de cortar e a pó acumulado em objectos guardados há muito.

As covinhas de Renesmee surgiram instantaneamente, acompanhando o seu sorriso. A minha filha nunca falava em frente a Charlie.

– Bom, saiam do frio, miúdos. Onde está o meu genro?

– A entreter os convidados – respondeu Jacob, resfolgando em seguida. – Não imagina a sorte que tem ao estar fora desta jogada, Charlie. É tudo o que lhe digo.

Dei um murro leve nas costas de Jacob, enquanto o meu pai estremecia.

– Ai! – queixou-se Jacob, por entre dentes; bem, eu pensava que o tinha feito com pouca força.

– Charlie, na verdade, tenho umas voltas a dar.

Jacob lançou-me de imediato um olhar, mas não disse nada.

– Andas a pôr as compras de Natal em dia, Bells? Já falta pouco tempo, não é?

– Sim, as compras de Natal – respondi, num tom pouco convincente. Isso explicava o cheiro a pó. Provavelmente, o meu pai tinha andado a colocar as velhas decorações natalícias.

– Não te preocupes, Nessie – segredou ele, ao ouvido de Renesmee. – O avô tem um plano de reserva, se a tua mãe falhar.

Revirei os olhos na sua direcção, se bem que, na realidade, nem me tivesse lembrado que era Natal.

– O almoço está na mesa – chamou Sue da cozinha –, estou à vossa espera!

– Até logo, pai – despedi-me, trocando um olhar breve com Jacob. Mesmo que ele não conseguisse controlar os pensamentos ao lado de Edward, pelo menos não teria muito a partilhar com ele. Jacob não fazia a mínima ideia em relação ao que eu me preparava para fazer.

"É claro que eu própria também não sei lá muito bem", pensei para mim, ao entrar no carro.

Não havia muita visibilidade e o piso estava escorregadio; de qualquer modo a condução deixara de ser um problema para mim. Os meus reflexos não me deixavam ficar mal, permitindo que me abstraísse da estrada. O único problema era controlar a velocidade, evitando despertar a atenção sempre que aparecia algum carro. Desejava despachar aquela missão e decifrar o mistério rapidamente, a fim de regressar àquela tarefa prioritária que era aprender. Aprender a proteger uns e a liquidar outros.

Conseguia controlar o meu escudo cada vez melhor. Kate já não sentia necessidade de me motivar – agora que conhecia a minha pedra de toque, não era difícil encontrar motivos para me enfurecer –, pelo que trabalhava com Zafrina, a maior parte das vezes. Ela estava muito satisfeita com os meus progressos; já era capaz de abranger uma área de quase três metros, durante mais de um minuto; embora me deixasse esgotada. Nessa manhã, a amazona tentara descobrir se eu conseguia extrair completamente o escudo da minha mente. Não compreendia bem para que serviria, mas Zafrina achava que me ajudava a fortalecer, exercitando os músculos da barriga e das costas, além dos braços. Na realidade, conseguia-se levantar um peso maior quando todos os músculos estavam desenvolvidos.

Não tinha muito jeito para aquilo. Só conseguira avistar uma imagem pálida do rio, na selva que ela tentara mostrar-me.

No entanto, havia formas diferentes de me preparar para o que ia acontecer e a sensação de que só faltavam duas semanas deixava-me apreensiva, imaginando que podia estar a descurar o mais importante. Nesse dia, iria rectificar essa lacuna.

Tinha memorizado os mapas de que precisava, pelo que não me foi difícil descobrir a morada de J. Jenks, que não estava na Internet. O passo seguinte seria Jason Jenks na outra morada, a que não me fora dada por Alice.

Dizer que aquele não era um bairro agradável, seria um acto de generosidade. O carro mais insignificante de todos os que os Cullen possuíam continuaria a ser uma afronta àquele espaço. Ali, a minha velha carrinha *Chevrolet* teria um aspecto robusto. Nos anos em que vivera como humana, limitar-me-ia a trancar as portas e a sair dali tão depressa quanto conseguisse. Mas, nas condições actuais, até nutria algum fascínio. Tentei imaginar a razão que teria levado Alice àquele sítio, mas não consegui.

Os edifícios – todos compostos por três pisos, todos estreitos e todos ligeiramente inclinados, como se cedessem à pressão das bátegas de chuva – eram moradias antigas, na maior parte divididas em vários apartamentos. Era difícil dizer a cor da tinta que ia descascando das paredes. Tudo se esbatera já em várias tonalidades de cinzento. Um dos edifícios tinha alguns espaços comerciais no primeiro piso: um bar decrépito, com as janelas pintadas de preto; uma loja de artigos paranormais, com mãos em néon e cartas de tarô a piscar em luzes foscas na porta; outra de tatuagens; e ainda um infantário com a janela da frente decorada com fita isoladora, a tapar um vidro partido. Não vi qualquer luz em nenhuma das montras, embora a atmosfera exterior fosse demasiado sombria para os humanos a poderem dispensar. Ouvi à distância o som de vozes em surdina, que me pareceu vir de uma televisão.

Das poucas pessoas que havia por ali, duas arrastavam-se entre a chuva, em direcções opostas, enquanto uma terceira se sentava no pequeno alpendre de um escritório de advogados, de janelas entaipadas e aspecto degradado; o homem lia um jornal molhado, assobiando ao mesmo tempo, com o som a parecer demasiado jovial naquele cenário.

Fiquei tão absorvida ao vê-lo a assobiar daquela forma descontraída, que não reparei de imediato que o edifício abandonado correspondia à morada que procurava. Não havia um número na porta, mas a loja de tatuagens ao lado tinha apenas dois números a mais em relação à morada que registara.

Estacionei junto ao passeio, deixando por momentos o motor a trabalhar. Tinha de me dirigir àquela espelunca de uma maneira ou de outra. Mas como fazê-lo sem o homem dar por mim? Podia estacionar o carro na rua de trás e entrar pelas traseiras... mas talvez houvesse mais gente desse lado. E se fosse pelo telhado? Já estaria suficientemente escuro para isso?

– Ei, minha senhora! – chamou o homem do assobio.

Baixei a janela do lugar do passageiro, fingindo não o conseguir ouvir.

O homem pousou o jornal e eu observei as roupas dele com algum espanto, agora que as via melhor. Por debaixo de uma gabardina comprida, de aspecto andrajoso, ele estava um tudo de nada bem vestido de mais. Não corria uma brisa que me trouxesse algum cheiro, mas o brilho da camisa vermelho-escuro lembrava-me a seda. O cabelo ondulado e preto estava despenteado e revolto, mas a pele morena parecia macia e perfeita; tinha os dentes brancos e regulares. Uma contradição.

– Talvez fosse melhor não estacionar esse carro aqui, minha senhora – avisou. – Pode não estar aí quando voltar.

– Obrigada pelo aviso – agradeci.

Desliguei o motor e saí. Talvez o meu amigo do assobio me pudesse facultar mais depressa as respostas de que precisava, do que se tentasse entrar à força no escritório. Abri o enorme guarda-chuva cinzento, embora não estivesse realmente preocupada em proteger o meu vestido-túnica em malha de caxemira. Limitava-me a copiar o que um humano faria naquelas circunstâncias.

O homem espreitou para a minha cara, através da chuva, e arregalou os olhos. Engoliu em seco e ouvi o coração dele a acelerar ao aproximar-me.

– Vinha à procura de uma pessoa – comecei por dizer.

– Eu sou uma pessoa – insinuou-se, esboçando um sorriso. – Em que posso ajudá-la, beleza?

– É o J. Jenks? – perguntei.

– Ah – exclamou o homem, com a expectativa estampada no rosto a dar lugar a uma expressão compreensiva. Levantou-se e observou-me, de olhos semicerrados. – Para que precisa de falar com o J?

– Só me diz respeito a mim. – Além de que não fazia a mínima ideia. – É o senhor?

– Não.

Encarámo-nos durante um longo momento, enquanto ele observava de alto a baixo a túnica justa, em cinzento pérola, que eu trazia vestida. Por fim, o olhar dele parou na minha cara.

– Não me parece um dos seus clientes habituais.

– É provável que assim seja – reconheci. – Mas precisava de lhe falar o mais depressa possível.

– Não sei bem o que faça – confessou ele.

– Já agora, como se chama?

Ele fez um largo sorriso.

– Max.

– Prazer em conhecê-lo, Max. E que tal dizer-me o que costuma fazer com os que são habituais?

O sorriso de Max deu lugar a uma expressão apreensiva.

– Bom, os clientes habituais do J não se parecem nem um pouco consigo. Os que têm o seu tipo, não se dignam a vir a este prédio na baixa. Vão directos ao escritório de luxo no arranha-céus.

E indicou-me a outra morada, pronunciando o número da porta num tom interrogativo.

– Sim, é aí – confirmou ele, novamente com um ar desconfiado. – Porque não foi lá directamente?

– Esta foi a morada a que tive acesso. Através de uma fonte muito fidedigna.

– Se não tivesse algo a esconder não viria aqui parar.

Contraí os lábios. Nunca tivera jeito para fazer *bluff*, mas Alice também não me deixara grandes alternativas.

– Talvez eu tenha alguma coisa a esconder.

Max assumiu uma postura defensiva.

– Repare, minha senhora...

– Bella.

– Certo. Bella. Repare, eu não posso perder o meu emprego. O J dá-me um salário jeitoso só para eu me aguentar aqui o dia inteiro e pouco mais. Eu gostaria de a ajudar, claro que sim, mas... E, agora, estou apenas a formular uma hipótese, OK? Ou a falar a título oficioso, se o quiser entender dessa forma. Mas, se deixar passar alguém que lhe dê problemas, sou despedido. Percebe onde quero chegar?

Mordisquei o lábio, enquanto reflectia um minuto sobre o assunto.

– Nunca viu ninguém parecido comigo? Bom, mais ou menos do meu estilo? A minha irmã é mais baixa que eu, além de que tem cabelo muito preto e espetado.

– O J conhece a sua irmã?

– Julgo que sim.

Max ficou a pensar no que lhe dissera. Dirigi-lhe um sorriso e a respiração dele alterou-se.

– Proponho-lhe o seguinte: vou telefonar ao J e indicou-lhe a sua descrição. Depois, ele decide.

"O que poderia saber o J. Jenks? A minha descrição dir-lhe-ia algo?" Aquele pensamento era inquietante.

– O meu apelido é Cullen – referi a Max, perguntando-me se lhe estaria a facultar demasiada informação, ao mesmo tempo que começava a sentir-me ligeiramente irritada com Alice. Ela tinha mesmo de me deixar ficar assim às cegas? Ao menos, poderia ter-me disponibilizado mais uma ou duas palavras...

– Cullen. Já decorei.

Fiquei a observá-lo a marcar um número de telefone, que consegui reter com facilidade. Muito bem, se isto não resultasse, eu própria telefonar-lhe-ia.

– Viva J, fala o Max. Já sei que não devo ligar-te para este número, a não ser que haja alguma urgência...

"Surgiu alguma emergência?", ouvi, vagamente, do outro lado.

– Bom, não é bem isso. Trata-se de uma rapariga que quer falar contigo...

– "Isso não parece ter nada que ver com emergências. Porque é que não seguiste os procedimentos normais?"

– Exactamente porque ela não é nada do género normal...

– É da polícia?!

– Não...

– "Não podes ter a certeza. Parece-te ser alguém do Kubarev?..."

– Não... deixas-me falar? Ela disse-me que conhecias a irmã, ou algo do género.

– "Não estou a ver. Como é que ela é?"

– Como é que ela é... – O olhos de Max percorreram a distância que separava o meu rosto dos meus sapatos, com um ar de certo modo apreciador. – Bom, ela faz-me lembrar um desses modelos todos estrambólicos; é isso. – Eu sorri-lhe e ele piscou-me o olho, antes de prosseguir. – Corpo insinuante, pele pálida como pedra mármore, cabelo castanho-escuro que lhe dá quase pela cintura, e cara de quem anda a dormir pouco... algum destes sinais te diz alguma coisa?

– "Não, não diz. E incomoda-me que o teu fraquinho por mulheres giras te leve a interromper..."

– Sim, já sei que fico todo babado quando vejo uma carinha bonita. O que é que isso tem de mal, podes dizer-me? Desculpa ter-te aborrecido, meu. Esquece.

– O nome – sussurrei-lhe.

– Ah, é verdade! Espera – pediu Max. – Ela diz que se chama Bella Cullen? Ajuda em alguma coisa?

Seguiu-se um silêncio de morte durante um segundo e, então, a voz do outro lado começou a praguejar, recorrendo a um conjunto de termos que apenas se costumam ouvir nos locais onde param os camionistas. O rosto de Max alterou-se, perdendo toda a expressão humorística e os lábios a ficarem lívidos.

– Não perguntaste! – ripostou ele aos gritos, já em pânico.

Seguiu-se uma outra pausa, enquanto J se recompunha.

– "Bonita e pálida?" – perguntou ele, ligeiramente mais calmo.

– Foi o que eu disse, certo?

Bonita e pálida? O que é que aquele homem sabia sobre vampiros? Seria um de nós? Não vinha preparada para esse tipo de confronto. Fiz ranger os dentes. No que é que Alice me tinha metido?

Max aguardou mais um minuto, preenchido com uma nova avalancha de insultos e instruções, lançando-me uma olhadela que quase me pareceu aterrorizada.

– Mas só costumas encontrar-te com os clientes da baixa às quintas-feiras... está bem, está bem! Certo! – e desligou o telefone.

– Ele quer encontrar-se comigo? – perguntei, entusiasmada.

Max lançou-me um olhar furibundo.

– Podia ter dito que era uma cliente prioritária.

– Desconhecia que o era.

– Cheguei a pensar que era da polícia – confessou ele. – Quero dizer, não é que tenha aspecto disso. Mas tem umas atitudes algo estranhas, beleza.

Encolhi os ombros.

– Tráfico de droga? – alvitrou ele.

– Quem? Eu? – retorqui-lhe.

– Sim. Ou o seu namorado, ou outro qualquer.

– Não, lamento. Não sou mesmo simpatizante de qualquer droga e o meu marido também não. "A droga não é solução", e tudo mais que quiser.

Max praguejou por entre dentes.

– Casada. Não tenho sorte nenhuma.

Sorri.

– Da Máfia?

– Nada disso.

– Tráfico de diamantes?

– Por favor! É com esse tipo de pessoas que costuma conviver, Max? Talvez esteja a precisar de arranjar outro emprego.

Tinha de reconhecer que aquilo me divertia. Há muito que não comunicava com humanos, à excepção de Charlie e Sue. Era interessante vê-lo assim baralhado. E também me agradava o facto de me ser tão fácil não o matar.

– Tem de estar metida em alguma coisa e das complicadas – observou ele, com um ar pensativo.

– Na verdade, não é nada do que está a pensar.

– É o que dizem todos. Mas quem mais é que precisa de documentos? Ou quem pode dar-se ao luxo de pagar ao J os preços que ele cobra, diria. No entanto isso não é da minha conta, de qualquer maneira – concluiu ele, voltando a refilar a palavra "casada" por entre dentes.

Forneceu-me uma morada completamente diferente, acompanhada de algumas indicações básicas, e ficou a observar-me com uma expressão desconfiada e pesarosa, enquanto me afastava de carro.

Naquele momento, já estava pronta para quase tudo – a começar por qualquer covil repleto de alta tecnologia de um vilão dos filmes do James Bond. Pensei que Max me quisesse testar, enviando-me para uma morada errada. Ou talvez o covil ficasse num subterrâneo, por baixo da malha de lojas e escritórios alinhados ao longo de uma das ruas de um bairro familiar e gracioso, no topo de uma colina verdejante.

Estacionei num espaço livre e ergui o olhar para uma placa discreta e elegante que anunciava: JASON SCOTT, ADVOGADO.

No interior, o escritório tinha um tom bege predominante, contrastando aqui e ali com uns laivos de verde-claro. Não me cheirava a vampiro, o que me ajudou a descontrair. Não senti qualquer odor que não fosse estritamente humano. Reparei num aquário embutido numa das paredes e numa recepcionista loura e bonita, com um ar pacífico, sentada à secretária.

– Boa tarde – saudou ela. – Posso ajudar?

– Vinha falar com o Dr. Scott.

– Tem consulta marcada?

– Não exactamente.

Ela dirigiu-me um sorriso ligeiramente evasivo.

– Vai ter de aguardar um pouco. Quer sentar-se, enquanto eu?...

"April!", exclamou uma voz áspera e autoritária, através do intercomunicador da secretária. "Deve estar a chegar uma pessoa para mim. A Sra. Cullen."

Sorri e apontei para mim.

"Assim que chegar, mande-a entrar imediatamente. Compreendeu? Mesmo que tenha de interromper alguma coisa."

Na voz dele, havia algo mais que impaciência. Ansiedade. Tensão.

– Ela acabou de chegar – informou Alice, assim que conseguiu falar.

"O quê? Ela que entre! De que é que está à espera?"

– É para já, Dr. Scott! – A rapariga levantou-se, com as mãos a agitarem-se no ar, enquanto me conduzia por um corredor pequeno e me perguntava se queria tomar um café, um chá, ou outra coisa qualquer.

– Com licença – disse ela, fazendo-me passar à pressa através de uma porta que dava acesso a um verdadeiro escritório de executivo, a que não faltava o mobiliário imponente de madeira e uma parede cheia de diplomas, bem como outras distinções.

– Feche a porta, quando sair! – ordenou uma voz agreste de tenor.

Observei o homem sentado à secretária, enquanto April desaparecia precipitadamente. Era baixo e careca, com um ventre proeminente e a rondar os cinquenta e cinco anos. Usava uma gravata de seda vermelha sobre a camisa de riscas azuis e brancas, com um blazer azul pendurado nas costas da cadeira. Reparei que tremia e que o seu rosto pastoso era revestido de um tom pálido e doentio, enquanto o suor se acumulava em gotas na testa; calculei que devia existir uma úlcera a sublevar--se sob aquela gordura supérflua.

J recompôs-se e ergueu-se da cadeira, pouco à vontade. Depois estendeu-me a mão do outro lado da secretária.

– Sra. Cullen, muito prazer em conhecê-la.

Atravessei a sala na sua direcção e apertei-lhe a mão energicamente, por um instante muito breve. Ele estremeceu um pouco sob o impacto da minha pele fria; mas a sensação não pareceu surpreendê-lo particularmente.

– Dr. Jenks. Ou prefere que o trate por Scott?

Ele voltou a estremecer.

– Como preferir, naturalmente.

– E que tal se me chamasse Bella e eu o tratasse por J?

– Como velhos amigos – concordou, passando um lenço de seda pela testa. A seguir fez um gesto, convidando-me a sentar, e regressou à sua cadeira. – Devo deduzir que estou finalmente a conhecer a encantadora mulher do Sr. Jasper?

Detive-me por um instante a medir o que ele dizia. Então Scott conhecia Jasper e não Alice. Conhecia-o e parecia temê-lo.

– Na verdade, sou a cunhada.

Ele comprimiu os lábios, como se lesse nas entrelinhas, tal como eu.

– Julgo que o Sr. Jasper se encontra bem, não? – perguntou, prudentemente.

– Tenho a certeza que sim. Neste momento, está a fazer umas férias prolongadas.

A minha informação pareceu dissipar parte da apreensão de J, que assentiu com a cabeça para si e pressionou as têmporas com os dedos.

– Muito bem. Mas deveria ter ido directamente aos escritórios principais. Os meus assistentes estabeleciam de imediato o contacto comigo, sem precisar de passar por vias menos hospitaleiras.

Limitei-me a acenar-lhe com a cabeça. Não sabia bem porque Alice me teria dado a morada daquele gueto.

– Mas passemos à frente. Agora que está aqui, em que posso servi-la?

– Documentos – respondi-lhe, tentando que o tom da minha voz evidenciasse que sabia do que falava.

– Com certeza – disponibilizou-se J, de imediato. – Estamos a falar de certidões de nascimento, certidões de óbito, cartas de condução, passaportes, cartão da segurança social?...

Respirei fundo e sorri-lhe. Estava em dívida para com Max.

Entretanto, o meu sorriso esmoreceu. Alice tinha-me enviado ali por um motivo relacionado com a protecção de Renesmee, sem dúvida. Aquela fora a sua última oferta. A única coisa que sabia que eu precisava.

E a única razão que levaria Renesmee a precisar de documentos falsificados era precisar de fugir. E fugiria, apenas se fôssemos derrotados.

De qualquer modo ela não precisaria desses documentos, se os pais fugissem juntamente com ela. Tinha a certeza de que era muito fácil para Edward aceder a bilhetes de identidade ou até mesmo fabricá-los. Assim como sabia que ele conhecia vários caminhos através dos quais poderíamos passar sem documentos. Seríamos capazes de correr uma extensão de milhares de quilómetros ou atravessar o oceano a nado, com a nossa filha.

Se estivéssemos juntos de Renesmee para a salvar.

E todo o segredo em redor disto, para evitar que Edward soubesse... era por causa de Aro, sabendo-se que havia o perigo real de ele aceder ao que Edward sabia. Se perdêssemos, Aro obteria a informação que ambicionava, antes de o destruir.

Era o que eu suspeitava. Nós não iríamos ganhar. No entanto havia a hipótese de destruir Demetri antes de nos vencerem, viabilizando a fuga de Renesmee.

O meu coração parado pesava-me, como se tivesse uma pedra no peito, parecendo dilacerar-me interiormente. Todas as minhas esperanças se desfaziam, como o nevoeiro perante a luz do Sol. Senti os olhos a arder.

Em quem poderia apostar? Em Charlie? Mas ele era tão fragilmente humano... E como poderia fazer com que Renesmee chegasse até ele? O meu pai nunca iria estar num ponto próximo daquela luta. O que me deixava apenas outra opção. Que, na verdade, sempre fora a única.

Pensei em tudo isto tão velozmente que J nem se apercebeu da minha pausa.

– Duas certidões de nascimento, dois passaportes e uma carta de condução – pedi-lhe, com a voz baixa e tensa.

Se o homem reparou na minha expressão alterada, não deu quaisquer mostras disso.

– E quais são os nomes?

– Jacob... Wolfe. E... Vanessa Wolfe. – Nessie parecia funcionar bem como diminutivo de Vanessa e Jacob iria delirar com a ideia do Wolfe.

A caneta rabiscava à pressa no bloco com o timbre do escritório do advogado.

– O outro apelido?

– Qualquer um de que se lembre.

– Muito bem. Idades?

– Vinte e sete para o homem e cinco para a menina. – Jacob fazia-se passar por essa idade, com aquele aspecto meio selvagem. E à velocidade a que Renesmee crescia, era melhor calcular por cima. Ele poderia ser o padrasto...

– Se pretende os documentos já completos, vou necessitar de fotografias – disse J, interrompendo os meus pensamentos. – O Sr. Jasper costuma preferir terminá-los ele próprio.

Bom, isso explicava o motivo por que J não conhecia a cara de Alice.

– Aguarde um momento – pedi.

Estava com sorte. Tinha várias fotografias da família guardadas na minha carteira e a que seria perfeita – Jacob com Renesmee ao colo, nos degraus da entrada – tinha apenas um mês. Alice dera-ma poucos dias antes... Ah! Se calhar não teria sido assim tanto à sorte. Alice sabia que trazia esta fotografia comigo e talvez tivesse alguma leve premonição de que eu iria precisar dela, antes de ma dar.

– Aqui tem.

J observou a fotografia por uns instantes.

– A sua filha é muito parecida consigo.

Fiquei tensa.

– Parece-se mais com o pai.

– Que não é este homem. – O advogado tocou no rosto de Jacob.

Semicerrei os olhos, levando a testa de J a cobrir-se de mais gotas de suor.

– Não. É um amigo muito chegado da família.

– Peço perdão – balbuciou ele, e a caneta voltou novamente a rabiscar no papel. – Com que brevidade precisa dos documentos?

– Posso obtê-los numa semana?

– Dessa forma, passa a ser um serviço de urgência. Irá custar--lhe o dobro... mas desculpe-me. Esqueci-me da pessoa com quem estava a falar.

Era evidente que ele conhecia Jasper.

– Indique-me apenas o valor.

O homem pareceu hesitar em dizer o número em voz alta, embora eu tivesse a certeza de que ele sabia que o preço não funcionaria como um entrave, depois de ter trabalhado para Jasper. Sem contabilizar as contas bancárias astronómicas espalhadas por todo o mundo, ligadas aos vários nomes usados pelos Cullen, o dinheiro que havia escondido por toda a casa daria para manter um pequeno país a funcionar durante uma década. Fazia-me lembrar as centenas de anzóis armazenados em cada uma das gavetas na casa de Charlie. Duvidava que alguém chegasse, alguma vez a dar pela falta da pequena pilha de notas de que me tinha apropriado, ao preparar-me para este dia.

J escreveu o preço na margem inferior do seu bloco de apontamentos.

Eu assenti serenamente com a cabeça. Era menos do que tinha trazido. Voltei a abrir a mala e contei o valor exacto – tinha o dinheiro separado em molhos de cinco mil dólares, presos por clipes, pelo que demorei muito pouco a fazê-lo.

– Aqui tem.

– Ah, Bella, não é preciso pagar-me já a totalidade. O habitual é pagar-se metade, para garantir a entrega.

Dirigi um sorriso vago ao homem nervoso.

– Mas eu confio em si, J. Além disso, tenciono dar-lhe ainda um bónus: uma quantia igual, mal receba os documentos.

– Garanto-lhe que não será necessário.

– Não se preocupe. – Ficar com o dinheiro parecia não me dar qualquer prazer. – Então podemos encontrar-nos aqui, na próxima semana à mesma hora?

Ele lançou-me um olhar ansioso.

– A falar verdade, prefiro fazer este tipo de transacções em sítios que não estejam ligados aos meus diversos negócios.

– Claro. Tenho a certeza de que estou a fazer as coisas de uma maneira que não esperaria.

– Habituei-me a não ter qualquer noção sobre aquilo que posso esperar dos Cullen. – O homem esboçou um sorriso irónico, recompondo-se de imediato. – Podemos encontrar-nos às oito da noite, daqui a uma semana, no restaurante O Pacífico? Fica em Union Lake e a comida é magnífica.

– Combinado. – O que não implicava que jantasse com ele. J não se sentiria muito à vontade, se o fizesse.

Levantei-me e voltei a apertar-lhe a mão. Desta vez, ele não estremeceu, mas pareceu-me distinguir-lhe uma expressão de preocupação. Franzia os lábios e tinha as costas rígidas.

– Não haverá qualquer problema com o prazo? – perguntei.

– Como? – Ele ergueu os olhos, com se a minha pergunta o tivesse apanhado desprevenido. – Com o prazo? Ah, não. Não há qualquer problema. Dou-lhe a minha garantia de que os seus documentos estarão prontos a tempo.

Seria bom que Edward estivesse comigo, para eu me inteirar das preocupações de J. Suspirei. Guardar um segredo de Edward já era mau; estar separada dele era praticamente insuportável.

– Então, vemo-nos na próxima semana.

Trinta e Quatro

DECLARAÇÕES

A música chegou-me aos ouvidos quando ainda estava dentro do carro. Edward já não tocava no seu piano desde a noite em que Alice tinha partido. No momento em que fechei a porta do carro, ouvi a melodia transformar-se num interlúdio, mudando de imediato para a minha canção de embalar. Edward dava-me as boas-vindas, no regresso a casa.

Movi-me com lentidão, enquanto tirava Renesmee – profundamente adormecida, depois de passarmos o dia inteiro fora – do carro. Tínhamos deixado Jacob em casa de Charlie; ele aproveitaria a boleia de Sue para passar por sua casa. Perguntei-me se a ideia dele seria encher a cabeça de trivialidades, para abafar a memória da minha cara quando regressei a casa do meu pai.

Ao encaminhar-me devagar para o lar dos Cullen, reconheci que a esperança e a presença de espírito, que quase pareciam uma auréola visível em redor da casa grande e branca, também tinham feito parte de mim naquela manhã. Agora, pareciam-me algo desconhecido.

Ouvir Edward a tocar para mim dava-me vontade de chorar. Mas fiz um esforço para me controlar. Não queria que ele desconfiasse de nada e, se dependesse de mim, não iria passar para a mente dele qualquer pista de que Aro se apropriasse.

Ao sentir-me a chegar à porta, Edward voltou a cabeça e sorriu-me, sem deixar de tocar.

– Bem-vinda a casa! – saudou-me, como se fosse um dia normal. Como se não houvesse doze vampiros na sala, entretidos com diversas actividades, e outros doze espalhados nem eu sabia onde.

– Correu bem o dia com o Charlie?

– Sim. Desculpa ter-me demorado tanto. Dei umas voltas para comprar um presente de Natal para a Renesmee. Sei que não vamos fazer nenhuma comemoração em especial, mas...
– Encolhi os ombros.

Edward descaiu os lábios. Parou de tocar e fez girar o banco, virando o corpo para mim. Depois enlaçou-me pela cintura e aproximou-me mais de mim.

– Não tinha pensado muito nisso. Se quiseres organizar uma festa...

– Não – interrompi-o. Senti um calafrio interior só de pensar em ter de fingir um entusiasmo superior ao estritamente necessário. – Apenas não queria deixar passar esta data sem lhe oferecer qualquer coisa.

– Posso ver?

– Se quiseres. É apenas uma lembrança.

Renesmee estava profundamente adormecida e ressonava suavemente, encostada ao meu pescoço. Senti inveja dela. Teria sido bom fugir à realidade, nem que fosse por poucas horas.

Pesquei cuidadosamente a pequena bolsa de veludo do interior da mala, evitando abri-la demasiado, para Edward não reparar no dinheiro que ainda trazia.

– Descobri-a numa montra de uma casa de antiguidades, ao passar de carro.

Abanei a bolsa e deixei-lhe cair o pequeno medalhão de ouro na palma da sua mão. Era redondo, com um florão delicado de um ramo de videira gravado na borda. Edward abriu o trinco minúsculo e olhou para o interior. Havia uma pequena cavidade para se colocar uma fotografia e uma inscrição em Francês, na face contrária.

– Sabes o que isto quer dizer? – perguntou num tom diferente, mais íntimo que anteriormente.

– O vendedor disse-me que era algo do género "Mais do que à própria vida". É isso?

– Sim, ele traduziu bem.

Edward levantou a cabeça, com os seus olhos de topázio a examinar-me. Encarei-o por um momento, e depois, fingi distrair-me com a televisão.

– Espero que ela goste – murmurei.

– Claro que vai gostar – retorquiu, num tom leve, natural, e nesse instante percebi que ele sabia que eu lhe escondia algo. Assim como tive a certeza de que não fazia ideia do que era.

– Vamos levá-la para casa – sugeriu ele, levantando-se e passando-me o braço pelos ombros.

Fiquei hesitante.

– O que foi? – interpelou-me Edward.

– Queria praticar um pouco com o Emmett... – Aquela missão vital fizera-me perder o dia e sentia que estava a ficar para trás.

Emmett, que estava no sofá, ao lado de Rose e, evidentemente, com o comando remoto na mão, ergueu a cabeça e esboçou um largo sorriso, já na expectativa.

– Óptimo. A floresta precisa de ser desbastada.

Edward dirigiu uma expressão carrancuda ao irmão e, em seguida, a mim.

– Amanhã, terás tempo suficiente para isso.

– Não sejas ridículo – protestei. – Já não temos nada que se pareça com "tempo suficiente". Esse conceito deixou de existir. Tenho muito que aprender...

Ele interrompeu-me.

– Amanhã.

E a expressão que fez era tal, que nem mesmo Emmett reclamou.

Fiquei admirada ao sentir como era difícil regressar à minha rotina que, afinal de contas, era nova em folha. Mas pôr de parte aquela porção diminuta de esperança a que me agarrara, tornava tudo insuportável.

Tentei focar-me nos pontos positivos. Havia boas possibilidades de a minha filha sobreviver ao que estava para chegar e o mesmo acontecia com Jacob. Se os dois tinham um futuro, então isso já corresponderia a uma espécie de vitória, certo? O nosso pequeno grupo ia conseguir defender-se, se Jacob e Renesmee tivessem a oportunidade de fugir logo no início. Sim, a estratégia de Alice só fazia sentido se estivéssemos dispostos a lutar com todas as forças. Portanto, ali havia algo a ganhar, se pensássemos que os Volturi nunca tinham sido seriamente ameaçados ao longo de inúmeros milénios.

Não seria o fim do mundo. Apenas o fim dos Cullen. O fim de Edward e o meu fim.

Preferia que fosse assim – pelo menos, em relação à última parte. Não conseguiria viver se perdesse Edward outra vez; se ele deixasse este mundo, eu iria atrás dele.

Agora, interrogava-me em abstracto sobre se haveria alguma coisa à nossa espera do outro lado. Sabia que não era esta a crença dele, embora Carlisle tivesse uma opinião contrária. Mas eu também não acreditava nisso. Por outro lado, não conseguia imaginar que Edward deixasse de existir, em algum lado, de alguma maneira. Se nos pudéssemos reunir num outro sítio, então esse seria um final feliz.

E assim decorreram os meus dias, com um receio mais difícil de suportar.

Edward, Renesmee, Jacob e eu passámos o dia de Natal em casa do meu pai. Todos os membros da alcateia de Jacob estavam lá, a par de Sam, Emily e Sue. Foi uma grande ajuda contar com a companhia deles na pequena casa de Charlie, com os corpos grandes e quentes a açambarcar todos os lugares sentados ou encaixados nos recantos, em redor da árvore de Natal decorada com enfeites dispersos – dava para identificar os sítios onde o meu pai se tinha aborrecido e desistido de decorar. Era sempre possível contar com o entusiasmo dos lobisomens em relação a uma luta em perspectiva, por mais suicida que fosse. A electricidade irradiada pela animação ali presente fornecia uma corrente benéfica, que contrariava o meu desânimo profundo. Como sempre, Edward revelou-se melhor actor que eu.

Renesmee trazia o medalhão que ao amanhecer lhe tinha oferecido e, no bolso do casaco, trazia o leitor de MP3 oferecido pelo pai – um equipamento minúsculo com capacidade para cinco mil músicas, já preenchido com as preferidas de Edward. No pulso, exibia uma pulseira profusamente entrelaçada, correspondendo à versão Quileute de um anel de compromisso. Edward olhara-a com um ar contrariado; mas eu não me importei.

Em breve, muito em breve, iria confiá-la à protecção de Jacob. Como podia eu sentir-me incomodada perante um símbolo de dedicação, onde depositava as minhas esperanças?

Edward tinha ganho o seu dia ao comprar uma prenda para Charlie. A encomenda chegara na véspera, em correio nocturno prioritário, e Charlie tinha passado a manhã inteira debruçado sobre o volumoso manual de instruções do novo sistema de sonar para a pesca.

Pela maneira como vi os lobisomens comer, o banquete de Sue deveria estar uma maravilha. Perguntei-me como olharia um observador para aquela confraternização. Teríamos representado bem o nosso papel? Um estranho veria um círculo feliz e animado de amigos a celebrar a época festiva?

Quando chegou a altura de partirmos, acho que Edward e Jacob estavam tão aliviados quanto eu. Parecia inoportuno desperdiçar energia com a farsa humana, numa altura em que havia tanta coisa importante a fazer. Tinha de empreender um grande esforço para me concentrar. Ao mesmo tempo, aquela poderia ser a última vez que via o meu pai. Talvez até fosse bom que estivesse assim entorpecida, para não me focar demasiado nessa realidade.

Já não via a minha mãe desde o casamento, mas descobri que o distanciamento gradual, iniciado há dois anos, me deixava aliviada. Renée era demasiado frágil para o meu mundo e eu não desejava que ela fizesse parte de tudo isto. Charlie era mais forte.

Talvez até fosse suficientemente forte para uma despedida neste momento; no entanto, eu não era.

Ia muito calada no carro; lá fora, a chuva assemelhava-se a uma névoa, suspensa na fronteira entre a água e o gelo. Renesmee, sentada ao meu colo, brincava com o seu medalhão, abrindo-o e fechando-o. Ao observá-la, pensei nas palavras que teria dito a Jacob naquele instante, se não tivesse de evitar que elas se instalassem na mente de Edward.

"Se achares que é seguro, leva-a para a casa do Charlie. Depois, um dia, conta-lhe toda a história. Diz ao Charlie como eu o amava e como foi tão penoso deixá-lo, mesmo quando a minha vida humana terminou. Diz-lhe que ele foi o melhor pai do mundo. Pede-lhe que transmita o meu amor à Renesmee e todas as minhas esperanças de que ela será feliz e que fica bem..."

Tinha de facultar os documentos a Jacob, antes de ser tarde de mais. E entregar-lhe uma mensagem para dar a Charlie. E uma carta para a minha filha. Algo que ela lesse, quando deixasse de lhe puder dizer que a amava.

Não havia nada de diferente no exterior da casa dos Cullen, quando o carro começou a percorrer o caminho através do relvado; no entanto, senti uma espécie de tumulto em surdina vindo de lá de dentro. Muitas vozes baixas, murmúrios e grunhidos. O som era denso e apontava para uma discussão. Conseguia distinguir as vozes de Carlisle e Amun a intervir mais vezes que as restantes.

Edward estacionou o carro em frente à casa, em vez de a contornar para o deixar na garagem, e todos trocámos um olhar circunspecto antes de sairmos.

A atitude de Jacob modificou-se, revelando um rosto sério e atento. Adivinhei que já estaria no modo Alfa. Era óbvio que tinha acontecido alguma coisa e que se preparava para obter a informação de que ele e Sam necessitavam.

– O Alistair foi-se embora – murmurou Edward, enquanto subíamos as escadas a correr.

No interior da sala da frente, os diversos contornos físicos do conflito permitiram-nos distinguir o núcleo principal. Ao longo das paredes alinhava-se um círculo de espectadores, composto por todos os vampiros que se tinham juntado a nós, à excepção de Alistair e de outros três envolvidos na contenda. Esme, Kebi e Tia eram os que estavam mais próximos dos três vampiros ao centro; no meio da sala, encontrava-se Amun, dirigindo-se a Carlisle e Benjamin numa voz sibilante.

Edward cerrou o queixo e aproximou-se rapidamente de Esme, rebocando-me pela mão. Apertei Renesmee contra o meu peito.

– Amun, se queres partir, ninguém te obriga a ficares – dizia Carlisle calmamente.

– Estás a roubar metade do meu clã, Carlisle! – vociferou Amun, num tom estridente, de dedo esticado na direcção de Benjamin. – Foi por isso que nos chamaste aqui? Para me roubares?

Carlisle suspirou e Benjamim revirou os olhos.

– Sim, o Carlisle inventou uma luta com os Volturi, colocou a família inteira em perigo, só para me armar uma ratoeira mortal – comentou Benjamin, num tom sarcástico. – Amun, sê razoável. Estou aqui meramente empenhado em fazer o que é justo e não me vou aliar a outro clã. Mas, tal como o Carlisle diz, tu fazes aquilo que quiseres.

– Isto não vai acabar bem – grunhiu Amun. – Alistair era o único que tinha juízo. Nós devíamos sair daqui a correr.

– Olha para aquele que ele diz ter juízo – murmurou Tia, num aparte em voz baixa.

– Seremos todos chacinados!

– Isto não irá acabar numa luta – garantiu Carlisle, num tom firme.

– É o que tu dizes!

– Amun, se isso acontecer, estás a tempo de mudar. Tenho a certeza de que os Volturi irão apreciar a tua ajuda.

O egípcio esboçou um sorriso escarninho.

– Talvez a resposta esteja aí.

A intervenção de Carlisle foi serena e franca.

– Não ficaria ressentido contigo, se o fizesses, Amun. Já somos amigos há muito tempo, mas nunca te pediria que morresses por mim.

Ao replicar-lhe, Amun falou num tom mais controlado.

– Mas arrastas o Benjamin na enxurrada.

Carlisle pousou a mão no ombro do outro, no entanto ele sacudiu-a.

– Eu fico, Carlisle, o que até pode vir a jogar contra ti. Eu juntar-me-ei a eles, se esse for o caminho da sobrevivência. Vocês são todos loucos, se acham que conseguem derrotá--los. – Exibiu um olhar carrancudo e depois suspirou, olhando de soslaio para Renesmee e para mim, para acrescentar num tom exasperado:

– E também testemunho que a criança cresceu. Trata-se apenas da verdade. Qualquer um dá por esse facto.

– É tudo o que sempre pedimos.

Amun esboçou um sorriso sarcástico.

– Mas não é tudo o que estão a receber, parece-me. – A seguir, virou-se para Benjamin. – Dei-te a vida e, neste momento, estás a desperdiçá-la.

O rosto de Benjamin revelava a expressão mais glacial que alguma vez lhe vira, num contraste absoluto com os seus traços juvenis.

– Só lamento que não tenhas trocado a minha vontade pela tua, nesse processo; assim, talvez ficasses mais satisfeito comigo.

Amun semicerrou os olhos. Depois, dirigiu um gesto brusco a Kebi e ambos saíram pela porta da frente, com um ar sobranceiro.

– Ele não se vai embora – disse-me Edward, calmamente – mas, a partir de agora, ainda se afastará mais. Não estava a fingir, quando admitiu juntar-se aos Volturi.

– Porque é que o Alistair se foi embora? – perguntei, em voz baixa.

– Não se sabe ao certo; ele não deixou nada escrito. Com base no que andava a resmungar, via-se que ele achava que o combate seria inevitável. Apesar do seu comportamento, na verdade, o Alistair gosta mesmo muito do Carlisle para se bater ao lado dos Volturi. Acho que deve ter concluído que existia demasiado perigo. – Edward encolheu os ombros.

Embora fosse evidente que a conversa decorria apenas entre os dois, é claro que todos podiam ouvi-la. Eleazar respondeu às observações de Edward, como se ele as dirigisse a todos.

– Pelo que ouvi da resmunguice dele, parece que havia algo mais. Não temos falado muito sobre o que os Volturi irão considerar prioritário. Todavia, o que preocupava o Alistair era saber que eles não nos iriam ouvir, por muito que provássemos a nossa inocência. Segundo ele, os italianos irão arranjar qualquer pretexto para concretizar o que têm em mente.

Os vampiros entreolharam-se pouco à vontade. A hipótese de os Volturi manipularem aquela lei sacrossanta a seu bel-prazer não agradava a ninguém. Apenas os romenos se mantinham imperturbáveis, apresentando um meio sorriso de ironia. O facto de os outros se esforçarem por terem um pensamento positivo em relação aos seus inimigos ancestrais, parecia diverti-los.

Naquele momento decorriam vários debates a meia voz, mas eu prestei atenção ao dos romenos. Talvez isso se devesse ao louro Vladimir não parar de me dirigir olhares.

– Só espero que o Alistair não se tenha enganado em relação a isto – murmurou Stefan para Vladimir. – Seja qual for o desfecho, tudo se irá saber. Já é tempo que o mundo veja aquilo em que os Volturi se tornaram. Nunca irão cair em desgraça, se todos continuarem a acreditar neste disparate de eles serem os protectores da nossa forma de vida.

– Quando governávamos, pelo menos, assumíamos aquilo que éramos – replicou Vladimir.

Stefan assentiu com a cabeça.

– Nunca pusemos umas asas e fingimos que éramos santos.

– Penso que este é um tempo de luta – acrescentou Vladimir. – Quando é que nos iremos envolver com uma força melhor que esta? Quando teremos uma outra hipótese tão boa?

– Nada é impossível. Talvez um dia...

– Nós aguardámos mil e quinhentos anos, Stefan. E, à medida que os anos avançam, eles tornam-se mais fortes. – Vladimir fez uma pausa e lançou-me um outro olhar. Não ficou surpreendido, ao aperceber-se que também o observava. – Se os Volturi ganharem este conflito, terão mais poder. A cada nova conquista, eles adquirem novas forças. Imagina o que aquela recém-nascida lhes podia dar só por si – espetou o queixo na minha direcção –, e ainda mal começou a descobrir os seus dons. E aquele que faz mover a terra. – Desta vez, Vladimir apontava para Benjamin, que ficou tenso. Tal como eu, agora quase todos se mantinham atentos aos romenos. – Como eles têm os bruxos gémeos, não precisam da ilusionista ou da que tem o toque eléctrico. – Os seus olhos já estavam em Zafrina, depois passaram para Kate.

Stefan olhou para Edward.

– E o leitor de mentes também não é assim tão preciso. Mas eu estou a ver onde queres chegar. Na verdade, eles vão conquistar muita coisa, se ganharem.

– Mais do que nos podemos dar ao luxo de os deixar.

Stefan suspirou.

– Acho que tenho de concordar. E isso significa...

– Que temos de nos erguer contra eles, enquanto ainda há esperança.

– Se não os conseguirmos estropiar, ou denunciá-los...

– Então, um dia, outros virão acabar o que começámos.

– E a nossa grande vingança será cumprida, finalmente.

Olharam-se fixamente, por alguns instantes, e em seguida murmuraram em uníssono:

– É o único caminho.

– Por isso, iremos lutar – concluiu Stefan.

Embora os sentisse divididos perante o conflito entre a auto-preservação e a vingança, o sorriso que trocaram revelava-se pleno de expectativa.

– Vamos lutar – concordou Vladimir.

Supunha que isso fosse bom; tal como Alistair, eu estava certa de que seria impossível evitar a batalha. Nesse caso, mais dois vampiros a lutar ao nosso lado só podia ajudar. No entanto, a decisão dos romenos fez-me estremecer.

– Nós também lutamos – declarou Tia, com uma voz habitualmente grave e mais solene que nunca. – Acreditamos que os Volturi excederam a autoridade que lhes compete e não sentimos desejo de lhes pertencer. – E os olhos dela pousaram no companheiro.

Benjamin sorriu ironicamente e lançou um breve olhar endia-brado aos romenos.

– Parece que me tornei num produto muito requisitado. Vou ter de lutar para conquistar a minha liberdade.

– Esta não será a primeira vez que lutamos para nos defendermos de uma lei da realeza – comentou Garrett, num tom trocista. Aproximou-se de Benjamin, dando-lhe uma palmada nas costas. – Apoio a liberdade em detrimento da opressão.

– Nós também estamos do lado do Carlisle – interveio Tanya –, e vamos lutar com ele.

As afirmações dos romenos pareciam ter despertado nos outros a necessidade de manifestar a sua posição.

– Nós ainda não tomámos uma decisão – pronunciou-se Peter. Olhava para baixo, na direcção da sua companheira minúscula; os lábios de Charlotte exibiam uma expressão contrariada. Parecia que ela já tinha decidido. Perguntei-me o que teria sido.

– Eu digo o mesmo – interpelou Randall.

– E eu também – disse Mary, por seu lado.

– As alcateias irão combater com os Cullen – anunciou Jacob, subitamente. – Nós não receamos os vampiros – acrescentou, com um sorriso enigmático.

– Crianças – ripostou Peter.

– Menores – corrigiu Randall.

Jacob esboçou um sorriso mordaz.

– Bom, eu também participo – anunciou Maggie, sacudindo os ombros para se libertar da mão controladora de Siobhan. – Sei que a verdade está do lado dos Cullen, pelo que não irei ignorá-la.

Siobhan fitou o membro mais jovem do seu clã, com uma expressão que revelava preocupação.

– Carlisle – disse ela, como se os dois estivessem sozinhos, ignorando a súbita formalidade que invadira a reunião e a inesperada explosão de declarações –, eu não quero que isto se transforme num combate.

– Nem eu, Siobhan. Sabes bem que é a última coisa que desejo. – Carlisle exibiu um sorriso breve. – Talvez te devesses focar em manter a paz.

– Tu sabes que as coisas não funcionam assim – retorquiu ela.

Lembrei a conversa de Rose e Carlisle acerca da chefe dos irlandeses; Carlisle acreditava que ela tinha um dom poderoso, embora subtil, que fazia com que as coisas acontecessem como queria – mas a própria Siobhan não acreditava nisso.

– Não te fazia mal nenhum – insistiu Carlisle.

Siobhan revirou os olhos.

– Queres que eu preveja o desfecho que desejo? – perguntou, com ironia.

Carlisle ria abertamente.

– Se não te importares.

– Então não há necessidade de o meu clã se pronunciar, certo? – replicou ela. – Uma vez que não há a possibilidade de haver um combate... – Siobhan pousou a mão no ombro de Maggie, puxando a rapariga mais para si. Liam, o seu companheiro, mantinha-se ao lado, silencioso e impassível.

Na sala, todos pareciam baralhados pelo diálogo claramente jocoso entre Carlisle e Siobhan, mas ninguém disse nada.

E foi o final da sessão de declarações dramáticas dessa noite. O grupo dispersou-se lentamente, alguns para irem caçar, outros para se entreterem com os livros, as televisões ou os computadores de Carlisle.

Edward, Renesmee e eu também fomos caçar; Jacob juntou-se a nós.

– Malditas sanguessugas – resmungou para si, quando íamos a caminho. – Pensam que são superiores – comentou, a bufar.

– Vão ficar impressionados quando os menores salvarem as suas vidas superiores, não é? – observou Edward.

Jake sorriu e deu-lhe um murro no ombro.

– Vão mesmo, com os diabos!

Esta não seria a nossa última expedição de caça. Todos voltaríamos a caçar, quando se aproximasse a data em que aguardávamos a chegada dos Volturi. Como o prazo não era certo, tínhamos planeado ficar algumas noites ao relento, na grande clareira onde se jogava basebol e que aparecera na visão de Alice, apenas por precaução. Sabíamos unicamente que eles viriam no dia em que o chão ficasse atolado de neve. Não queríamos que os Volturi se aproximassem da cidade e Demetri iria conduzi-los ao sítio onde estivéssemos. Perguntei-me quem iria ele atacar e calculei que fosse Edward, já que comigo acabaria por falhar.

Enquanto caçava, continuei a pensar em Demetri, sem prestar muita atenção à presa ou aos flocos de neve flutuantes que surgiram finalmente e que se desfaziam ao tocarem o piso rochoso. Aperceber-se-ia ele que não conseguia dominar-me? O que faria então? E Aro? Edward estaria errado? Havia aquelas pequenas excepções às quais não conseguiria resistir, as que tornariam o meu escudo. No exterior da minha mente tudo se tornava vulnerável – permeável a talentos como os de Jasper, Alice e Benjamin. Talvez o de Demetri operasse também de uma forma ligeiramente distinta.

E então, ocorreu-me um pensamento que me fez parar de repente. O alce já exangue caiu-me das mãos batendo no chão de rocha, e os flocos de neve vaporizaram-se a alguns milímetros do corpo quente, emitindo pequenos ruídos crepitantes. Fitei as minhas mãos sangrentas, com uma expressão vazia.

Edward viu-me a reagir daquela forma e correu para junto de mim, deixando a sua caça ainda intacta.

– O que aconteceu? – interpelou em voz baixa, com os olhos a perscrutar a floresta em redor, procurando a possível causa da minha atitude.

– Renesmee – respondi, com a voz embargada.

– Está ali, no meio daquelas árvores – tranquilizou-me. – Ouço os pensamentos dela e os de Jacob. Ela está bem.

– Não era a isso que me referia – contrapus. – Estava só a pensar no meu escudo. Tu estás convencido de que ele vale alguma coisa e que poderá ajudar. Sei que os outros estão na expectativa que eu consiga proteger a Zafrina e o Benjamim, mesmo que só o possa aplicar uns segundos de cada vez. Mas, e se não for assim? E se a confiança que depositam em mim for a génese da nossa derrota?

O tom da minha voz quase raiava a histeria, embora me conseguisse controlar o suficiente para não o elevar. Não queria perturbar Renesmee.

– Bella, porque é que te foste lembrar disso? É claro que é muito bom que te consigas proteger a ti própria; mas não te cabe a ti salvar os outros. Não te martirizes inutilmente.

– E se eu não conseguir proteger nada? – murmurei, com a respiração ofegante. – Aquilo que faço é deficiente, aleatório! Não tem ponta por onde se lhe pegue. Talvez nem sequer tenha poder para me defender do Alec.

– Chiu – disse ele, na tentativa de me serenar. – Não entres em pânico. E não te preocupes com o Alec. Aquilo que ele faz não difere das capacidades da Jane ou da Zafrina. É apenas uma ilusão; ele não consegue entrar na tua cabeça, tal como eu.

– Mas a Renesmee consegue – exclamei por entre dentes, num tom frenético. – Parecia algo tão natural, que nunca me interroguei sobre o facto. Era unicamente uma parte da maneira de ser dela. Só que a Renesmee introduz os seus pensamentos na minha cabeça, tal como faz com todos os outros. O meu escudo tem buracos, Edward!

Olhei-o com uma expressão desesperada, aguardando que ele se consciencializasse de tal revelação terrível. Edward tinha os lábios contraídos, como se reflectisse sobre a maneira de expressar algo. O seu rosto apresentava-se sereno.

– Já tinhas pensado nisto há muito, não é verdade? – perguntei, sentindo-me uma idiota ao alhear-me do que era óbvio ao longo de tantos meses.

Ele assentiu com a cabeça, com um sorriso suave, erguendo um dos cantos da boca.

– Da primeira vez que ela te tocou.

Suspirei, a pensar na minha estupidez, mas a calma dele fizera-me serenar um pouco.

– E isso não te inquieta? Não achas que existe algum problema?

– Tenho duas teorias, uma mais provável que a outra.

– Diz-me primeiro a mais improvável.

– Bom, ela é tua filha – sublinhou Edward. – Do ponto de vista genético, correspondendo a metade de ti. Eu costumava brincar contigo, dizendo-te que a tua mente estava numa frequência diferente das nossas. Talvez o mesmo aconteça com ela.

Aquilo não fazia qualquer sentido.

– Mas tu consegues ouvir bem a mente dela. Todos a ouvem. E se o Alec estiver sintonizado numa frequência diferente? E se...

Ele pousou-me o dedo nos lábios.

– Eu reflecti sobre este assunto. O que me levou a ponderar que a segunda teoria é mais provável.

Rangi os dentes e aguardei.

– Lembras-te do que o Carlisle me disse sobre a Renesmee, imediatamente a seguir a ela te mostrar a primeira memória?

Recordava-me, como é óbvio.

– Ele tinha dito: "É uma reviravolta interessante. Parece que ela tem um dom exactamente oposto ao teu."

– Sim, e deixou-me a pensar. Talvez ela tivesse apanhado o teu talento, usando-o em seu proveito.

Reflecti sobre aquilo.

– Tu repeles toda a gente... – começou Edward.

– ... e ninguém a repele? – concluí, hesitante.

– Essa é a minha teoria – continuou ele. – E se a Renesmee consegue entrar na tua cabeça, duvido que haja um escudo na Terra que a faça ficar à distância. Isso é uma ajuda. Por aquilo que vimos, ninguém duvida da verdade dos seus pensamentos, a partir do momento em que autorizam que ela os revele. E também penso que ninguém a impede que ela o faça, caso Renesmee se aproxime o suficiente. Se Aro lhe permitir explicar...

Senti um calafrio, ao imaginar Renesmee tão perto daqueles olhos ávidos e leitosos.

– Bom – observou o meu marido, enquanto me massajava os ombros hirtos – pelo menos não há nada que impeça o Aro de ver a verdade.

– Mas será a verdade suficiente para o travar? – murmurei.

Para isso, Edward não tinha uma resposta.

Trinta e Cinco

FIM DA LINHA

– Vais sair? – perguntou Edward, num tom despreocupado. Havia uma calma artificial na expressão dele. Apertou um pouco mais a nossa filha contra si.

– Sim, só umas compras de última hora... – respondi-lhe no mesmo tom impassível.

Ele dirigiu-me o meu sorriso preferido.

– Volta depressa para mim.

– Sempre.

Levei novamente o *Volvo* de Edward, perguntando-me se ele teria espreitado para o conta-quilómetros após a minha última saída. A que conclusões teria chegado? Que eu tinha um segredo seria uma delas, certamente. Será que ele deduzira o motivo que me levava a não confiar nele? Iria calcular que Aro poderia, em breve, apossar-se de tudo o que ele sabia? Era possível que já tivesse concluído isso, o que explicava a ausência de perguntas em relação ao meu comportamento. Além de que devia esforçar-se por não pensar muito no assunto, mantendo o meu comportamento longe da sua mente. Até podia ter articulado tudo isto com o meu gesto estranho de queimar o livro na lareira, na manhã da partida de Alice. Não imaginava se ele teria estabelecido essa ligação.

A tarde estava sombria, quase tão escura como se a noite estivesse prestes a chegar. Acelerei no meio da paisagem obscura, olhando para as nuvens ameaçadoras. Chegaria a nevar naquela noite? O suficiente para a neve se acumular no chão, criando o cenário da visão da Alice? Edward previa que faltavam dois dias. Nessa altura, já estaríamos instalados na clareira, levando os Volturi a virem ao nosso encontro, no local que tínhamos escolhido.

Enquanto cruzava a floresta cada vez mais lúgubre, reflectia sobre a anterior deslocação a Seattle. Agora, já conseguia perceber a razão por que Alice me tinha enviado para aquele ponto de encontro sórdido, destinado aos clientes clandestinos de J. Jenks. Se eu tivesse ido directamente a um dos escritórios mais legítimos, alguma vez teria descoberto aquilo de que precisava? Como poderia saber que atrás de um advogado idóneo como Jason Jenks ou Jason Scott se escondia J. Jenks, um traficante de documentos ilegais? Fora preciso seguir por um caminho que me apontasse para a necessidade de um motivo ilícito. Era a pista de Alice.

Anoitecera, quando entrei no parque de estacionamento de O Pacífico, alguns minutos antes da hora do encontro, arrumando o carro sozinha e ignorando os arrumadores solícitos posicionados à entrada. Coloquei as lentes de contacto e dirigi-me ao interior do restaurante, tencionando aguardar ali pela chegada de J. Embora desejasse completar aquela missão deprimente o mais depressa possível e regressar para junto da minha família, tinha a impressão de que o advogado era muito cauteloso, não deixando que estes negócios obscuros lhe conspurcassem a fachada; efectuar a transacção às escuras, em pleno parque de estacionamento, iria ferir a sua sensibilidade.

Dei o nome Jenks na recepção, e um chefe de mesa obsequioso conduziu-me ao piso superior, instalando-me num pequena sala privada, onde o fogo crepitava numa lareira de pedra. Ajudou--me a despir o impermeável comprido, cor de marfim, que ocultava a minha opção de seguir à letra a noção de Alice sobre um verdadeiro traje formal. Ao aperceber-me que o meu vestido de cerimónia em cetim nacarado perturbava ligeiramente o meu anfitrião, não pude deixar de me sentir lisonjeada. Ainda não me tinha habituado a ser bela para mais ninguém, além de Edward. O chefe de mesa foi balbuciando alguns elogios meio disfarçados, enquanto recuava pouco à vontade e abandonava sala.

Fiquei à espera junto à lareira, aproximando os dedos das chamas, para os aquecer um pouco antes do inevitável aperto de mão. Embora fosse óbvio que J. estava ao corrente das especificidades dos Cullen, só tinha a ganhar se mantivesse aquele hábito.

Interroguei-me por um instante sobre o que sentiria ao colocar a minha mão no fogo. Qual a sensação de a sentir a arder...

A entrada do advogado pôs fim ao pensamento mórbido. O chefe de mesa ajudou-o, também, a despir o sobretudo e verifiquei que não tinha sido a única a esmerar-me na *toilette* para o nosso encontro.

– As minhas desculpas pelo atraso – disse J, assim que ficámos sozinhos.

– Não, foi extremamente pontual.

O homem estendeu-me a mão e senti-a nitidamente mais quente que a minha quando a apertei. O facto não pareceu impressioná-lo.

– Se me permite a liberdade, Sr.ª Cullen, está assombrosa.

– Obrigada, J. E trate-me por Bella, por favor.

– Devo confessar-lhe que lidar consigo é uma experiência diferente, comparativamente aos contactos com o Sr. Jasper. Muito menos... inquietante. – Ele fez um sorriso hesitante.

– Não compreendo porquê. Sempre considerei o Jasper uma pessoa muito pacífica.

J. manifestou alguma estranheza.

– Acha que sim? – murmurou, num tom delicado, embora me parecesse claramente não estar de acordo. Aquilo era esquisito. O que lhe teria feito Jasper?

– Já conhece o Jasper há muito?

Ele suspirou, revelando algum desconforto.

– Já trabalho para o Sr. Jasper há mais de vinte anos e, antes disso, o meu sócio mais velho já o conhecia há quinze... Ele nunca muda. – J. estremeceu ligeiramente.

– Sim, o Jasper tem essa característica invulgar.

J. abanou a cabeça, como se repelisse aquele pensamento inquietante.

– Não se quer sentar, Bella?

– Para lhe falar com franqueza, estou com alguma pressa. A viagem de regresso ainda me vai levar algum tempo. – Enquanto falava, retirei da carteira um volumoso envelope branco, com o dinheiro do bónus, e entreguei-lho.

– Ah – exclamou o homem, com uma ligeira nota de decepção na voz. Enfiou o envelope num bolso interior do casaco, sem se dar ao trabalho de conferir o valor. – Estava a contar que pudéssemos falar por uns momentos.

– Sobre o quê? – perguntei, admirada.

– Bom, deixe-me entregar-lhe primeiro a sua encomenda. Queria certificar-me que está tudo de acordo com o que pretendia.

Virou-se, para colocar a pasta sobre a mesa, e abriu os dois fechos com um estalido. A seguir, retirou do interior um envelope A4 castanho.

Embora não fizesse ideia dos aspectos que teria de conferir, abri o envelope e passei os olhos pelo conteúdo. J. invertera a fotografia de Jacob e alterara a sua coloração, para não se tornar notório que era a mesma no passaporte e na carta de condução. Ambos os documentos me pareciam correctos, mas isso não queria dizer muito. Dei uma espreitadela à fotografia de Vanessa Wolfe no passaporte, por uma fracção de segundo, e logo desviei o olhar, ao sentir um nó a formar-se na garganta.

– Obrigada – agradeci-lhe.

O advogado semicerrou levemente os olhos e percebi que a minha observação tão superficial o tinha desapontado.

– Posso garantir-lhe que cada documento está perfeito – disse ele. – Todos estão aptos a passar pelo crivo mais apertado de qualquer especialista.

– Acredito que sim. Agradeço-lhe sinceramente aquilo que fez por mim, J.

– Foi um prazer, Bella. Daqui em diante, conte comigo para qualquer serviço de que a família Cullen precise. – Não o referia explicitamente, mas as palavras dele soavam-me a um convite para substituir Jasper nos contactos habituais com ele.

– Queria falar comigo sobre um outro assunto...

– Sim, hum. É um pouco delicado... – Apontou para a lareira de pedra, com uma expressão interrogativa. Aceitei o convite, sentando-me na plataforma de pedra, e ele acompanhou-me, colocando-se ao meu lado. O suor começou de novo a condensar--se na testa de J., obrigando-o a tirar um lenço de seda azul do bolso para o limpar.

– É a irmã da mulher do Sr. Jasper? Ou a mulher do irmão dele?

– Sou a mulher do irmão – esclareci-o, perguntando-me onde aquela conversa nos levaria.

– Então é a mulher do Sr. Edward, não é?

– Exactamente.

Ele fez um sorriso contrito.

– Os nomes dos Cullen já passaram muitas vezes pelas minhas mãos, compreende? Os meus votos sinceros de parabéns. Fico sensibilizado ao ver que o Sr. Edward encontrou uma companheira tão encantadora, depois de tanto tempo.

– Agradeço-lhe.

O homem fez uma pausa, batendo levemente com o lenço na testa.

– Deve imaginar a grande consideração que me merecem o Sr. Jasper e toda a sua família, depois de todos estes anos.

Assenti com a cabeça, exibindo uma expressão circunspecta.

Ele inspirou uma grande golfada de ar e depois expirou, mantendo-se em silêncio.

– J., por favor, diga aquilo que tem a dizer.

J. inspirou de novo e, em seguida, falou muito depressa por entre dentes, atropelando as palavras.

– Dormiria mais descansado esta noite se me garantisse que não está a pensar raptar a menina ao pai.

– Ah – exclamei, aturdida. Precisei de um minuto para compreender a ilação errada que ele tinha tirado. – Ah, não! Não

é nada disso. – Fiz um pequeno sorriso, tentando tranquilizá-
-lo. – Estou apenas a preparar-lhe um lugar seguro, para a
eventualidade de me acontecer alguma coisa, bem como ao
meu marido.

Ele semicerrou os olhos.

– E está a prever que possa suceder algo? – Depois corou,
enquanto se retractava. – Não é que seja da minha conta...

Observei a vermelhidão que se espalhava sob a superfície
delicada daquela pele e senti-me contente – o que acontecia
muitas vezes – por não ser um recém-nascido vulgar. J. parecia-
-me ser um homem bastante agradável, exceptuando os seus
negócios obscuros, pelo que teria sido uma pena liquidá-lo.

– Nunca se sabe... – respondi, com um suspiro.

Ele franziu o sobrolho.

– Então, permita-me que lhe deseje as maiores felicidades.
E por favor, não me leve a mal, minha querida, mas... se o Sr.
Jasper vier ter comigo e me perguntar quais os nomes que
coloquei nestes documentos...

– Naturalmente que lhe deve facultar essa informação.
Faço questão que o Sr. Jasper esteja ao corrente de todo este
assunto.

A minha sinceridade evidente pareceu aliviar-lhe um pouco
mais a tensão.

– Muito bem – disse J. – E não posso convencê-la a ficar
para jantar?

– Lamento. Nesta altura, o meu tempo é muito escasso.

– Então, formulo de novo os maiores votos de saúde e de
felicidade, Bella. Não hesite em contactar-me para tudo o que a
família Cullen vier a precisar.

– Obrigada, J.

Parti com os meus documentos falsos, lançando um breve
olhar para trás, que me permitiu ver J. a observar-me com uma
expressão de ansiedade e de desilusão em simultâneo.

A viagem de regresso levou-me menos tempo. A escuridão
era total, pelo que desliguei os faróis e carreguei a fundo no

acelerador. Ao chegar a casa, dei pela falta da maior parte dos carros, incluindo o *Porsche* de Alice e o meu *Ferrari*. Os vampiros tradicionais tinham-se distanciado dali, o mais possível, para matar a sede. Tentei não pensar na caçada dessa noite, retraindo-me perante a imagem das vítimas que me cruzou o pensamento.

Na sala da frente, encontrei apenas Kate e Garrett a debater com um ar jocoso as qualidades nutritivas do sangue animal. Deduzi que o vampiro nómada tinha feito uma tentativa de caçar ao estilo vegetariano e que a experiência não fora muito gratificante.

Edward deveria ter levado Renesmee até à casa de campo, para a deitar, e Jacob andava certamente nos bosques das proximidades. O resto da minha família, provavelmente, também teria ido caçar. Talvez os outros Denali estivessem a fazer-lhe companhia.

O que fazia com que a casa estivesse basicamente por minha conta, pelo que me apressei a aproveitar a ocasião.

Pelo cheiro, percebi que seria a primeira visitante do quarto de Alice e de Jasper ao fim de muito tempo, talvez desde a noite em que os dois nos tinham deixado. Vasculhei em silêncio o enorme roupeiro até encontrar o saco que procurava. Devia ser de Alice; era uma pequena mochila de cabedal preto, das que se usavam normalmente como pasta pessoal, e tão pequena que até Renesmee a poderia levar sem dar nas vistas. Entretanto, saqueei o fundo de reserva que eles guardavam ali, retirando o que corresponderia ao dobro dos rendimentos anuais de uma família da classe média. Parti do princípio que a possibilidade de detectarem o meu roubo seria menor ali do que se o fizesse em qualquer outro ponto da casa, já que toda a gente se sentia infeliz ao entrar naquele quarto. O envelope com os documentos falsos foi para o interior da mochila, a seguir ao dinheiro. Depois, sentei-me na borda da cama de Alice e de Jasper, a olhar para aquele volume miseravelmente insignificante, que era tudo o que podia dar à minha filha e ao meu melhor amigo, para ajudar a salvar a vida deles. Deixei-me descair contra a coluna da cama, prendida por um sentimento de impotência.

O que mais poderia eu fazer?

Deixei-me ficar ali durante alguns minutos, de cabeça inclinada, até uma ideia começar a insinuar-se na minha cabeça.

Se...

Se eu partia do princípio que Jacob e Renesmee iriam salvar--se, isso tinha como premissa que Demetri estaria morto. E esse facto daria aos sobreviventes algum espaço de manobra, incluindo a Alice e a Jasper.

Então porque não poderiam Alice e Jasper ajudar a minha filha e Jacob? Se eles se voltassem a encontrar, Renesmee teria a melhor protecção que eu podia ambicionar. Não havia motivo para isso não acontecer, com a excepção de que Jake e Renesmee eram pontos negros para Alice. Como poderia ela começar a procurá-los?

Reflecti por uns momentos e depois abandonei o quarto, atravessando o corredor em direcção ao quarto de Carlisle e de Esme. Conforme era habitual, a secretária de Esme estava cheia de plantas e esquemas, todos alinhados criteriosamente em grandes resmas. Sobre o tampo havia uma fiada de cacifos e um tinha artigos de escritório. Retirei uma folha de papel e uma caneta.

Em seguida, durante uns cinco minutos, olhei fixamente para a folha em branco marfim, a reflectir na minha decisão. Alice poderia não ver Jacob ou Renesmee, mas conseguia ver-me. Imaginei-a a ter uma visão naquele momento, com a esperança desesperada de que não estivesse demasiado ocupada para prestar atenção.

Devagar, e em movimentos determinados, escrevi as palavras RIO DE JANEIRO, em maiúsculas, e ocupando toda a página.

O Rio de Janeiro parecia ser o melhor destino para eles: ficava distante, além de que Alice e Jasper já se encontravam na América do Sul, de acordo com a última informação recebida; por outro lado, os nossos problemas mais antigos continuavam actuais, mesmo que tivéssemos problemas maiores pela frente. O mistério do futuro de Renesmee associado ao terror daquele desenvolvimento acelerado mantinha-se. Teríamos ido para lá, de qualquer maneira. Agora caberia a Jacob, e, se a sorte estivesse do nosso lado, a Alice, a tarefa de desbravar as lendas.

Voltei a curvar a cabeça, de dentes cerrados, assaltada de novo pela vontade de chorar. Era melhor que Renesmee fosse sem mim. Mas já sentia tanto a falta dela que mal podia suportar.

Inspirei o mais fundo que consegui e coloquei o papel dobrado no fundo da mochila de cabedal, onde Jacob não demoraria a encontrá-lo.

Fiz figas – já que seria improvável que ensinassem Português na escola – para Jake ter, pelo menos, escolhido o Espanhol como língua de opção.

Agora restava aguardar.

Edward e Carlisle permaneceram durante dois dias na clareira onde Alice tinha visto os Volturi chegar. Aquele era o mesmo local da matança onde os recém-nascidos de Victoria tinham atacado no Verão anterior. Perguntei-me se Carlisle não sentiria aquela cena como uma repetição, um *déjà-vu*. Para mim, tudo era novo. Desta vez, Edward e eu iríamos ficar ao lado da nossa família.

Ao imaginar que os Volturi só poderiam ter interesse em apanhar Edward ou Carlisle, perguntei-me se eles não ficariam surpreendidos ao ver que as suas presas não tinham fugido. Isso faria com que se tornassem mais cautelosos? O facto de os italianos sentirem alguma vez a necessidade de agirem com cuidado era algo não me passava pela cabeça.

Embora eu fosse invisível para Demetri, pelo menos assim o esperava, fiquei com Edward. Claro. Só nos restavam umas horas para ficarmos juntos.

Edward e eu não trocámos um último e emocionado adeus; nem seria essa a minha intenção. Dizer essa palavra era torná-la em algo final e definitivo. Tal como quando se escreve a palavra

Fim, na última página de um romance. Por isso, omitimos as palavras, e ficámos apenas muito juntos um do outro, sem deixarmos de nos tocar. Qualquer que fosse o final que viesse ao nosso encontro, não nos encontraria separados.

Armámos uma tenda para Renesmee, alguns metros para o interior da floresta protectora, e em seguida houve um novo *déjà-vu*, ao darmos connosco acampados no meio do frio, acompanhados por Jacob. Era quase impossível pensar em como tudo mudara desde o anterior mês de Junho. Há sete meses, a nossa relação triangular seria impensável, com três espécies diferentes de mágoa que não se podiam evitar. Agora, tudo atingira o equilíbrio perfeito. Parecia tratar-se de uma ironia atroz, o facto de as peças do *puzzle* se encaixarem no momento em que seriam destruídas.

Na noite anterior à véspera do Ano Novo, começou a nevar novamente. Desta vez, os flocos minúsculos não se dissolveram ao bater no terreno rochoso da clareira. Enquanto Renesmee e Jacob dormiam – o meu amigo ressonava tão alto, que não percebia como a minha filha não acordava – a neve começou por formar uma superfície gelada na Terra, para depois passar a acumular-se em camadas mais densas. Quando o Sol nasceu, a cena da visão de Alice estava completa. Edward e eu demos as mãos e nenhum falou, enquanto observávamos o campo luminoso e branco que se estendia à nossa frente.

À medida que amanhecia, os outros foram aparecendo, com os olhos a revelar, em silêncio, os preparativos que tinham feito – uns dourados e claros, os outros vermelhos e brilhantes. Pouco tempo depois de nos juntarmos, sentimos os movimentos dos lobos a passar por entre as árvores. Jacob abandonou a tenda, deixando Renesmee adormecida, para se ir juntar a eles.

Edward e Carlisle dispunham os outros numa formação aberta, alinhando as nossas testemunhas ao lado, tal como uma galeria.

Eu seguia as movimentações à distância, ao lado da tenda, à espera que Renesmee acordasse. Quando isso aconteceu, ajudei--a a vestir as roupas que lhe escolhera com todo o cuidado, dois dias antes. Eram roupas de aparência feminina e mimosa; mas, na verdade, bastante robustas para não acusarem o efeito do desgaste, mesmo se a pessoa que as vestisse fosse transportada por um lobisomem gigante e atravessasse uma imensidão de Estados. Por cima do casaco, pendurei-lhe a mochila de cabedal preto, com os documentos, o dinheiro, a pista e as minhas mensagens afectivas para ela, Jacob, Charlie e Renée. A minha filha era suficientemente forte para isto não lhe constituir um fardo.

Os seus olhos estavam muito abertos, enquanto ela lia a angústia no meu rosto. Porém, já tinha adivinhado o suficiente para não me perguntar o que estava a fazer.

– Amo-te – disse-lhe. – Mais do que tudo.

– Também te amo, mamã – respondeu Renesmee. Tocou no medalhão que trazia ao peito, onde agora tinha uma fotografia minúscula dela, comigo e com Edward. – Ficaremos juntos para sempre.

– Ficaremos juntos para sempre nos nossos corações – corrigi-a, num murmúrio brando como o ar. – Mas hoje, quando chegar a altura, terás de me deixar.

Os seus olhos abriram-se mais e a menina tocou-me com a mão na face. O "não" silencioso foi mais forte do que se o gritasse!

Lutei por engolir em seco, com a sensação de que tinha a garganta inchada.

– Fazes isso por mim? Por favor?

Ela pressionou mais os dedos contra o meu rosto.

Porquê?

– Não te posso dizer – murmurei. – Mas em breve irás compreender. Prometo-te.

Na minha cabeça, surgiu o rosto de Jacob.

Assenti com a cabeça e afastei-lhe os dedos.

– Não penses nisso – segredei-lhe ao ouvido. – Não contes ao Jacob, até eu te dizer para fugires, está bem?

Ela acenou-me também com a cabeça. Tinha compreendido.

Tirei do bolso uma última peça.

Quando estivera a arrumar as coisas de Renesmee, o meu olhar fora atraído por um fulgor colorido inesperado. Um raio de sol fortuito atravessara a clarabóia, atingindo as gemas da caixa de jóias antiga, guardada numa prateleira muito alta, a um canto inacessível. Pensara nela por um momento e acabara por encolher os ombros. Depois de juntar todas as pistas de Alice, perdera a esperança de que o confronto que se avizinhava fosse resolvido de uma forma pacífica. No entanto, porque não tentar começar as coisas da maneira mais amigável possível? "O que custava isso?", perguntara-me. E afinal sempre havia um fundinho de esperança – cega e sem sentido – porque tinha trepado as estantes e retirara o presente de casamento que Aro me oferecera.

Nesse momento, apertava a grossa corrente de ouro à volta do pescoço, sentindo o peso do enorme diamante a aninhar-se na cova da garganta.

– Bonito – sussurrou Renesmee. Depois, passou-me os braços em volta do pescoço com toda a força. Apertei-a contra o peito. Enlaçadas, abandonámos a tenda e dirigimo-nos para a clareira.

Edward ergueu uma sobrancelha ao ver-me aproximar, mas foi a única reacção que o meu acessório ou o de Renesmee lhe suscitaram. Limitou-se a passar os braços em redor das duas, por um longo momento, para então nos soltar, com um suspiro profundo. Não lhe descobri nos olhos qualquer sinal de despedida. Talvez ele tivesse mais esperança em algo para lá desta vida que o que deixava transparecer.

Ocupámos a nossa posição, com Renesmee a trepar para as minhas costas agilmente, deixando-me as mãos livres. Coloquei--me um pouco mais atrás da linha da frente, formada por Carlisle, Edward, Emmett, Rosalie, Tanya, Kate e Eleazar. Ao meu lado, e bastante próximos, estavam Benjamin e Zafrina; era minha função protegê-los o máximo de tempo possível. Eles eram as nossas melhores armas ofensivas. Se os Volturi fossem os únicos a perder a visão, nem que por uns momentos, poderia mudar tudo.

Zafrina estava hirta e feroz, com Senna, ao seu lado, assemelhando-se ao seu reflexo. Benjamin sentara-se no chão, espalmando as mãos contra a terra, enquanto resmungava em voz baixa sobre as falhas geológicas. Na noite anterior, tinha espalhado pilhas de pedra ao fundo do prado, dando-lhes um aspecto natural. Estas encontravam-se, agora, cobertas de neve e embora não conseguissem ferir um vampiro, tínhamos esperanças que pudessem distrair algum.

As testemunhas agruparam-se à nossa esquerda e à nossa direita, algumas aproximando-se mais que outras – as que tinham feito declarações eram as mais próximas. Reparei que Siobhan pressionava as têmporas, de olhos fechados, como se se concentrasse; estaria a cumprir o que Carlisle lhe pedira? A tentar visualizar uma resolução diplomática?

Nos bosques atrás de nós, os lobos invisíveis permaneciam imóveis e preparados; apenas lhes distinguimos a respiração pesada e os corações a bater.

As nuvens rolaram no céu, difundindo a luz do Sol, pelo que tanto parecia ser de manhã como de tarde. Edward franziu os olhos, perscrutando a linha do horizonte, e eu tive a certeza de que ele via exactamente a mesma cena pela segunda vez – sendo a primeira a da visão de Alice. Quando os Volturi aparecessem, não haveria qualquer diferença. Já só faltavam minutos ou segundos.

A nossa família e os aliados prepararam-se.

O enorme Alfa castanho-avermelhado avançou da floresta e colocou-se ao meu lado; devia ter sido demasiado difícil para ele manter aquela distância de Renesmee, quando ela estava perante um perigo tão eminente.

A minha filha debruçou-se para enroscar os dedos na pelagem do ombro maciço do lobo e senti o corpo dela a descontrair-se ligeiramente. Estava mais calma com Jacob ali. E eu também me sentia ligeiramente melhor. Enquanto Jacob estivesse com Renesmee, ela ficaria bem.

Edward estendeu-me a mão, sem se arriscar a desviar o olhar para trás. Avancei com o braço ao seu encontro e agarrei-lha. Ele apertou os meus dedos.

O tempo avançou mais um minuto e dei por mim a esforçar--me, ao máximo, por ouvir o som de algo a aproximar-se.

E, então, Edward ficou tenso e emitiu um silvo entre os dentes cerrados. Os olhos dele fixaram-se na floresta, a Norte do sítio onde estávamos.

Os nossos olhares dirigiram-se para o mesmo ponto e assim aguardámos a passagem dos últimos segundos.

Trinta e Seis

SEDE DE SANGUE

Eles chegaram com pompa e circunstância, o que lhes conferia uma certa beleza.

Caminhavam numa formação rígida e formal. Moviam-se em conjunto, mas não pareciam marchar; fluíam em perfeita sincronia a partir das árvores – uma forma negra e uníssona, que parecia pairar uns centímetros acima da neve alva, tão suave era o movimento.

O perímetro exterior era cinzento e, essa cor, escurecia à medida que percorria cada linha de corpos, até chegar num negro profundo ao centro da formação. Cada rosto estava encapuzado e coberto por sombras. O leve roçar dos pés era tão regular que parecia algo musical, com um ritmo complexo, sem qualquer quebra.

A um sinal que não vi – ou talvez não houvesse um sinal, apenas milénios de prática – o conjunto desdobrou-se a toda a volta. O movimento foi demasiado rígido e esquadrado para parecer o desabrochar de uma flor, embora a coloração o pudesse sugerir. Parecia a abertura graciosa e muito facetada de um leque. As silhuetas de mantos cinzentos espalharam-se pelos flancos, enquanto os vultos mais negros convergiam para o centro, em movimentos precisos e rigorosamente controlados.

Era uma marcha lenta, mas ponderada, sem quaisquer pressas, tensão ou ansiedade. A marcha dos invencíveis.

À minha frente, e apenas com uma diferença, surgia o meu pesadelo anterior. Faltava só o desejo exultante, os sorrisos jubilosos da vingança que vira no sonho. Até ao momento, os Volturi pareciam dominar-se o suficiente, ocultando todas as emoções. Também não manifestaram qualquer surpresa ou receio perante o grupo de vampiros que os aguardava – um conjunto que se revelava bruscamente desorganizado e mal preparado, ao ser comparado com o deles. O lobo gigante que estava no meio de nós não lhes suscitou qualquer reacção.

Não consegui deixar de os contar. Ao todo, eram trinta e dois. Mesmo descontando os dois vultos negros frágeis e desgarrados, que me pareciam as duas consortes – com a sua posição resguardada a excluí-las de qualquer combate –, ainda continuávamos em minoria. De todos nós, apenas dezanove iam lutar, sobrando outros sete para assistir à nossa derrota. Mesmo que incluíssemos os dez lobos, eles tinham-nos na mão.

– Vêm aí os casacas vermelhas, vêm aí os casacas vermelhas – murmurou Garrett para si, com um ar misterioso, soltando uma pequena gargalhada. A seguir, moveu-se discretamente, para se aproximar mais de Kate.

– Eles vieram mesmo – murmurou Vladimir para Stefan.

– As consortes – sibilou Stefan, em resposta. – O exército inteiro. Todos em peso. Fizemos bem em não os termos ido desafiar a Volterra.

E então, como se aquele número não fosse o bastante, à medida que os Volturi avançavam, no seu passo lento e majestático, outros vampiros começaram a chegar à clareira, na sua retaguarda.

Os rostos deste fluxo de vampiros, aparentemente infinito, eram a antítese da disciplina impassível dos Volturi, ostentando um caleidoscópio de emoções. Inicialmente, pareceram chocados, ansiosos até, ao verem a resistência inesperada que os aguardava. No entanto, foi uma reacção passageira; o seu número esmagador, a força imparável do exército dos Volturi que os liderava, renovou-lhes a confiança. Às suas feições regressou a expressão que traziam antes de os surpreendermos.

Nela, tornava-se muito fácil detectar o que os instigava. À nossa frente estava uma turba enraivecida, fanática e sedenta de justiça. Só depois de ver aqueles rostos é que tive a plena consciência do que o mundo dos vampiros sentia em relação às crianças imortais.

E também era óbvio que esta horda tão díspar e desorganizada – mais de quarenta vampiros no total – funcionava como um grupo de testemunhas para os Volturi. Depois de nos matarem, iriam apregoar por todo o mundo que os criminosos tinham sido erradicados e que os Volturi se limitaram a actuar de forma justa. Na maior parte, os vampiros da turba pareciam dispostos a dar mais que um testemunho – ajudar a despedaçar e a queimar.

Não nos restava qualquer hipótese. Mesmo que conseguíssemos, por um processo qualquer, neutralizar a vantagem dos Volturi, eles iriam enterrar-nos vivos. Mesmo que matássemos Demetri, Jacob nunca seria capaz de lhes escapar.

Senti que os outros, em meu redor, se deixavam abater pela mesma constatação. O ambiente soçobrava de desespero, que me esmagava com uma pressão ainda maior.

Um dos vampiros da força adversária parecia não estar integrado em qualquer das facções; reconheci Irina, ao vê-la a hesitar entre os grupos, com uma expressão distinta de todos aqueles que a rodeavam. O seu olhar aterrorizado mantinha-se suspenso sobre a posição de Tanya, na linha da frente. Edward deixou escapar uma rosnadela, num som cavo mas expressivo.

– O Alistair tinha razão – murmurou ele para Carlisle.

Vi o olhar que Carlisle lhe lançou, com uma pergunta silenciosa.

– O Alistair tinha razão? – murmurou Tanya.

– Eles, o Caius e o Aro, vêm para destruir e conquistar – esclareceu Edward, num tom abafado e quase inaudível, que apenas o nosso lado conseguiu apanhar. – A ofensiva deles está organizada em várias opções estratégicas. Se se viesse a provar que a acusação de Irina era falsa, eles empenhavam-se em invocar um outro motivo para o ataque. Mas, neste momento, já viram a Renesmee, o que os leva a justificar plenamente o rumo que tomaram. Ainda podíamos tentar defender-nos de todas as outras acusações forjadas, mas primeiro seria necessário que parassem para escutar a verdade sobre Renesmee. – E acrescentou, ainda mais baixo:

– O que não têm qualquer intenção de fazer.

Jacob resmungou baixinho, de um modo estranho.

Foi então que dois segundos depois, sem que o prevíssemos, a procissão estacou. A música suave de movimentos em sincronia perfeita ficou suspensa. Mas a disciplina, sem mácula, não se alterou minimamente e os Volturi petrificaram-se numa quietude infinita, como se fossem um só corpo. Agora, havia cerca de noventa metros a separá-los de nós.

Atrás de mim e de cada lado, senti os batimentos de corações poderosos mais próximos. Arrisquei espreitar pelo canto dos olhos, para a esquerda e para a direita, vendo o que levara os Volturi a deter-se.

Os lobos tinham-se juntado a nós.

Cada flanco dos nossos alinhamentos irregulares ramificava--se agora em grandes braçadas de lobos, que estabeleciam uma nova fronteira. Precisei apenas de uma fracção de segundo para descobrir que eram mais de dez, assim como para distinguir os lobos conhecidos dos que nunca tinha visto. Eram dezasseis, espalhados em nosso redor por espaços irregulares – dezassete no total, a contar com Jacob. Pela altura e dimensão excessiva das patas era notório que os recém-chegados seriam todos muito, muito jovens. Eu devia ter previsto; com tantos vampiros aboletados naquela zona, a explosão da população de lobisomens era inevitável.

Mais crianças a morrer. Perguntei-me porque teria Sam permitido aquilo, mas depois concluí que não lhe restava alternativa. A partir do momento em que alguns deles alinhavam ao nosso lado, os Volturi não descansariam enquanto não eliminassem os restantes. A participação dos lobisomens no conflito colocava toda a espécie em risco.

E nós iríamos perder.

Uma raiva abrupta apossou-se de mim. E além da raiva, senti uma fúria assassina, que dissipava a minha aflição desesperada.

Vi os vultos negros à minha frente, realçados por um clarão fosco e avermelhado, e tudo o que desejei naquele momento foi cravar--lhes os meus dentes, extirpar-lhes os membros e amontoá-los para lhes deitar fogo. Estava tão enlouquecida que seria capaz de dançar em redor da pira com os corpos deles a arder em vida; teria rido, até nada mais restar do que cinzas adormecidas. Os meus lábios recuaram instintivamente e um rugido surdo e feroz elevou-se do fundo do estômago, abrindo caminho até à garganta. Senti os cantos da boca a contraírem-se num sorriso.

Ao meu lado, Zafrina e Senna fizeram eco do meu urro abafado. Edward apertou-me a mão, que ainda segurava na sua, recomendando-me prudência.

Os rostos sombreados dos Volturi, na sua maioria, mantiveram-se impassíveis. Apenas dois pares de olhos denunciavam o que poderia ser um assomo de emoção. No núcleo mais central, Aro e Caius, cada um tocando na mão do outro, faziam uma pausa para avaliar a situação, com o exército inteiro suspenso, à espera da ordem para matar. Embora os dois não se fitassem, era óbvio que existia uma comunicação entre eles. Marcus tocava na mão oposta de Aro, mas parecia ausente do diálogo. A sua expressão exibia mais alguma vivacidade que a dos membros do exército, embora houvesse alguma apatia. Tal como da outra vez em que o tinha visto, pareceu-me completamente enfastiado.

As testemunhas dos Volturi inclinaram o corpo na nossa direcção, com os olhos raivosos pousados em mim e em Renesmee. No entanto, mantiveram-se na orla da floresta, afastados dos soldados Volturi por uma ampla faixa de terreno. Somente Irina pairava na linha da frente, separada por alguns passos das mulheres ancestrais – as duas louras, de tez empoada e olhos velados – e dos guarda-costas imponentes.

Mesmo atrás de Aro estava uma mulher envolta num dos mantos cinzentos mais escuros. Não o podia garantir, mas pareceu-me que ela lhe tocava nas costas. Seria Renata, o outro escudo? Perguntei-me, tal como Eleazar o fizera, se ela conseguiria repelir-me.

No entanto, não iria arriscar a minha vida, tentando atacar Caius ou Aro. Havia outras metas mais vitais.

Procurei-os e não tardei em descobrir os dois mantos minúsculos, em cinzento muito escuro, junto ao coração da esquadria. Alec e Jane, sem qualquer dúvida os membros mais pequenos da guarda, estavam ao lado de Marcus, enquanto Demetri os flanqueava do lado oposto. Os seus rostos formosos pareciam imperturbáveis, sem manifestar qualquer emoção: a cor escura dos mantos era a que mais se aproximava do negro puro dos Anciãos. Gémeos bruxos, chamara-lhes Vladimir. Os poderes deles eram a pedra angular da ofensiva Volturi. As jóias da colecção de Aro.

Os meus músculos flectiram-se e a minha boca inundou-se de veneno.

Os olhos vermelhos e velados de Aro e de Caius oscilaram a toda a extensão do nosso alinhamento. Li a desilusão no rosto de Aro, enquanto o seu olhar estático se movia sem cessar ao longo dos nossos rostos, em busca de um que faltava ali. Os seus lábios cerraram-se, num ricto de contrariedade.

Naquele momento, só consegui sentir alívio por Alice ter fugido.

Enquanto a pausa se desenrolava, senti a respiração de Edward a acelerar.

– Edward? – proferiu Carlisle em voz baixa, com alguma ansiedade.

– Eles estão indecisos em relação aos próximos passos. Neste momento avaliam as opções e definem os alvos. Um deles sou eu, claro, depois tu e ainda o Eleazar e a Tanya. O Marcus está a analisar a força dos laços que nos ligam uns aos outros, para tentar encontrar os pontos fracos. A presença dos romenos é algo que os irrita, também estão preocupados com alguns rostos desconhecidos – a Zafrina e a Senna, em particular – e com os lobos, naturalmente. Até agora nunca tinham enfrentado um adversário que os ultrapassasse em número. Foi isso que os fez parar.

– Ultrapassasse? – murmurou Tanya, num tom incrédulo.

– Eles não estão a contar com as testemunhas – esclareceu Edward, num murmúrio. – Para a guarda, elas não têm qualquer significado. O Aro é que adora ter espectadores.

– Achas que eu fale com eles? – perguntou Carlisle.

Edward hesitou e depois assentiu com a cabeça.

– Só dispões desta oportunidade para o fazeres.

Carlisle endireitou os ombros e deu alguns passos em frente, destacando-se da nossa linha defensiva.

Odiei vê-lo assim sozinho, exposto, enquanto ele esticava os braços e virava as palmas para cima, como se fizesse uma saudação.

– Aro, meu velho amigo. Há quantos séculos!...

Um silêncio de morte percorreu, por largos momentos, a clareira branqueada pela neve. Senti a tensão invadir Edward, à medida que ele escutava a opinião de Aro sobre as palavras de Carlisle. A angústia crescia, a cada segundo.

E, então, Aro começou a avançar, deixando o centro da formação dos Volturi. Renata, o seu escudo, movia-se a compasso, como se tivesse as pontas dos dedos ligadas ao manto dele. Pela primeira vez, distinguiu-se uma reacção nas fileiras do exército. Um rugido surdo percorreu o alinhamento, enquanto as sobrancelhas se cerravam e os dentes se arreganhavam. Alguns guardas agacharam-se, preparados para saltar.

Aro ergueu a mão em direcção a eles.

– Paz.

Deu mais uns passos em frente e, a seguir, inclinou a cabeça para o lado. Os olhos leitosos ardiam-lhe de curiosidade.

– Belas palavras, Carlisle – proferiu, na sua voz delicada e branda. – Parecem deslocadas, tendo em conta as forças que aqui juntaste para me assassinar: a mim e aos meus entes queridos.

Carlisle abanou a cabeça e estendeu a mão direita, como se não houvesse noventa metros de permeio entre os dois.

– Terás apenas de tocar na minha mão, para verificares que não é essa a minha intenção.

Os olhos velados de Aro franziram-se.

– Mas como pode a tua intenção ter algum valor, caro Carlisle, face ao que fizeste? – E franziu o sobrolho, enquanto uma sombra de tristeza lhe moldava as feições; todavia não consegui saber se seria genuína ou não.

– Não cometi o crime pelo qual vieste punir-me.

– Então afasta-te e deixa-nos castigar os responsáveis. Em boa verdade, Carlisle, hoje nada me agradava mais que preservar a tua vida.

– Ninguém infringiu a lei, Aro. Deixa-me explicar. – Carlisle voltou a estender a mão.

Antes que o outro lhe respondesse, Caius avançou rapidamente, colocando-se ao lado do irmão.

– Tantas regras sem sentido, tantas leis desnecessárias que criaste para ti, Carlisle – afirmou o Ancião de cabelo branco, com uma fala sibilante. – Como é possível que defendas a transgressão da lei que realmente importa?

– A lei não foi violada. Se me ouvirem...

– Nós estamos a ver a criança, Carlisle – rosnou Caius. – Não queiras fazer de nós parvos.

– Ela não é uma imortal. Nem é uma vampira. Posso provar--vos isso facilmente, em escassos segundos...

Caius interrompeu-o.

– Se ela não é um dos seres proibidos, porque tens aqui um batalhão a protegê-la?

– Testemunhas, Caius, tal como tu trouxeste as tuas. – Carlisle apontou para a turba enraivecida na orla da floresta e alguns dos elementos rosnaram em resposta. – Qualquer um destes amigos te pode dizer a verdade acerca da criança. Ou então, basta que olhes para ela, Caius. Vê o rubor do sangue humano nas suas faces.

– Isso é um disfarce! – retorquiu Caius, bruscamente. – Onde está a informadora? Ela que venha aqui! – E esticou o pescoço, olhando à sua volta, até descobrir Irina parada junto das consortes. – Tu! Vem cá!

Ela olhou-o aturdida, com uma expressão de quem ainda não despertou, por completo, de um pesadelo medonho. Caius deu um estalo impaciente com os dedos e um dos corpulentos guarda-costas das consortes aproximou-se de Irina e empurrou--a rudemente pelas costas. Ela pestanejou duas vezes e avançou lentamente em direcção a Caius, como se estivesse em transe. Deteve-se a alguns metros de distância, com o olhar fixo nas irmãs.

Caius percorreu a distância que os separava e esbofeteou-a.

Não lhe devia ter doído, mas o gesto continha algo de profundamente degradante. Era como se tivesse dado um pontapé a um cão. Tanya e Kate emitiram um silvo, em uníssono.

O corpo de Irina ficou rígido e ela focou o olhar em Caius. Este esticou um dedo que lembrava uma garra e apontou para Renesmee, que permanecia nas minhas costas e continuava a agarrar a pelagem de Jacob com os seus dedos. O rosto de Caius enrubesceu, ao deparar-se com o meu olhar de raiva, enquanto um urro ressoava no peito de Jacob.

– Foi aquela criança que tu viste? – perguntou Caius, num tom imperioso. – Aquela que tudo indicava ser mais do que humana?

Irina espreitou na nossa direcção, examinando Renesmee pela primeira vez desde que a vira na clareira. A sua cabeça descaiu para o lado, com o rosto baralhado.

– Então? – rugiu Caius.

– Eu... não tenho a certeza – afirmou, num tom de perplexidade.

Caius crispou a mão, como se tivesse vontade de a esbofetear novamente.

– O que é que queres dizer? – questionou-a com um ar feroz.

– Ela parece-me diferente, mas penso que é a mesma criança. Aquilo que quero dizer é que ela mudou. Esta criança é maior que aquela que eu vi, mas...

Ao ouvi-lo a bufar de fúria, repuxando violentamente os lábios para trás, Irina interrompeu o que ia a dizer. Aro avançou imediatamente para o lado do irmão, colocando-lhe a mão no ombro num gesto apaziguador.

– Tem calma, Caius. Teremos tempo para esclarecer tudo isto. Não vamos precipitar-nos.

O outro virou as costas a Irina, com uma expressão sombria.

– Agora, queridinha – começou Aro, num murmúrio cordial e melífluo –, mostra-me aquilo que estavas a tentar dizer. – E estendeu a mão na direcção da vampira desnorteada.

Irina deu-lhe a mão com alguma hesitação e Aro segurou-a na sua, durante alguns segundos.

– Estás a ver, Caius? – comentou com o irmão. – É simples obtermos aquilo que pretendemos.

Ele não lhe respondeu. Aro lançou um olhar de soslaio para a assistência mais próxima, a seguir para a sua turba, e só então voltou a dirigir-se a Carlisle.

– Ao que parece, temos aqui um verdadeiro mistério. Tudo indica que esta criança cresceu. No entanto, a primeira memória de Irina referia-a claramente como uma criança imortal. Curioso...

– Era isso mesmo que tentava explicar – afirmou Carlisle. A mudança na sua voz sugeriu-me que ele ficara mais aliviado. Aquele era o tempo de pausa que todos ansiáramos, por entre as esperanças nebulosas.

Eu não me senti aliviada. Enquanto a raiva quase me entorpecia, aguardava as várias opções estratégicas da ofensiva referidas por Edward.

Carlisle estendeu de novo a mão e Aro hesitou por um momento.

– Preferia obter a explicação de alguém com um papel mais central na história, meu amigo – esclareceu ele. – Estarei errado ao assumir que esta transgressão não partiu da tua parte?

– Não houve qualquer transgressão.

– Seja como for, pretendo examinar cada faceta da verdade. – A voz branda de Aro revestiu-se de um tom duro. – E a melhor forma de o obter é contar com o depoimento do teu talentoso filho. – E inclinou a cabeça em direcção a Edward. – Como vejo a criança agarrada à sua companheira recém-nascida, deduzo que ele esteja envolvido.

Evidentemente que Edward era o seu alvo. Assim que acedesse à mente dele, Aro conheceria todos os nossos pensamentos. À excepção do meu.

Edward voltou-se rapidamente para dar um beijo na minha testa e na da nossa filha, sem me olhar. A seguir, avançou pelo campo de neve, apertando o ombro de Carlisle ao passar por ele. Ouvi um queixume surdo atrás de mim – Esme não conseguiu controlar o seu terror.

Naquele momento, a névoa vermelha que vira em redor do exército dos Volturi estava mais brilhante. Não aguentava olhar para Edward a atravessar sozinho aquele espaço branco e vazio – do mesmo modo que não me atrevia a dar mais um passo com Renesmee, em direcção aos nossos inimigos. Sentia--me dilacerada por duas forças que me impeliam em sentidos contrários; o esforço que fazia para não me mover dava-me a sensação de ter os ossos prestes a estilhaçar-se.

Vi Jane a sorrir, quando Edward ultrapassou a meia distância do ponto onde nos encontrávamos, ficando mais próximo deles.

Aquele ligeiro sorriso presunçoso foi o bastante. A minha fúria atingiu o clímax, ultrapassando até a sede de sangue enraivecida que sentira no momento em que vira os lobos a tomarem partido neste combate condenado. À minha língua chegou o sabor a demência – senti-o a fluir através de mim, como uma onda gigantesca de poder absoluto. Projectei o meu escudo, recorrendo a toda a força da mente, lançando-o a uma distância impossível, para o outro lado do campo – o que decuplou o meu recorde – como se fosse um dardo, expirando o ar num jacto devido ao esforço.

O escudo saiu disparado numa bolha de energia total, numa nuvem semelhante a um cogumelo de aço fundido. Pulsava como um ser vivo – eu sentia-o vibrar do cume até aos bordos.

Não se verificou qualquer retrocesso na superfície elástica; naquele instante de força bruta, eu percebi que o movimento de resistência que experimentara dias antes era causado por mim – agarrara-me a essa componente invisível da minha autodefesa, limitando o escudo inconscientemente. Este momento de libertação fê-lo arrojar-se a uns bons cinquenta metros de mim, sem qualquer esforço e exigindo apenas uma fracção da minha concentração. Senti-o tão flexível como outro músculo qualquer, obedecendo à minha vontade. Empurrei-o, moldando-o numa forma oval e pontiaguda. Tudo o que essa forma de aço flexível cobria, passou de repente a fazer parte de mim – senti-me rodeada pela força viva de tudo o que ele protegia, os pontos de calor luminosos, as centelhas ofuscantes de luz. Projectei-o mais para a frente, a toda a extensão da clareira, e suspirei de alívio ao sentir a luz brilhante de Edward sob a minha protecção. Mantive-o assim, contraindo este novo músculo para se moldar mais estreitamente ao corpo dele, numa camada fina mas incorruptível, que o isolava dos nossos inimigos.

Mal chegara a passar um segundo. Edward prosseguia o seu caminho em direcção a Aro. Tudo mudara de forma absoluta, só que ninguém se apercebera daquela explosão, a não ser eu. Os meus lábios soltaram uma gargalhada de espanto e senti os olhares dos outros e o olho grande e negro de Jacob a descer sobre mim, observando-me como se eu tivesse enlouquecido.

Edward deteve-se a alguns passos de Aro e eu percebi, com alguma contrariedade, que não devia impedir a troca de pensamentos que iria seguir-se, embora o conseguisse. Esse era o ponto fulcral dos nossos preparativos: convencer Aro a ouvir a nossa versão da história. Senti quase que uma dor física ao fazê-lo, mas voltei a recuar o escudo com alguma relutância, deixando Edward de novo exposto. A vontade de rir já me tinha passado, enquanto me focava inteiramente nele, pronta a protegê-lo no mesmo instante, caso alguma coisa corresse mal.

O queixo de Edward ergueu-se com arrogância, ao estender a mão a Aro como se lhe concedesse uma grande honra. Aquela atitude pareceu deixar Aro puramente encantado, mas os outros reagiram de um modo diferente. Renata agitava-se nervosamente na sua sombra. O semblante de Caius estava tão carregado que a sua pele, translúcida e fina como o papel, parecia arriscar--se a engelhar-se para sempre. A pequena Jane arreganhava os dentes e, ao lado dela, Alec semicerrava os olhos num esforço de concentração. Calculei que, tal como eu, ele se preparasse para reagir a qualquer segundo.

Aro aproximou-se mais de Edward, sem hesitações – na verdade, o que teria ele a temer? Os vultos poderosos, envoltos em mantos num cinzento mais claro – os lutadores mais hercúleos, como Felix –, estavam a escassos metros de distância. Jane e o seu dom de fogo conseguiria lançar Edward ao chão, contorcendo-se de agonia. Alec podia cegá-lo e ensurdecê-lo, antes de Edward dar um passo em direcção a Aro. Mas ninguém sabia que eu tinha capacidade de os deter; nem mesmo Edward.

Aro apertou a mão de Edward, com um sorriso imperturbável. Os olhos deles fecharam-se de imediato, num movimento brusco, e os ombros encolheram-se logo sob o peso esmagador da informação.

Cada pensamento secreto, cada estratégia, cada revelação – tudo o que Edward ouvira nas mentes que o rodeavam no mês anterior – estava agora na posse de Aro. E recuando ainda mais... cada visão de Alice, cada momento de intimidade com a nossa família, cada imagem na cabeça de Renesmee, cada beijo, cada contacto entre ele e eu... tudo isso passara também a pertencer-lhe, a partir daquele momento.

Soltei um silvo de frustração e a minha irritação levou o escudo a encolher-se, alterando a forma e retraindo-se em redor de nós.

– Calma, Bella – murmurou-me Zafrina.

Cerrei os dentes.

Aro continuava concentrado nas memórias de Edward, enquanto este curvava a cabeça, com os músculos do pescoço a contraírem-se violentamente, ao ler cada coisa que o outro lhe retirava e o modo como reagia a tudo isso.

Este diálogo bilateral, mas desequilibrado, prosseguiu o tempo suficiente para aumentar a intensidade de nervosismo na guarda. Um burburinho de murmúrios começou a percorrer o esquadrão, até uma ordem seca de Caius remeter todos ao silêncio. Jane avançava a pouco e pouco, como se não conseguisse controlar-se, e o rosto de Renata endurecia perante o desconforto. Examinei, por instantes, aquele escudo poderoso, agora de aparência tão fraca e assustada; embora ela fosse útil a Aro, via-se que não era uma combatente. A sua função era proteger e não lutar. Nela não havia sede de sangue. No meu estado, ainda em bruto, conseguiria anulá-la, se o combate se travasse entre as duas.

Voltei a concentrar-me, ao ver Aro a endireitar-se e a abrir os olhos, de repente, revelando uma expressão impressionada e cautelosa. Não soltou a mão de Edward e este aliviou apenas um pouco a pressão dos músculos.

– Estás a ver? – questionou-o Edward, com um tom sereno na sua voz de veludo.

– Sim, na verdade, estou – concordou Aro e, para minha surpresa, parecia quase divertido. – Duvido que quaisquer outros dois, entre os deuses ou os mortais, tenham alguma vez visto desta forma tão clara.

Pelos rostos disciplinados da guarda passou uma expressão de descrença, ecoando aquilo que eu sentia.

– Deste-me muita coisa para reflectir, meu jovem amigo – prosseguiu Aro. – Muito mais do que esperava. – No entanto, continuava a apertar a mão de Edward, cuja posição rígida correspondia à atitude de quem está à escuta. Edward permaneceu em silêncio.

– Posso conhecê-la? – pediu Aro, com uma avidez inesperada e quase num tom de súplica. – Nunca sonharia com a existência de tal fenómeno em todos os meus séculos de existência. Que enriquecimento para nossa História!

– De que é que estás a falar, Aro? – intrometeu-se Caius, bruscamente, antes que Edward pudesse responder. A simples pergunta de Aro já me levara a puxar Renesmee para os meus braços, aninhando-a numa posição protectora contra o meu peito.

– Algo que nunca poderias imaginar, meu amigo pragmático. Aproveita este momento para reflectires, já que a justiça que pretendíamos aplicar deixou de fazer qualquer sentido.

Ao ouvir aquelas palavras, Caius soltou um silvo de surpresa.

– Paz, meu irmão – avisou-o Aro, com a voz suave.

Aquilo poderia ter sido uma boa notícia – eram as palavras que queríamos ouvir, a suspensão da pena que nunca julgáramos ser possível. Aro tinha escutado a verdade. Aro admitia que a lei não tinha sido violada.

Mas o meu olhar desviou-se para Edward e vi-lhe os músculos das costas contraídos. À minha mente, regressou a instrução que Aro dera a Caius para reflectir e percebi que havia um segundo sentido.

– Apresentas-me à tua filha? – voltou Aro a perguntar. Caius não foi o único a soltar um silvo, perante o novo imprevisto.

Edward assentiu com a cabeça, mostrando alguma relutância. No entanto, Renesmee já tinha conquistado muitos vampiros e Aro parecia continuar a ser o líder dos Anciãos. Se ele estivesse do lado dela, os outros teriam alguma hipótese de nos afrontar?

Aro continuava a agarrar na mão de Edward, pelo que agora respondia a uma questão que nenhum dos restantes ouvira.

– Neste ponto e tendo em vista as circunstâncias, julgo que será de aceitar uma solução de compromisso. Vamos encontrar--nos a meio.

Entretanto, soltou-lhe finalmente a mão e, quando Edward se virou para vir ao nosso encontro, pousou-lhe a mão no ombro com naturalidade, como se os dois fossem os melhores amigos

– mantendo-se assim em contacto com o seu corpo. Os dois começaram a atravessar o campo, na nossa direcção.

O exército inteiro fez menção de os acompanhar, mas Aro ergueu a mão, num gesto negligente, sem se virar para trás.

– Fiquem nos vossos lugares, queridos amigos. Garanto-lhes que eles não nos atacam, se mantivermos a serenidade.

A reacção da guarda à declaração foi mais espontânea que anteriormente. Embora todos permanecessem no mesmo lugar, ouviu-se um coro de rosnadelas e silvos de protesto. Renata, mais próxima que nunca de Aro, gemeu de ansiedade.

– Senhor... – sussurrou ela.

– Não te preocupes, minha querida – retorquiu ele. – Está tudo bem.

– Talvez fosse melhor trazeres alguns elementos da guarda contigo – sugeriu Edward. – Isso deixa-os mais tranquilos.

Aro anuiu, acenando-lhe com a cabeça, como se aquela fosse uma observação sábia de que ele próprio se deveria ter lembrado. A seguir, deu dois estalos com os dedos.

– Felix. Demetri.

Os dois vampiros colocaram-se imediatamente ao lado dele. A aparência dos dois não se tinha alterado desde que os vira pela última vez. Ambos eram altos e morenos, sendo Demetri vigoroso e delgado, como a lâmina de uma espada, e Felix robusto e ameaçador, como uma moca cravejada de pregos.

Os cinco pararam no meio do campo de neve.

– Bella – chamou Edward. – Traz a Renesmee... e alguns amigos.

Respirei fundo, com o corpo a retesar-se de contrariedade. A ideia de levar Renesmee para o centro do conflito... Mas eu confiava em Edward e ele devia saber se Aro estaria a planear alguma traição nesse momento.

Aro tinha levado três protectores para aquela cimeira, pelo que eu ia levar dois comigo. Precisei apenas de um segundo para decidir.

– Jacob? Emmett? – chamei, em voz baixa. Emmett, porque estaria em pulgas para ir. Jacob, porque não suportaria ser deixado para trás.

Ambos assentiram com a cabeça e Emmett esboçou um largo sorriso.

Atravessei o campo com os dois nos meus flancos, ouvindo as vozes ribombantes da guarda a reagir à minha escolha – era evidente que eles não confiavam no lobisomem. Aro ergueu a mão, voltando a dissipar o protesto.

– Tens aí uma companhia interessante – observou Demetri para Edward, em voz baixa.

Edward não lhe respondeu, mas Jacob deixou escapar um urro surdo por entre dentes.

Parámos a alguns metros de Aro e Edward curvou-se para se libertar do braço dele, juntando-se rapidamente a nós e pegando na minha mão.

Entreolhámo-nos todos em silêncio. A seguir, Felix saudou-me num aparte em voz baixa.

– Olá de novo, Bella. – Dirigiu-me um sorriso arrogante, enquanto a sua visão periférica continuava a controlar cada pequeno movimento de Jacob.

Sorri com frieza ao imponente vampiro.

– Viva, Felix.

Ele soltou uma pequena gargalhada.

– Estás com bom aspecto. A imortalidade fica-te bem.

– Muito obrigada.

– Sê bem-vinda. É uma pena...

Deixou o comentário a meio, mas eu não precisava do dom de Edward para imaginar o resto.

É uma pena que tenhamos de te matar daqui a pouco.

– Sim, é uma pena, não é? – murmurei.

Felix pestanejou.

Aro não deu atenção à nossa troca de palavras, deixando cair a cabeça para o lado, com uma expressão fascinada.

– Ouço o seu coração desconhecido – murmurou, pronunciando as palavras numa cadência quase musical. – Cheiro-lhe o odor estranho. – A seguir, virou os seus olhos enevoados para mim. – Na verdade, jovem Bella, a imortalidade condiz contigo de uma forma extraordinária – afirmou. – Pareces ter sido concebida para esta vida.

Dirigi-lhe um aceno de cabeça, em reconhecimento do seu louvor.

– Gostaste da minha prenda? – perguntou ele, com os olhos no pendente que trazia ao pescoço.

– É lindo e foi uma enorme generosidade da sua parte. Agradeço-lhe. Devia ter-lhe enviado uma mensagem de agradecimento.

Aro soltou uma gargalhada delicada.

– É apenas uma lembrança, algo que andava para lá perdido. Pensei que seria um bom complemento para o teu rosto e parece-me que acertei.

Aos meus ouvidos chegou uma interjeição sibilante, vinda da linha da frente do exército, que me levou a espreitar por cima do ombro dele.

Humm. Aparentemente, o facto de Aro me ter dado um presente não tinha deixado Jane nada contente.

Aro pigarreou, reclamando de novo a minha atenção.

– Posso cumprimentar a tua filha, encantadora Bella? – perguntou-me numa voz doce.

Era isto que eu desejava, recordei a mim própria. Controlei o impulso que me levava a apertar Renesmee nos braços e a fugir dali, e dei dois passos em frente. O meu escudo ondulou atrás de mim como se fosse um manto, protegendo o resto da minha família, enquanto a menina ficava exposta. Aquilo parecia-me errado e horroroso.

Aro aproximou-se mais, de rosto radiante.

– Que adorável! – murmurou. – Tão parecida contigo e com Edward! – A seguir levantou a voz, dirigindo-se a ela:

– Olá, Renesmee.

A minha filha olhou para mim, de imediato, e eu assenti com a cabeça.

– Olá, Aro – respondeu-lhe num tom formal, com a voz sonora e musical.

Os olhos dele ficaram perplexos.

– O que é isto? – sibilou Caius, mais atrás. Parecia furioso por ser obrigado a fazer uma pergunta.

– Semimortal, semivampira – anunciou Aro a ele e ao resto do exército, sem desviar o seu olhar assombrado de Renesmee. – Para que isso fosse possível, esta recém-nascida concebeu-a e carregou-a no seu ventre, quando ainda era humana.

– Impossível! – escarneceu Caius.

– Então, achas que eles me ludibriaram, irmão? – Aro falava com um tom de grande divertimento, mas Caius estremeceu. – A batida de coração que ouves também é uma fraude?

O outro franziu o sobrolho, parecendo tão mortificado como se as perguntas suaves de Aro fossem duas bofetadas.

– Vamos ter calma e paciência, irmão – recomendou Aro, sem deixar de sorrir para Renesmee. – Sei como prezas o cumprimento da lei, mas seria injusto aplicá-la contra esta pequenina sem igual apenas devido à sua ascendência. E há tanto a aprender, tanto a aprender! Reconheço que não partilhas o meu entusiasmo pela compilação da História, mas peço-te, meu irmão, que sejas indulgente comigo, ao recolher mais um capítulo que me surpreende pelo improvável que contém. Viemos para aplicar a nossa justiça a falsos amigos e olha o que ganhámos, em vez disso! Um conhecimento novo e luminoso de nós próprios e das nossas capacidades.

Estendeu a mão para Renesmee, num convite. Mas não era isso que a menina queria, pelo que se esticou para a frente, afastando-se ligeiramente de mim e tocando com a ponta dos dedos no rosto de Aro.

Ele não reagiu com a perturbação que quase todos os outros tinham manifestado a este gesto de Renesmee; tal como

Edward, Aro estava habituado a receber o fluxo de pensamentos e memórias de outras mentes.

O seu sorriso ampliou-se, enquanto Aro suspirava de satisfação.

– Brilhante – murmurou.

A minha filha voltou a encostar-se ao meu colo, com o seu pequeno rosto muito sério.

– Por favor? – pediu-lhe.

O sorriso de Aro revestiu-se de ternura.

– É claro que eu não sinto desejo de fazer mal aos teus entes queridos, minha querida Renesmee.

A voz dele era tão afectuosa e tranquilizante que me fascinou por um segundo. Mas depois, ouvi os dentes de Edward a ranger e, muito atrás de nós, o silvo enraivecido de Maggie desencadeado pela percepção da mentira.

– Pergunto-me... – começou Aro, com um ar pensativo, parecendo ignorar a reacção às palavras anteriores. De súbito, o seu olhar pousou em Jacob e, em vez da repulsa com que os outros Volturi encaravam o lobo gigante, distingui um desejo imenso que não compreendi.

– Não funciona dessa maneira – afirmou Edward, com um tom bruscamente duro, a colocar de lado a sua neutralidade estudada.

– Era só um pensamento ao acaso – declarou Aro, observando Jacob sem disfarçar e movendo o olhar lentamente ao longo das duas fileiras de lobisomens atrás de nós. O que quer que Renesmee lhe tinha mostrado, motivara aquele interesse inesperado.

– Eles não nos pertencem, Aro. Não obedecem às nossas ordens dessa forma. Estão aqui porque assim o entenderam.

Jacob rosnou num tom ameaçador.

– Mas parecem muito ligados a ti – comentou Aro. – À tua jovem companheira e à tua... família. *Lealdade*. – A voz dele acariciou suavemente aquela palavra.

– Eles empenham-se em proteger a vida humana, Aro. Isso torna possível coexistirem connosco, mas o mesmo seria quase impossível contigo. A não ser que repensasses o teu estilo de vida.

Aro riu com jovialidade.

– Foi só um pensamento ao acaso – repetiu. – Sabes bem como isso funciona. Nenhum de nós consegue controlar, por completo, os nossos desejos subconscientes.

Edward sorriu com ironia.

– Sei, realmente. E também sei a diferença entre essa espécie de pensamento e a outra espécie que tem um objectivo por trás. Isso nunca iria funcionar, Aro.

A grande cabeça de Jacob voltou-se na direcção de Edward e um ganido suave soltou-se por entre os dentes.

– Ele ficou intrigado com a ideia... dos cães de guarda – murmurou Edward para trás das costas.

Fez-se um instante de silêncio profundo e, a seguir, a clareira gigantesca foi invadida pelas rosnadelas de fúria emitidas pela alcateia inteira.

Ao som de uma ordem rosnada com brusquidão – ditada por Sam, calculei, embora não me tivesse voltado para olhar – os protestos cessaram, fazendo-se um silêncio ameaçador.

– Suponho que isto responde à questão – observou Aro, de novo a rir. – Este grupo já demonstrou de que lado está.

Edward soltou um silvo e inclinou-se para a frente. Crispei a mão no braço dele, perguntando-me o que haveria nos pensamentos de Aro que o levasse a agir com aquela violência, enquanto Felix e Demetri se curvavam em simultâneo. Aro acalmou-os de novo, com um gesto da mão. Todos regressaram à posição inicial, incluindo Edward.

– Tanto para discutir – declarou Aro, subitamente, com a voz de um homem de negócios cheio de afazeres. – Tanto para decidir. Meus queridos Cullen, se vocês e o vosso protector peludo me dão licença, neste momento preciso de conferenciar com os meus irmãos.

Trinta e Sete

ESTRATAGEMAS

Aro não se juntou aos soldados ansiosos que o aguardavam a Norte da clareira; em vez disso, fez-lhes sinal com a mão para avançarem.

Nesse instante, Edward começou a recuar, puxando-me pelo braço e fazendo o mesmo com Emmett. Apressámo-nos a voltar para trás, de olhos fixos na ameaça iminente. Jacob retrocedeu mais devagar, com a pelagem dos ombros eriçada e as presas arreganhadas para Aro. Enquanto nos movíamos, Renesmee agarrava-o pela ponta da cauda, mantendo-a presa, como uma trela, e forçando-o a ficar junto de nós. Chegámos perto da nossa família, no momento em que os mantos negros voltavam a rodear Aro.

Agora, entre nós e eles, havia menos de uma quinzena de metros — distância que todos podíamos vencer em apenas um salto, numa fracção de segundo.

Caius discutia já com o irmão.

– Como podes aceitar essa infâmia? Porque temos de ficar impotentes face a este crime monstruoso, disfarçado por uma fraude tão óbvia? – protestava, esticando os braços para o lado, com as mãos crispadas como garras. Perguntei-me porque não se limitava a tocar em Aro, para lhe exprimir a sua opinião. Estaríamos perante uma divisão entre facções? Teríamos assim tanta sorte?

– Porque é a verdade – replicou Aro, calmamente. – Em toda a acepção. Olha só para o número de testemunhas que ali estão, prontas a confirmar que viram esta criança milagrosa a crescer e a amadurecer no tempo tão limitado em que a acompanharam.

E que sentiram o calor do sangue que lhe corre nas veias. – O gesto de Aro abrangia-nos a todos, desde Amun a uma ponta, a Siobhan na extremidade contrária.

Caius reagiu de uma forma estranha às palavras apaziguadoras do irmão, apenas com um sobressalto, quase imperceptível, à menção da palavra "testemunhas". A cólera desapareceu-lhe do rosto, dando lugar a uma expressão fria e calculista, enquanto passava o olhar pelas testemunhas dos Volturi com um ar vagamente... nervoso.

Também fitei de relance a turba enraivecida, concluindo rapidamente que essa qualificação deixara de se aplicar. O fanatismo dava lugar ao atabalhoamento. A multidão repartia--se em conversas murmuradas, na tentativa de compreender o que tinha acontecido.

Caius franziu o sobrolho, imerso em pensamentos. Aquela expressão pensativa alimentou o fogo da minha cólera latente e, em simultâneo, angustiou-me. E se a guarda voltasse a agir, obedecendo a um sinal invisível, como o fizera durante a marcha? Examinei o meu escudo com ansiedade; pareceu--me tão impenetrável quanto antes. Flecti-o num arco amplo e pouco elevado, alargando a sua protecção a toda a nossa companhia.

Sob ele, distinguia as colunas afiladas de luz, assinalando as posições da família e amigos – cada qual com uma tonalidade diferente, que acabaria por distinguir com a prática. Já conhecia a de Edward; era a mais brilhante de todas. O espaço livre que sobrava em redor dos pontos luminosos deixou-me intranquila: o escudo não estava dotado de uma barreira física, pelo que apenas me protegeria a mim e a mais ninguém se um dos Volturi munidos com um dom se introduzisse por debaixo. Senti a testa a franzir-se, enquanto arrastava cuidadosamente a carapaça flexível para trás. Carlisle posicionava-se num dos extremos; puxei o escudo, centímetro a centímetro, tentando ajustá-lo ao corpo dele, o melhor que conseguia.

A minha arma pareceu disposta a colaborar, rodeando-lhe a silhueta; quando ele se moveu para o lado, aproximando--se de Tanya, o elástico estendeu-se, moldando-se à sua forma anímica.

Fui repuxando o tecido, com uma sensação de fascínio, levando-o a adaptar-se a cada forma cintilante, correspondente a um amigo ou aliado. O escudo colava-se a cada um deles, num movimento obediente, movendo-se à medida que eles se moviam.

Só tinha passado um segundo; Caius continuava a reflectir.

– Os lobisomens – murmurou ele, finalmente.

De repente, senti uma pontada de pânico ao ver que os lobisomens se encontravam desprotegidos. Estava prestes a lançar o escudo sobre eles, quando percebi com espanto que sentia as suas centelhas de vida. Movida pela curiosidade, cingi o diâmetro da superfície um pouco mais, até Amun e Kebi – situados no canto mais afastado do grupo – ficarem de fora, em conjunto com os lobos. Assim que isso aconteceu, senti as suas luzes a extinguirem-se. Tinham deixado de existir, nessa nova perspectiva. No entanto, as chamas brilhantes dos lobos permaneciam lá – ou melhor, metade delas. Humm... voltei a alargar a superfície elástica e todos eles voltaram a brilhar, assim que ela abrangeu o corpo de Sam.

A ligação entre as mentes da alcateia devia ser mais forte do que imaginara. Desde que o Alfa estivesse debaixo do meu escudo, todos os lobos ficariam igualmente protegidos.

– Ah, meu irmão... – retorquiu Aro à declaração de Caius, com um olhar de sofrimento.

– Também defendes essa aliança, Aro? – questionou o outro. – As Crianças da Lua têm sido os nossos inimigos mais implacáveis, desde o início dos tempos. Perseguimo-las na Europa e na Ásia, quase conseguindo exterminá-las. No entanto, o Carlisle promove uma relação familiar com esta praga monstruosa, sem dúvida para tentar destruir-nos. Tudo o que for melhor para proteger o estilo de vida pervertido que leva.

Edward pigarreou fortemente e Caius lançou-lhe um olhar irado. Aro colocou uma mão pequena e delicada sobre o rosto, como se o outro o fizesse sentir-se envergonhado.

– Caius, estamos a meio do dia – sublinhou Edward, apontando para Jacob. – É óbvio que eles não são as Crianças da Lua, nem têm qualquer relação com os vossos inimigos do outro lado do mundo.

– Vocês andam a reproduzir mutantes aqui – acusou Caius, histérico.

Edward cerrou o queixo e de imediato o descerrou, para lhe responder numa voz imperturbável:

– Eles nem chegam a ser lobisomens. Se não acreditas em mim, o Aro pode explicar-te melhor.

Não eram lobisomens? Lancei um olhar baralhado a Jacob, que me respondeu, elevando as espáduas maciças e deixando-as cair – um simples encolher de ombros. Ele também não fazia a mínima ideia do que Edward queria dizer.

– Caro Caius, eu ter-te-ia avisado para não tocares nesse ponto, se me tivesses transmitido os teus pensamentos – murmurou Aro. – Embora estas criaturas olhem para si como lobisomens, não é isso que elas são. Neste caso, a designação mais apropriada seria transmutantes. A escolha da forma de lobo foi apenas uma entre as várias hipóteses. Quando a primeira mutação ocorreu, eles podiam ter optado pelo corpo de um urso, um falcão, ou uma pantera. Estas criaturas não têm nada que ver com as Crianças da Lua, limitando-se a herdar dos pais esta competência. Trata-se de algo genético: eles não contaminam outros seres para dar continuidade à espécie, ao contrário dos verdadeiros lobisomens.

Caius fulminou Aro com um olhar irritado, que continha algo mais, talvez a acusação de uma traição.

– Eles estão a par do nosso segredo – afirmou, numa voz inexpressiva.

Edward fez menção de responder àquela acusação, mas Aro antecipou-se.

– Eles são criaturas do nosso mundo sobrenatural, meu irmão. Talvez ainda mais dependentes do secretismo que nós; por isso, é muito difícil que nos venham a expor. Cuidado, Caius. Os argumentos capciosos não nos levam a qualquer lugar.

Caius respirou fundo e assentiu com a cabeça. Os dois trocaram um olhar longo e expressivo.

Calculei que compreendia a insinuação camuflada nas palavras cautelosas de Aro. As acusações falsas não ajudavam a convencer as testemunhas que os observavam de cada lado e ele recomendava a passagem à estratégia seguinte. Perguntei-me se a aparente tensão entre os dois – com a reticência por parte de Caius em partilhar os seus pensamentos através do toque da pele – se devia ao desinteresse deste pelo espectáculo, ao contrário de Aro. A carnificina que se avizinhava seria muito mais essencial a Caius que a questão de mancharem a sua reputação?

– Quero falar com a informadora – anunciou ele, bruscamente, pousando o seu olhar colérico em Irina.

Esta não prestara qualquer atenção ao diálogo entre os dois irmãos, mantendo o rosto contorcido de aflição e os olhos fixos nas irmãs, alinhadas à espera da morte. Pela sua expressão, tornava-se evidente que ela reconhecia ter feito uma acusação totalmente falsa.

– Irina – chamou Caius, num tom rude, contrariado por ter de se dirigir a ela.

Irina ergueu os olhos, confundida, denunciando um sentimento de pavor.

Caius deu um estalo com os dedos.

Irina saiu da orla do esquadrão dos Volturi, num passo hesitante, e posicionou-se novamente à frente dele.

– Pelo que vejo, aquilo que alegavas estava muito longe de ser verdade – iniciou Caius.

Tanya e Kate inclinaram-se para a frente, ansiosas.

– Peço desculpa – murmurou Irina. – Devia ter-me certificado do que estava a ver. Mas não fazia ideia... – e lançou um gesto impotente em direcção a nós.

– Caro Caius, como podias esperar que ela adivinhasse, num segundo, que estava perante algo tão estranho e impossível? – argumentou Aro. – Qualquer um de nós teria chegado à mesma conclusão.

O irmão estalou os dedos, mandando-o calar.

– Todos sabemos que cometeste um erro – prosseguiu ele, num tom brusco. – O que quero saber é quais foram as tuas motivações.

Nervosa, Irina aguardou que ele continuasse, e a seguir repetiu:

– As minhas motivações?

– Sim, desde logo, para os ires espiar.

A palavra "espiar" fê-la estremecer.

– Estavas ressentida com os Cullen, não era?

Ela olhou para Carlisle com uma expressão de tristeza.

– Sim, é verdade – reconheceu.

– Porquê?... – pressionou-a Caius.

– Porque os lobisomens mataram o meu amigo – murmurou ela. – E os Cullen não me deixaram vingá-lo.

– Os transmutantes – corrigiu Aro, em voz baixa.

– Então, os Cullen alinharam com os transmutantes contra a nossa espécie, inclusivamente contra um amigo de uma amiga – sintetizou Caius.

Ouvi Edward a emitir uma interjeição de repugnância surda. Caius percorria a sua lista, à procura de uma acusação que se pudesse aplicar ali.

Irina contraiu os ombros.

– É assim que o vejo.

Aro fez uma outra pausa e depois propôs-lhe:

– Se queres apresentar uma queixa formal contra os transmutantes e contra os Cullen, por terem sido os seus cúmplices, agora é o momento certo. – E esboçou um leve sorriso cruel, à espera que a irmã de Tanya e de Kate lhe disponibilizasse o próximo pretexto.

Talvez ele não compreendesse o que são as famílias verdadeiras, como funcionam as relações baseadas no amor e não apenas no amor ao poder. Talvez ele sobrevalorizasse a força da vingança.

Irina ergueu o queixo e endireitou os ombros.

– Não, eu não tenho nenhuma queixa a fazer dos lobos nem dos Cullen. Vocês vieram até aqui para destruir uma criança imortal. E essa criança não existe. O erro foi meu e assumo toda a responsabilidade por ele. Mas os Cullen estão inocentes, pelo que a vossa presença já deixou de ter qualquer razão de ser. Lamento imenso – disse, olhando para nós. Depois virou o rosto, para encarar as testemunhas dos Volturi. – Não houve qualquer crime, nem existe uma razão válida para continuarem neste local.

Enquanto ela falava, Caius ergueu a mão e distinguiu um objecto metálico estranho, cinzelado e ornamentado.

Aquele era o sinal, e a resposta foi tão rápida que todos ficámos boquiabertos, sem querer acreditar, enquanto a cena decorria. Antes de haver tempo para reagirmos, ela tinha terminado.

Três dos soldados Volturi saltaram para a frente e os seus mantos cinzentos ocultaram Irina. No mesmo instante, um guincho horroroso e metálico atravessou a clareira. Caius deslizou, como uma cascavel, para o centro do tumulto cinzento, e o grito estridente e chocante deflagrou num jacto ascendente e aterrador de chispas e línguas de fogo. Os soldados saltaram para trás, afastando-se daquele inferno repentino, e voltaram a ocupar as suas posições no alinhamento perfeito do exército.

Caius ficou sozinho, junto dos restos ardentes de Irina, com o objecto metálico na mão a projectar um jacto denso de chamas em direcção à pira.

A seguir, ouviu-se um pequeno estalido que colocou fim à torrente de fogo. Na retaguarda dos Volturi, um grito sufocado percorreu o amontoado de testemunhas.

Estávamos demasiado aterrados para proferir qualquer som. Uma coisa era saber que a morte estava a chegar, a um ritmo feroz e imparável; outra, era vê-la acontecer.

Caius esboçou um sorriso gelado.

– Agora, ela assumiu a inteira responsabilidade dos seus actos.

O seu olhar dardejou sobre a nossa linha de frente, pairando rapidamente sobre as silhuetas petrificadas de Tanya e de Kate.

Nesse instante, compreendi que Caius jamais subestimara os laços de uma verdadeira família. Aquele era o seu ardil. Ele não queria saber das razões de queixa de Irina; pretendia apenas o desafio dela. O pretexto para a destruir, para desencadear a violência que contaminava o ar como um gás denso e inflamável. Caius tinha lançado o fósforo para a fogueira.

A paz artificial da sua cimeira oscilava de uma forma mais precária que um elefante numa corda bamba. Assim que a luta começasse, não haveria qualquer forma de a deter. Seria apenas uma escalada, até uma das facções ser aniquilada por completo. A nossa facção. Caius sabia-o.

E Edward também.

– Detém-nas! – gritou ele, dando um salto para agarrar no braço de Tanya, quando esta se lançava para a frente, com um grito enlouquecido de pura raiva, visando Caius com o seu sorriso sarcástico. Tanya não conseguiu sacudir e libertar-se de Edward a tempo de evitar que Carlisle a prendesse com toda a força pela cintura.

– Já é tarde de mais para a ajudares – argumentou este, tentando chamá-la à razão, enquanto ela se debatia. – Não lhe dês aquilo que ele quer.

Kate foi mais difícil de controlar. Com guinchos agudos e sem articular uma palavra, tal como a irmã, encetou a primeira investida do ataque cujo final seria a morte de todos. Rosalie estava mais próxima, mas antes de lhe conseguir passar o braço em redor da cabeça para a manietar, Kate lançou-lhe uma descarga tão potente que a deixou contraída no chão. Emmett arrebatou Kate pelo braço e conseguiu derrubá-la, cambaleando para trás logo a seguir, com os joelhos a fraquejar. Kate rodou sobre si e levantou-se, parecendo que ninguém a conseguia deter.

Garrett lançou-se sobre ela, voltando a derrubá-la. Rodeou--lhe os braços com os seus, entrelaçando os seus punhos nas mãos, prendendo-a contra o chão. O corpo dele estremeceu, sob o impacto dos choques, e os olhos reviraram-se; mas Garrett não desistiu.

– Zafrina! – gritou Edward.

Os olhos de Kate perderam a expressão e os gritos trans-formaram-se em gemidos. Ao mesmo tempo, Tanya deixou de se debater.

– Devolve-me a visão – intimou Tanya, com uma voz sibilante.

Dominada pelo desespero, mas com toda a delicadeza que consegui, retesei ainda mais o escudo contra as silhuetas faiscantes dos meus amigos, descolando-o com cuidado do corpo de Kate e passando-o ao mesmo tempo em redor de Garrett, para criar uma película fina entre os dois.

Foi então que Garrett voltou a ser senhor da situação, logrando imobilizar finalmente Kate sobre a neve.

– Se eu te libertar, voltas a atacar-me, Katie? – murmurou ele.

Ela rosnou-lhe em resposta, agitando-se violentamente às cegas.

– Ouçam-me, Tanya e Kate – disse Carlisle, num murmúrio baixo, mas emotivo. – Agora, a vingança não nos irá ajudar. A Irina não gostaria que perdessem a vossa vida desta maneira. Pensem no que estão a fazer. Se os atacarem, morreremos todos.

Os ombros de Tanya soçobraram e ela encostou-se a Carlisle, em busca de conforto. Kate parou de se debater. Carlisle e Garrett continuaram a apaziguá-las com palavras demasiado imperativas para soarem apenas a um consolo.

E a minha atenção voltou a concentrar-se no peso dos olhares que tinham seguido o nosso momento de caos. Pelo canto do olho, vi que Edward e todos os outros, além de Carlisle e Garrett, estavam de novo em alerta.

O olhar mais furioso vinha de Caius, que fitava Kate e Garrett sobre a neve, com um ar enraivecido e sem querer acreditar no que via.

A incredulidade era também a principal emoção no rosto de Aro, ao olhar para os dois. Ele sabia o que Kate conseguia fazer, depois de sentir o seu poder nas memórias de Edward. Será que compreendia aquilo que estava a acontecer? Teria reparado que o meu escudo se desenvolvera em força e argúcia, muito além do que Edward julgava ser possível? Ou teria concluído que Garrett desenvolvera uma forma própria de imunidade?

Os soldados Volturi já tinham abandonado a sua posição vertical e disciplinada – agora, inclinavam-se para a frente, prontos a saltar em contra-ataque assim que déssemos o primeiro passo ofensivo.

À sua retaguarda, quarenta e três testemunhas observavam a cena, com expressões muito diferentes das que traziam ao chegar à clareira. A confusão tinha dado lugar à suspeita. A destruição de Irina no tempo de um raio abalara-os. Que crime poderia ela ter cometido?

Sem se verificar o ataque imediato, com que Caius contava para desviar as atenções do seu acto precipitado, as testemunhas dos Volturi questionavam-se sobre o que se estava a passar ali, afinal. Ao olhar para Aro, vi-o lançar uma espreitadela rápida para trás, com o rosto a denunciar uma expressão de contrariedade. A sua ideia de vir acompanhado de espectadores era um tiro que lhe estava a sair pela culatra.

Ouvi os murmúrios de Stefan e Vladimir, comentando o desconforto de Aro, com uma alegria contida.

Era óbvio que a manutenção das asas de anjo, usando as palavras dos romenos, era algo que preocupava Aro. Mas eu não acreditava que eles nos deixassem em paz, só para salvar a sua reputação. Depois de nos exterminarem, certamente iriam liquidar todas as testemunhas, a fim de salvaguardar a sua imagem. Senti uma piedade súbita e estranha pelo grupo de desconhecidos que os Volturi tinham arrastado atrás de si para morrer. Demetri encarregar-se-ia de lhes dar caça, até os matar um por um.

Por Jacob e Renesmee, por Alice e Jasper, por Alistair e por esta multidão desconhecida que ignorava o preço a pagar pelo dia de hoje, Demetri teria de morrer.

Aro bateu levemente no ombro de Caius.

– A Irina levantou falsos testemunhos contra esta criança e, por isso, foi punida. – Portanto, aquela seria a justificação deles. – Talvez fosse melhor regressarmos ao nosso assunto principal, não é verdade? – indicou ao irmão.

Caius endireitou-se e o seu rosto endureceu, exibindo uma expressão indecifrável. Vi-o olhar para longe, com um ar absorto; e aquele rosto trouxe-me a lembrança estranha de alguém que acabara de compreender que tinha sido destituído do cargo.

Aro avançou num passo fluido, seguido automaticamente por Renata, Felix e Demetri.

– Apenas por uma questão de minúcia – referiu ele – gostaria de falar com algumas das vossas testemunhas. São os procedimentos normais, compreendem? – observou, com um gesto de mão a indicar tratar-se de um acto sem qualquer importância.

De imediato, aconteceram duas situações. Caius concentrou o olhar em Aro, com um sorriso cruel a regressar ao seu rosto. E Edward emitiu um silvo, cerrando as mãos em punhos, com tanta força, que parecia que os ossos das articulações lhe iriam furar a pele diamantina, a qualquer instante.

Desejei ardentemente perguntar-lhe o que se passava, só que Aro estava tão perto que seria capaz de ouvir até o mais leve respirar. Reparei que Carlisle lançava um olhar ansioso a Edward e que o rosto deste endurecia.

Enquanto Caius se enredava nas suas acusações sem sentido e nas tentativas insensatas de desencadear o combate, o irmão teria posto em marcha uma estratégia mais eficaz.

Aro avançou como um espectro, através da neve, dirigindo--se para o ponto mais ocidental do nosso alinhamento e deteve-se a cerca de dez metros de Amun e Kebi. Os lobos mais próximos eriçaram a pelagem, mas mantiveram-se firmes nas suas posições.

– Ah. Amun. Meu querido vizinho do Sul! – saudou ele, num tom caloroso. – Decorreu tanto tempo desde a tua última visita!

A ansiedade transformava Amun numa estátua e o mesmo se passava com Kebi, a seu lado.

– O tempo não significa nada para mim; nunca dou por ele passar – respondeu, de lábios quase cerrados.

– Tens toda a razão – anuiu Aro. – Mas talvez tenha havido um outro motivo para esse afastamento, certo?

O egípcio silenciou.

– A organização dos recém-nascidos num clã deve provocar uma terrível perda de tempo. Sei bem o que isso é! Só posso sentir--me reconhecido por haver outros que se encarregam dessa tarefa ingrata. Fico muito satisfeito por ver as tuas novas aquisições tão bem integradas e teria muito prazer em conhecê-las. Estou certo de que tencionavas visitar-me muito em breve.

– Claro – concordou Amun, num tom tão inexpressivo que era impossível saber se era o pavor ou o sarcasmo que lhe ditavam a resposta.

– Enfim, agora estamos de novo reunidos. Não é fantástico?

Amun assentiu com a cabeça, de rosto vazio.

– Embora a razão da tua presença aqui não seja tão agradável. O Carlisle chamou-te a título de testemunha?

– Sim.

– E o que podes testemunhar a favor dele?

Amun continuou no mesmo tom frio e despido de emotividade.

– Observei a criança em questão. Detectei, quase de imediato, que não era uma criança imortal...

– Talvez fosse melhor precisar a nossa terminologia – interrompeu Aro –, agora que parecem existir novas classificações. Ao dizeres criança imortal, referes-te certamente a uma criança humana que se transformou em vampiro depois de ter sido mordida.

– Sim, é isso mesmo.

– O que mais observaste nesta criança?

– O mesmo que viste certamente na mente do Edward. Que a criança é sua, numa perspectiva biológica. Que ela cresce. Que aprende.

– Sim, sim – prosseguiu Aro, revelando uma nota de impaciência a manchar o seu tom tão amável. – Mas, falando em concreto da tua experiência nestas semanas, o que é que viste?

Amun carregou o sobrolho.

– Vi-a a crescer... muito depressa.

Aro sorriu.

– E é tua convicção de que deveríamos permitir que ela vivesse?

Um silvo escapou-se dos meus lábios e não surgiu isolado. Metade dos vampiros que nos apoiavam ecoaram o meu protesto. O som suspendeu-se no ar, num sussurro de fúria abafada, estendendo-se ao outro lado do prado, onde algumas testemunhas dos Volturi manifestaram a mesma reacção. Edward recuou, para me envolver o pulso com a mão, num gesto que me recomendava prudência.

Aro não se virou na direcção do ruído, mas o seu interlocutor olhou em redor, pouco à vontade.

– Não vim aqui para fazer julgamentos – continuou Amun, iludindo a pergunta.

O outro soltou uma gargalhada delicada.

– Essa é apenas a tua opinião.

Amun ergueu o queixo.

– A criança não representa qualquer perigo. Ela está a aprender ainda mais depressa do que o que cresce.

Aro assentiu com a cabeça, ponderando sobre o que ouvia. Passado um momento, voltou-se para sair dali.

– Aro? – chamou Amun.

O Ancião deu meia-volta.

– Sim, meu amigo?

– Já dei o meu testemunho, pelo que não tenho mais nada a fazer aqui. Agora, a minha companheira e eu gostaríamos de partir.

– Claro que sim – aquiesceu Aro, com o seu sorriso caloroso. – Foi muito bom cavaquearmos um pouco. Estou certo de que voltaremos a ver-nos em breve.

Os lábios de Amun reduziam-se a uma linha hirta, quando ele inclinou a cabeça, mostrando compreender a ameaça velada. Deu um toque no braço de Kebi e, a seguir, o casal dirigiu-se a correr para a orla meridional do campo, desaparecendo entre as árvores. Soube que só iriam parar depois de já terem corrido durante um período interminável.

Aro seguia ao longo da nossa fileira a Leste, no seu passo deslizante e com os guardas a pairar em seu redor, mostrando expressões de tensão. Ao chegar junto à enorme silhueta de Siobhan, deteve-se.

– Viva, minha querida Siobhan. Tão encantadora como sempre.

A vampira inclinou a cabeça, aguardando.

– E tu? – perguntou ele. – Respondias às minhas questões da mesma forma que Amun?

– Sim – reconheceu ela. – Mas talvez acrescentasse algo mais. A Renesmee tem consciência dos limites. Ela não representa qualquer perigo para os humanos, confundindo-se melhor com eles do que nós. Não existe qualquer risco de sermos expostos por causa dela.

– Não te lembras de nenhum? – insistiu Aro, calmamente.

Edward rugiu, num som cavo, que parecia dilacerar-lhe a garganta.

Os olhos velados e vermelhos de Caius tornaram-se mais brilhantes.

Renata aproximou-se mais do seu senhor, com um ar protector.

E Garrett libertou Kate, para dar um passo em frente, ignorando a mão dela, que agora lhe recomendava que tivesse cuidado.

Siobhan falou calmamente.

– Não sei se estou a perceber onde queres chegar.

Aro recuou num passo leve e natural, começando a dirigir--se para a sua guarda. Renata, Felix e Demetri seguiam-no mais perto que a própria sombra.

– A lei não foi violada – referiu Aro, num tom conciliador, mas todos percebemos que, a seguir, ele iria sublinhar uma restrição ao que acabara de afirmar. Debati-me contra a raiva que me investia pela garganta, a fim de clamar bem alto a minha revolta. Lancei a fúria que sentia para o interior do escudo, tornando-o mais forte e garantindo que todos se encontravam protegidos.

– A lei não foi violada – repetiu Aro. – No entanto, isso pressupõe que não existe aqui um perigo? Não. – Abanou a cabeça suavemente. – São duas questões.

As únicas reacções àquelas palavras foram o aumento de tensão, com os nervos retesados até ao limite, e Maggie abanar a cabeça com uma cólera contida, no extremo da nossa fila de combatentes.

Aro prosseguiu o seu caminho, com um ar pensativo, parecendo flutuar em vez de assentar os pés sobre a Terra. A cada passo ficava mais próximo da sua guarda.

– Ela é única... total e incrivelmente única. Seria uma perda tremenda destruir um ser tão adorável. Especialmente, quando podemos aprender tanto... – e suspirou, como se não fosse capaz de prosseguir. – No entanto, existe um perigo que não pode ser ignorado.

Ninguém deu seguimento à afirmação. Com o silêncio de morte a acompanhar as várias fases daquele monólogo, Aro parecia falar apenas de si.

– É irónico que, à medida que os humanos avançam e que a sua crença na Ciência aumenta e domina o mundo, nós fiquemos cada vez mais a salvo de ser descobertos. Contudo, ao mesmo tempo que o cepticismo deles pelo sobrenatural nos deixa mais à vontade, o poder que as tecnologias lhes conferem permitir--lhes-ia, se assim o desejassem, ameaçarem-nos em concreto e destruírem alguns de nós.

– Ao longo de milhares e milhares de anos, o nosso sigilo tornou-se mais um factor de comodidade e sossego, do que de verdadeira segurança. Neste último século sangrento e terrível surgiram armas tão potentes, que a sua acção coloca em risco os próprios imortais. A este nível, e em boa verdade, o nosso estatuto de mitos protege-nos das criaturas frágeis que caçamos.

– Em relação a esta criança espantosa – Aro estendeu a mão, com a palma voltada para baixo, como se a pousasse na cabeça de Renesmee; embora já estivesse praticamente no seio do esquadrão dos Volturi e afastado de nós, cerca de quarenta metros –, se conhecêssemos o seu potencial, se tivéssemos a garantia absoluta de que ela se ocultaria para sempre sob as sombras que nos protegem... Mas não temos forma de o saber! Ignoramos o seu futuro e essa é uma questão que angustia até os próprios pais. Não podemos saber como será Renesmee quando crescer. – Fez uma pausa, olhando para as nossas testemunhas e, em seguida, exibindo uma expressão eloquente, para as dos Volturi. A sua voz assumia o tom convincente de um ser dilacerado pelas próprias palavras.

Sem deixar de fitar as suas testemunhas, Aro acrescentou:

– Apenas é seguro e tolerável aquilo que conhecemos. O desconhecido é... uma vulnerabilidade.

O sorriso de Caius estendeu-se, numa expressão perversa.

– Estás a ser demagógico, Aro – afirmou Carlisle, com a voz gélida.

– Calma, meu amigo. – Aro sorria, de rosto amável e uma voz suave, como sempre. – Não vamos precipitar-nos. Temos de ver o assunto sob várias perspectivas.

– Nesse caso, posso apresentar uma? – solicitou Garrett, com um tom tranquilo e avançando mais um passo.

– Nómada – disse Aro, fazendo-lhe sinal com a cabeça e aceitando o seu pedido.

Garrett ergueu o queixo, centrando o olhar nas testemunhas dos Volturi, amontoadas ao fundo do campo, e falando-lhes directamente.

– Vim cá, a pedido do Carlisle, para dar o meu testemunho, à semelhança de todos os outros – começou ele. – Na verdade, já deixou de ser necessário no que se refere a esta criança. Todos reconhecemos o que ela é.

De qualquer modo estou aqui também para testemunhar algo mais: a vossa presença – continuou, apontando o dedo para a massa de vampiros, todos com um ar circunspecto. – Dois de vocês são meus conhecidos. Refiro-me à Makenna e ao Charles. Mas reconheço igualmente que muitos dos outros são viajantes, nómadas, tal como eu. E que, por isso, agem com total autonomia. Pensem com cautela no que vou dizer.

– Estes patriarcas não vieram aqui à procura da justiça, conforme vos disseram. Já o suspeitávamos, mas agora tivemos a confirmação. Vieram com base numa acusação falsa, mas sobretudo animados de um pretexto concreto para a sua acção. Agora, atentem à forma como se agarram a desculpas artificiais para darem seguimento ao seu propósito real. Testemunhem como se eles esforçam por legitimar aquilo que visam na realidade: destruir esta família. – Garrett apontou para Carlisle e Tanya.

– Os Volturi estão aqui para anular o que entendem ser os seus competidores. Tal como eu, talvez vocês olhem com estranheza para este clã de olhos dourados. Sei que é difícil entendê-los.

Mas, ao observá-los, os Anciãos apenas vêem algo mais além da opção invulgar que esta família fez. Eles vêem o poder.

– Tive ocasião de presenciar os laços que unem esta família, e reparem que digo família e não clã. Estes vampiros estranhos, de olhos dourados, negam a sua própria natureza. Mas, em contrapartida, não terão eles encontrado algo talvez ainda mais valioso que a mera satisfação do desejo? Ao longo do tempo em que estive aqui fiz uma pequena análise e o que me parece ser intrínseco a esta união familiar tão profunda que torna possível a sua existência, é a natureza pacífica da sua vida de sacrifício. Aqui não existe a agressão que vemos nos grandes clãs do Sul, que recrudesceram, para depois diminuírem rapidamente, em consequência das suas rixas sangrentas. Esta família não tem pretensões em criar qualquer império. E o Aro sabe disso melhor que eu.

Enquanto Garrett proferia estas acusações contra Aro, eu observava o rosto dele, aguardando ansiosa a sua reacção. Porém, a expressão do Ancião mostrava apenas algum gozo delicado, como se esperasse que aquela criança birrenta e rebelde se apercebesse que ninguém dava qualquer crédito às suas historietas.

– Quando Carlisle nos falou sobre estes acontecimentos iminentes, garantiu-nos que não nos tinha chamado para participarmos no combate. Estas testemunhas – e Garrett apontava para Siobhan e Liam – concordaram em prestar o seu depoimento e deter o avanço dos Volturi com a sua presença, para o Carlisle ter oportunidade de apresentar o seu caso.

– Mesmo assim, alguns de nós interrogaram-se – o olhar do nómada atravessou rapidamente o rosto de Eleazar – sobre se seria suficiente para o Carlisle ter a verdade do seu lado. Os Volturi estão aqui para salvaguardar o nosso sigilo ou para proteger o seu poder? Eles vieram para destruir uma criação ilegal, ou uma forma de vida? Para eles seria suficiente constatar que o perigo não passou de um mero equívoco? Ou será que eles iriam insistir na sua posição, mesmo depois de deixar de se colocar a questão da justiça?

– Temos a resposta a todas estas perguntas. Ouvimo-la nas palavras falsas de Aro, já que um de nós tem o dom de reconhecer a mentira de forma inequívoca, e todos a vemos no sorriso impaciente de Caius. O exército deles não passa de uma arma acéfala, um instrumento da senda dos seus senhores na conquista do império.

– Por isso, agora vou colocar-vos mais questões, às quais serão vocês a responder. Quem é que vos rege, nómadas? Além de vós próprios, têm de dar satisfações a mais alguém? São livres de escolher o vosso caminho ou essa decisão cabe aos Volturi?

– Vim para testemunhar e fiquei para lutar. Os Volturi não querem saber da morte de uma criança. O que eles procuram é aniquilar a nossa vontade própria.

A seguir, Garrett virou-se para os Anciãos.

– Se é assim, avancem! Vamos acabar com esses raciocínios mentirosos. Sejam honestos nos vossos propósitos, tal como nós. Estamos aqui para defender a nossa liberdade. Agora, cabe-vos atacarem-na ou não. Façam a vossa escolha e deixem as testemunhas aqui presentes avaliar a verdadeira questão que aqui se debate.

O nómada olhou de novo para as testemunhas dos Volturi, analisando o rosto de cada uma. Pela expressão, era evidente a força das suas palavras.

– Deixo ao vosso critério a opção de se unirem a nós. Se pensam que os Volturi lhes vão poupar a vida para contarem esta lenda, estão enganados. Podemos ser todos destruídos – e encolheu os ombros – ou talvez não. Talvez as nossas forças estejam mais equilibradas do que eles supõem. Pode ser que os Volturi se tenham finalmente deparado com um adversário à sua altura. Mas há uma coisa que lhes posso prometer: se nós perecermos, o mesmo irá acontecer convosco.

Garrett terminou o seu discurso emotivo, recuando para o lado de Kate e curvando-se numa posição meio agachada, preparado para investir.

Aro sorriu.

– Um discurso muito tocante, meu amigo revolucionário.

Garrett manteve-se na posição de ataque.

– Revolucionário? – rugiu ele. – Contra quem é que me estou a revoltar, posso saber? Tu és o meu rei? Também queres que te trate por senhor, tal como o teu exército servil?

– Paz, Garrett – proferiu Aro, com um ar condescendente. – Apenas me referia à altura em que nasceste. Vejo que continuas a ser um patriota.

O outro fitou-o com uma expressão de fúria.

– Então, vamos interrogar as testemunhas – sugeriu Aro. – Ouçamos aquilo que pensam, antes de tomarmos a nossa decisão. – Voltou-nos as costas, com um ar despreocupado, e avançou mais uns metros em direcção aos observadores perturbados, que pairavam mais próximos da orla da floresta. – Digam-nos, meus amigos, o que pensam disto? Posso garantir-vos que a criança não é o que temíamos. Assumimos o risco de a deixar viver? Colocamos o nosso mundo em perigo, para conservar a família dela intacta? Ou a razão está do lado do fervoroso Garrett? Estão dispostos a combater com eles contra a nossa súbita busca do poder?

As testemunhas retribuíram-lhe o olhar com uma expressão cautelosa. Uma vampira baixa, de cabelo preto, dirigiu um breve olhar ao companheiro, que se encontrava ao seu lado, de cabelo louro escuro.

– Essas são as nossas únicas opções? – perguntou ela, subita-mente, retribuindo o olhar do Ancião. – Concordarmos contigo ou lutarmos contra ti?

– Claro que não, minha adorável Makenna – retorquiu Aro, revelando-se horrorizado por alguém chegar àquela conclusão. – Mesmo que discordes da decisão do conselho, é claro que podes partir em paz, à semelhança do Amun.

Makenna voltou a olhar para o companheiro e este anuiu com a cabeça, de um modo quase imperceptível.

– Nós não estamos aqui para lutar. – Ela fez uma pausa, respirou fundo e prosseguiu. – Estamos aqui na qualidade de testemunhas. E aquilo que defendemos é a inocência desta família condenada. Tudo o que o Garrett referiu é verdade.

– Ah – proferiu Aro, pesaroso. – Lamento que tenhas essa opinião sobre nós. Mas essas são as contingências do nosso trabalho.

– Não é o que vejo, mas o que sinto – interveio o companheiro de Makenna de cabelo cor de trigo, num tom agudo e nervoso. A seguir, olhou para Garrett. – O Garrett afirmou que o grupo deles tem capacidades para detectar a mentira. Eu também sei quando me dizem a verdade ou não. – Chegou-se mais à sua companheira, aguardando a reacção de Aro, com um olhar assustado.

– Não deves recear-nos, amigo Charles. Não há dúvida de que o patriota acredita no que diz. – Aro deu uma pequena gargalhada e Charles semicerrou os olhos.

– Este é o nosso testemunho – declarou Makenna. Agora, iremos partir.

Ela e Charles foram recuando devagar e viraram as costas, desaparecendo no meio das árvores. Outro vampiro desconhecido seguiu o mesmo caminho e, entretanto, outros três precipitaram-se atrás dele.

Observei os trinta e sete vampiros que ainda restavam. Alguns estariam apenas demasiado desnorteados para tomar uma decisão. No entanto, a maioria parecia ter consciência do rumo que o confronto estava a tomar. Calculei que não fugiam já, distanciando-se do combate, apenas para verem quem seriam exactamente os seus perseguidores.

Tive a certeza de que Aro chegara à mesma conclusão, ao vê-lo a regressar para junto da guarda, em passos calculados. O Ancião parou à frente dos soldados e dirigiu-se-lhes com uma voz sonora:

– Meus caros, estamos em minoria – afirmou. – Não dispomos de qualquer auxílio do exterior. Devemos deixar a questão por resolver para salvarmos a nossa pele?

– Não, senhor – murmurou o exército a uma só voz.

– A protecção do nosso mundo merece eventuais baixas no nosso esquadrão?

– Sim – responderam os soldados, num sussurro. – Não temos medo.

Aro sorriu e aproximou-se dos companheiros envoltos nos mantos negros.

– Irmãos – disse-lhes, num tom soturno –, temos muito que deliberar.

– Passemos à ordem de trabalhos – afirmou Caius, num tom ansioso.

– À ordem de trabalhos – repetiu Marcus, num tom indiferente.

Aro voltou-nos novamente as costas, para ficar de frente para os outros Anciãos. Os três deram as mãos, formando um triângulo coberto de negro.

Assim que Aro concentrou as atenções no conselho silencioso, mais duas das testemunhas dos Volturi desapareceram no meio da floresta, com um movimento sub-reptício. Desejei que fossem bastante rápidas, para seu próprio bem.

Tinha chegado o momento. Aliviei com cuidado a pressão dos braços de Renesmee no meu pescoço.

– Lembras-te do que te disse?

Os seus olhos encheram-se de lágrimas, mas a menina assentiu com a cabeça.

– Amo-te – murmurou ela.

Edward olhava-nos, com os olhos cor de topázio muito abertos. Jacob também nos fitava pelo canto do olho, grande e escuro.

– Também te amo – respondi, tocando no medalhão –, mais que à própria vida. – E beijei-a na testa.

Jacob ganiu, apreensivo.

Estiquei-me, para lhe segredar ao ouvido.

– Espera até eles estarem completamente distraídos e depois foge com a Renesmee. Afasta-te daqui o mais que puderes. Depois de percorreres a maior distância possível a pé, ela tem aquilo de que precisam para viajarem por ar.

Se nos esquecêssemos que um era um lobo, as expressões de Edward e de Jacob não passavam de máscaras de horror quase idênticas.

Renesmee esticou-se para o pai e ele pegou-lhe ao colo. Os dois deram um abraço muito apertado.

– Era isto que me escondias? – murmurou Edward, sobre a cabeça de Renesmee.

– Ao Aro – disse-lhe muito baixinho.

– Alice?

Assenti com a cabeça.

O seu rosto crispou-se, com uma expressão de entendimento e de dor. Teria feito a mesma expressão facial, depois de reunir todas as pistas de Alice?

Jacob rosnava baixinho, num som áspero, tão uniforme e contínuo como um ronronar. Tinha eriçado a pelagem e as presas estavam a descoberto.

Edward beijou Renesmee na testa e nas faces, colocando-a sobre as costas de Jacob. A menina deslizou com agilidade pelo lombo, enroscando as mãos no pêlo para se firmar melhor, até se encaixar na cova entre as duas espáduas maciças.

– Tu és o único a quem alguma vez a poderia confiar – murmurei para Jacob. – Se não a amasses tanto, não iria conseguir aguentá-lo. Tenho a certeza de que a vais proteger, Jacob.

Ele voltou a ganir, e curvou a cabeça de encontro ao meu ombro.

– Eu sei – murmurei. – Eu também te amo, Jake. Serás sempre o meu melhor amigo.

Uma lágrima do tamanho de uma bola de basebol deslizou-lhe, escorregando no pêlo castanho-avermelhado.

Edward inclinou a cabeça sobre o mesmo ombro onde tinha colocado a nossa filha.

– Adeus, Jacob, meu irmão... meu filho.

Esta cena de despedida não passara despercebida aos outros. Embora os seus olhares estivessem suspensos sobre o triângulo negro e silencioso, percebi que todos tinham ouvido.

– Então, não há esperança? – murmurou Carlisle. Na sua voz não havia medo, apenas determinação e reconhecimento.

– Tem de haver – murmurei. "Podia ser que sim", pensei. – Apenas conheço o meu destino.

Edward pegou na minha mão, porque sabia que pertencia a esse destino. Ao dizer "o meu destino", não havia dúvida de que me referia aos dois. Éramos simplesmente as duas metades de um todo.

Atrás de mim, Esme respirava convulsivamente. Passou por nós, tocando-nos no rosto à medida que andava, e colocou-se ao lado de Carlisle, dando-lhe a mão.

De repente, ficámos rodeados de declarações de amor e de despedida, proferidas em sussurros.

– Se resistirmos – segredou Garrett para Kate –, nunca mais te livras de mim, mulher.

– Agora é que ele me diz isso – refilou ela.

Rosalie e Emmett deram um beijo rápido, mas apaixonado.

Tia afagou o rosto de Benjamim. Ele sorriu-lhe jovialmente, pegando-lhe na mão e mantendo-a junto a si.

Não me foi possível ver todas as expressões de afecto e dor. De repente, a minha atenção foi desviada para uma pressão vibratória que se abatera contra o exterior do meu escudo. Não sabia de onde viria, mas parecia que se dirigia às extremidades do nosso grupo, em particular a Siobhan e a Liam. Não provocou qualquer dano e entretanto desapareceu.

Não registei qualquer alteração na silhueta imóvel e silenciosa do conselho de Anciãos. Mas talvez tivesse havido um sinal qualquer, de que não desse conta.

– Preparem-se – segredei aos outros –, vai começar.

Trinta e Oito

PODER

– A Chelsea está a tentar destruir os nossos laços – murmurou Edward –, mas não consegue encontrá-los. Ela não está a sentir-nos... – Entretanto, o olhar dele desviou-se rapidamente para mim. – És tu que estás a impedi-la?

Sorri-lhe, com uma expressão implacável.

– Tenho toda a situação sob controlo.

De repente, Edward fez um movimento brusco e desviou-se de mim, estendendo a mão para Carlisle. Naquele instante, o escudo era atingido por um golpe mais forte, no ponto onde protegia a coluna de luz de Carlisle. Embora a sensação não fosse dolorosa, não era agradável.

Carlisle, estás bem? – perguntou Edward, ansioso.

– Sim. Porquê?

– É a Jane – esclareceu ele.

No momento em que Edward pronunciou o nome dela, uma dúzia de estocadas ofensivas abateu-se sobre a superfície elástica, em menos de um segundo, visando doze colunas de luz diferentes. Fiz uma flexão, certificando-me que o escudo permanecia intocável. Não me pareceu que Jane tivesse conseguido trespassá-lo. Olhei imediatamente em redor; ninguém tinha sido afectado.

– Incrível! – observou Edward.

– Porque não esperam pela decisão do conselho? – clamou Tanya, com uma voz sibilante.

– Procedimentos normais – respondeu ele, bruscamente. – Regra geral, procuram neutralizar os visados pelo julgamento, de forma a impedi-los de fugir.

Olhei para Jane, do outro lado do campo, e vi-a enraivecida, a fitar o nosso grupo sem acreditar no que estava a acontecer. Tinha a certeza de que, além de mim, ela nunca tinha visto qualquer vítima permanecer de pé, após a sua investida feroz.

Se calhar, a minha reacção não seria muito madura, mas calculei que bastava meio segundo para Aro descobrir, se é que já não o tinha percebido, que o meu escudo era mais potente do que Edward imaginara; eu já estava no centro das atenções e não valia a pena tentar manter as minhas capacidades em segredo por mais tempo. Por isso, dirigi a Jane um largo sorriso sarcástico, cheio de presunção.

Ela semicerrou os olhos e voltei a sentir mais uma estocada, desta vez dirigida a mim.

Alarguei mais o sorriso, deixando os dentes à mostra.

Jane rosnou com tanta força, que todos reagiram com um salto, incluindo os disciplinados soldados. Todos, à excepção dos Anciãos que se limitaram a erguer os olhos do concílio. O gémeo de Jane agarrou-a pelo braço, mal ela se agachou, preparando-se para arremeter em frente.

Os romenos desataram a rir, revelando uma expressão sinistra de expectativa.

– Tinha-te dito que a nossa altura iria chegar – disse Vladimir para Stefan.

– Olha só para a cara da bruxa – comentou o outro, entre gargalhadas.

Alec deu uma palmada suave no ombro da irmã, envolvendo-a com o braço. Ao voltar-se para nós, o seu rosto era perfeitamente angelical, exibindo uma serenidade absoluta.

Fiquei à espera de alguma pressão, um sinal do seu ataque, mas não senti nada. Alec manteve o olhar fixo na nossa direcção, com o rosto perfeito e impassível. Estaria a atacar-nos? Teria conseguido perfurar o escudo? Seria a única que ainda o conseguia ver? Apertei a mão de Edward.

– Estás bem? – perguntei-lhe, sobressaltada.

– Sim – murmurou ele.

– O Alec está a investir?

Edward assentiu com a cabeça.

– O dom dele é mais lento que o da Jane. Progride de uma forma rastejante. Vai levar uns segundos a chegar aqui.

Então, ao imaginar o que haveria de procurar, vi-o a chegar.

Uma bruma clara e estranha avançava sobre a neve, confundindo-se praticamente com a superfície branca. Assemelhava-se a uma miragem – uma leve deformação da visão, a sombra de um reflexo. Projectei o escudo mais para a frente, distanciando-o de Carlisle e dos outros elementos da linha da frente, com receio que a névoa furtiva atingisse a superfície protectora demasiado perto de nós. O que faríamos se ela penetrasse subitamente na armadura? Fugir?

Um rumor surdo e prolongado atravessou o chão sob os nossos pés, enquanto uma rajada de vento projectava a neve em roldões súbitos, através do espaço que nos separava dos Volturi. Benjamin também se apercebera da ameaça rastejante e tentava soprar a névoa para longe. A neve permitia seguir com facilidade a direcção das rajadas, mas a névoa manteve-se imperturbável. Era como se uma corrente de ar inofensiva passasse por uma sombra, que se conservava imune.

Por fim, a formação triangular dos Anciãos desmembrou-se, enquanto uma fissura profunda e estreita abria caminho aos ziguezagues pelo centro da clareira, acompanhada de um fragor lancinante. Por momentos, a Terra tremeu debaixo dos meus pés, enquanto a neve deslizava aos montões para o interior da vala. No entanto, a névoa continuou a deslizar sobre esta, tão invulnerável à força da gravidade como o fora às rajadas de vento.

Aro e Caius observaram a fractura no solo de olhos arregalados. Marcus olhava para o mesmo local, sem qualquer emoção.

Os três permaneceram em silêncio; tal como nós, eles também aguardavam o momento em que a névoa nos atingiria. O vento rugiu com mais violência, revelando-se impotente perante aquele avanço. Agora, Jane sorria.

Foi então que a névoa bateu numa parede.

Senti-lhe o sabor, no momento em que ela atingiu o meu escudo – um aroma espesso, doce e enjoativo. Lembrou-me vagamente a dormência que as anestesias locais provocam na língua.

A bruma curvou-se para cima, tentando encontrar uma brecha, uma fragilidade. Não encontrou. Os tentáculos nebulosos torceram-se em todas as direcções em busca de uma entrada, cobrindo e rodeando a superfície protectora; esse esforço ilustrou a extensão impressionante que o escudo atingira.

De cada lado do pequeno desfiladeiro aberto por Benjamim soaram exclamações de sobressalto.

– Muito bem, Bella! – aplaudiu ele.

O sorriso regressou à minha face.

Avistei os olhos franzidos de Alec e, pela primeira vez, exibia uma expressão de dúvida no rosto, enquanto a névoa rodopiava inutilmente em redor da nossa protecção.

E então, soube que era capaz. Era evidente que passaria a ser a prioridade número um, o primeiro alvo a abater; mas enquanto conseguisse aguentar, estaríamos mais do que em pé de igualdade com os Volturi. Ainda dispúnhamos de Benjamim e Zafrina, enquanto estivessem despojados de qualquer poder sobrenatural. Enquanto eu conseguisse aguentar.

– Tenho de me manter concentrada – segredei a Edward. – Na altura do combate corpo a corpo, será mais difícil manter o escudo em redor das pessoas certas.

– Eu mantenho-os afastados de ti.

– Não. Tens de apanhar o Demetri. A Zafrina pode tratar disso.

A amazona assentiu gravemente com a cabeça.

– Ninguém tocará nesta jovem – garantiu a Edward.

– Eu tratava pessoalmente da Jane e do Alec, mas faço mais falta aqui.

– A Jane fica por minha conta – afirmou Kate, com uma voz sibilante. – Ela precisa de uma dose do seu próprio veneno.

– E o Alec deve-me muitas vidas, mas eu contento-me com a dele – rosnou Vladimir do outro lado. – Ele fica por minha conta.

– O Caius é meu – afirmou Tanya, com uma voz inexpressiva.

Os outros começaram a escolher os seus adversários, mas algo os interrompeu passados alguns segundos.

Aro, que fitava a bruma inoperacional de Alec com um ar impassível, tomara finalmente a palavra.

– Antes de votarmos – começou ele.

Abanei a cabeça, furiosa. Estava farta daquela farsa. A sede de sangue incendiava-me novamente e pensar que a melhor forma de ajudar os outros seria ficar ali parada não me deixava nada satisfeita. Eu *queria* lutar.

– Deixem-me recordar-lhes – prosseguiu Aro – que, independentemente do que o conselho deliberou, não há necessidade de qualquer violência.

Edward soltou uma gargalhada sombria.

Aro voltou-se para ele, com um ar pesaroso.

– Seria uma enorme perda para a nossa espécie se algum de vocês desaparecesse, em especial tu, jovem Edward, e a tua companheira recém-nascida. Os Volturi teriam o maior prazer em dar-vos as boas-vindas às nossas fileiras. Bella, Benjamim, Zafrina, Kate têm muitas opções à vossa frente. Reflictam sobre isso.

A tentativa de Chelsea para nos desestabilizar esbateu-se de encontro ao meu escudo, numa manifestação de impotência. Aro observou a nossa expressão endurecida, em busca de algum sinal de hesitação. Pela expressão que fez, viu-se que não encontrara nenhuma.

Senti-lhe um desejo desesperado de apropriar-se de mim e de Edward, para nos manter prisioneiros, tal como imaginara fazer com Alice. Mas aquela era uma batalha perdida, que ele só poderia ganhar com a minha destruição. O facto de ser tão poderosa que ele não dispunha de outra alternativa a não ser matar-me, deixava-me num estado de grande euforia.

– Então, vamos votar – propôs Aro, com uma relutância aparente.

Caius apressou-se a falar, inundado de impaciência.

– Esta criança é uma incógnita e não há qualquer motivo para corrermos o risco da sua existência. Voto a favor da sua destruição, a par de todos os que a protegem. – E concluiu a sua declaração com um sorriso de expectativa.

Fiz um esforço para controlar um grito estridente de revolta, em resposta àquele sorriso afectado.

Marcus ergueu os seus olhos indiferentes, fitando-nos como se não existíssemos, enquanto expressava o seu voto.

– Não vejo que haja um perigo imediato. Para já, esta criança oferece a segurança necessária e podemos voltar a avaliá-la mais tarde. Proponho que partamos em paz. – A sua voz conseguia ser mais ténue que os suspiros delicados do seu irmão Aro.

Aquelas palavras dissonantes não levaram nenhum dos guardas a abrandar a respectiva posição de ataque. O sorriso de antecipação de Caius permaneceu intacto. Era como se Marcus não tivesse dito nada.

De repente, senti Edward a esticar-se ao meu lado.

– Boa – exclamou ele, num tom sibilante.

Arrisquei um olhar de soslaio e vi-lhe o rosto iluminado por um ar triunfante, que não consegui entender – seria a expressão que um anjo destruidor teria ao ver o mundo a consumir-se em chamas. Bela e horrível.

A guarda reagiu suavemente, com um murmúrio de intranquilidade.

– Aro? – chamou Edward, quase a gritar, mal escondendo um ar de vitória na voz.

O outro hesitou por um segundo antes de responder, avaliando este novo comportamento, com um ar circunspecto.

– Sim, Edward? Tens mais alguma coisa?...

– Talvez – afirmou Edward, todo satisfeito e esforçando-se por controlar aquele entusiasmo inexplicável. – Mas, primeiro, posso esclarecer um ponto?

– Com certeza – concordou Aro, erguendo as sobrancelhas e exprimindo a maior das delicadezas na sua voz. Fiz ranger os dentes; o perigo de Aro elevava-se à última potência, sempre que se mostrava tão gentil.

– O que prevês em relação à minha filha deve-se apenas à nossa incapacidade de saber qual o seu futuro? É essa a questão principal?

– Sim, caro amigo – confirmou Aro. – Se não restassem dúvidas... se tivéssemos a certeza de que ela cresceria oculta ao mundo humano, sem ameaçar a segurança do nosso sigilo... – E deixou a frase em suspenso, encolhendo os ombros.

– Então, se conseguíssemos ter a certeza absoluta – sugeriu Edward –, sobre o que lhe irá acontecer... a questão deixava de existir?

– Se tivéssemos uma forma de nos certificarmos com toda a segurança... – concordou ele, com a sua voz delicada e ligeiramente mais aguda. Aro não estava a perceber onde Edward queria chegar. E eu também não. – Então, concordo que o assunto ficaria encerrado.

– E partiríamos em paz, de novo, como bons amigos? – insistiu Edward, com uma nota de ironia.

Aro respondeu com a voz mais aguda.

– Claro, meu jovem amigo. Nada me deixaria mais contente.

Edward soltou uma gargalhada esfuziante.

– Então tenho mesmo algo mais a acrescentar.

Aro semicerrou os olhos.

– Ela é absolutamente única. Apenas podemos fazer conjecturas em relação ao que será o seu futuro.

– Não é absolutamente única – discordou Edward. – É rara, sem dúvida, mas não é a única da sua espécie.

Lutei contra a comoção, a esperança súbita que voltava a nascer e que ameaçava a minha concentração. A névoa repugnante permanecia enredada na orla do meu escudo. Ao reforçar a atenção, senti a pressão pontiaguda a investir novamente contra a minha capa protectora.

– Aro, seria possível pedires à Jane que deixasse de atacar a minha mulher? – solicitou Edward, com um ar cortês. – Ainda estamos a analisar as provas.

Aro levantou a mão.

– Paz, meus queridos. Vamos ouvi-lo até ao fim.

A pressão desapareceu. Jane arreganhou-me os dentes e eu não consegui evitar um largo sorriso de resposta.

– Porque não te juntas a nós, Alice? – chamou Edward, elevando a voz.

– Alice – murmurou Esme, em estado de choque.

Alice!

Alice, Alice, Alice!

– Alice! Alice! – murmuraram outras vozes em meu redor.

– Alice – proferiu Aro, por entre dentes.

O alívio e uma alegria violenta fluíram no meu interior e precisei de recorrer a todas as energias para conseguir manter o escudo intacto. A névoa de Alec continuava a pô-lo à prova, em busca de um ponto mais frágil, e Jane poderia regressar, tentando encontrar uma frecha.

Foi então, que os senti a correr através da floresta, vencendo a distância o mais rapidamente possível, sem preocupações de silêncio que os fizessem moderar a marcha.

As duas frentes permaneciam imóveis, na expectativa, enquanto as testemunhas dos Volturi franziam o sobrolho, mais uma vez baralhadas.

Alice surgiu na clareira, no seu passo dançante, vinda de Sudoeste, e a felicidade que senti ao ver de novo o seu rosto seria o suficiente para me fazer cair. Jasper seguia-a a uma curta distância, com um brilho de ferocidade estampado nos seus olhos austeros. Três desconhecidos seguiam-nos de muito perto; o primeiro era uma fêmea alta e vigorosa, dotada de uma cabeleira escura e bravia – Kachiri, sem qualquer dúvida. Tinha os mesmos membros e feições alongados das outras; e no seu caso, ainda mais acentuados.

O outro era uma vampira de pequena estatura, com a pele cor de azeitona e uma grande trança de cabelo negro a oscilar nas costas. Os seus olhos profundos, em tom vermelho-escuro, oscilaram com nervosismo em volta face à confusão que lhe surgia à frente.

E o último era um homem jovem... não tão fluído ou veloz nos seus movimentos. A pele tinha uma tonalidade inacreditável, com um castanho-escuro deslumbrante. Os olhos cautelosos que ele dardejava pelo ajuntamento apresentavam um tom cálido de teca. À semelhança da mulher, o seu cabelo negro estava apanhado numa trança, embora esta fosse menos comprida.

Quando ele se aproximou, um novo som emitiu ondas de choque que atingiram a multidão expectante – outra batida de coração, acelerada pelo esforço violento.

Alice saltou com ligeireza sobre a orla de névoa, mais rarefeita, que bordejava o escudo e travou num movimento sinuoso ao lado de Edward. Estiquei-me para lhe tocar no braço, imitada pelo irmão, Esme e Carlisle. Não havia tempo para manifestações de boas-vindas. Jasper e os outros seguiram-na através do escudo.

À medida que os recém-chegados cruzavam a fronteira invisível sem qualquer dificuldade, a guarda inteira observava-nos, envolvida em conjecturas. Nesse momento, os mais robustos, como Felix entre outros, dirigiam-me olhares que reflectiam uma esperança súbita. Até àquele momento não tinham bem a certeza sobre o que o meu escudo repelia, mas entretanto ficara claro que ele não conseguiria deter um ataque físico. A uma ordem de Aro, seria desencadeado um ataque relâmpago, visando-me a mim como único alvo. Perguntei-me quantos conseguiria Zafrina cegar e até que ponto esse facto desacelerava o ataque. O tempo suficiente para Kate e Vladimir colocarem Jane e Alec fora de jogo? Apenas pedia isso.

Edward, apesar do empenho na jogada que coordenava, fungou de cólera, reagindo ao que os outros estavam a pensar. Mas dominou-se e voltou a dirigir-se a Aro.

– A Alice passou as últimas semanas a procurar as suas próprias testemunhas – informou ele –, e não regressou de mãos vazias. Alice, porque não nos apresentas as testemunhas que trouxeste?

Caius rosnou.

– A fase das testemunhas já passou! Dá-nos o teu voto, Aro!

Aro ergueu o dedo em direcção ao irmão, recomendando-lhe silêncio, com os olhos suspensos no rosto de Alice.

Ela avançou imediatamente e apresentou os desconhecidos.

– Esta é a Huilen e este é Nahuel, o sobrinho dela.

Ao ouvi-la... parecia que nunca nos tinha deixado.

Caius semicerrou os olhos, quando Alice referiu o laço familiar que unia os recém-chegados. As testemunhas dos Volturi ciciavam entre si. O mundo dos vampiros estava a mudar e todos o sentiam.

– Fala, Huilen – ordenou Aro. – Dá-nos o testemunho que te traz aqui.

A mulher franzina olhou para Alice com alguma ansiedade. Ela acenou-lhe com a cabeça, encorajando-a, e Kachiri passou o braço longo em redor dos ombros delgados da vampira.

– Chamo-me Huilen – começou a mulher, articulando bem as palavras, embora se notasse um sotaque muito acentuado. À medida que falava, percebia-se que se tinha preparado para contar a sua história e que andara a treinar-se. As palavras fluíam como se contasse uma história de embalar muito conhecida. – Há século e meio, eu vivia com o meu povo, os mapuches. A minha irmã chamava-se Pira. Os nossos pais inspiraram-se na neve das montanhas para lhe dar esse nome, porque ela tinha a pele muito clara. E a Pira era muito bela, demasiado bela. Um dia contou-me um segredo, dizendo que tinha conhecido um anjo na floresta e que ele a visitava à noite. Recomendei--lhe que tivesse cuidado. – Huilen abanou a cabeça, com pesar.

– Como se as marcas que tinha no corpo não fossem já um aviso suficiente. Eu sabia que ele era o Libishomen das nossas lendas, mas a minha irmã não me quis ouvir. Estava enfeitiçada.

– Quando a Pira teve a certeza que carregava no ventre um filho desse anjo negro, veio contar-me. Não tentei dissuadi--la da ideia de fugir. Já sabia que até os nossos pais iriam querer destruir a criança e que a minha irmã também pereceria. Acompanhei-a até à parte mais recôndita da floresta e quando ela procurou o seu anjo demoníaco já não o conseguiu encontrar. Fiquei a tomar conta dela e, quando as forças lhe começaram a faltar, caçava para lhe dar de comer. A minha irmã alimentava--se de carne crua e do sangue das presas. Não precisei de saber mais nada para adivinhar o que ela tinha no ventre. Só esperava conseguir salvar-lhe a vida, antes de matar o monstro.

– Só que a Pira amava a criança que tinha dentro de si. Chamou-lhe Nahuel, em honra do felino da selva, e continuou a amá-lo, mesmo depois de ele crescer tanto que lhe começou a estilhaçar os ossos.

– Não a consegui salvar. A criança abriu o caminho à força para sair do seu interior e a minha irmã morreu em pouco tempo, sem nunca deixar de me suplicar que tomasse conta do seu Nahuel. Foi o seu pedido de morte e eu respeitei-o.

– No entanto, quando estava a tentar afastar a criança do corpo da mãe, ele mordeu-me. Saí dali a rastejar, em direcção ao interior da floresta, à espera de morrer. Não consegui avançar muito, porque a dor era muito forte. Mas o Nahuel encontrou--me; a criança recém-nascida conseguiu furar pelo mato até chegar junto de mim e ficou à minha espera. Quando a dor passou, vi-a aninhada a meu lado, dormindo.

– Tomei conta do Nahuel até ele estar apto a caçar sozinho. Saqueávamos as aldeias em redor da floresta, mantendo-nos escondidos. Até hoje nunca nos afastámos de nossa casa, mas o Nahuel queria ver a criança que aqui está.

Ao terminar, Huilen curvou a cabeça e recuou um pouco, até ficar parcialmente escondida por Kachiri.

Aro enrugava os lábios, observando o jovem de pele morena.

– Nahuel, tens cento e cinquenta anos de idade? – interrogou.

– Mais década menos década – respondeu este, numa bela voz quente e cristalina, quase sem sotaque. – Não ligamos muito a isso.

– E que idade tinhas quando atingiste o estado adulto?

– Aproximadamente sete anos após o nascimento, já era um adulto formado.

– A partir daí nunca mais mudaste?

Nahuel encolheu os ombros.

– Que eu tenha reparado, não.

Senti um ligeiro tremor no corpo de Jacob. Mas não queria pensar nisso. Tinha de esperar que o perigo passasse, para então me poder concentrar.

– Como é que te alimentas? – perguntou Aro, sem conseguir disfarçar a sua curiosidade.

– Principalmente com sangue, embora também consuma alguma comida humana. Consigo aguentar-me bem com ambos os tipos de alimentação.

– Conseguiste criar uma imortal? – Quando Aro apontou para Huilen, era perceptível uma súbita crispação na sua voz. Voltei a concentrar-me no escudo; talvez ele procurasse uma nova desculpa.

– Sim, mas nenhuma das outras o consegue.

Um murmúrio de espanto atravessou os três grupos, enquanto as sobrancelhas de Aro se erguiam repentinamente.

– As outras?

– As minhas irmãs. – Nahuel voltou a encolher os ombros.

Aro ficou estarrecido durante um momento, até conseguir dominar-se.

– Talvez seja melhor contares-nos o resto da história, porque parece-me que ainda não sabemos tudo.

Nahuel franziu o sobrolho.

– Alguns anos a seguir à morte da minha mãe, o meu pai apareceu à minha procura. – O seu rosto atraente crispou-se levemente. – Ele ficou satisfeito por me encontrar. – O tom de Nahuel sugeria que o sentimento não teria sido recíproco. – Entretanto, ele já tinha duas filhas, mas nenhum filho, e contava que me juntasse a ele, à semelhança das minhas irmãs.

– O meu pai ficou surpreendido ao ver que eu não estava sozinho. As minhas irmãs não possuem o veneno, mas se isso se deve à questão do sexo ou se é pura coincidência... é impossível saber. Eu já tinha constituído uma família com a Huilen e não estava "interessado" – e sublinhou a palavra – em mudar. Vejo--o de vez em quando e, entretanto, soube que tinha mais uma irmã. Ela atingiu a idade adulta há cerca de dez anos.

– Como se chama o teu pai? – perguntou Caius, por entre os dentes cerrados.

– Joham. Ele considera-se um cientista e pensa que está a criar uma nova super-raça. – Neste ponto, Nahuel não fez qualquer tentativa para disfarçar a repugnância na voz.

Caius pousou os olhos em mim.

– A tua filha tem o veneno? – questionou-me num tom duro.

– Não – respondi. Ao ouvir a pergunta, Nahuel erguera a cabeça de repente, pelo que agora sentia os seus olhos cor de teca atentos ao meu rosto.

Caius voltou-se para Aro à espera da reacção deste. No entanto, Aro mantinha os lábios franzidos, absorvido nos seus pensamentos, e o seu olhar passou por Carlisle, depois por Edward, detendo-se em mim.

– Tratamos já desta aberração – rugiu Caius, pressionando o irmão –, e a seguir partimos para Sul.

Aro continuou a fitar-me, durante um longo momento de tensão. Não consegui perceber o que ele procurava ou o que teria chegado a encontrar, mas após examinar-me durante esse período, algo mudou no seu rosto: houve uma ligeira alteração na boca e nos olhos, indicando-me que tinha decidido.

– Irmão – disse Aro para Caius, suavemente –, parece que não há perigo. Trata-se de uma evolução pouco natural, mas que não constitui uma ameaça. Tudo indica que estas crianças semivampiras são muito semelhantes a nós.

– Esse é o teu voto? – interpelou-o Caius.

– É.

O outro franziu o sobrolho.

– E este Joham? O que fazemos com este imortal tão amigo de fazer experiências?

– Talvez devêssemos falar com ele – concordou Aro.

– Detenham o Joham, se assim o pretendem – disse Nahuel, sem quaisquer rodeios –, mas deixem as minhas irmãs em paz. Elas estão inocentes.

Aro assentiu com a cabeça, revelando uma expressão solene. Depois, virou-se para o seu exército, com um sorriso caloroso.

– Meus caros, hoje não vamos lutar – anunciou-lhes.

A guarda dirigiu-lhe um aceno colectivo, submetendo-se à sua ordem, e endireitou-se, abandonando as posições atacantes. A névoa dissipou-se repentinamente, mas eu não recolhi o meu escudo. Talvez se tratasse de mais um truque.

Quando Aro se virou para nós, observei a expressão de todos eles. O seu rosto exibia a mesma expressão benigna de sempre, com a diferença de que havia um vazio estranho atrás daquela fachada. Como se as suas maquinações tivessem cessado de existir. Caius não disfarçava a raiva, mas continha-a dentro de si; parecia resignado. Marcus pareceu-me... enfastiado; na verdade, não me foi possível encontrar uma palavra melhor. Os soldados apresentavam de novo a sua expressão impassível e disciplinada; entre eles, não havia indivíduos, apenas um todo. Estavam alinhados e prontos a partir. As testemunhas dos Volturi mantinham o ar circunspecto; uma após a outra, foram desaparecendo e espalhando-se através dos bosques. Assim que o número diminuiu, as que estavam mais atrás começaram a apressar-se. Em breve, não restaria nenhuma.

Aro ergueu as mãos em direcção a nós, com uma expressão quase apologética. Atrás dele, a maior parte da guarda, a par de Caius, Marcus e as consortes silenciosas e enigmáticas, começava a afastar-se rapidamente, numa formação precisa. Apenas três soldados, que pareciam ser a guarda pessoal de Aro, se deixaram ficar.

– Estou bastante satisfeito por tudo se ter resolvido sem qualquer violência – disse ele, com a voz melíflua. – Meu amigo, Carlisle! Como é bom voltar a chamar-te amigo! Espero que não haja ressentimentos. Sei que compreendes o fardo pesado que o nosso dever nos coloca sobre os ombros.

– Vai em paz, Aro! – disse Carlisle, com rigidez. – Peço-te que te lembres que ainda temos de salvaguardar o nosso anonimato aqui e que evites que a tua guarda ande a caçar nesta área.

– Claro que sim, Carlisle – garantiu-lhe Aro. – Como lamento ter incorrido no teu desagrado, meu querido amigo. Talvez me venhas a perdoar, com o passar do tempo.

– Talvez proves que voltaste a ser nosso amigo, com o passar do tempo.

Aro curvou a cabeça, assemelhando-se à imagem viva do remorso, e recuou um momento, antes de se virar. Ficámos todos calados, observando os quatro últimos Volturi a desaparecerem entre as árvores.

Fez-se um profundo silêncio. O meu escudo continuava estendido.

– Já chegou mesmo ao fim? – murmurei a Edward.

Ele esboçou um enorme sorriso.

– Sim. Eles desistiram. Tal como todos os fanfarrões, por debaixo daquela arrogância são uns cobardolas. – E soltou uma pequena gargalhada.

Alice riu-se com ele.

– A sério, pessoal. Eles não vão voltar. Já podemos descansar.

Seguiu-se um novo segundo de silêncio.

– Que grande azar! – resmungou Stefan.

E então a festa explodiu.

Os vivas e os uivos estridentes eclodiram de toda a parte, inundando a clareira. Maggie dava palmadas nas costas de Siobhan. Rosalie e Emmett beijavam-se de novo, num afecto mais longo e ardente que o anterior. Benjamin e Tia caíram nos braços um do outro, e o mesmo aconteceu com Carmen e Eleazar. Esme mantinha Jasper e Alice envolvidos num abraço apertado. Carlisle agradecia calorosamente aos visitantes da América do Sul que nos tinham salvado. Kachiri permanecia junto de Zafrina e Senna, e as três entrelaçavam os dedos. Garrett agarrou em Kate e fê-la rodopiar num círculo.

Stefan cuspiu para a relva, enquanto Vladimir fazia ranger os dentes com uma expressão sombria.

E eu quase trepei para o lobo gigante castanho-avermelhado para lhe arrancar a minha filha das costas e esmagá-la contra o peito. Edward rodeou-nos num abraço, naquele instante.

– Nessie, Nessie, Nessie – cantarolei, com a voz esganiçada.

Jacob projectou a sua grande gargalhada áspera e empurrou--me a nuca com o focinho.

– Cala-te! – protestei.

– Eu vou ficar com vocês? – perguntou Nessie.

– Para sempre – prometi.

A eternidade esperava-nos. E Nessie ficaria bem; seria forte e saudável. Tal como o semi-humano Nahuel, dentro de cento e cinquenta anos ela continuaria a ser jovem. E ficaríamos juntos para sempre.

Dentro de mim, a felicidade crescia como uma explosão – tão extrema, tão violenta, que não sabia se seria capaz de a suportar.

– Para sempre – ecoou Edward ao meu ouvido.

Não consegui dizer mais nada. Ergui a cabeça e beijei-o com uma paixão capaz de incendiar a floresta.

Eu nem teria dado por isso.

Trinta e Nove

FELIZES PARA SEMPRE

– Portanto, houve uma combinação de factores, mas no fim acho que tudo se resumiu à... Bella – explicava Edward. A nossa família e os dois convidados que restavam encontravam-se sentados na grande sala dos Cullen, com a floresta envolvida pela escuridão, no exterior das grandes janelas.

Vladimir e Stefan tinham-se posto a andar antes da nossa comemoração terminar. Os romenos estavam muito desiludidos com o desfecho da situação; de qualquer modo, Edward tinha comentado que assistir à cobardia dos Volturi praticamente bastaria para os compensar da frustração.

Benjamin e Tia não demoraram muito a partir no encalço de Amun e Kebi, ansiosos por lhes contar o resultado do conflito. Tinha a certeza de que os iríamos ver de novo – pelo menos, Benjamin e Tia. Nenhum dos nómadas se deixou ficar muito mais tempo. Peter e Charlotte trocaram dois dedos de conversa com Jasper e, a seguir, também partiram.

O grupo completo de amazonas estava ansioso por regressar a casa. Para as vampiras selvagens era difícil afastarem-se muito tempo da sua adorada floresta tropical, embora se mostrassem mais reticentes em partir que alguns dos outros.

– Tens de vir fazer-me uma visita com a tua filha – insistira Zafrina. – Promete-me, jovem Bella!

Nessie pousara a mão no meu pescoço, fazendo o mesmo pedido.

– Claro que sim, Zafrina – concordei.

– Vamos ser grandes amigas, minha Nessie – declarara a mulher selvagem, antes de partir com as irmãs.

O clã de irlandeses deu sequência ao êxodo.

– Bom trabalho, Siobhan – elogiou Carlisle, ao despedir-se deles.

– Ah, o poder dos pensamentos positivos... – retorquiu ela com ironia, revirando os olhos. A seguir, fez uma expressão séria. – É evidente que isto não fica por aqui. Os Volturi não vão esquecer o que aconteceu.

Foi Edward quem lhe respondeu.

– O abalo que sofreram foi muito forte e a confiança deles ficou muito fragilizada. Mas concordo que, um dia, os Volturi irão recuperar deste golpe. E, nesse dia... – franziu os olhos – acho que tentarão atacar-nos um a um.

– A Alice avisa-nos, antes de isso acontecer – sublinhou a irlandesa, num tom confiante. – E nós voltaremos a unir-nos. Talvez, um dia, chegue o momento em que o nosso mundo fique preparado para se livrar de todos os Volturi.

– Esse momento poderá chegar – observou Carlisle. – E se isso acontecer, teremos de estar juntos.

– Sim, meu amigo, assim tem de ser – concordou Siobhan. – E como poderemos falhar, se eu desejar o contrário? – E soltou uma forte gargalhada retumbante.

– Exactamente – respondeu Carlisle. Abraçou Siobhan e depois apertou a mão a Liam. – Era bom que encontrassem o Alistair para lhe contar o que aconteceu – acrescentou. – Nem quero imaginar que ele permanecerá escondido atrás de uma rocha durante a próxima década.

Siobhan soltou outra gargalhada. Maggie abraçou-me e a Nessie, e o clã irlandês partiu.

Os Denali foram os últimos a deixarem-nos. Garrett ia com eles e eu tinha a certeza de que, a partir daquele momento, ele já não os largaria. O ambiente festivo incomodava Tanya e Kate. Elas precisavam de tempo para fazerem o seu luto da irmã.

Naquele momento, Huilen e Nahuel eram os únicos que estavam connosco, embora tivesse pensado que eles regressassem com as amazonas. Carlisle embrenhava-se numa conversa fascinante com Huilen; Nahuel, sentado junto dela, estava atento a Edward, que nos contava o resto das peripécias do conflito, de uma forma como só ele sabia.

– A Alice disponibilizou ao Aro a desculpa de que ele precisava para se escapar da luta. Se a Bella não o tivesse deixado tão aterrorizado, é provável que ele tivesse mantido o plano inicial.

– Aterrorizado? – repeti, num tom descrente. – *Comigo?*

Ele sorriu-me, com uma expressão que não consegui decifrar por completo – era terna, mas continha algum assombro e até uma ponta de irritação.

– Quando é que vais ter uma ideia correcta sobre ti? – reclamou ele, num tom suave. A seguir, elevou a voz, dirigindo--se aos restantes. – Há dois milénios e meio que os Volturi não travam uma luta leal. E nunca, em tempo algum, disputaram alguma onde estivessem em desvantagem, em especial a partir do momento em que passaram a contar com a Jane e o Alec. A acção deles consiste, acima de tudo, em chacinar vítimas que não se conseguem defender.

– Deviam ter visto a imagem que nós lhes transmitimos! Normalmente, o Alec elimina todos os sentidos e capacidades dos alvos a abater, enquanto eles se reúnem naquela farsa do conselho. Assim, na altura em que surge o veredicto, deixa de haver uma possibilidade de fuga. Mas ali estávamos nós, preparados, expectantes, a ultrapassá-los em número e com os nossos dons, enquanto a Bella anulava os deles. O Aro sabia que a presença da Zafrina junto de nós correspondia a começarem a batalha completamente cegos. Tenho a certeza de que nós iríamos sofrer baixas pesadas, mas eles sabiam que isso também lhes iria acontecer. E havia uma boa possibilidade de perderem. Era a primeira vez que isso lhes acontecia e hoje não tiveram capacidade de o enfrentar.

– É difícil sentir alguma segurança, quando se está rodeado de lobos do tamanho de cavalos – comentou Emmett, com uma gargalhada, dando uma cotovelada a Jacob.

Jacob lançou-lhe um sorriso irónico e instantâneo.

– Os lobos foram os primeiros a fazê-los parar – lembrei.

– Sem dúvida – concordou Edward. – Aí está outro cenário que eles viam pela primeira vez. As verdadeiras Crianças da Lua raramente se movem em alcateias e nunca se conseguem controlar muito. Dezasseis lobos enormes e disciplinados foram uma surpresa para a qual os Volturi não estavam preparados. Na verdade, Caius tem um medo de morte dos lobisomens. Há alguns milhares de anos quase foi derrotado por um e nunca conseguiu ultrapassar isso.

– Então, há lobisomens *verdadeiros?* – perguntei. – Ligados à lua cheia, a balas de prata, e tudo o mais?

Jacob resmungou.

– *Verdadeiros.* Isso faz com que eu seja imaginário?

– Tu percebeste o que eu quis dizer.

– Lua cheia, sim – confirmou Edward. – Mas balas de prata, não. Isso não passa de mais um dos mitos para levar os humanos a sentir que têm uma hipótese de os combater. Já não sobram muitos com vida, porque o Caius empreendeu uma perseguição que quase os levou à extinção.

– E nunca te referiste a isso, porquê?...

– Porque nunca veio ao assunto.

Revirei os olhos e Alice soltou uma gargalhada, inclinando-se para a frente – ela estava encaixada debaixo do outro braço de Edward –, piscando-me o olho.

Respondi-lhe com um olhar furioso.

É evidente que a adorava mais do que tudo. Mas agora que me mentalizara que a tinha junto de mim e sabia que a sua deserção não passara de um truque, porque o irmão tinha de se convencer que ela nos abandonara, estava mesmo irritada. Alice tinha algumas satisfações a dar-me.

– Deita tudo cá para fora, Bella – disse ela, com um suspiro.

– Alice, como foste capaz de me fazer isso?

– Foi preciso.

– Preciso! – explodi. – Convenceste-me da forma mais radical que morreríamos todos! Passei semanas e semanas a fio completamente destroçada.

– Eu previ que isso ia acontecer – admitiu Alice, com uma voz calma –, mas tinha de garantir que farias o necessário para salvar a Nessie.

Apertei a minha filha nos braços, instintivamente. Ela adormecera ao meu colo.

– No entanto, tu conhecias outras alternativas – acusei-a. – Sabias que havia alguma esperança. Alguma vez te passou pela cabeça que me podias ter contado tudo? Eu sei que o Edward tinha de pensar que estavas num beco sem saída por causa do Aro; mas podias ter-me contado.

Alice olhou-me, reflectindo por uns momentos.

– Não me parece – disse a seguir. – Tu não és muito boa actriz.

– Tudo isto se deveu às minhas capacidades *para representar?*

– Ah, Bella não dramatizes. Fazes ideia de como foi complicado pôr isto tudo a andar? Nem sequer tinha a certeza de que podia haver alguém como o Nahuel; tudo o que sabia era que tinha de encontrar um ser que não via! Tenta imaginar o que é procurar um ponto negro... Não é a coisa mais fácil que fiz. Além disso, tínhamos de enviar para aqui as testemunhas-chave, como se tivéssemos todo o tempo do mundo. E, ainda, manter os olhos sempre abertos, para o caso de me enviares mais algumas instruções. Já agora, vais ter de me explicar mais tarde o que era aquela coisa do Rio de Janeiro. Mas, antes de tudo, eu tinha de adivinhar qualquer estratagema que os Volturi se lembrassem de engendrar e dar-vos as poucas pistas que conseguisse, a fim de se prepararem para enfrentar o plano deles... com o tempo a faltar-me para investigar todas as possibilidades. E, acima de tudo, havia que garantir que todos acreditavam que os tinha abandonado para dar ao Aro a certeza de que não tinham nada na manga, ou ele nunca teria vindo tão à vontade. E se achas que eu não me senti desesperada...

– Está bem, está bem – interrompi. – Desculpa! Eu sei que também foi difícil para ti. É só porque... senti muito a tua falta, Alice. Não voltes a fazer-me isso.

A gargalhada chilreante de Alice ecoou na sala e todos sorrimos ao ouvir novamente aquela melodia.

– Eu também senti a tua falta, Bella. Por isso, perdoa-me, e tenta dar-te por satisfeita por seres o super-herói do dia.

Agora, todos riam às gargalhadas, levando-me a esconder a cara no cabelo de Nessie, envergonhada.

Edward voltou a analisar todas as diferentes estratégias e acções ocorridas no prado ao longo desse dia, defendendo que tinha sido o meu escudo que levara os Volturi a fugir com o rabo entre as pernas. A maneira como todos me observavam, incluindo Edward, deixou-me pouco à vontade. Parecia que tinha crescido trinta metros durante a manhã. Tentei ignorar aqueles olhares impressionados, passando a maior parte do tempo a olhar o rosto adormecido de Nessie ou a expressão impassível de Jacob. Para ele, eu seria apenas e sempre a Bella, e isso fazia-me sentir mais aliviada.

A expressão mais difícil de ignorar era a que me surpreendia mais.

O semi-humano e semivampiro Nahuel não estava habituado a pensar em mim desta ou daquela maneira. Por aquilo que ele tinha visto, eu passaria a vida a atacar vampiros e a cena no prado não fora nada de anormal. Mas, aquele jovem não tirava os olhos de mim. Ou talvez estivesse a olhar para Nessie. Aquilo também me deixava algo desconfortável.

Ele não ignorava o facto de a minha filha ser a única fêmea da mesma espécie que não era sua meia-irmã.

Achei que tal ideia ainda não tinha passado pela cabeça de Jacob. E alimentava uma certa esperança de que isso não acontecesse em breve. Já tinha lutas que bastassem durante muito tempo.

Por fim, os outros esgotaram todas as perguntas que queriam fazer a Edward e a conversa desmembrou-se num conjunto de diálogos pontuais.

Sentia um cansaço atroz. Não tinha sono, claro, apenas a sensação de que o dia fora demasiado longo. Desejava alguma paz e normalidade. Queria ver Nessie a dormir na sua cama; e observar as paredes da minha pequena casa a envolverem-me.

Olhei para Edward e, por um instante, pareceu-me que conseguia ler-lhe o pensamento, ao ver que ele sentia exactamente o mesmo. Edward apenas desejava um pouco de paz.

– Devíamos levar a Nessie...

– Acho que é boa ideia – concordou ele, de imediato. – Tenho a certeza de que ela não dormiu como deve ser esta noite, com aquele ressonar...

Edward sorriu para Jacob com ironia.

Este revirou os olhos e bocejou.

– Já passou algum tempo desde a última vez que dormi numa cama. Aposto que o meu pai vai ter a maior alegria do mundo quando me vir, outra vez, debaixo do mesmo tecto.

Toquei-lhe no rosto.

– Obrigada, Jacob.

Sempre que precisares, Bella. Tu já sabes isso.

Ele levantou-se e espreguiçou-se; a seguir, beijou Nessie na cabeça e fez-me o mesmo. Acabou as despedidas, com um murro no ombro de Edward.

– Até amanhã. Acho que agora as coisas vão ficar um bocado monótonas, não te parece?

– Espero fervorosamente que assim seja – afirmou Edward.

Levantámo-nos, quando ele partiu, e eu balancei o corpo com o maior cuidado para não agitar Nessie. Sentia uma satisfação enorme ao vê-la a dormir tão profundamente. O peso sobre aqueles ombros pequenos tinha sido demasiado. Chegara a altura de ela voltar a ser uma criança – protegida e em segurança; usufruindo da sua infância por mais uns anos.

Pensar em paz e segurança fez-me lembrar alguém que nem sempre se sentia assim.

– Hum, Jasper? – chamei, quando nos dirigíamos para a porta.

Ele estava ensanduichado entre Alice e Esme, e, de certa forma, parecia mais inserido no quadro familiar do que era costume.

– Sim, Bella?

– Estou um pouco curiosa. Porque é que o J. Jenks fica apavorado só por ouvir o teu nome?

Jasper soltou uma pequena gargalhada.

– A minha experiência diz-me que, em determinadas relações de negócios, o medo é um factor mais motivador que o poder do dinheiro.

Franzi o sobrolho, prometendo-me que, a partir daquele momento, seria a interlocutora daquela relação negocial, salvando J. do ataque de coração que certamente vinha a caminho.

A nossa família beijou-nos, abraçou-nos e desejou-nos uma boa noite. A única nota discrepante veio novamente de Nahuel, que ficou a observar-nos com uma expressão intensa, como se desejasse acompanhar-nos.

Assim que passámos para a outra margem do rio, andámos a um ritmo pouco mais elevado que a velocidade humana, sem pressas e de mãos dadas. Estava farta de andar controlada pelos prazos e queria apenas o meu tempo. Edward devia sentir o mesmo desejo.

– Tenho de confessar que o Jacob me deixou completamente impressionado.

– Os lobos são uma coisa incrível, não é?

– Não era a isso que me referia. Hoje, ele não pensou uma única vez no facto de a Nessie atingir a plena maturidade daqui a seis anos e meio, de acordo com a experiência do Nahuel.

Reflecti no assunto por um minuto.

– O Jacob não olha para ela dessa maneira e não tem pressa de a ver crescer. Limita-se a querer que ela seja feliz.

– Eu sei. É impressionante, como eu disse. Embora não devesse assumir, ela podia ter arranjado pior.

Franzi o sobrolho.

– Não tenciono pensar nisso nos próximos seis anos e meio.

Edward soltou uma gargalhada e, em seguida, suspirou.

– É evidente que ele terá de se preocupar com alguma competição, quando chegar a altura.

Franzi ainda mais o sobrolho.

– Eu reparei. Estou reconhecida ao Nahuel pelo que fez por nós, mas aquele olhar pasmado era um pouco esquisito. Não me interessa que ela seja a única semivampira que não é da família dele.

– Ah, ele não estava a olhar para a Nessie, mas sim para ti.

Assim me tinha parecido... mas aquilo não fazia qualquer sentido.

– Porquê?

– Porque estás viva – explicou-me, em voz baixa.

– Não estou a perceber.

– Durante toda a sua vida... explicou Edward – ...e o Nahuel é cinquenta anos mais velho que eu...

– Decrépito, portanto – comentei.

– Ele viu-se sempre como uma criação do diabo, como um assassino nato – prosseguiu Edward, ignorando o meu comentário. – Todas as irmãs mataram as respectivas mães, mas isso não as afectou consideravelmente. O Joham ensinou-as a encararem os humanos como uns animais e a considerarem-se umas deusas. Só que o Nahuel foi educado pela Huilen e ela amava a irmã mais do que tudo no mundo. Isso moldou-o e, de certa maneira, levou-o a odiar-se a si próprio.

– É muito triste – murmurei.

– E, então, ao ver-nos ali aos três, pela primeira vez, compreendeu que o facto de ser semi-imortal não o torna intrinsecamente mau. Olha para mim e vê... aquilo que o pai deveria ter sido.

– Tu és um modelo ideal em qualquer situação – concordei. Ele refilou e voltou a ficar sério.

– Ele olha para ti e vê a vida que a mãe devia ter tido.

– Pobre Nahuel – murmurei e, a seguir, suspirei. Depois disto nunca mais pensaria mal dele, por muito desconfortável que fosse aquele olhar fixo.

– Não tenhas pena dele. Agora, o Nahuel está feliz. Hoje, começou finalmente a perdoar-se a si mesmo.

Sorri ao pensar na felicidade de Nahuel e, entretanto, reconheci que aquele era um dia de felicidade. Embora o sacrifício de Irina fosse uma sombra negra que esbatia a luz cintilante, maculando aquele momento perfeito, era impossível negar a alegria que pairava. A vida pela qual tinha lutado estava segura. A minha família reunira-se de novo. A minha filha tinha um futuro risonho a espraiar-se infinitamente à sua frente. No dia seguinte, iria visitar o meu pai; Charlie veria que o medo nos meus olhos dera lugar à alegria e também ficaria feliz. Inesperadamente, soube que já não ia encontrá-lo sozinho. Por muito desatenta que tivesse andado nas semanas anteriores, neste momento parecia que já o sabia há muito. Sue estaria junto de Charlie – a mãe dos lobisomens com o pai da vampira – e ele nunca mais ficaria só. Nasceu-me um enorme sorriso ao ter essa percepção.

Mas o mais importante nesta vaga gigantesca de felicidade era o facto mais garantido de todos: eu estava com Edward. Para sempre.

Tudo o que não queria era repetir as últimas semanas; de qualquer modo, teria de confessar que elas me faziam apreciar mais do que nunca aquilo que possuía.

A casinha de campo era um lugar de paz perfeita, no meio da noite azul prateada. Levámos Nessie para a cama e aconchegámo--la com todo o cuidado. Ela sorria, no meio do sono.

Tirei a prenda de Aro do pescoço e atirei-a delicadamente para o canto do quarto da minha filha. Nessie poderia brincar com ela, se quisesse; ela gostava de objectos brilhantes.

Edward e eu regressámos devagar para o nosso quarto, de mão dada, balançando os braços.

– Uma noite de celebrações – murmurou ele, passando-me a mão pelo queixo, para aproximar os meus lábios dos dele.

– Espera – pedi-lhe num momento de hesitação, recuando.

Ele ficou a olhar para mim, surpreendido. Regra geral, eu não me afastava. Está bem, era mais que a regra geral. Agora, tratava-se de uma estreia.

– Queria tentar uma coisa – expliquei-lhe, esboçando um leve sorriso, ao vê-lo boquiaberto.

Rodeei-lhe o rosto com as mãos e fechei os olhos, enquanto me concentrava.

Quando Zafrina me tentara ensinar, não me saiu muito bem, mas agora conhecia melhor o meu escudo. Conhecia o instinto que se opunha à tentativa de me abstrair de mim, a pulsão automática de preservar o ego acima de tudo.

Continuava a ser muito mais difícil que proteger outros seres em conjunto comigo. Senti o movimento elástico de retracção, enquanto o escudo se debatia para me proteger. Tive de fazer um esforço prodigioso e concentrar toda a atenção para o arredar totalmente para fora de mim.

– Bella! – murmurou Edward, impressionado.

Nessa altura, soube que estava a resultar, pelo que me apliquei mais, desenterrando as memórias especiais que guardara para aquele momento, deixando-as flutuar na minha mente e, assim o esperava, na sua.

Algumas não eram muito claras – memórias humanas indistintas, vistas com olhos débeis e escutadas com ouvidos débeis: a primeira vez que tinha visto o seu rosto... aquilo que sentira quando Edward me abraçara no prado... o som da voz dele a penetrar na escuridão da minha consciência esvaída, quando me tinha salvado de James... o seu rosto sob um arco de flores, à espera de casar comigo... cada momento único passado na ilha... as suas mãos frias a tocar no nosso bebé, através da minha pele...

Bem comó as memórias tão nítidas e perfeitamente evocadas: o rosto dele, quando abrira os olhos para a minha nova vida, o amanhecer infindável da imortalidade... aquele primeiro beijo... aquela primeira noite...

Os lábios de Edward, de súbito pousados com ferocidade nos meus, quebraram a minha concentração.

Sobressaltei-me e perdi o controlo do turbulento peso, que mantinha afastado de mim. Então, recuou, como um elástico retesado, voltando a proteger-me os pensamentos.

– Ups, perdi-o – exclamei, com um suspiro.

– Eu *ouvi-te* – disse ele, muito baixinho. – Como? Como conseguiste fazê-lo?

– Foi uma ideia da Zafrina. Praticámo-la diversas vezes.

Ele estava assombrado. Pestanejou por duas vezes e a seguir abanou a cabeça.

– Agora já sabes – disse-lhe num jeito descontraído, encolhendo os ombros –, ninguém amou outro ser como eu te amo a ti.

– Quase acertavas. – Edward sorria, com os olhos ligeiramente mais abertos do que era costume. – Conheço apenas uma excepção.

– Mentiroso.

Ele beijou-me de novo, mas parou subitamente.

– Consegues fazer isso outra vez? – inquiriu.

Fiz um trejeito.

– É muito difícil.

Ele ficou à espera, com uma expressão ansiosa.

– Não consigo aguentá-lo, se me distrair uma fracção de segundo – avisei-o.

– Eu porto-me bem – prometeu.

Contraí os lábios, de olhos semicerrados. A seguir, sorri.

Voltei a pressionar as mãos no rosto dele, icei o escudo por completo da minha mente e retomei o ponto onde tínhamos ficado – as memórias cristalinas da primeira noite da minha nova vida... detendo-me nos pormenores.

Ri-me sufocada, quando um beijo ansioso interrompeu de novo os meus esforços.

– Que se dane – rugiu Edward, beijando-me debaixo do queixo, insaciável.

– Dispomos de todo o tempo do mundo para praticar – recordei-lhe.

– Para sempre, sempre e sempre – murmurou Edward.

– Isso soa-me a algo mais do que perfeito.

Foi então que demos asas à nossa felicidade, naquele momento pequeno, mas absoluto, da nossa eternidade.

FIM

ÍNDICE DOS VAMPIROS

(Clãs organizados por ordem alfabética)

CLÃ DAS AMAZONAS
Kachiri
Senna
Zafrina*

CLÃ DOS DENALI
Eleazar* – Carmen
Irina – ~~Laurent~~
Kate*
~~Sasha~~
Tanya
~~Vasilii~~

CLÃ EGÍPCIO
Amun – Kebi
Benjamin* – Tia

CLÃ IRLANDÊS
Maggie*
Siobhan*   Liam

CLÃ OLÍMPICO
Carlisle – Esme
Edward* – Bella*
Jasper* – Alice*
Renesmee*
Rosalie – Emmett

CLÃ ROMENO
Stefan
Vladimir

CLÃ DOS VOLTURI
Aro* – Sulpicia
Caius – Athenodora
Marcus* – ~~Didyme*~~

EXÉRCITO DOS VOLTURI
(PARCIAL)
Alec*
Chelsea* – Afton*
Corin*
Demetri*
Felix
Heidi*
Jane*
Renata*
Santiago

NÓMADAS AMERICANOS
(PARCIAL)
Garrett
James* – ~~Victoria*~~
Mary
Peter   Charlotte
Randall

NÓMADAS EUROPEUS
(PARCIAL)
Alistair*
Charles* – Makenna

* vampiro dotado de um talento sobrenatural quantificável;
– casal unido por um laço (indicado a partir do mais velho)
~~rasurado~~ falecido antes do início desta novela

AGRADECIMENTOS

Como sempre, tenho um milhão de agradecimentos a fazer:

À minha família espantosa, por todo o amor e apoio incomparáveis.

A Elizabeth Eulberg, a minha consultora editorial talentosa e fora de série, por criar STEPHENIE MEYER a partir do barro em bruto que, em tempos, era apenas a tímida Steph.

A toda a equipa da *Little, Brown Books for Young Readers*, pelos cinco anos de entusiasmo, fé, apoio, trabalho intenso e fabuloso.

Aos incríveis criadores e administradores de conteúdos, no reino virtual dos fãs da Saga Crepúsculo; a vossa onda fantástica deixa-me sem palavras.

Aos meus fãs brilhantes, maravilhosos, com o vosso gosto impecável na selecção de livros, música e filmes, por continuarem a adorar-me mais do que eu mereço.

Às livrarias que tornaram esta Saga um caso de sucesso com as vossas recomendações; todos os escritores estão em dívida permanente convosco, pelo vosso amor e paixão pela Literatura.

Às imensas bandas e músicos que me mantêm motivada; já referi os *Muse?* Já? Paciência. *Muse, Muse, Muse...*

Uma gratidão renovada por:

A melhor-banda-que-nunca-existiu; *Nic and the Jens*, com a participação de Shelly C. (Nicole Driggs, Jennifer Hancock, Jennifer Longman e Shelly Colvin). Obrigada a todas, por me abrigarem sob vossas asas, miúdas.
Sem vocês, eu seria um verdadeiro bicho do mato.

Os meus amigos a longa distância e pilares da minha sanidade mental, Cool Meghan Hibbett e Kimberley "Shazzer" Suchy.

A Shannon Hale, pelo seu apoio interpares, por compreender *tudo* e por alimentar o meu gosto pelo humor *zombie*.

A Makenna Jewell Lewis pelo uso do seu nome, e a Heather, a sua mãe, pelo apoio do *Arizona Ballet*.

Às novas adições à minha lista de músicos que inspiram os meus livros:
Interpol, Motion City Soundtrack e *Spoon*.

Melanie Stryder recusa-se a desaparecer.

O nosso Mundo foi invadido por um inimigo invisível. Os Humanos estão a ser transformados em hospedeiros destes invasores, com as suas mentes expurgadas, enquanto o corpo permanece igual e a vida prossegue sem qualquer mudança aparente. A maior parte da Humanidade não consegue resistir.

Quando Melanie, um dos poucos Humanos "indomáveis" , é capturada, ela tem a certeza de que chegou o fim. Nómada, a Alma invasora a quem o corpo de Melanie é entregue, foi avisada sobre o desafio de viver no interior de um humano: emoções avassaladoras, excesso de sentidos, recordações demasiado presentes. Mas existe uma dificuldade com que Nómada não conta: o anterior dono do corpo combate a posse da sua mente.

Nómada esquadrinha os pensamentos de Melanie, na esperança de descobrir o paradeiro da resistência humana. Melanie inunda-lhe a mente com visões do homem por quem está apaixonada – Jared, um sobrevivente humano que vive na clandestinidade. Incapaz de se libertar dos desejos do seu corpo, Nómada começa a sentir-se atraída pelo homem que tem por missão delatar. No momento em que um inimigo comum transforma Nómada e Melanie em aliadas involuntárias, as duas lançam-se numa busca perigosa e desconhecida do homem que amam.

A lenda: Nicholas Flamel está vivo, graças ao elixir da vida que produz há séculos. O segredo da vida eterna está escondido no livro que ele protege – o Livro de Abraão, o Mago – o mais poderoso de sempre. Se este for parar às mãos erradas, poderá ser o fim do Mundo. É exactamente o que Dr. John Dee planeia fazer ao roubá-lo.

A Humanidade só dará conta do que se está a passar, quando for tarde demais e, se a profecia estiver correcta, Sophie e Josh Newman são os únicos com poder para salvar o Mundo, tal como o conhecemos.

Às vezes as lendas são verdadeiras.
E Sophie e Josh Newman estão prestes
a embrenhar-se na maior lenda
de todos os tempos.

O novo horizonte decora uma época de mudança; os primeiros automóveis passeiam-se em cidades de chaminés fumegantes, que gritam por mais recursos, para um maior progresso. Pela primeira vez, as Terras de Corza galgam as suas fronteiras, nessa busca frenética, cruzando-se com os povos do Sul, que, ainda amando a natureza virgem, erguem defesas desesperadas.

Tyrawen, filha de um Deputado, faz parte da vaga de exploradores, mas, quando menos espera, a experiência de um rapto altera-lhe o rumo: uma promessa por cumprir fá-la entregar-se ao misticismo das tribos, que a converte na representação de uma divindade. As Terras de Corza pretendem descredibilizá-la; mas serão capazes de negar a força das crenças primitivas?
O futuro irá traçar-se respeitando os mais antigos ou derrubando uma civilização...
" As Tribos do Sul " é o mais recente romance histórico-fantástico de Madalena Nogueira dos Santos, o terceiro da saga Terras de Corza.

ÓRFÃO, GUARDIÃO DOS RELÓGIOS E LADRÃO, Hugo vive por entre as paredes de uma movimentada estação de comboios parisiense, onde a sua sobrevivência depende de segredos e do anonimato. Mas quando, repentinamente, o seu mundo se encaixa – tal como as rodas dentadas dos relógios que vigia – com o de uma excêntrica rapariga amante de livros e o de um velho amargo, dono de uma lojinha de brinquedos, a vida secreta de Hugo e o seu segredo mais precioso são colocados em risco. Um desenho misterioso, um bloco de notas que vale ouro, uma chave roubada, um homem mecânico e uma mensagem escondida do falecido pai de Hugo formam a espinha dorsal deste intrincado, terno e arrebatador mistério.

Com 284 páginas de desenhos originais e combinando a imagem, a novela gráfica e o cinema, Brian Selznick desmonta a forma clássica do romance para criar uma experiência de leitura totalmente inovadora. O resultado é uma esplêndida viagem cinematográfica conduzida pelo olhar de um arrojado contador de histórias, artista e escritor.

Com um súbito movimento dourado, Ramoth arqueou o imponente dorso. Levantando voo, lançou-se em direcção ao céu, com as asas bem abertas, a uma velocidade incrível. Atrás dela, num piscar de olhos, seguiram sete vultos cor de bronze, com as possantes asas a sacudirem o ar carregado de areia para os rostos dos habitantes do Weyr, que assistiam.

Perante um voo tão prodigioso, Lessa, com o coração na boca, sentiu a alma levantar voo juntamente com Ramoth. Ela, Ramoth-Lessa, era animada por um poder ilimitado, batendo as asas sem esforço no ar rarefeito, com o corpo a ser invadido por um sentimento de êxtase. Êxtase e... desejo.

– *Fica com ela* – sussurrou F'nor, num tom de urgência. – *Fica com ela. Ela não pode escapar agora ao teu controlo... Pensa com ela. Ela não pode entrar na zona intermédia...*

Jack nem sonha no que se meteu. Num instante, ele e o seu melhor amigo, Charlie, estavam em Chinatown, comendo um pato estaladiço com o pai de Charlie, e, de repente, encontram-se num misterioso quarto, sobre um teatro, com alguns dos mais estranhos personagens que alguma vez haviam encontrado. E preparavam-se para fazer O Teste...

O Teste transformou Charlie – deixando-o com as marcas características da Tatuagem Negra.

O encontro dos rapazes com Esme – uma jovem que domina as mais impressionantes técnicas de artes-marciais desde Bruce Lee –, com o seu enorme e cabeludo pai, Raymond, e com o misterioso Nick, parecem ter transportado Charlie e Jack para um mundo de cuja existência nunca poderiam suspeitar.

Dante é um moço de cozinha na ilha de Tarnagar, uma comunidade dominada pelos pensamentos do Dr. Sigmundus. Sonhar fará com que sejas internado num asilo e os adultos drogam-se com Icór. Dante vive atormentado com o facto da mãe se ter suicidado, mas quando se torna amigo de Bea, filha de um médico, e do misterioso prisioneiro político Semiramis, descobre uma versão bem diferente dos acontecimentos. Os três fogem através de um mar cheio de perigos e juntam-se à resistência.

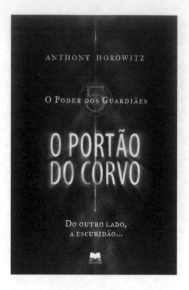

Quando Matt Freeman é apanhado pela polícia durante um assalto, é enviado para Yorkshire ao abrigo de um programa governamental para a recuperação de jovens delinquentes. Desde o primeiro momento, Matt sente que algo está errado com a sua nova tutora, com toda a aldeia.

É então que descobre a existência d' Os Velhos, forças do mal tão antigas como o próprio mundo, que o querem destruir. Só Matt os pode impedir, é a sua missão, é o preço por ser diferente, por ter o poder, mas como?

Ninguém o quer ajudar, ninguém acredita nele, e quem o faz... morre.

Os acontecimentos precipitam-se numa fusão perfeita entre o fantástico, o para-normal e o mais actual universo da era atómica, com incursões pela pré-história e pelo fascinante mundo de criaturas tão perigosas como os dinossauros.

Outros Títulos da Colecção Mil e Um Mundos